W9-AKN-752

MÉTHODE 90 ITALIEN

Dans la même collection
dirigée par Jacques Donvez

J.-P. Berman, M. Savio et M. Marcheteau
MÉTHODE 90 ANGLAIS

Jacques Donvez
MÉTHODE 90 ESPAGNOL

Alphonse Jenny
MÉTHODE 90 ALLEMAND

Marie-Françoise-Bécourt et Jean Borzic
MÉTHODE 90 RUSSE

VITTORIO FIOCCA

MÉTHODE 90
ITALIEN

collection dirigée par
Jacques Donvez

LE LIVRE DE POCHE

REMERCIEMENTS

Nous exprimons ici notre reconnaissance aux auteurs, aux journaux, aux maisons d'édition et aux agences de presse qui ont bien voulu nous accorder la permission de publier les textes que l'on trouvera en dernière page des leçons 26 à 75 et qui constituent la matière des leçons 76 à 90.
Nous ne saurions oublier les services amicaux que nous ont rendus plusieurs personnes de notre connaissance.

TABLE DES MATIÈRES

Présentation

I. Plan de l'ouvrage

■ ***90 leçons réparties en 3 séries***

leçons 1 à 25 : **éléments de base** (prononciation et grammaire).
leçons 26 à 75 : **situation pratique** (vocabulaire nouveau).
leçons 76 à 90 : **choix de textes** (langue des journaux, du théâtre et des romans).

■ ***7 leçons de révision*** (10 *bis*, 20 *bis*, 30 *bis*, 40 *bis*, 50 *bis*, 60 *bis*, 75 *bis*).
Exercices de contrôle.

■ ***Mémento grammatical*** (conjugaisons, verbes irréguliers, etc.).

Au total, 2 500 mots du vocabulaire le plus courant.

II. Comment utiliser ce livre

Les leçons 1 à 25 sont conçues pour des débutants qui devront en respecter la progression. Les lecteurs possédant déjà les bases de la langue peuvent revoir ces leçons plus rapidement.

■ ***Cadre de travail :*** Les leçons 1 à 75 comportent 4 pages :
● 1re page (gauche) : texte italien + prononciation des mots difficiles.
● 2e page (droite) : traduction du texte italien + explications de prononciation et, éventuellement, vocabulaire.
● 3e page (gauche) : éventuellement, explication de grammaire.
● 4e page (droite) : exercice + corrigé. Pour les leçons 26 à 75, la 3e page comporte souvent, à la fois, l'explication de grammaire, l'exercice et son corrigé; dans ce cas, la 4e page présente un texte d'illustration avec sa traduction.

■ *Méthode de travail*

- **lire** le texte italien en consultant la page 2.
- **se reporter** au bas de la page 1 pour la **prononciation** des mots signalés par un astérisque (*), ainsi qu'aux notes de la page 2.
- **relire** le texte à la lumière des explications de **grammaire** page 3 (et éventuellement des renvois au Mémento).
- **apprendre** au fur et à mesure le **vocabulaire** nouveau de chaque leçon.
- **faire** les exercices de la page 4 (et des leçons *bis*) pour contrôler les acquisitions.
- **réviser** en traduisant (par écrit ou oralement) du français en italien et vice-versa le texte de chaque leçon et des exercices correspondants.

III. Comment bien prononcer l'italien

■ *L'accentuation*

En italien comme en français, tout mot de plus d'une syllabe présente une voyelle favorisée sur laquelle porte l'accent tonique; les différences avec le français, de ce point de vue, sont les suivantes :
1) **L'accent tonique** est beaucoup **plus fort** en italien qu'en français.
2) **L'accent tonique,** en français, tombe toujours sur la dernière voyelle (exemple parl**er,** je p**a**rle, nous parl**ons** alors qu'en italien il peut tomber sur :
— **la dernière syllabe :** *parlò,* il a parlé.
— **l'avant-dernière syllabe :** *parlo,* je parle.
— **la syllabe précédant l'avant-dernière syllabe :** p**a***rlano,* ils parlent. L'accent écrit dans le premier de ces trois cas indique la voyelle tonique. De l'accent tonique correctement placé pourra naître le rythme, porteur à la fois de signification et d'agrément (Voyez le Mémento § 1 et suivants).

■ *Les sons*

Les difficultés propres à l'italien sont présentées progressivement dans la *Méthode 90* afin que l'utilisateur puisse, dès la première leçon, lire à vitesse normale et faire naître, en lui, le

rythme d'élocution, indispensable au fonctionnement de la mémoire et à la compréhension de toute phrase entendue ou dite, lue ou écrite.
On lira avec beaucoup d'attention les explications données en page 2 de chaque leçon ou dans le Mémento (§ 1 et suivants).
Bien prononcer une langue vivante est à la portée de tout le monde. Il convient essentiellement de considérer que, comme tout acte de vie, l'expression linguistique surgit de l'être — corps et esprit — et que le fonctionnement des organes de phonation (par exemple les muscles de la langue et ceux des lèvres) pour une langue nouvelle, à l'âge de raison, dépend, en particulier, d'une prise de conscience kinesthésique intime. L'homme moderne ne doit-il pas apprendre à se détendre, à se contrôler pour être plus heureux?

LEÇONS

Leçon

L'Italia è bella

1 *Un u**o**mo, *u**na** d**o**nna, *d**u**e bamb**i**ni.
L'u**o**mo è itali**a**no.
La d**o**nna *non è itali**a**na.
I bamb**i**ni non s**o**no itali**a**ni.

2 **E**ssi s**o**no in It**a**lia.
L'It**a**lia è b**e**lla.
Il *s**o**le è caldo.
L'Itali**a**no è *gent**i**le.

3 *C'è un p**o**sto *vu**o**to.
È un p**o**sto vic**i**no al bamb**i**no.
— C'è un p**o**sto?
— Sí, c'è un p**o**sto vic**i**no al bamb**i**no.
— *L**e**i è itali**a**no?
— Sí, s**o**no itali**a**no. E lei è itali**a**na?
— No, non s**o**no itali**a**na, ma **a**mo l'It**a**lia.
— L**e**i è *m**o**lto gent**i**le.

1 un uomo [**ou**-n ou**ò**mo]; una donna [**ou**na d**ò**-nna]; due bambini [d**ou**é ba-mb**i**ni]; non [n**ò**-n].

2 sole [s**ó**lé]; gentile [djé-nt**i**lé].

3 c'è [tchè]; vuoto [vou**ò**to]; lei [l**è**il]; molto [m**ó**lto].

IL PA**E**SE D**O**VE IL SÍ SU**O**NA

Traduction

L'Italie est belle.

1 Un homme, une femme, deux enfants. L'homme est italien. La femme n'est pas italienne. Les enfants ne sont pas italiens.

2 Ils sont en Italie. L'Italie est belle. Le soleil est chaud. L'Italien est gentil.

3 Il y a une place vide. C'est une place près de l'enfant. — Y a-t-il une place? — Oui, il y a une place près de l'enfant. — Êtes-vous italien? — Oui, je suis italien. Et vous, êtes-vous italienne? — Non, je ne suis pas italienne, mais j'aime l'Italie. — Vous êtes très gentille.

Prononciation

1 Lorsqu'un mot a plusieurs syllabes, l'une d'entre elles porte l'accent tonique. En italien il porte généralement sur l'avant-dernière syllabe. C'est le cas de tous les mots de cette première leçon. Nous marquerons en caractère gras la voyelle tonique des mots de plus d'une syllabe.

2 En italien, le son u du mot français « une » n'existe pas. La lettre *u* se prononce toujours [ou].

3 Le *e* est tantôt ouvert (français « belle ») : *l**e**i, c'è;* tantôt fermé (français « été ») : *gent**i**le, d**u**e.*

4 Le *o* est tantôt ouvert (français « comme ») : *u**o**mo, d**o**nna;* tantôt fermé (français « autre ») : *s**o**le, m**o**lto.*

5 La lettre *c* devant « i » ou « e » se prononce toujours [tch]. Le groupe *gl* devant « i » ou « e » se prononce presque comme l mouillé en français. Prononcez « lié »; puis au lieu du son « é », prononcez « i »; vous obtenez ce que nous écrirons [lyi] dans la prononciation figurée (page de gauche, ci-contre). C'est exactement ce que vous devez prononcer lorsque vous voyez écrit *gli.*

6 Toutes les lettres se prononcent. Vous devrez prononcer clairement les deux « l » dans *bella;* les deux « n » dans *donna,* les deux « s » dans *spesso,* etc. De même, séparez nettement le « a » du « m » dans *bambina,* le « e » du « n » dans *gentile,* etc.

Le pays où le « si » résonne.

Grammaire

■ ***Essere :*** être

io sono, je suis
egli, ella è, il, elle est
noi siamo, nous sommes
essi, esse sono, ils, elles sont.

Nous ne tutoierons pas pour l'instant. Mais dans le mémento grammatical vous trouverez le verbe *essere* aux six personnes (les trois du singulier et les trois du pluriel, avec les pronoms correspondants).

■ ***Il bambino, i bambini, la bambina, le bambine***

Le pluriel des noms et des adjectifs masculins est en *-i;* le pluriel des noms et des adjectifs féminins se terminant en *-a* est en *-e.*

Il bambino, i bambini. La bambina, le bambine.

Lorsque le féminin singulier est en -e, le féminin pluriel est en -i.

La donna è gentile, le donne sono gentili.

■ ***L'italiano, gl'italiani.***

De même qu'en français vous dites « le chêne » mais « l'arbre », « la chaise », mais « l'aiguille », en italien vous direz *il posto,* mais *l'uomo; la bambina,* mais *« l'Italiana ».*

En français, au pluriel, vous direz « les » dans tous les cas. Par contre en italien, vous direz : *i bambini,* mais, *gli uomini,* les hommes; *gl'Italiani,* les Italiens (parce que le mot *« Italiani »* commence par un *i).*

Le italiane, le bambine.

■ ***Vicino al bambino, nel vagone.***

Vicino a signifie près de (remarquez la différence des prépositions : *a* en italien, « de » en français). *Al* est mis pour « a il ». Comparez en français : je vais au bois (au = à le). De même *nel vagone, nel = « in il ».*

■ ***Lei è italiano?***

Pour s'adresser à une personne que l'on vouvoierait en français (par exemple un monsieur que l'on ne connaît pas et à qui l'on demanderait : « êtes-vous italien? »), il faut employer *lei* et le verbe à la troisième personne du singulier. Au féminin : *lei è italiana,* vous êtes italienne; *loro sono italiani* (masc.), *loro sono italiane* (fém.).

Exercices

A Traduire en italien.

1. Bonsoir Madame. Comment allez-vous? Monsieur est-il à la maison? 2. Non, il n'est pas ici, il est à Rome chez un ami. 3. Comment va-t-il? Il va bien. 4. Et la famille comment va-t-elle? Elle va bien. Merci. 5. Les enfants ne sont pas à la maison? 6. Ils sont à l'école.

B *Traduire puis mettre à la forme négative.*

7. Il y a une place. 8. Il y a un enfant. 9. Je suis chez un oncle. 10. Aldo est ici. 11. Il est à l'école. 12. Êtes-vous (singulier) à Rome?

Corrigé :

A 1. Buona sera signora. Come sta? Il signore è in casa? 2. No, non c'è, è a Roma da un amico. 3. Come sta? Sta bene. 4. E la famiglia come sta? Sta bene, grazie. 5. I bambini, non sono in casa? 6. Sono a scuola.

B 7. C'è un posto. 8. C'è un bambino. 9. Io sono da uno zio. 10. Aldo è qui. 11. E a scuola. 12. Lei è a Roma?

7. Non c'è un posto. 8. Non c'è un bambino. 9. Io non sono da uno zio. 10. Aldo non è qui. 11. Non è a scuola. 12. Lei non è a Roma?

Come sta?

1 — Buon *gi**o**rno. C**o**me sta?
— Sto *m**o**lto b**e**ne. *Gr**a**zie. E l**e**i?
— **I**o non sto m**o**lto b**e**ne, *o**ggi.

2 — I bamb**i**ni, d**o**ve s**o**no?
— S**o**no da **u**na *z**i**a a N**a**poli.
— S**o**no *cont**e**nti?
— Sí, s**o**no m**o**lto cont**e**nti.

3 — *Gius**e**ppe è in c**a**sa?
— *No, non c'è. È a *scu**o**la.
— E **A**ldo e Giov**a**nna, ci s**o**no?
— No, non ci s**o**no, sono *fu**o**ri.
— B**e**ne, *arrived**e**rci.

1 giorno [dj**ó**lno]; molto bene [m**ó**lto b**è**né]; grazie [gl**a**tcié]; oggi [**ò**dji].

2 zia [tc**ì**a]; contenti [co-nt**è**-nti].

3 Giuseppe [Djouzèp-pè]; no [nò]; scuola [scou**ò**la]; fuori [fou**ò**li]; arrivederci [allivéd**é**ltchi].

IL BU**O**N GI**O**RNO SI V**E**DE DAL MATT**I**NO

Traduction

Comment allez-vous?

1 — Bonjour. Comment allez-vous? — Je vais très bien. Merci. Et vous? — Je ne vais pas très bien aujourd'hui.

2 Les enfants, où sont-ils? — Ils sont chez une tante à Naples. — Sont-ils contents? — Oui, ils sont très contents.

3 Joseph est-il à la maison? — Non, il n'y est pas. Il est à l'école. — Et Aldo et Jeanne sont là? — Non, ils n'y sont pas; ils sont dehors. — Bien, au revoir.

Prononciation

1 Le *r* italien est roulé du bout de la langue comme on le fait encore dans certaines régions de France. Vous parviendrez progressivement à une prononciation correcte en pensant à un « l » chaque fois que vous verrez écrit un « r ». C'est en effet à la partie avant de la langue que s'articule le « l ». C'est la raison pour laquelle nous représentons le son de *r* par [ḷ] dans la prononciation figurée (page ci-contre).

2 Nous avons vu que *c'è* se prononce [tchè]. Aujourd'hui rappelez-vous que *« z »* se prononce [tç] et que *ge, gio, giu* par exemple se prononce [dje], [djo], [djou].

3 En français nous prononçons différemment « rose » et « rosse ». En italien cette distinction phonétique existe aussi; mais l'orthographe italienne ne permet pas la distinction. Par exemple : dans *casa,* maison, « s » se prononce comme dans le mot français « ça » (attention à l'accent tonique); dans *cassa,* caisse, l'on doit faire entendre le double « s ».

4 Prenez bien garde de séparer la voyelle du *n* dans *non, contenti,* de bien prononcer ou dans *tutti, scuola, fuori.*

Napoli. L'accent tonique tombe dans ce mot sur la 3e syllabe avant la fin. Prenez une impulsion sur la syllabe « na » et prononcez le reste du mot d'une manière plus rapide.

Bon début promet bonne fin (m. à m. : le bon jour se voit dès le matin).

Vocabulaire

Arrivederci, au revoir; mot à mot : à nous revoir.

Grammaire

■ ***Stare.***

io sto
egli, ella sta
noi stiamo
essi, esse stanno

Le verbe *stare,* comme le verbe *essere* traduit le français être. Comment les distinguer? Sachez seulement pour l'instant que *stare* s'emploie moins souvent que *essere.* Vous direz cependant : comment allez-vous? *Come sta lei?*

■ ***C'è,*** pluriel ***ci sono.***
Ne confondez pas :

Non ci sono posti, il n'y a pas de places.
Non c'è, non ci sono, il n'y a pas.
E Giuseppe, non c'è? Et Joseph, il n'est pas là?

Vous avez déjà remarqué que la négation s'exprime par *non* placé devant le verbe.

Sono contento, non sono contento, je ne suis pas content.
C'è un posto, non c'è posto, il n'y a pas de place.

Apprenez ce dernier exemple par cœur et remarquez que « pas de » ne se traduit pas.

■ ***A casa*** [caça] à la maison, chez; le mot *casa* veut dire maison.
Sto a casa, je suis chez moi.

■ ***Arrivederci.*** *Rivedere* revoir; *ci* est le pronom nous. Constatez que le pronom se place après l'infinitif et se soude à lui, contrairement au français.

Exercices

Traduisez en italien :

1. Les dames sont belles et gentilles. 2. Les enfants sont beaux et gentils. 3. Ils sont italiens. 4. Les dames ne sont pas italiennes. 5. Dans le wagon il y a une dame près de l'enfant. 6. Y a-t-il un italien dans le wagon? 7. Vous n'êtes pas italienne? 8. Si, je suis italienne, mais je ne suis pas souvent en Italie. 9. Il y a un Italien. 10. Y a-t-il un enfant? 11. Est-ce qu'il y a une place?

Corrigé :

1. Le signore sono belle e gentili. 2. I bambini sono belli e gentili. 3. Sono italiani. 4. Le signore non sono italiane. 5. Nella vettura c'è una signora vicino al bambino. 6. C'è un italiano nella vettura? 7. Non è italiana? 8. Sí, sono italiana, ma non sono spesso in Italia. 9. C'è un Italiano. 10. C'è un bambino? 11. C'è un posto?

Che cosa abbiamo?

1 — Io ho un' *automobile. *Anche lei ha un' automobile?
— Sí, è un' automobile italiana. La mia automobile ha *quattro posti, quattro *portiere e quattro cavalli.
— La mia è un' automobile *francese. Non è veloce ma è *comoda.

2 — Noi *abbiamo una casa. È una grande casa.
— Ha due piani e un *orto.
— L'*orto è pieno di alberi da frutto : un *arancio, un *pero, due *meli e un *ciliegio.
— Le *ciliege, le arance, le pere e le mele sono buone.

3 — *Che *cosa ha Paolo? Paolo ha un' automobile?
— Lei ha una casa? Con un orto? I *nostri amici hanno un orto e un giardino.
— Nell' orto c'è tanta frutta.
— Nel giardino ci sono tanti *fiori.

1 automobile [aoutomòbile]; anche [a-nqué]; quattro [couattḷo]; portiere [poḷtiélè]; francese [fḷantchézé]; [còmoda].

2 abbiamo (doublement du « b »); arancio [aḷa-ntcho]; orto [òḷto]; pero [péḷo]; melo [mélo]; ciliegio [tchilièdjo].

3 Che cosa (ké còça]; nostri [nòstḷi]; fiori [fióḷi].

IL BENE NON È MAI TROPPO

Traduction

Qu'est-ce que nous avons?

1 — Moi, j'ai une auto. Vous aussi vous avez une auto? — Oui, c'est une auto italienne. — Mon auto a quatre places, quatre portières et quatre chevaux. — La mienne est une auto française. Elle n'est pas rapide, mais elle est confortable.

2 — Nous, nous avons une maison. — C'est une grande maison. — Elle a deux étages et un jardin potager. — Le jardin potager est plein d'arbres fruitiers : un oranger, un poirier, deux pommiers et un cerisier. — Les cerises, les oranges, les poires et les pommes sont bonnes.

3 — Qu'est-ce qu'a Paul? Paul a-t-il une auto? — Vous avez une maison? Avec un jardin potager? — Nos amis ont un potager et un jardin. Dans le potager il y a beaucoup de fruits. — Dans le jardin il y a beaucoup de fleurs.

Prononciation

2 *Che, anche :* le *ch* se prononce comme un « k »; nous le représentons [k].
L'*h* ne se prononce pas.

Remarque importante : Nous avons vu (page 13) que l'italien connaît un *e* fermé (comme le français « et »), un *e* ouvert (« est »), un *o* fermé (« sot »), un *o* ouvert (« sotte »). Cette distinction est juste, en ce qui concerne le *e* et le *o* toniques. Les *e* et *o* atones (c'est-à-dire qui ne sont pas sous l'accent tonique) ont un son moyen, entre fermé et ouvert. Inutile donc de figurer la prononciation des *e* et *o* atones.
Nous continuerons à figurer la fermeture par l'accent aigu [é], [ó] l'ouverture par l'accent grave [è], [ò] des seuls *e* et *o* toniques; nous n'aurons pas besoin, dans ce cas, d'utiliser le caractère gras, sauf si, par exemple, la présence de deux *e* ou de deux *o* risquait de vous faire hésiter (cas de inter**è**sse, emozi**ó**ne).
L'ouverture ou la fermeture restera longtemps un problème pour vous (il l'est aussi pour les Italiens, d'ailleurs!). Car, comment

---

Abondance de biens ne nuit pas (m. à m. : le bien n'est jamais de trop)

un francophone formé à des habitudes constantes d'orthographe peut-il deviner, en lisant, que les *e* toniques de *stesso, freddo, questo* sont fermés? Nous n'hésiterons pas à nous répéter, pour vous aider à établir vos habitudes. D'autre part, nous ne ferons mention que des mots recevant un traitement identique à Rome et à Florence : par exemple *uomo, giorno* prononcés [uòmo], [gióḷno] dans ces deux villes.
Pour certains mots, en effet, le *e* ou le *o* est ouvert à Rome mais fermé à Florence et vice-versa pour d'autres mots. Nous ne signalerons donc pas ces cas.

N. B. : dans les groupes u**o**, i**e**, le « o » et le « e » sont toujours ouverts. Ex. : ieri [ièḷi].

Vocabulaire

Le ciliege, le arance, le pere, le mele font au singulier : *la ciliegia, l'arancia, la pera, la mela.*

La porta, la porte; *la portiera,* la portière mais aussi « la concierge »; *il portone,* la porte cochère, *il portale,* le portail (d'église, etc.).

Grammaire

■ Verbe ***avere.***

io, ho
lei, egli, ella, ha
noi, abbiamo
loro, essi, esse, hanno.

■ ***Un amico, amici.*** Le pluriel des masculins est en *-i,* mais la prononciation dans le cas de *amico* change au pluriel [amitchi]. De même *economico,* économique, *economici* [econ**o**mitchi].
Dans certains cas la prononciation du masculin subsiste au pluriel : mais il faut écrire — chi.
Au féminin la prononciation subsiste : *un' amica, delle amiche,* une amie, des amies.

■ *Un albero* ***da*** *frutta.* La préposition *da* indique l'utilisation. De même on dira *carta da lettere,* du papier à lettre.
Vous connaissez déjà un autre sens de la préposition *da :* chez. *Sono da uno zio a Napoli.* Je suis (ils sont) chez un oncle à Naples.

■ Vous pouvez dire : ***Vi*** *sono mele* ou ***ci*** *sono mele. Ci et vi* ont donc le même sens, ici, et par conséquent ces deux mots traduisent « y ».

■ *Io sono contento; sono contento.* Vous pouvez toujours supprimer le pronom sujet devant un verbe chaque fois que le sens est clair.
Par exemple : *Sono contento,* je suis content; *sono contenti,* ils sont contents... ou bien : *sono contenta,* je suis contente; *sono contente,* elles sont contentes.
Mais *sono a Parigi,* je suis à Paris, ou : ils (ou elles) sont à Paris. Si le contexte ne permet pas de préciser, il faudra donc employer le pronom sujet *io, essi, esse...*
On fera de même pour insister : *Noi siamo a Parigi.* Nous, nous sommes à Paris.

Exercices

1. Aldo a-t-il une maison? 2. Est-ce une grande maison? 3. Comment est-elle? 4. Est-ce une maison avec un jardin? 5. Aldo n'a pas de maison. 6. Les amis d'Aldo ont une grande maison. 7. Elle est belle. 8. Elle a un jardin et un potager. 9. Il y a quatre orangers. 10. Les amis d'Aldo sont très contents d'avoir des orangers. 11. Le jardin a beaucoup de fleurs. 12. Françoise a une âme gentille : elle aime les fleurs et travaille souvent parmi les fleurs. 13. Et vous? Avez-vous aussi un jardin? 14. Non, nous n'avons pas de jardin. 15. Mais nous, nous avons une voiture. 16. Les amis d'Aldo n'ont pas de voiture.

Corrigé :

1. Aldo ha una casa? 2. È una casa grande? 3. Com'è? 4. È una casa con un giardino? 5. Aldo non ha una casa. 6. Gli amici di Aldo hanno una casa grande. 7. È bella. 8. Ha un giardino e un orto. 9. Ci sono quattro aranci. 10. Gli amici di Aldo sono contentissimi di avere degli aranci. 11. Il giardino ha molti fiori. 12. Francesca ha un animo gentile : ama i fiori e lavora spesso tra i fiori. 13. E loro? Hanno pure un giardino? 14. No, noi non abbiamo un giardino. 15. Ma noi abbiamo un' automobile. 16. Gli amici di Aldo non hanno automobile.

Leçon

Parla italiano?

1 — Desidera *imparare l'italiano?
— Sí, desidero imparare l'italiano.
— Anche il mio amico desidera imparare l'italiano.
— Il suo amico non parla italiano?
— Lo parla *molto *poco.
— E la sua amica?
— No, lei parla *benissimo l'italiano.

2 — *Con chi parla italiano?
— Lo parlo con i *miei amici italiani.
— Di che cosa parla con *loro?
— Con loro parlo del piú e del *meno.
— Parla anche di *letteratura?
— No, parliamo di pittura.
— Le piace la pittura?
— Sí, la pittura, la scultura e la musica.

3 — Con chi parla Maria in italiano?
— Maria parla con le sue amiche.
— Maria *insegna l'italiano alle sue amiche?
— No, le sue amiche parlano benissimo l'italiano.

1 imparare [li-mpalalé]; [mólto]; [pòco]; benissimo (doublement de l's).

2 con chi [có-n ki]; miei [mièi]; loro [lólo]; meno [méno]; letteratura (doublement du t).

3 insegna [i-nségna].

IMPARA L'ARTE E METTILA DA PARTE

Traduction

Parlez-vous italien?

1 — Désirez-vous apprendre l'italien? — Oui, je désire apprendre l'italien. — Mon ami aussi désire apprendre l'italien. — Votre ami ne parle-t-il pas italien? — Il le parle très peu. — Et votre amie? — Non, elle parle très bien l'italien.

2 — Avec qui parlez-vous italien? — Je le parle avec mes amis italiens. — De quoi parlez-vous avec eux? — Avec eux je parle de choses et d'autres (m. à m. : du plus et du moins). — Parlez-vous de littérature aussi? — Non, nous parlons de peinture. — Aimez-vous la peinture? — Oui, la peinture, la sculpture et la musique.

3 — A qui parle Marie en italien? — Marie parle avec ses amies. — Marie enseigne l'italien à ses amies? — Non, ses amies parlent très bien l'italien.

Prononciation

Desidero, imparo; Prenez garde : dans *desidero* l'accent tonique tombe sur i (3e syllabe avant la fin); dans *imparo* il tombe sur a (avant-dernière syllabe.)
Benissimo, letteratura, pittura : n'oubliez pas le doublement de *s,* de *t.*
En faisant l'effort de doubler le « t » de « letteratura », ne déplacez pas l'accent tonique : c'est le « u » qui est accentué.
Chi, amiche : le « ch » se prononce comme un « k », ainsi que nous le représentons entre crochets, au bas de la page ci-contre. Chaque fois que vous lisez un mot italien, imposez-vous de mettre correctement l'accent tonique. Nous indiquons, à dessein, en caractères gras la voyelle tonique de chaque mot de deux syllabes et plus, dans la première page de chaque leçon. C'est à dessein aussi que nous employons le moins possible le caractère gras dans les trois autres pages de chaque leçon. Vous devez alors retrouver dans votre mémoire le rythme propre à chaque mot.

Vocabulaire

Chi è Paolo? Qui est Paul? *Chi è?* Qui est-ce?
Che cosa è? Qu'est-ce? *Che cosa c'è?* Qu'est-ce qu'il y a?

---

m. à m. : Apprends l'art et mets-le de côté.

Grammaire

■ Verbe ***Parlare.***

io parlo;
egli, essa parla
noi parliamo
*essi, esse p**a**rlano*

Attention : « parlano » est *sdr**u**cciolo* (voyez pages 8 et 9, et Mémento § 1). Nous venons de signaler au paragraphe « Prononciation » la différence d'accentuation tonique entre certaines formes des verbes *desiderare* et *imparare.* Comparons les formes de ces deux verbes au présent de l'indicatif :

des**i**dero	imp**a**ro
des**i**dera	imp**a**ra
desideri**a**mo	impari**a**mo
des**i**derano	imp**a**rano

Seul l'usage permet de se familiariser avec cette différence de traitement. Remarquez qu'à la 3e personne du pluriel, *desiderano* est accentué sur la 4e syllabe avant la fin (mot *bisdr**u**cciolo;* voyez le Mémento § 1). L'infinitif des verbes en *-are* est toujours accentué sur le *-a-* de la terminaison.

■ L'emploi ou le non emploi des pronoms sujets deviendra vite spontané. Voici un cas où sans hésiter vous emploierez les pronoms sujets :

Lei non parla italiano, ma io parlo italiano.
Vous ne parlez pas italien mais moi je parle italien.

Lei parla; ***loro parlano,*** vous parlez. (Voyez page 14).
Le premier *lei* lorsqu'on s'adresse à une seule personne. Le second, *loro* lorsqu'on s'adresse à plusieurs personnes que l'on vouvoierait individuellement.
Attention : *loro* veut dire aussi : eux. *Con loro :* avec eux. *Loro* se place toujours après le verbe.

■ **Il mio professore,** mon professeur. On emploie l'article défini devant l'adjectif possessif (on le fait en français seulement devant le pronom possessif le mien...).

il mio professore	*i miei professori*
il suo	*i suoi*

Cependant sans article : ***mio padre,*** mia madre; *mio fratello,* mon frère; *mia sorella,* ma sœur.

■ **Le piace la pittura**

Attention à cette construction : le verbe *piace* a pour sujet « la peinture » et pour complément la personne à qui la peinture plaît. La construction française si courante : « vous aimez la peinture », dans laquelle « vous » est sujet et « la peinture » complément, se rendra donc, en italien, mot à mot : « vous plaît la peinture », dans laquelle « vous » est complément et « la peinture » sujet. Nous reviendrons sur le verbe *piacere* à la leçon suivante.

Exercices

1. Qui parle italien? 2. A qui parlez-vous? 3. De quoi parlez-vous? 4. Avec qui parlent-ils? 5. Eux ne parlent pas italien. 6. Vous (Messieurs) vous parlez italien. 7. Mes amis parlent aussi italien. 8. Ils parlent très bien. 9. Ma sœur désire parler italien avec eux. 10. Elle parle avec ses amis et aussi avec sa mère. 11. Qui enseigne l'italien à votre sœur, Monsieur? 12. C'est très utile de bien parler l'italien. 13. Je parle avec beaucoup de plaisir à mes amis qui parlent très bien.

Corrigé :

1. Chi parla italiano? 2. A chi parla? 3. Di che cosa parla? 4. Con chi parlano loro? 5. Loro non parlano italiano. 6. Loro (signori) parlano italiano. 7. Anche i miei amici parlano italiano. 8. Parlano molto bene. 9. Mia sorella desidera parlare italiano con loro. 10. Lei parla con i suoi amici e anche con sua madre. 11. Chi insegna l'italiano a sua sorella, signore? 12. È molto utile parlare bene italiano. 13. Io parlo con molto piacere ai miei amici che parlano molto bene.

Leçon

Loro scrivono in italiano?

1 — Sí, *noi parliamo, scriviamo e *leggiamo in italiano.
— *Pensano anche in italiano?
— Non *sempre. E loro pensano, *leggono e scrivono in italiano?
— Sí, quando siamo stanchi di parlare, leggiamo un libro o un giornale; e, prima *della *colazione, scriviamo.
— Io scrivo molte lettere ai miei *genitori.

2 — Anche a *me piace scrivere le lettere. E a lei piace scrivere?
— A me piace scrivere, ma a *Francesco non piace scrivere.
— No, a Francesco piace leggere libri di *storia e geografia.

3 — Parliamo *molto *spesso con i *nostri amici in italiano.
— Ci piace parlare con loro.
— Io non parlo molto, non mi piace parlare.
— Impariamo l'italiano a *poco a poco, *ogni *giorno.
— Le piace l'italiano?
— A me piace molto. Scrivo ogni giorno qualche frase.

1 [nói]; [pènsano]; [sèmple]; [lèggono]; leggiamo [leddjamo]; colazione [colatcióné]; genitori [djénitóli].

2 [mé]; Francesco [flantchésco]; storia [stòlia].

3 [mólto]; [spésso] (doublement); nostri [nòstli]; [pòco]; [ógni]; giorno [djólno].

LE PAROLE VOLANO, GLI SCRITTI RESTANO

Traduction

Écrivez-vous en italien?

1 — Oui, nous parlons, nous écrivons et nous lisons en italien. — Pensez-vous aussi en italien? — Pas toujours. Et vous, vous pensez, vous lisez et vous écrivez en italien? — Oui, quand nous sommes fatigués de parler, nous lisons un livre ou un journal; et, avant de déjeuner nous écrivons. — Moi, j'écris beaucoup de lettres à mes parents.

2 — J'aime aussi écrire des lettres. Et vous, vous aimez écrire? — J'aime écrire, mais François n'aime pas écrire. — Non, François aime lire des livres d'histoire et de géographie.

3 — Nous parlons très souvent avec nos amis en italien. — Nous aimons parler avec eux. — Moi, je ne parle pas beaucoup, je n'aime pas parler. — Nous apprenons l'italien peu à peu, chaque jour. — Aimez-vous l'italien? — Je l'aime beaucoup. J'écris quelques phrases chaque jour.

Prononciation

Vous savez prononcer *genitori, giornale,* dans ce dernier mot le *i* après le *g* a un rôle comparable à l'e français après un « g » devant « a, o, u »; ainsi : nous mangeons, en italien *mangiamo.* Dans *leggere* faites entendre la double consonne. Vous remarquerez ci-après *io leggo leg-go.* le son [dj] de l'infinitif n'est pas conservé.

Remarque importante :
L'orthographe italienne marque un accent sur la voyelle tonique lorsqu'elle est à la fin d'un mot : *città, piú,* etc. (Voyez le Mémento § 1). Dans les autres cas le mot est *piano* ou *sdr**u**cciolo.* Nous emploierons désormais le caractère gras uniquement pour les mots sdruccioli (sauf cas délicats; par exemple : *compagn**i**a*). Continuez toujours à prendre appui sur les voyelles toniques, à l'exclusion de toutes autres, pour communiquer à la phrase son rythme exact. N'hésitez pas à souligner d'un trait de crayon la voyelle accentuée, si vous constatez que ce procédé visuel vous aide.

Les mots s'envolent, les écrits restent.

Vocabulaire

« Apprendre » en français a aussi le sens d'enseigner. En italien on distingue bien *insegnare,* enseigner; *imparare,* apprendre.

Grammaire

Verbes **leggere** et **scrivere**
Ces infinitifs sont des mots *sdruccioli* [ledgele] [sclivele]

leggo	scrivo
legge	scrive
leggiamo	scriviamo
leggono	scrivono

La 3e personne du pluriel est toujours *sdrucciola* (Comparez avec : *parlano,* à la leçon précédente).

■ ***A me piace*** *leggere* = ***mi piace*** *leggere;* j'aime lire (m. à m. : lire me plaît.)
Rappel : en français celui qui aime est sujet du verbe « aimer ». Tandis qu'en italien il est complément indirect du verbe *piacere.* Il faut donc penser que *piacere* veut dire « plaire ».

Servons-nous de cette construction pour apprendre les pronoms personnels compléments.

A me piace leggere = *Mi piace leggere.*
(à moi plaît lire) (me plaît lire)
A lui » = *Gli* »
(à lui)
A lei » = *Le* »
(à elle)
A lei » = *Le* »
(à vous, singulier)
A noi » = *Ci* »
(à nous)
A loro » = *Piace loro leggere*
(à eux, elles)
A loro » = »
(à vous, pluriel de vouvoiement)

Vous remarquerez qu'à chaque pronom complément indirect simple, correspond un pronom complément précédé de *a.*
De plus, *loro* se place toujours après le verbe.

■ ***Ogni giorno, ogni settimana,*** chaque jour, chaque semaine.
Ogni est invariable.
Distinguez bien : *Qualche frase* [coualké]; quelque phrase, une phrase quelconque; et *alcune frasi :* quelques phrases.

Exercices

1. Aimez-vous l'italien? 2. Oui, j'aime beaucoup l'italien. 3. J'aime beaucoup l'italien et le français. 4. J'aime beaucoup parler l'italien et le français. 5. Nous n'aimons pas écrire, nous aimons lire, mais eux aiment écrire. 6. A qui écrivez-vous (pluriel de vous)? 7. Que lisez-vous (singulier)? 8. Je lis un livre chaque jour. 9. J'écris une lettre chaque jour. 10. Je suis à Naples chaque semaine.

Corrigé :

1. A lei piace l'italiano? 2. Sí, mi piace molto l'italiano. 3. Mi piacciono molto l'italiano e il francese. 4. Mi piace molto parlare italiano e francese. 5. A noi non piace scrivere, ci piace leggere, ma a loro piace scrivere. 6. Loro, a chi scrivono? 7. Lei che legge? 8. Io leggo ogni giorno un libro. 9. Io scrivo ogni giorno una lettera. 10. Sono a Napoli ogni settimana.

Leçon

Parte solo?

1 — Come ha dormito? Bene?
— Sí, dormo sempre bene quando *sono a *Firenze.
— Sua *sorella è partita? — Sí, *ieri.
— E lei, *quando parte?
— *Adesso. *Avverto i miei amici e i miei genitori.
— Partire è un *po' morire. — A lei piace partire?
— Mi piace ma per viaggi *brevi.

2 Parte da *solo o in compagn**i**a?
— Partiamo **i**o ed un mio amico.
— In *treno o in automobile? — In *pir**o**scafo.
— Buon viaggio per mare. Lo *scorso anno ho fatto un viaggio sulle Alpi. Ho avuto la fortuna d'incontrare molti compagni simp**a**tici. Abbiamo fatto molte gite in montagna. Siamo saliti sulle cime piú vicine. Dalle alture abbiamo ammirato uno *spl**e**ndido panorama.

3 Giovanni ha seguito dei *corsi d'italiano. Anch'io li ho seguiti. Li ho seguiti con *interesse e sono stato lodato. Il *professore ha spiegato le prime *lezioni. Le ha spiegate con molti esempi e ha parlato di tante cose.

1 [b**è**né]; dormo [d**ò**ḷmo]; s**ó**no; Firenze [fiḷ**é**ntcé]; sorella [soḷ**è**lla] (doublement); ieri [i**è**ḷi]; quando [cou**a**-ndo]; [ad**è**sso] (doublement); avverto [avv**è**ḷto] (doublement), infinitif [avvért**i**re]; pò; brevi [bḷ**è**vi].

2 [ś**o**lo]; treno [tḷ**è**no]; piroscafo [piḷ**ò**scafo]; scorso [sc**ó**ḷso]; [spl**è**ndido].

3 corsi [c**ó**ḷsi]; interesse [inteḷ**è**sse]; professore [pḷofess**ó**ḷe] (doublement); lezioni [letci**ó**ni].

ACQUISTA FAMA E DORMI

Traduction

Partez-vous seul?

1 — Comment avez-vous dormi? Bien? — Oui, je dors toujours bien quand je suis à Florence. — Est-ce que votre sœur est partie? — Oui, hier. — Et vous, quand partez-vous? — Tout de suite. J'avertis mes amis et mes parents. — Partir c'est un peu mourir. — Aimez-vous partir? — J'aime, mais pour de courts voyages.

2 Partez-vous seul ou en compagnie? — Nous partons moi et un ami à moi. — Par le train ou en auto? — En bateau. — Bon voyage en mer. — L'an passé j'ai fait un voyage dans les Alpes. J'ai eu la chance de rencontrer de nombreux compagnons sympathiques. Nous avons fait beaucoup d'excursions en montagne. Nous sommes montés sur les cimes les plus proches. Des hauteurs nous avons admiré un splendide panorama.

3 — Jean a suivi des cours d'italien. Moi aussi je les ai suivis. Je les ai suivis avec intérêt. Et j'ai été complimenté. Le professeur a expliqué les premières leçons. Il les a expliquées avec beaucoup d'exemples et il a parlé de beaucoup de choses.

Prononciation

Seguire [çégouiré]. N'oubliez pas de prononcer le *u* après *g* comme vous le faites déjà après *q* (dans *quando*, par exemple).
Pensez aux consonnes doubles : *avverto, sorella, adesso, opportuno, Giovanni, professore* etc...
L'accent tonique doit toujours être votre première préoccupation. Prononcez *io* (accent sur l'o) dans *io parlo,* mais *anch'io parlo,* en détachant l'*i* portant l'accent tonique, du *o* [**i**-yo].

Remarque importante :
Comme vous pouvez le constater, outre l'accent tonique, c'est l'ouverture ou la fermeture des *e* et des *o* qui constitue l'élément le plus fréquent de nos remarques de prononciation, au bas de la première page de chaque leçon. A partir de la leçon 7, nous utiliserons le signe • pour indiquer la fermeture du *e* et du *o* tonique, le signe ○ pour en indiquer l'ouverture. Vous pourrez donc prononcer correctement ces lettres toniques dès la première lecture.

Acquiers bonne renommée et fait la grasse matinée.
(m. à m. : acquiers renommée et dors).

Vocabulaire

Apprenez des groupes de mots afin de fixer dans votre mémoire certains petits mots de liaison :

andare con la sorella; parlare col direttore; fare gite in montagna; la cima prossima al villaggio.

po' est l'abréviation de *poco* d'où l'apostrophe; comparez avec : *gl'Italiani.* (Voyez leçon 1).

Grammaire

■ Verbe ***Dormire.***

dormo
dorme
dormiamo
dormono

Participes passés et passé composé

Parlare	*ho parlato*	(avec *avere*)
credere	*ho creduto*	
partire	*sono partito*	(avec *essere*)

■ **Accord du participe passé.**
Le participe passé employé avec ***essere*** s'accorde avec le sujet, comme en français.

Mia sorella è partita ieri. Ma sœur est partie hier. *Siamo saliti sulle cime piú alte.*

Employé avec *avere* (avoir), le participe passé s'accorde avec le complément d'objet direct s'il précède : a) facultativement si ce complément est un nom; b) obligatoirement si c'est un pronom.

Ho seguito dei corsi d'italiano, I corsi d'italiano che ho seguito (ou seguiti), I corsi d'italiano, li ho seguiti con interesse.

Les exemples suivants vous permettront de raccorder, dans votre mémoire, cette règle d'accord du participe présent avec les pronoms personnels compléments :

il corso, l'ho seguito (*l'* = *lo*), le cours, je l'ai suivi;
i corsi, li ho seguiti;
la lezione, l'ho seguita (*l'* = *la*), la leçon, je l'ai suivie;
le lezioni, le ho seguite.

■ **Le vouvoiement, le tutoiement** (voyez pages 14 et 26).
La forme polie en italien (vouvoiement) s'exprime par la 3e personne du verbe au singulier précédée de *lei,* ou la 3e personne du pluriel précédée de *loro* (on utilise les majuscules lorsqu'on écrit une lettre).

> *Lei è molto gentile,* vous êtes très aimable; *loro sono molto gentili,* vous êtes très aimables.

Pour la forme familière (tutoiement), l'on emploie :

> *Tu* au singulier : *tu parli italiano,* tu parles italien.
> *Voi* au pluriel : *voi parlate italiano,* vous parlez italien.

Les pronoms sujets sont naturellement facultatifs.
Il en résulte que « vous croyez » se traduira de trois manières :

> *Credete,* à plusieurs personnes que l'on tutoierait individuellement.
> *Lei crede,* à une personne à qui l'on dit « vous ».
> *Loro credono* à plusieurs personnes à qui l'on dit « vous ».

Il en ira de même à l'impératif. Et l'emploi des pronoms compléments ou des adjectifs possessifs respectera cette distinction. Ainsi : votre livre (forme polie) : *il suo libro* (*suo* = son).

Exercices

1. Quand êtes-vous (singulier) parti? 2. Quand avez-vous suivi le cours d'italien? 3. Qui a parlé à votre professeur? 4. Avez-vous averti le directeur? 5. Avez-vous eu la chance de rencontrer des amis sympathiques? 6. Oui, je suis sorti souvent. 7. J'ai parlé chaque jour avec mon professeur. 8. Je dors beaucoup. 9. Je suis un cours d'italien avec ma sœur. 10. Nous partons demain.

Corrigé :

1. Quando è partito? 2. Quando ha seguito il corso d'italiano? 3. Chi ha parlato col suo professore? 4. Ha avvertito il direttore? 5. Ha avuto la fortuna di incontrare amici simpatici? 6. Sí, sono uscito spesso. 7. Ho parlato ogni giorno col mio professore. 8. Dormo molto. 9. Seguo un corso d'italiano con mia sorella. 10. Partiamo domani.

Leçon

Capisce l'italiano?

1 — Fra il caldo e il •freddo che cosa preferisce?
— Io preferisco il caldo e lei?
— Anch'io preferisco il caldo, ma non eccessivo.
— •Allora non le piace l'estate?
— Preferisco la primavera perché fioriscono gli alberi e il paesaggio è tutto in •fiore. I miei amici preferiscono l'autunno, quando le °foglie ingialliscono e cadono. A me non spiace neanche l'inverno.

2 — L'anno •scorso, °dopo aver caricato la macchina, sono partito per gli °sports invernali. °Purtroppo durante le vacanze ha fatto cattivo tempo, è nevicato continuamente. Al •ritorno mi sono fermato dai miei amici di Firenze.
— Avete visitato la città in macchina?
— No, la macchina °era *troppo carica per portare anche i miei amici. Non ho potuto. Abbiamo girato a piedi, senza °mèta e quando siamo arrivati sulla piazza del °Duomo, col °cuore •colmo di •emozione, mi è sembrato di sognare.

3 — Lei capisce l'italiano? Capisce ciò che dicono gl'Italiani?
— Sí, capisco un po' ciò che mi dicono i miei amici fiorentini. Capisco sempre piú. Questi amici sono molto °affettuosi. Mi hanno sempre colmato di •gentilezze. Parlando con •loro arricchisco il mio vocabolario. Quando ho delle •incertezze, mi suggeriscono.

[ò] foglie; dopo; sports; troppo; duomo; cuore; affettuosi

[ó] allora; fiore; scorso; ritorno; colmo; emozione; loro

[è] era; meta; sempre

[é] freddo; gentilezze; incertezze

SOTTO LA •NEVE IL PANE

Traduction

Vous comprenez l'italien?

1 Entre la chaleur ou le froid, que préférez-vous? — Je préfère la chaleur et vous? — Moi aussi je préfère la chaleur, mais pas excessive. — Alors vous n'aimez pas l'été? — Je préfère le printemps parce que les arbres fleurissent et que le paysage est tout en fleurs. Mes amis préfèrent l'automne, quand les feuilles jaunissent et tombent. L'hiver ne me déplaît pas non plus.

2 — L'an passé, après avoir chargé la voiture, je suis parti pour les sports d'hiver. Malheureusement, pendant les vacances il a fait mauvais temps; il a neigé continuellement. Au retour, je me suis arrêté chez mes amis, à Florence. — Avez-vous visité la ville en voiture? — Non, la voiture était trop chargée pour porter en plus (m. à m. : aussi) mes amis. Je n'ai pas pu. Nous avons tourné à pied, sans but et quand nous sommes arrivés sur la Place du Dôme, le cœur rempli d'émotion, il m'a semblé rêver.

3 — Vous comprenez l'italien? Vous comprenez ce que disent les Italiens? — Oui, je comprends un peu ce que disent mes amis florentins. Je comprends de plus en plus. Ces amis sont très affectueux. Ils m'ont toujours comblé de gentillesses. — En parlant avec eux j'enrichis mon vocabulaire. Quand j'ai des doutes, ils viennent à mon aide.

Prononciation

Doublez bien [ttç] dans : *gentilezza, incertezza.* Rappelons que le *z* en général, se prononce [t͡ç]; il y a quelques cas où *z* se prononce [dz]. Nous les signalerons.

Remarque importante :
A partir de cette leçon, ainsi que vous avez pu le lire en page 33, nous indiquons la fermeture des *e* et des *o* toniques par le signe •, leur ouverture par le signe °. Mais, pendant quelques leçons encore, vous trouverez au bas de la première page, la suite des mots classés [ò], [ó], [è], [é]. N'omettez pas de les lire souvent, à haute voix, afin de les fixer dans votre mémoire.

Année neigeuse, année fructueuse.
Mot à mot : sous la neige, le pain

Vocabulaire

Il freddo, il caldo. Fa molto freddo, il fait très froid, *fa molto caldo,* il fait très chaud. *Che caldo! Che freddo! La macchina, l'auto,* la voiture; *la macchina da scrivere,* la machine à écrire; *la macchina fotografica,* l'appareil photographique. *Sempre piú.* De moins en moins se dit *sempre meno.*
Les noms des saisons : *la primavera, l'estate, l'autunno, l'inverno.*

Grammaire

■ Verbe ***Capire.***
Ce verbe, par rapport à *servire* présente une variante aux présents de l'indicatif et du subjonctif.
Comparons-les au présent de l'indicatif.

Servo	*Capisco*
serve	*capisce*
serviamo	*capiamo*
servono	*capiscono.*
Tutoiement	
servi	*capisci*
servite	*capite*

Subjonctif présent : *capisca, capisca, capiamo, capiscano.*
Vous remarquez que les accents toniques sont placés de la même manière.
On vous demandera en Italie : *lei capisce?* Vous comprenez? Et nous espérons que vous répondez : *Capisco molto bene,* je comprends très bien. Le participe passé est *capito,* compris, régulier comme *servito.*

■ ***È piovuto,*** il a plu; *è tuonato,* il a tonné; *è grandinato,* il a grêlé. L'auxiliaire est *essere,* être, au lieu de « avoir », en français.
De même : *è nevicato,* il a neigé.
Mais vous direz : *ha fatto cattivo tempo,* il a fait mauvais temps.

■ ***Ho caricato la macchina. È troppo carica***
Au verbe *caricare,* correspond le participe passé *caricato,* chargé; de même : *colmare,* combler *colmato,* comblé.
Caricato, colmato, s'emploient aux temps composés :
Ex. : *carico la macchina, ho caricato la macchina :* je charge l'auto, j'ai chargé l'auto.
La madre colma il fanciullo di gentilezze, la madre ha colmato... La mère comble l'enfant de gentillesses; la mère a comblé... Mais *la macchina troppo carica,* l'auto trop chargée; *il cuore colmo di emozione,* le cœur gros d'émotion.

Exercice

1. Que préférez-vous? (singulier) Aimez-vous l'automne? 2. Je n'aime pas l'été parce qu'il fait trop chaud. 3. Vous, vous aimez l'été parce que vous n'êtes pas à Rome. La chaleur y est parfois excessive. 4. L'été dernier il a fait mauvais. 5. Hier nous sommes partis à dix heures du matin. 6. La voiture est assez grande. 7. Nous sommes tous arrivés à l'heure. 8. Aujourd'hui le temps est beau. Il y a de la neige sur les montagnes. 9. Il a neigé toute la nuit. 10. Nous marchons sans but. 11. Cela est très agréable. 12. Vous comprenez qu'il m'a semblé rêver quand je suis arrivé ici.

Corrigé :

1. Che cosa preferisce? Le piace l'autunno? 2. Non mi piace l'estate perché fa troppo caldo. 3. A lei piace l'estate perché non vive a Roma. A volte il caldo è eccessivo. 4. L'estate scorsa ha fatto un tempo cattivo. 5. Ieri siamo partiti alle dieci del mattino. 6. L'automobile è abbastanza grande. 7. Siamo arrivati tutti in tempo. 8. Oggi fa bel tempo. C'è neve sulle montagne. 9. È nevicato tutta la notte. 10. Camminiamo senza meta. 11. È molto piacevole. 12. Lei capisce che m'è sembrato di sognare quando sono arrivato qui.

Leçon

Perché non se ne va?

1 Il •sole mi dà •calore e luce. La terra mi dà i ○suoi frutti.
○L'ozio mi dà ○noia.
Gli amici mi dànno la loro amicizia.
Le •persone care mi dànno il •loro ○affetto.
— Lei che ○cosa dà ai suoi cari?
— ○Do •generosamente tutto quello che ○posso.
Tutti diamo ○qualcosa quando amiamo.

2 — Lei va in Italia?
— ○Certo. Vado fino a N**a**poli. È la città che preferisco. Mi piace andare a •zonzo soprattutto per le sue viuzze. Perché non ci va anche lei?
— Purtroppo ho •molto lavoro e i programmi per le vacanze sono andati in fumo.
— Vado ○sempre ○volentieri a Napoli anche perché ho un sarto che mi taglia dei vestiti che mi vanno a ○pennello.

3 Come si dicono in •francese gli italianismi : andare a •braccetto, andare di male in ○peggio, andare di bene in ○meglio, andare con la ○testa fra le n**u**vole? E come •ancora : dare in uno ○scroscio di risa, darla a •bere, dare v**a**lido aiuto, dare •ascolto a ... d**a**rsela a gambe, dare del tu?
— È *diff**i**cile. Ma ○aspetti... guardo nella p**a**gina a fianco la •traduzione, e le •rispondo s**u**bito!

[ò] suoi; ozio; noia; cosa; do; posso; scroscio; zoppo [dz]; loro.

[ó] sole; calore; persone; zonzo; molto lavoro; ancora; ascolto; traduzione; rispondo.

[è] affetto; certo; sempre; volenti**e**ri; penn**e**llo; peggio; meglio; testa; aspetti.

[é] generosamente; francese; braccetto; bere.

CHI VA CON LO ○ZOPPO, IMPARA A ZOPPICARE

Traduction

Pourquoi ne vous en allez-vous pas?

1 — Le soleil me donne de la chaleur et de la lumière. — La terre me donne ses fruits. — La paresse m'occasionne de l'ennui. — Les amis me donnent leur amitié. — Les personnes (qui me sont) chères me donnent leur affection. — Vous, que donnez-vous aux personnes qui vous sont chères? — Je donne généreusement tout ce que je puis. — Nous donnons tous quelque chose quand nous aimons.

2 — Vous allez en Italie? — Certainement. Je vais jusqu'à Naples. C'est la ville que je préfère. J'aime aller sans but, surtout à travers ses ruelles. Pourquoi n'y allez-vous pas, vous aussi? .— Malheureusement, j'ai beaucoup de travail et les programmes pour les vacances sont allés en fumée. Je vais toujours volontiers à Naples, également parce que j'ai un tailleur qui me coupe des vêtements, lesquels me vont à la perfection.

3 Comment dit-on en français les italianismes : aller bras dessus bras dessous, aller de mal en pis, aller de mieux en mieux, être dans la lune (m. à m. : aller avec la tête entre les nuages). Et comment encore : éclater de rire, faire croire, donner un coup de main, prêter attention à..., se sauver à toutes jambes, tutoyer? — C'est difficile. Mais attendez... Je regarde la traduction sur la page d'en face et je vous réponds tout de suite.

Vocabulaire

Ne confondez pas : *primo,* premièrement; *prima,* d'abord.
quanto, combien; *quando,* quand [koua-ndo].

Apprenez quelques expressions où apparaissent les verbes *dare* et *andare : dare in uno scroscio di risa* = éclater de rire; *darla a bere, a intendere,* en faire accroire; *dare valido aiuto a,* prêter main forte à; *dare ascolto a,* prêter l'oreille à; *darsela a gambe,* prendre ses jambes à son cou; *dare del tu,* tutoyer.
Andare a pennello, aller à la perfection; *andare d'accordo,* s'entendre avec quelqu'un.

On apprend à hurler avec les loups
(m. à m. : qui va avec le boîteux apprend à boîter).

Fruit, en italien, se traduit de deux manières :
a) les fruits (à manger) : *la frutta* (pas de pluriel); *mi piace la frutta,* j'aime les fruits.
b) les fruits en général : *il frutto* (pluriel : *frutti*); *i frutti del lavoro,* les fruits du travail.

Viuzza = *vietta,* ruelle, sont des diminutifs de *via.*

Grammaire

■ Verbes ***dare, andare*** (*andare* est irrégulier.)

Do	*Vo (vado)*
Dà	*Va*
Diamo	*Andiamo*
Dànno	*Vanno.*

Remarquez l'accentuation écrite sur *dà* destinée uniquement à distinguer cette forme verbale de la préposition.

Ex. : *Sto da una zia,* je suis chez une tante.

De même *dànno,* ils donnent et *il danno,* le dommage.
Forme de tutoiement *dài* (tandis que *dai* = des.)

Pronoms compléments.
Apprenez, par question et réponse :

Mi dà (*lei*) ...? – *Sí, le do* (*a lei*) ... Vous me donnez ...? – Oui, je vous donne ... (forme polie, singulier).
Me lo dà? – *Sí, glielo do.* Vous me le donnez? – Oui, je vous le donne (N. B. : *gli* + *lo* = *glielo*).

■ *Perché* a deux sens : pourquoi...? parce que. Autrement dit, il sert à la fois dans les questions et les réponses.
Solo a deux sens a) seul : *sono solo,* je suis seul.
b) seulement : *vado solo fino a Roma,* je vais seulement jusqu'à Rome. On peut dire aussi : *Vado solamente fino a Roma.*

■ ***Fino a Roma.***
Fino al 5 (cinque) gennaio, jusqu'au 5 janvier.

Già = déjà. Vous lirez souvent en Italie *già* sur les plaques indiquant le nom de certaines rues. Par exemple à Naples : *Via Roma già via Toledo,* Rue de Rome autrefois Rue de Tolède.

■ ***Con lo scopo,*** dans le dessein. Pourquoi emploie-t-on l'article *lo* et non point *il*? Parce que la première lettre de *scopo* est un *s* suivi d'une consonne. Pour des raisons d'agrément sonore (euphonie), de commodité de prononciation, l'article dans ce cas est *lo*; de sorte que l'on prononce en fait *los-copo* : on soude le *s* à l'article. C'est ce qu'on appelle l'**s impure.** De même devant un *z* : *lo zio.* Au pluriel : *gli scopi; gli zii.*

Exercices

A 1. Je donne ce que j'ai. Je vais à Brescia. 2. Je dis que je vais à Venise demain. 3. Je donne tout ce que j'ai à mes amis.

B 4. Jean préfère aller seul. 5. Il aime être seul. 6. Il n'aime pas donner ce qu'il a. 7. Lui non plus n'aime pas dire où il va. 8. Il est aujourd'hui chez ses amis à Rome. 9. Il va demain chez d'autres amis à Tivoli. Il part demain. 10. Il ne va qu'à Tivoli.

C 11. Quando mi dà quello che mi ha detto? 12. Mi dà solo ciò (quello) che ha già fatto. 13. Lo faccio solo con lo scopo di dargliela. Eccolo.

D 14. J'ai des fruits. Je vous en donne. 15. Nous n'en donnons pas à Louis. 16. Nous n'en donnons qu'à nos amis. 17. Je m'en vais. 18. Vous en allez-vous? Non, nous ne nous en allons pas.

Corrigé :

A 1. Do quello che ho. Vado a Brescia. 2. Dico che vado a Venezia domani. 3. Do ai miei amici tutto quello che ho.

B 4. Giovanni preferisce andare da solo. 5. Gli piace star solo. 6. Non gli piace dare quello che ha. 7. Neanche a lui piace dire dove va. 8. Oggi è dai suoi amici a Roma. 9. Domani va da altri amici a Tivoli. Parte domani. 10. Va soltanto a Tivoli.

C 11. Quand me donnez-vous (singulier) ce que vous m'avez dit? 12. Vous me donnez seulement ce que vous avez déjà fait. 13. Je ne le fais que pour (dans le dessein de) vous le donner. Le voici.

D 14. Ho delle frutta. Gliene do. 15. Non ne diamo a Luigi. 16. Ne diamo solo ai nostri amici. 17. Me ne vado. 18. Se ne vanno? 19. No, non ce ne andiamo.

Leçon

9 Che cosa fa? Che cosa dice?

1 — Che °cosa fa, lei °oggi?
— Glielo dico s**u**bito.
— Oggi ho •molto •lavoro. Non faccio neanche una passeggiata.
— E loro che cosa fanno?
— Che cosa facciamo? Prepariamo una •colazione *al sacco e andiamo in campagna. Stiamo per partire.

2 — Paolo dice che in campagna si sta molto °bene.
— Lo dico anch'io.
— Giovanni non dice nulla, ma è °d'accordo. Giovanni e Paolo d**i**cono °sempre la •stessa cosa.
— E loro che d**i**cono?
— Anche •noi diciamo che la campagna è molto •piac**e**vole. Soprattutto °ora che il °tempo va migliorando.

3 — •Come sta Giovanni questa mattina? Dov'è?
— Sta molto bene. È nella sua c**a**mera.
— Che cosa fa ora? Sta °scrivendo? Sta °leggendo?
— Che va °dicendo? Giovanni non °legge né scrive. È un •poltrone : sta °dormendo.

[ò] cosa; oggi; accordo.

[ó] molto; lavoro; colazi**o**ne; noi; come; poltr**o**ne; ora.

[è] glielo; bene; sempre; tempo; scrivendo; legg**e**ndo; dicendo; legge dormendo; mezzo.
[é] stesso; piacevole.

DAL DIRE AL FARE C'È DI °MEZZO IL MARE

Traduction

Que faites-vous? Que dites-vous?

1 — Qu'est-ce que vous faites aujourd'hui? — Je vais vous le dire tout de suite (m. à m. : je vous le dis...). Aujourd'hui j'ai beaucoup de travail. Je ne fais pas même de promenade. — Et vous, qu'est-ce que vous faites? — Qu'est-ce que nous faisons? — Nous préparons un repas froid (m. à m. : au sac) et nous allons à la campagne. Nous sommes sur le point de partir.

2 — Paul dit qu'à la campagne on est très bien. — J'en dis autant (m. à m. : je le dis aussi). — Jean ne dit rien, mais il est d'accord. Jean et Paul disent toujours la même chose. — Et vous que dites-vous? — Nous disons aussi que la campagne est très agréable. Surtout maintenant que le temps s'améliore.

3 Comment va Jean ce matin? Où est-il? — Il va très bien. Il est dans sa chambre. — Qu'est-ce qu'il fait maintenant? Est-il en train d'écrire? — Est-ce qu'il est en train de lire? — Qu'êtes-vous en train de dire? Jean ne lit ni n'écrit. C'est un paresseux; il est en train de dormir.

Prononciation

*C**a**mera, d**i**cono, piac**e**vole* sont accentués sur la 3e syllabe avant la fin. Doublez bien les consonnes : *soprattutto* (sopra tutto), surtout.
C'est à dessein que nous laisserons encore, au cours des quelques leçons à venir, une liste des mots ayant, à la tonique, un *e* ou un *o* ouvert ou fermé. Lisez souvent ces listes à haute voix afin que le son correct se fixe dans votre mémoire, dans vos habitudes.

Vocabulaire

Molto a le sens de beaucoup *(molto pane),* de très *(molto contento).* Dans le sens de « beaucoup » il est adjectif, donc s'accorde : *molti spaghetti e molta frutta,* beaucoup de spaghetti et beaucoup de fruits.

Il y a loin de la coupe aux lèvres (m. à m. : du dire au faire il y a au milieu la mer).

Dans le sens de « très », il est adverbe, donc invariable : *sono molto contenta,* je suis très contente : *siamo molto contente,* nous sommes très contentes.

Du mot *poltrone,* paresseux rapprochez *la poltrona,* le fauteuil. Rapprochez du mot français « poltron » qui est issu de l'italien mais a pris un sens différent.

Non dice nulla = non dice niente, il ne dit rien.

Niente affatto ≐ assolutamente niente, rien du tout, absolument rien.
Non sono affatto contento, je ne suis absolument pas content.
Sono affatto contento, je suis tout à fait content.

Grammaire

■ Verbes	***Fare,*** faire	***Dire,*** dire	***Stare,*** être
	Fo ou *(faccio)*	*Dico*	*sto*
	fa	*dice*	*sta*
	facciamo	*diciamo*	*stiamo*
	fanno	*dicono*	*stanno*
Le tutoiement			
	fai	*dici*	*stai*
	fate	*dite*	*state*

■ ***Gérondifs***
Pour les gérondifs réguliers : *parlare,* ***parlando;*** *scrivere,* ***scrivendo;*** *dormire,* ***dormendo.***
Les gérondifs des trois verbes que nous étudions aujourd'hui sont *fare, facendo; dire, dicendo; stare, stando.*
Seul *stare, stando* est régulier.

Sta parlando, il est en train de parler; *sto scrivendo,* je suis en train d'écrire; *stanno leggendo,* ils sont en train de lire.
Comme vous le voyez *stare* suivi du gérondif traduit « être en train de ». Si vous avez étudié l'anglais, rappelez-vous la forme progressive.

A la question *Dov'è Giovanni?* Où est Jean? On peut répondre : *Sta leggendo, sta scrivendo...* Il est en train de lire, d'écrire.
Distinguer bien : *Sta per partire,* il va partir, il est sur le point de partir.

■ ***Anch'io,*** moi aussi (i tonique).
De même : *anche* ***lui,*** lui aussi; *anche noi, anche loro.*

Exercices

A 1. Je fais ce que je dis. 2. Vous (singulier) vous ne faites pas toujours ce que vous dites. 3. Louis non plus ne fait pas toujours ce qu'il dit. 4. Il a déjà fait, cependant, beaucoup de choses. 5. Il nous en a donné passablement.

B 6. Que faites-vous? Que dites-vous? Où allez-vous? 7. Où vous en allez-vous? Quand partez-vous? 8. Qu'aimez-vous faire? 9. Que préférez-vous faire? 10. Qu'êtes-vous en train de faire? 11. Êtes-vous en train d'écrire à Jean, à Rome? 12. Non, je suis sur le point de lui écrire. Je ne l'ai pas fait encore.

C 13. Lui aussi il lit. 14. Elle aussi, elle fait ce qu'elle dit. 15. Nous aussi, nous lisons beaucoup. 16. Nous aussi, nous préférons lire. 17. Vous me dites ce que vous faites? Vous me le dites? 18. Oui, je vous le dis (Voyez page 42).

D Même exercice à la forme négative.
13. Lui non plus, il ne lit pas...

Corrigé :

A 1. Faccio ciò (quello) che dico. 2. Lei non fa sempre ciò (quello) che dice. 3. Neanche Luigi fa sempre quello (ciò) che dice. 4. Tuttavia ha già fatto molte cose. 5. Ce ne ha dato abbastanza.

B 6. Che cosa fa? Che cosa dice? Dove va? 7. Dove se ne va? Quando parte? 8. Che cosa le piace fare? 9. Che cosa preferisce fare? 10. Che cosa sta facendo? 11. Sta scrivendo a Giovanni, a Roma? 12. No, sto per scrivergli. Non l'ho fatto ancora.

C 13. Anche lui legge. 14. Anche lei fa ciò (quello) che dice. 15. Anche noi leggiamo molto. 16. Anche noi preferiamo leggere. 17. Mi dice ciò (quello) che fa? Me lo dice? 18. Sí, glielo dico.

D 13. Non legge neanche lui. 14. Neanche lei fa ciò che dice. 15. Non leggiamo molto neanche noi. 16. Non preferiamo leggere neanche noi. 17. Non mi dice ciò (quello) che fa? Non me lo dice? 18. No, non glielo dico.

Leçon

Bisogna ch'io parta subito

1 — •Bisogna ch'io parta subito in °aereo per Parigi. C'è un posto?
— Non •credo che sia possibile, •signore. Per •ottenere un passaggio aereo in questi *giorni è necessario che lei si °prenoti in °tempo utile.
— •Veda in •ogni °modo se c'è •ancora un posto libero.

2 — È un •vero peccato che non abbia prenotato prima. Ora è troppo tardi. Mi spiace per il contrattempo, mi creda, ma non °posso far nulla per lei. La °prossima °volta scriva o °telefoni in anticipo.
— Non c'è neanche la possibilità di andare a Bruxelles?
— No, signore, mi spiace, °bisogna che aspetti fino a domani.

3 — È necessario •allora ch'io °prenda il primo °treno.
— Tra un'•ora circa c'è un °treno e, °sebbene non sia il piú rapido, le °consente di raggiungere Parigi nella mattinata di domani.
— Prenda una •cuccetta, °dorma e può darsi *che non rimpianga di aver dovuto prendere il treno. È °meglio che arrivi a Parigi °ben riposato.

[ò] modo; posso; prossimo; volta; dorma; prenoti; nuocere.

[ó] bisogna; signore; giorno; allora; ora.

[è] aereo; tempo; prenda; treno; sebbene; consente; meglio; ben.

[é] credo; ottenere; veda; vero; cuccetta; che.

NON TUTTI I MALI VENGONO PER °NUOCERE

Traduction

Il faut que je parte tout de suite

1 — Il faut que je parte tout de suite en avion pour Paris. Y a-t-il une place? — Je ne crois pas que ce soit possible, Monsieur. Pour avoir une place sur un avion (m. à m. : pour obtenir un passage aérien) ces jours-ci, il faut que vous réserviez en temps utile. — Voyez de toute manière s'il y a encore une place libre.

2 — C'est vraiment dommage (m. à m. : c'est un vrai péché) que vous n'ayez pas réservé plus tôt. — Maintenant c'est trop tard. Je suis ennuyé de ce contre-temps, croyez-moi, mais je ne peux rien faire pour vous. — La prochaine fois écrivez ou téléphonez à l'avance. — Il n'est pas même possible d'aller à Bruxelles? — Non, Monsieur; je regrette, il faut que vous attendiez jusqu'à demain.

3 — Il faut alors que je prenne le premier train. — Dans une heure environ il y a un train et bien que ce ne soit pas le plus rapide, il vous permet d'atteindre Paris dans la matinée de demain. — Prenez une couchette, dormez et il se peut que vous ne regrettiez pas d'avoir dû prendre le train. Il vaut mieux que vous arriviez à Paris bien reposé.

Prononciation

Prenez garde aux mots accentués sur la troisième syllabe avant la fin : *s**u**bito, **u**tile, pr**o**ssima, tel**e**foni, r**a**pido,* et les verbes *pr**e**ndere, raggi**u**ngere.*

Notez le redoublement : *raggiungere* [*ddj*], tandis que *Parigi* [*dj*].

Vocabulaire

Comunque, de toute façon.
Un peccato, un péché.
Mais les expressions : *è un peccato,* c'est dommage.
è un vero peccato, c'est vraiment dommage.

A quelque chose malheur est bon (m. à m. : tous les maux n'arrivent pas pour nuire).

Bisogna che, il faut que : *bisogna che lei dorma,* il faut que vous dormiez.
Un bisogno, un besoin; *ho bisogno di denaro,* j'ai besoin d'argent. *Mi occorre denaro,* il me faut de l'argent. L'infinitif est *occ**o**rrere.*

Grammaire

■ Dans cette leçon (§ 1) les verbes *parta* (infinitif : *partire*) *sia* (infinitif : *essere*), *si prenoti* (infinitif : *prenotarsi*) sont au **subjonctif présent.** Il en serait de même en français. Vous pouvez vous-même tirer la règle : les infinitifs en *-are* font le subjonctif en *-i* et ceux en *-ere* ou en *-ire* le font en *-a.*

Mais de plus, en italien, l'**impératif,** lorsqu'on utilise la forme polie, est semblable au subjonctif : c'est ce qu'en italien on appelle le subjonctif exhortatif.
Controlli a donc *controllare* pour infinitif; *credere* fait *creda; scrivere, scriva.*

Ces constatations doivent suffire à votre mémoire. Puisque vous connaissez le présent de l'indicatif, lancez-vous! Écrivez sur une feuille de papier le subjonctif présent des verbes : *telefonare, prendere, dormire;* il vous suffit en outre de savoir que la 1re personne du pluriel est toujours terminée par *-iamo* aux présents de l'indicatif et du subjonctif.

Telefonare	*Prendere*	*Dormire*
*Tel**e**foni*	*pr**e**nda*	*d**o**rma*
*tel**e**foni*	*pr**e**nda*	*d**o**rma*
*telefoni**a**mo*	*prendi**a**mo*	*dormi**a**mo*
*tel**e**fonino*	*pr**e**ndano*	*d**o**rmano*

Constatez que dans le texte de cette leçon, tous les subjonctifs italiens se traduisent par des subjonctifs en français. Ils viennent après les expressions :

Non credo che ... *È un vero peccato che ...*
È necessario che ... *Sebbene ...*

■ ***Mi spiace,*** je regrette. *Spiac**e**re* est le contraire de *piacere.* Le *s* indique le contraire; de même : *un pittore sconosciuto,* un peintre inconnu; *un pittore conosciuto,* un peintre connu. Mais on dit : *dispiacere,* déplaire; *disdire,* dédire; *disfare,* défaire; *discon**o**scere,* méconnaître.

Exercices

A 1. Vous (singulier) n'allez pas à Naples? C'est dommage! 2. Vous ne partez pas tout de suite? C'est dommage. 3. C'est dommage que vous ne partiez pas tout de suite. 4. Quand partez-vous? Je ne crois pas que vous partiez. Il n'y a plus de place libre. 5. De toute façon il faut que vous partiez. 6. Nous avons écrit à l'avance. 7. Nous avons téléphoné. Nous avons réservé notre place. 8. Et vous (singulier) quand avez-vous écrit? Quand avez-vous téléphoné?

B 9. Nous écrivons. Il faut que nous écrivions. Écrivons, donc. Écrivez aussi Monsieur, s'il vous plaît. 10. Nous téléphonons. Il faut que nous téléphonions. Téléphonons donc. Téléphonez aussi, Monsieur, s'il vous plaît. 11. C'est dommage que vous n'écriviez pas. C'est dommage que vous ne téléphoniez pas.

C 12. Je regrette que vous ne partiez pas. Je regrette que cela ne soit pas possible. Je regrette que vous n'ayez pas réservé votre place. 13. Il n'est pas content (traduire par « dispiacere ») que vous ne partiez pas. Cela me déplaît qu'il ne prenne pas le premier train.

Corrigé

A 1. Non va a Napoli? Peccato! 2. Non parte subito? Peccato! 3. Peccato che non parta subito. 4. Quando parte? Non credo che parta. Non c'è un posto libero. 5. In ogni modo bisogna che lei parta. 6. Abbiamo scritto in anticipo. 7. Abbiamo telefonato. Abbiamo prenotato il nostro posto. 8. E Lei quando ha scritto? Quando ha telefonato?

B 9. Noi scriviamo. Bisogna che noi scriviamo. Dunque scriviamo. Scriva anche lei, signore, per favore. 10. Noi telefoniamo. Bisogna che noi telefoniamo. Dunque, telefoniamo. Telefoni anche lei, signore, per favore. 11. Peccato che lei non scriva. Peccato che lei non telefoni.

C 12. Mi spiace che lei non parta. Mi spiace che ciò non sia possibile. Mi spiace che non abbia prenotato il suo posto. 13. Gli dispiace che lei non parta. Mi dispiace che non prenda il primo treno.

Leçon

Contrôle et révisions

Les verbes; piacere; la forme polie

A *Traduisez :*

1. Il est italien. Elle aussi est italienne. 2. D'où est-il? Et elle, d'où est-elle? 3. D'où sont-ils? De Rome? D'où sont-elles? De Florence? 4. Êtes-vous italien; Monsieur? Et vous, Madame? 5. Non, nous ne sommes pas italiens? 6. D'où êtes-vous? De Paris? 7. Oui, nous sommes de Paris, mais nous sommes à Rome, chez un oncle.

B *Traduisez :*

8. Aimez-vous cette maison, Monsieur? 9. Aimez-vous ces arbres? Qu'aimez-vous? 10. J'aime ces arbres. Nous aimons cette maison.

C *Traduisez :*

11. Nos amis de Rome parlent très bien l'italien. 12. Je le parle un peu. Je le lis. 13. Je le comprends quand mes amis parlent. 14. Je préfère parler avec eux. 15. J'écris quelques phrases tous les jours (= chaque jour).

D *Traduisez :*

16. Comment allez-vous? 17. Quand partez-vous Monsieur? 18. Où allez-vous? 19. Avez-vous une auto? 20. Allez-vous à Rome en voiture? 21. Allez-vous jusqu'à Rome?

E *Traduisez :*

22. J'ai besoin d'aller à Milan. 23. Je ne crois pas que ce soit possible maintenant. 24. Si, c'est possible si vous partez maintenant. 25. Je vous attends. 26. Ne m'attendez pas. 27. Partez immédiatement.

F *Conjuguez au présent de l'indicatif :*

consentire, preferire, partire.

Corrigé :

A 1. •Egli è italiano. Anche lei è italiana. 2. Di dov'è lui? E ○lei, di dov'è? 3. Di •dove sono •loro? Di •Roma? Di dove sono loro? Di ○Firenze? 4. Signore, lei è italiano? E lei signora? 5. No, noi non siamo italiani. 6. Di dov'è lei? Di Parigi? 7. Sí, noi siamo di Parigi, ma siamo a Roma da uno zio.

B 8. Le piace •questa casa, signore? 9. Le pi**a**cciono questi **a**lberi? Che ○cosa le piace? 10. Mi piacciono quegli alberi. Ci piace questa casa.

C 11. I nostri amici di Roma p**a**rlano ben**i**ssimo italiano. 12. Io lo parlo un ○poco. Lo leggo. 13. Lo capisco quando i miei amici parlano. 14. Preferisco parlare con loro. 15. Scrivo qualche frase •ogni •giorno.

D 16. •Come sta? 17. Quando parte, signore? 18. Dove va? 19. Ha una m**a**cchina? 20. Va a Roma in m**a**cchina? 21. Va fino a Roma?

E 22. Ho bisogno di andare a Milano. 23. •Non credo che sia poss**i**bile •ora. 24. Sí, è possibile se parte ora. 25. L'aspetto. 26. Non mi aspetti. 27. Parta immediatamente.

F Consento, consente, consentiamo, cons**e**ntono.
Preferisco, preferisce, preferiamo, prefer**i**scono.
Parto, parte, partiamo, p**a**rtono.

Devo, ○posso, ○so, ○voglio

1 Devo alzarmi ogni mattina alle sette. Devo uscire di casa alle ○otto.
Questa mattina son dovuto andare al piú presto in ufficio.
Sono uscito di casa alle ○sette e ○mezzo.
Anche la mia segretaria è dovuta venire piú ○presto.
Abbiamo dovuto ○l**e**ggere la ○posta e risp**o**ndere alle l**e**ttere piú urgenti. Dobbiamo sempre •risp**o**ndere alle l**e**ttere che ci gi**u**ngono.
Tutti i capouffici d**e**bbono firmare la ○corrispondenza.

2 Posso scr**i**vere •direttamente a m**a**cchina o registrare al ○magnet**o**fono.
•Questo •apparecchio è molto pr**a**tico, ma la mia segretaria non ha saputo farlo funzionare s**u**bito.
Ora la mia segretaria od io possiamo riascoltare le frasi che abbiamo potuto registrare.

3 Marcello ○str**e**pita, ○voglio le ○caramelle!
La mamma ○vuole bene a ○Marcello.
Tutti vogliamo bene a Marcello, ma Marcello, stamattina non è voluto andare a ○scuola. Non ha voluto in nessun ○modo. E la mamma, per punirlo, non ha voluto dargli le caramelle.

[ò] otto; posso; so; magnet**o**fono; voglio; vuole; scuola; modo.

[ó] rispondere; ora.

[è] sette; presto; l**e**ggere; corrispondenza; mezzo; Marcello; strepita; caramelle.

[é] direttamente; questo; apparecchio.

VOLERE È POTERE

Traduction

Je dois, je peux, je sais, je veux.

1 Je dois me lever tous les matins à sept heures. Je dois sortir de chez moi à huit heures. Ce matin j'ai dû aller au plus vite au bureau. Je suis sorti de chez moi à 7 heures et demie. Ma secrétaire a dû venir aussi plus tôt. Nous avons dû lire le courrier et répondre aux lettres les plus urgentes. Nous devons toujours répondre aux lettres qui nous parviennent. Tous les chefs de bureau doivent signer la correspondance.

2 Je puis écrire directement à la machine ou enregistrer au magnétophone. Cet appareil est très pratique, mais ma secrétaire n'a pas su le faire fonctionner tout de suite. Maintenant, ma secrétaire ou moi, nous pouvons écouter à nouveau les phrases que nous avons pu enregistrer.

3 Marcel tempête : je veux les bonbons! La maman aime (m. à m. : volere bene) bien Marcel. Tous aiment bien Marcel, mais Marcel, ce matin n'a pas voulu aller à l'école. Il n'a pas voulu en aucune façon, et la maman pour le punir, n'a pas voulu lui donner les bonbons.

Prononciation

Attention aux doublements de consonnes : *mattina, alle, sette, ufficio, capoufficio, abbiamo, leggere.*
Repérez des phrases où se trouvent des mots présentant des redoublements de consonnes et lisez-les à haute voix.

Vocabulaire

Corrispondere, correspondre; *corrispondenza,* correspondance.
Rispondere, répondre; *risposta,* réponse.
leggere la posta, lire le courrier.
giungere, arriver.
registrare, enregistrer.
strepitare, faire du vacarme; *lo strepito,* le vacarme.
ufficio, bureau; *il capoufficio,* le chef de bureau.

Qui veut peut (m. à m. : vouloir c'est pouvoir).

Grammaire

■ ***Dovere :*** *Devo, deve, dobbiamo, d**e**vono.*
potere : *posso, può, possiamo, p**o**ssono.*
sapere : *so, sa, sappiamo, sanno.*
volere : *voglio, vuole, vogliamo, v**o**gliono.*

Tutoiement :

devi, puoi, sai, vuoi; tu dois...
dovete, potete, sapete, volete; vous devez...

■ ***Son dovuto andare.*** J'ai dû aller. ***Ho dovuto leggere,*** j'ai dû lire. Dans le premier exemple on emploie *essere* à cause du verbe *andare :* on dirait en effet : *sono andato,* je suis allé. Dans le second, on emploie *avere,* à cause du verbe *leggere :* on dirait *ho letto,* j'ai lu.
Les verbes *dovere, potere, volere,* seuls, emploient l'auxiliaire *avere : ho voluto, ho potuto, ho dovuto.* Mais suivis d'un infinitif, ils se laissent précéder par l'auxiliaire correspondant à cet infinitif.

Ho dovuto mangiare. J'ai dû manger.
Non sono potuto andare. Je n'ai pas pu aller.
Non è voluto venire. Il n'a pas voulu venir.

N. B. *Non ha voluto partire* est correct; mais il insiste sur le fait de « n'avoir pas voulu ».
Son pour *sono; esser* pour *essere; star* pour *stare; vuol* pour *vuole* (p. 57). L'usage vous permettra d'utiliser ces formes élidées à bon escient.

■ *Alle sette e mezzo,* à sept heures et demie. Le mot *ore* qui est du féminin est sous-entendu; *mezzo* est invariable. On dira : *alle sette e un quarto. Sono le otto meno un quarto. Un'arancia e mezzo.*
Mais vous direz : *desidero una mezza arancia,* je désire une demi-orange; *un quarto di mela,* un quart de pomme.

■ *Il capoufficio, i capouffici.*
Dans certains mots composés, seul le deuxième mot se met au pluriel.
Ainsi : *il capoluogo,* le chef-lieu, *i capoluoghi; il cavolfiore,* le chou-fleur; *il capolavoro,* le chef-d'œuvre; *l'arcobaleno,* l'arc-en-ciel.
Mais pour d'autres seul le premier prend la marque du pluriel. *Il capostazione, i capistazione.*
De même : *il pescespada,* le poisson épée : *i pescispada; il capobanda,* le chef de bande, *il caposquadra,* le chef d'équipe.

Exercices

A 1. Il sait beaucoup de choses. 2. Il peut faire beaucoup pour son frère, mais il n'aime pas son frère. 3. Il n'aime pas faire ce qu'il ne veut pas. 4. Alors que veut-il? 5. Que veut-il voir? Que peut-il voir aujourd'hui? 6. A qui doit-il parler? 7. Que puis-je faire pour vous? 8. A qui puis-je écrire pour réserver ma place? 9. Avec qui dois-je partir? 10. Que voulez-vous? Que voulez-vous que je vous donne?

B Mêmes phrases à la première personne du pluriel : 1. Nous savons...

C 11. J'ai fait ce que vous voulez. 12. J'ai dû faire ce que vous m'avez dit. 13. Je n'ai pas pu ni voulu faire ce que Paul m'a dit. 14. Je suis parti. 15. J'ai dû partir. 16. Je n'ai pas pu ni voulu partir sans Paul. 17. Je n'ai pas pu le faire. 18. Je n'ai pas pu partir. 19. Je n'ai pas pu venir. 20. Je n'ai pas pu aller à la banque. 21. Je n'ai pas pu changer mon argent.

Corrigé

A 1. Sa molte cose. 2. Può fare molto per suo fratello, ma non ama suo fratello. 3. Non gli piace fare ciò (quello) che non vuole. 4. Allora che cosa vuole? 5. Che cosa vuol vedere? Che cosa può vedere oggi? 6. Con chi deve parlare? 7. Che cosa posso fare per lei? 8. A chi posso scrivere per prenotare il mio posto. 9. Con chi devo partire? 10. Che cosa vuole? Che cosa vuole che le dia?

B 1. Sappiamo... 2. — Possiamo... per nostro..., ... non amiamo... 3. — Non ci piace... vogliamo. 4. — ... vogliamo...? 5. — ... vogliamo...? ... possiamo...? 6. — ... dobbiamo...? 7. — ... possiamo...? 8. — ... possiamo... il nostro...? 9. — ... dobbiamo...?

C 11. Ho fatto ciò che vuole. 12. Ho dovuto fare ciò che mi ha detto. 13. Non ho potuto né voluto fare ciò (quello) che Paolo mi ha detto. 14. Sono partito. 15. Son dovuto partire. 16. Non ho potuto né voluto partire senza Paolo. 17. Non ho potuto farlo. 18. Non son potuto partire. 19. Non son potuto venire. 20. Non sono potuto andare in banca. 21. Non ho potuto cambiare il mio denaro.

Leçon

•Sedere, •rimanere, •vedere

1 Giovanni è un •poltrone. Rimane seduto tutto il giorno. Rimane a °leggere lo stesso giornale per molte ore •ogni mattina. Non ha mai le sue °cose in •ordine e quando cerca °qualcosa mette la casa a soqquadro.

2 — Ha visto la •mostra del •Tintoretto a °Venezia?
— Ho ammirato quelle grandi pitture che si vedono nel Palazzo Ducale, tra cui si °trova il piú grande dipinto del •mondo.
— Dal •balcone del Palazzo si può •vedere il Lido. La vista è •molto °bella. L'acqua non è mai calma. I vaporetti vanno e °vengono per la gioia dei turisti. Nei canali •dove passano •solo le •gondole, lo specchio delle acque resta °immobile. Mi piace •sedere in una gondola e •vedere i palazzi sfilare davanti a •me.

3 — Si °accomodi, signora, °prego, non rimanga in piedi.
— °Prenda la mia °sedia.
— °Prego, prego, signori, non si °scomodino.
— Non °vuol •rimanere con •noi?
— °Sieda e rimanga a farci compagnia. È già stata a °Venezia?
— Sí, l'anno •scorso e sono rimasta °sei •mesi. Questa °volta rimarrò molto •meno.

[ò] cosa; trova; immobile; vuol; volta; accomodi; scomodino.

[ó] poltrone; ogni; ordine; mostra; mondo; balcone; dove; solo; gondole.

[è] leggere; cerca; Venezia; bella; vengono; prenda; sedia; prego; sieda.

[é] mette; Tintoretto; quelle; vedere; sedere; me; rimanere; mesi; meno.

VENEZIA È LA REGINA DELL'ADRIATICO

Traduction

S'asseoir, rester, voir.

1 — Jean est un paresseux. Il reste assis toute la journée. Il reste à lire le même journal des heures durant, chaque matin. — Il n'a jamais ses affaires en ordre et quand il cherche quelque chose il met la maison sens dessus dessous.

2 — Avez-vous vu l'exposition du Tintoret à Venise? — J'ai admiré ces grandes peintures que l'on voit au Palais Ducal, parmi lesquelles se trouve la plus grande toile du monde. — Du balcon du Palais, on peut voir le Lido. La vue est très belle. L'eau n'est jamais calme. Les vapeurs vont et viennent pour la joie des touristes. Dans les canaux, où passent seulement les gondoles, le miroir de l'eau (m. à m. : des eaux) reste immobile. J'aime m'asseoir dans une gondole et voir les palais défiler devant moi.

3 — Asseyez-vous, Madame, je vous en prie; ne restez pas debout. — Prenez ma chaise. — Je vous en prie, je vous en prie, Messieurs, ne vous dérangez pas. — Ne voulez-vous pas rester avec nous? — Asseyez-vous et restez pour nous tenir compagnie. Avez-vous déjà été à Venise? — Oui, l'année dernière, et je suis restée six mois. Cette fois-ci, je resterai beaucoup moins.

Prononciation

Rappel : l'accent tonique peut tomber sur la voyelle finale *(piú)* sur l'avant-dernière syllabe *(pal**a**zzo),* sur la deuxième avant la fin *(g**o**ndola)* plus rarement sur la quatrième avant la fin *(sc**o**modino).* Mémento § 1.

Prononcez comme en français « c'est » : *siede, piede,* pied *ieri* [è], hier.

Doublement de consonne. Faites bien sonner les 2 *m,* les 2 *n,* les deux *t,* les 2 *s,* les 2 *c,* les 2 *z : ammirare, Giovanni, tutto, p**a**ssano, specchio, palazzo...*

Faites le doublement du *v,* dans *può vedere,* il peut voir. *Piú vero,* plus vrai; redoublez le *b* dans *piú bello,* plus beau. Pourquoi? Parce que *può,* il peut, *piú,* plus, ont l'accent tonique sur la finale : l'accent tonique communique un élan rythmique et appelle le doublement de la consonne initiale du mot suivant.

Venise est la reine de l'Adriatique

Vocabulaire

Lido, palazzo, gondola, canale, vaporetto, la pittura, il dipinto.
Vedere, la vista.
Sedere, la sedia.
Il vaporetto, le bateau qui fait le service des transports en commun sur les canaux de Venise. *La pittura* peut être « l'art de peindre » ou « le tableau »; *il dipinto* est toujours le tableau = il quadro.

Grammaire

■ ***Sedere :*** *siedo, siede, sediamo, siedono.* Subj. *sieda.*
Rimanere : *rimango, rimane, rimaniamo, rimangono.* Subj. *rimanga.*
vedere : *vedo, vede, vediamo, vedono.* Subj. *veda.*

Tutoiement
au singulier : *tu siedi, tu rimani, tu vedi...*
au pluriel : *voi sedete, voi rimanete, voi vedete...*
participe passé : *seduto,* assis; *rimasto,* resté; *veduto (visto)* vu.

■ *Il giornale;* ***lo stesso giornale.*** Voyez leçon 8.

L'*s* initial suivi d'une consonne; c'est ce que l'on appelle l'*s* impur, parce qu'on ne peut pas l'attaquer directement sans prendre appui, en quelque sorte, sur la voyelle précédente.

Ex. : *È la stessa casa, sono le stesse case.* C'est la même maison, ce sont les mêmes maisons. L'article masculin « il » ne permettrait pas cet appui sur une voyelle puisqu'il est terminé par un *l.* C'est pourquoi on emploie *« lo »* devant un mot commençant par un *s. È lo stesso,* c'est la même chose.
Au pluriel l'article *« i »* n'offrant pas suffisamment d'appui, c'est *« gli »* que l'on emploiera. Ex. : *Gli stessi uomini,* les mêmes hommes.

■ ***Farci compagnia.***
Le verbe est *fare,* le pronom complément *ci,* nous, est placé après et soudé à lui. Ce rejet est en particulier le cas de tous les infinitifs.
Comparez avec le français : asseyez-vous.

Cependant en italien, l'on dit *si accomodi,* asseyez-vous. Le pronom *si* est avant le verbe, parce qu'il s'agit de la 3e personne du subjonctif (employé comme impératif) et qu'à ce mode le rejet ne se produit pas.

Exercices

A 1. Au lieu d'aller et venir tout le temps comme cela, restons un peu à la maison. 2. Asseyons-nous. 3. Prenons un livre; lisons-le. 4. Il faut que nous restions tranquilles un jour entier. 5. Toujours voir des musées et des églises nous fatigue. 6. Nous avons vu cent tableaux hier, autant avant-hier; c'est magnifique. 7. Mais nous ne savons plus très bien où ils se trouvent. 8. Restons à regarder le Grand Canal et les gondoles. 9. C'est magnifique ce que les meilleurs peintres ont fait.

B 10. Nous nous sommes assis. 11. Nous avons dû nous asseoir pour boire, tellement il faisait chaud. 12. Nous sommes restés une heure assis. 13. Nous avons dû rester une heure assis. 14. Nous n'avons pas pu nous asseoir. 15. Nous avons vu le musée de la sculpture de la Renaissance. 16. Ils n'ont pas pu voir les fresques. 17. L'église a dû rester fermée toute l'après-midi. 18. Nous n'avons pas pu tenir compagnie à vos amis. 19. Jean et Paul n'ont pas pu leur tenir compagnie non plus.

Corrigé :

A 1. Invece di andare e venire continuamente cosí, restiamo un poco in casa. 2. Sediamoci. 3. Prendiamo un libro; leggiamolo. 4. È necessario che noi restiamo un giorno intero tranquilli. 5. Veder sempre musei e chiese ci stanca. 6. Abbiamo visto cento quadri ieri, altrettanti l'altro ieri; è magnifico. 7. Ma non sappiamo piú esattamente dove si trovino. 8. Rimaniamo a guardare il Canal Grande e le gondole. 9. È magnifico ciò (quello) che hanno fatto i migliori pittori.

B 10. Ci siamo seduti. 11. Ci siamo dovuti sedere per bere, tanto faceva caldo. 12. Siamo rimasti un'ora seduti. 13. Siamo dovuti restare un'ora seduti. 14. Non abbiamo potuto sederci. 15. Abbiamo visto il museo della scultura del Rinascimento. 16. Non hanno potuto vedere gli affreschi. 17. La chiesa è dovuta restar chiusa tutto il pomeriggio. 18. Non abbiamo potuto tener compagnia ai nostri amici. 19. Neanche Giovanni e Paolo non hanno potuto tener loro compagnia.

Venga via, esca!

1 — Di •dove ○viene lei?
— Vengo da Tivoli. Sono uscita, dalla casa di mia zia nel pomeriggio. Sono venuta con mia cugina. Ogni lunedí veniamo da Tivoli ○insieme.
— E loro di dove vengono?
— •Ora veniamo da casa. Abbiamo assistito ad uno spettacolo alla •televisione. Siamo usciti ○dieci minuti fa. Da dieci minuti siamo in strada. Tra un quarto d'ora andiamo a •vedere un film.

2 È un signore che non ha •preoccupazioni. •Appena si alza, ○eccolo che ○esce di casa per incontrare gli amici al bar. Parla un ○po' con loro e poi ○legge i giornali. Quindi viene un altro amico che vuole portarlo via :
— ○Venga via di qui! Andiamo a respirare un po' d'aria pura. Su, via, usciamo.

3 — Per •favore, •signore, •dov'è l'uscita della •stazione?
— È lí, in •fondo a ○destra. Può uscire anche a sinistra. L'uscita principale è di •fronte. Se lei esce dall'uscita principale ○trova la fermata dell' autobus.

[ò] trova; po'

[ó] televisione; occupazione; favore; stazione; fondo; fronte.

[è] viene; insieme; dieci : eccolo; esce; legge; venga; destra.

[é] vedere; appena.

VENNI, VIDI E VINSI

Traduction

Venez dehors, sortez!

1 — D'où venez-vous? — Je viens de Tivoli. Je suis sortie de chez ma tante dans l'après-midi. Je suis venue avec ma cousine. Tous les lundis nous venons ensemble de Tivoli. — Et vous, d'où venez-vous? — Maintenant nous venons de chez nous. Nous avons assisté à un spectacle à la télévision. Nous sommes sortis il y a 10 minutes. Nous sommes dans la rue depuis 10 minutes. Dans un quart d'heure nous allons voir un film.

2 — C'est un monsieur qui n'a pas de soucis. A peine se lève-t-il, le voilà qui sort de chez lui pour retrouver les amis au bar. Il parle un peu avec eux, puis il lit les journaux. Ensuite vient un autre ami qui veut l'emmener : — Sortez d'ici! Allons respirer un peu d'air pur. Allons, dehors, sortons.

3 — S'il vous plaît, Monsieur, où est la sortie de la gare? — Elle est là, au fond à droite. Vous pouvez sortir aussi à gauche. La sortie principale est en face. Si vous sortez par la sortie principale vous trouvez l'arrêt de l'autobus.

Prononciation

esco *uscita* [ch] *usciamo*
Doublement de consonnes : *pomeriggio, legge, appena, spettacolo, eccolo.*
Attention à l'accent tonique *via* (séparez bien le *i*); *tranvai* (séparez bien le *a*).
Pour l'entraînement de votre mémoire auditive, amusez-vous à répéter les deux premières lignes du § 3, avec sa succession d'o fermés et d'e ouverts :

favore — signore — dov'è — stazione — è — fondo — destra
•o •o •o ○e •o ○e •o ○e

Vocabulaire

La mattina, le matin; *il pomeriggio,* l'après-midi; *la sera,* le soir; *la notte,* la nuit.

Je suis venu, j'ai vu et j'ai vaincu.

Stamattina, ce matin (sta est mis pour *questa*); *questo pomeriggio,* cet après-midi; *stasera,* ce soir, *stanotte,* cette nuit. *Quindi* a trois sens : 1. ensuite; on peut employer aussi *dopo* 2. Donc; on peut employer aussi *dunque.* 3. De-ci de-là, dans l'expression *quinci e quindi.*

Grammaire

■ ***Venire*** — ***Uscire***

Venire	Uscire
vengo	*esco*
viene	*esce*
veniamo	*usciamo*
*v**e**ngono*	***e**scono.*

Formation du subjonctif : dans les verbes de cette leçon *venire, uscire,* le subjonctif se forme en partant de la 1re personne du singulier du présent de l'indicatif :

	Venire :	*vengo,*	*venga*
	Uscire :	*esco,*	*esca.*
Rappel :	*Riman**e**re :*	*rimango,*	*rimanga.*

Donc je viens, *vengo;* que je vienne, *venga;* venez, *venga.*
Je sors, *esco;* que je sorte, *esca;* sortez, *esca.*
A l'impératif forme polie (subjonctif exhortatif) : *venga :* venez (Monsieur); *v**e**ngano :* venez (messieurs). *Esca, **e**scano; rimanga, rim**a**ngano.*

■ ***Se, si.*** Ne confondez pas : *si alza,* il se lève; *se esce,* s'il sort. Retenez pour fixer votre mémoire l'exemple suivant : ***Se si alza, esce presto.*** S'il se lève, il sort tôt. Les voyelles *e, i* se présentent dans l'ordre alphabétique.

Il y a dix minutes, *dieci minuti fa.* « Fa » est le verbe *fare.*
Da dieci minuti, depuis dix minutes.
Tra un quarto d'ora, dans un quart d'heure.

Exercices

A 1. On peut sortir quand on veut. 2. On ne peut pas entrer sans billet. 3. Si l'on veut entrer à nouveau après être sorti, il faut donc acheter un autre billet. 4. Avec un billet on peut aller partout. 5. On peut voir tout ce que l'on veut. 6. Si l'on ne peut pas voir ce tableau en ce moment, c'est qu'il a été prêté à une exposition, à Londres ou à Paris.

B 7. Venez (singulier) chez moi. 8. Apportez tout ce qu'il vous faut pour écrire, lire, etc., pour faire tout ce que vous voulez. 9. Si vous voulez, vous pourrez faire de la musique. 10. Si vous n'êtes pas content, partez (pluriel). 11. Emportez toutes vos affaires. 12. Allez-vous-en. 13. Partez tous ensemble. 14. Il y a 20 minutes que vos amis sont partis. 15. Sortez, vite.

C 16. Ils sont venus nous voir. 17. Ils ont absolument voulu venir nous voir. 18. Nous sommes allés les voir. 19. Nous avons pu aller les voir. 20. Vous (singulier) avez assisté au concert. 21. Vous avez dû assister au concert. 22. Cela ne vous a pas plu. 23. Cela n'a pas dû leur plaire (à Jean et à Pierre) non plus.

Corrigé :

A 1. Si può uscire quando si vuole. 2. Non si può entrare senza biglietto. 3. Se si vuole entrare di nuovo dopo essere usciti, bisogna dunque comprare un altro biglietto. 4. Con un biglietto si può andare dappertutto. 5. Si può vedere tutto quello che si vuole. 6. Se non si può vedere questo quadro ora (in questo momento) gli è che è stato prestato a una esposizione a Londra o a Parigi.

B 7. Venga da me (a casa mia). 8. Porti tutto quello che le occorre per scrivere, leggere ecc..., per fare tutto ciò che vuole. 9. Se vuole, potrà suonare. 10. Se non sono contenti, partano. 11. Portino via tutte le loro cose. 12. Se ne vadano. 13. Partano tutti insieme. 14. I loro amici sono partiti venti minuti fa. 15. Escano, presto.

C 16. Sono venuti a trovarci. 17. Hanno voluto assolutamente venire a trovarci. 18. Siamo andati a trovarli. 19. Abbiamo potuto andare a trovarli. 20. Ha assistito al concerto. 21. Ha dovuto assistere al concerto. 22. Ciò non le è piaciuto. 23. Ciò non è dovuto piacere neanche a loro (a Giovanni e a Pietro.)

Leçon

Che cosa mangeremo?

1 — •Domenica, °dopo una passeggiata nei °boschi, rimarrò in casa tutta la giornata.
— Riceverà i suoi amici? — Sí, certamente.
— In quanti saranno?
— Non so, ma in ogni modo si potrà approfittare per invitarli a colazione. Che cosa •mangeremo?
— Quello che vorrà, ci sarà di tutto. Potrò servire antipasti di prosciutto, salame, mortadella, olive, quindi spaghetti, carne °arrosto o bistecca ai °ferri con •contorno, formaggi e •dolce, dipenderà dal loro appetito.

2 — Piano, piano. Chi mangia °troppo ingrassa. È vero che avrò molta fame se andrò nei boschi, ma può preparare un pasto piú leggero. Non desidero diventare piú grasso di Giovanni.
— Ma Giovanni non è grasso, al contrario è magrissimo e perciò mangerà e berrà •come al solito °senza preoccuparsi. Lei parla certamente di °Antonio che è grassissimo e piú basso di me.

3 — Giovanni è tanto alto quanto °Pietro. Pietro e Giovanni sono •meno grassi di Antonio. Antonio è il piú grasso di tutti. Quanto sapranno °essere °sobri davanti a pietanze tanto °buone?

L'APPETITO VIEN MANGIANDO

Traduction

Que mangerons-nous?

1 — Dimanche, après une promenade dans les bois, je resterai chez moi toute la journée. — Vous recevrez vos amis? — Oui certainement. — Combien seront-ils? — Je ne sais, mais on pourra de toute manière (en) profiter pour les inviter à déjeuner. Qu'est-ce que nous mangerons? — Ce que vous voudrez, il y aura de tout. Je pourrai servir des hors-d'œuvre avec du jambon, du saucisson, de la mortadelle, des olives, ensuite des spaghetti, du rôti ou du beefsteak au gril avec des légumes, des fromages et du dessert, cela dépendra de leur appétit.

2 — Doucement, doucement. Qui mange trop engraisse. Il est vrai que j'aurai très faim si je vais (m. à m. : j'irai) dans les bois, mais vous pouvez préparer un repas plus léger. Je ne désire pas devenir plus gros que Jean. — Mais Jean n'est pas gros, au contraire, il est très maigre et c'est pourquoi il mangera et boira comme d'habitude sans se préoccuper. Vous parlez certainement d'Antoine qui est très gros et plus petit que moi.

3 — Jean est aussi grand que Pierre. — Pierre et Jean sont moins gros qu'Antoine. — Antoine est le plus gros de tous. — Combien sauront être sobres devant des plats aussi bons?

Prononciation

Sarà, rimarrò, potrà, vorrà... ont l'accent tonique sur la dernière syllabe. En français l'accent tonique tombe sur la dernière syllabe. Vous retrouverez donc vos habitudes pour les mots italiens accentués sur la dernière syllabe; mais vous devez prononcer beaucoup plus fort le a final : *« sarà »* que celui de il sera.
Prononcez le *r* correctement : pensez à *« l »* [!].
Redoublement de consonnes *saranno.* Par contre *saremo.*
L'accent tonique passe de l'avant-dernière à la troisième avant la fin dans les mots suivants : *grasso, grassissimo; magro, magrissimo.* Au contraire, lorsqu'une forme verbale s'allonge de ses pronoms compléments, l'accent tonique ne change pas de place. Exemples : *dare, darsela* (page 40); *sedere, sederci* (page 61), phrase 14); *sediamo, sediamoci* (page 61, phrase 2); *leggiamo, leggiamolo* (phrase 3).

L'appétit vient en mangeant

Vocabulaire

Al solito = di solito; du verbe solere, avoir l'habitude de. Le français possède l'adjectif « insolite », insolito.
Il magro, le maigre de la viande.
Invitare a colazione. De même : *invitare a cena.* Mais on dira : invitare a *prendere l'aperitivo, il té; invitare a passare tre giorni in campagna.*

Grammaire

■ **Le futur** se forme très simplement. En français : j'ai, tu as, il a se retrouvent après l'infinitif : je parlerai, tu parleras...
Apprenez de la manière suivante :

J'ai à parler = je parlerai.
Ho da parlare = parlerò.
ha da parlare = parlerà
abbiamo da parlare = parleremo
hanno da parlare = parleranno.

Remarquez que le *a* de l'infinitif devient *e.*
Remarquez aussi l'anomalie *abbiamo da...* terminaison *parleremo.* N'oubliez pas qu'une langue est vivante et que tout ce qui vit tend par cela même à s'échapper des règles, mais y revient constamment!
Il y a quelques futurs irréguliers : ayez recours au Mémento grammatical et prenez note de quelques futurs irréguliers : *andare* (§ 58) *vedere, sapere, bere, rimanere, volere* (§ 62), *potere* (§ 44), *dovere* (§ 64), *avere* (§ 51) *essere* (§ 52). A partir de la 1re du singulier qui vous est donnée vous pouvez conjuguer tout le temps. Ainsi : *rimarrò, rimarrà, rimarremo, rimarranno.*

■ ***Piú*** *alto* ***di, meno*** *alto* ***di;*** plus grand que, moins grand que.
È ***cosí*** *alto* ***come*** *me =*
È ***tanto*** *alto* ***quanto*** *me =*
È alto quanto me. Il est aussi grand que moi.
Grasso, grassissimo; gras, très gras.
bene, benissimo; bien, très bien.
buono, buonissimo; bon, très bon.

Vous pouvez dire : ***è buonissimo, è molto buono, è buono buono,*** c'est très bon, ou il est très bon.

Exercices

A 1. Quand nous serons à Florence, nous pourrons aller, tous les jours, jusqu'à San Miniato. 2. Nous verrons le Dôme de Brunelleschi, le campanile de Giotto et toutes les églises. 3. Ensuite nous irons jusqu'aux jardins de Boboli. 4. Mais avant nous aurons passé plusieurs heures au musée des Offices. 5. Nous aurons visité le Bargello pour admirer les œuvres de Donatello. 6. Alors nous saurons beaucoup de choses et nous pourrons aller nous promener.

B 7. Quand viendrez-vous (singulier) à Florence? 8. Combien de temps y resterez-vous? 9. Que voudrez-vous y faire? 10. Avec qui serez-vous? 11. Devez-vous voir d'autres villes? 12. Voudrez-vous aller au bord de la mer? 13. Que ferez-vous? 14. Aurez-vous du temps pour visiter les musées?

C Mêmes phrases que B au tutoiement pluriel.

Corrigé :

A 1. Quando saremo a Firenze, potremo, ogni giorno, andare a San Miniato. 2. Vedremo il Duomo di Brunelleschi, il campanile di Giotto e tutte le chiese. 3. Andremo in seguito fino ai giardini di B**o**boli. 4. Ma prima, avremo passato molte ore nella Galler**i**a degli Uffizi. 5. Avremo visitato il Bargello per ammirare le **o**pere di Donatello. 6. Allora sapremo molte cose e potremo andare a passeggiare.

B 7. Quando verrà a Firenze? 8. Quanto tempo vi resterà? 9. Che cosa vorrà fare? 10. Con chi sarà? 11. Deve vedere altre città? 12. Vorrà andare in riva al mare? 13. Che cosa farà? 14. Avrà il tempo per visitare i musei?

C 7. ... verrete ...? 8. ... resterete? 9. ... vorrete fare? 10. ... sarete? 11. Dovete ...? 12. Vorrete ...? 13. farete? 14. Avrete ...?

Se lo •sapessi glielo °direi

1 °Vorr**e**i che mi •dicesse che °tempo farà domani.
— Se lo •sapessi glielo °direi. Oggi è •dom**e**nica e non •credo che si °p**o**ssano °chi**e**dere informazioni al servizio °meteorol**o**gico.
In ogni modo °ieri °era buon tempo ed oggi pure.
— Sí, °oggi c'è un °bel •sole ed il °cielo è •sereno. Se il tempo non •fosse cosí •mut**e**vole, si potrebbe affermare senz' altro che domani sarà una ° bella giornata.

2 — E se and**a**ssimo oggi in campagna?
— È un' °**o**ttima °idea. •Vedremmo finalmente il °nostro °orto •sotto il sole e se i nostri amici ven**i**ssero anche •loro, sarebbe piú divertente.
— Li °inviterei volenti**e**ri se non dov**e**ssimo rimanere in campagna fino a dopodomani.

3 — In campagna all'alba e al •tramonto c'è •spesso la •nebbia e il tempo è **u**mido.
— Ma la mattina e il pomeriggio, quando c'è il •sole, il tempo è asciutto e fa quasi caldo.
— Non mi piace stare in campagna quando è piovuto o è nevicato : c'è fango e fa freddo. Preferisco restare in città.
— A me piace la campagna anche col temporale. I f**u**lmini ed i °tuoni non mi °spav**e**ntano.

DOPO IL F**U**LMINE IL •SERENO

Traduction

Si je le savais, je vous le dirais

1 — Je voudrais que vous me disiez (subjonctif imparfait en italien) quel temps il fera demain. — Si je le savais, je vous le dirais. Aujourd'hui c'est dimanche et je ne crois pas que l'on puisse demander des informations au service météorologique. De toute manière, hier il faisait beau et aujourd'hui de même. — Oui, aujourd'hui il y a du soleil et le ciel est pur. Si le temps n'était (subjonctif imparfait en italien) pas aussi changeant, on pourrait affirmer sans aucun doute que demain sera une belle journée.

2 — Et si nous allions aujourd'hui à la campagne? — C'est une excellente idée. Nous verrons enfin notre jardin potager sous le soleil et si vos amis venaient aussi, ce serait plus amusant. — Je les inviterais volontiers si nous ne devions rester à la campagne jusqu'à après-demain.

3 — A la campagne, à l'aube et au coucher du soleil, il y a souvent du brouillard et le temps est humide. — Mais le matin et l'après-midi, quand il y a du soleil, le temps est sec et il fait presque chaud. — Je n'aime pas être à la campagne quand il a plu ou quand il a neigé; il y a de la boue et il fait froid. Je préfère rester en ville. — J'aime la campagne, même avec l'orage. Les éclairs et les coups de tonnerre ne me font pas peur.

Prononciation

Amusez-vous à répéter en les accentuant correctement : *dom**e**nica, p**o**ssano, chi**e**dere, meteorol**o**gico.* Puis les imparfaits de subjonctif : *and**a**ssimo, ven**i**ssero, dov**e**ssimo, spav**e**ntano.*
Allez d'abord lentement (*adagio*!) puis un peu plus vite mais toujours à l'aise (*allegretto,* dirait-on en musique!)
Séparez bien *p**o**ssano, chi**e**dere.* Puis liez-les comme dans le texte *possano chiedere.* Mettez ici un accent plus fort sur le deuxième mot que sur le premier.

Accentuez les conditionnels comme les futurs, sur la terminaison : *andrei* [a-ndl**e**i] comme andró.

Après la pluie le beau temps (m. à m. : après la foudre, le serein).

Vocabulaire

Apprenez soigneusement la préposition correcte dans les expressions suivantes :
Préposition *a* : *all'alba,* à l'aube; *al tramonto,* au coucher de soleil; *vado a casa,* je vais chez moi; *vado al mare,* je vais à la mer; *vado al campo sportivo,* je vais au terrain de sports.
Préposition *in* : vado in campagna, je vais à la campagne; *vado nella campagna di mio zio,* je vais dans les terres de mon oncle. *Vado in città.* je vais en ville; *vado in riva al mare,* je vais au bord de la mer; *sto in casa,* je suis à la maison.

Grammaire

■ **Le conditionnel.**
Récitez le verbe *avere* au passé simple, dites-le « allegretto », sans vous tromper :

ebbi, ebbe, avemmo, ebbero (accent sur la 1re syllabe dans ce dernier mot). Mémento § 51.

Puis formez le conditionnel en pensant à l'infinitif du verbe que vous conjuguez; soit *stare,* puis *avere.*

*Star**e**i, starebbe, staremmo, star**e**bbero.*
*Avr**e**i, avrebbe...*
Tutoiement :
Avesti, aveste (tu eus, vous eûtes).
Staresti, tu serais, *stareste* (pluriel de tu serais : vous seriez).
avresti, tu aurais, *avreste* (pluriel de tu aurais : vous auriez).

Toute irrégularité affectant le futur se retrouve au conditionnel. Exemple : vorrò,... vorrei (voyez la leçon précédente).
Attention prononcez bien les doubles consonnes : *avremmo,* nous aurions, *vorremmo,* nous voudrions. Distinguez bien *avremo,* nous aurons; *vorremo,* nous voudrons.

■ ***Il libro, •glielo darei;*** le livre je le lui donnerais; *lo* est le livre; *gli* est lui. L'ordre des compléments est toujours d'abord indirect puis direct : *gli* + *lo* = *glielo!* (Voyez pages 42, 46).

*I libri **glieli** darei.*
*La camicia, **gliela** darei.*
*Le camicie, **gliele** darei.*
Retenez ces exemples pour l'instant.

■ ***Se lo sapessi, glielo direi.***
Le verbe *sapessi* est à l'imparfait du subjonctif alors qu'en français l'imparfait de l'indicatif est utilisé. De même : *Se il tempo fosse buono, andremmo al mare,* si le temps était beau, nous irions à la mer.

Se andassero, andrei, s'ils allaient, j'irais.
Se venissero, rimarrei qui, s'ils venaient, je resterais ici.
Se non dovessero venire, partirei, s'ils ne devaient pas venir, je partirais. Cette construction est très importante. Vous risquez de l'oublier. Revoyez-la souvent.

Exercices

A 1. A Florence nous pourrions, tous les jours, aller jusqu'à San Miniato. 2. Mettez les verbes de l'exercice A de la page 69 au conditionnel.

B Mettez les verbes de l'exercice B de la page 69 au conditionnel.

C Mêmes phrases que B au tutoiement pluriel.

D 15. Avez-vous le guide sur Florence? 16. Donnez-le moi, s'il vous plaît. 17. Jean voudrait le livre sur Assise. 18. Donnez-le lui. Ce livre, donnez-le nous; donnez-le leur. 20. Ce guide, donnez-le nous; donnez-le leur. 21. Quand je trouverai ce livre, je vous l'achèterai. 22. Je vous apporterai ces livres. 23. Cette chemise, Pierrette vous la lavera.

Corrigé :

A 1. A Firenze potremmo, ogni giorno, andare fino a San Miniato. 2. Vedremmo. 3. Andremmo. 4. Avremmo passato. 5. Avremmo visitato. 6. Sapremmo. Potremmo andare.

B 7. Verrebbe. 8. Resterebbe. 9. Vorrebbe. 10. Sarebbe. 11. Dovrebbe. 12. Vorrebbe. 13. Farebbe. 14. Avrebbe.

C 7. Verreste. 8. Restereste. 9. Vorreste. 10. Sareste. 11. Dovreste. 12. Vorreste. 13. Fareste. 14. Avreste.

D 15. Ha la guida di Firenze? 16. Me la dia per favore. 17. Giovanni vorrebbe il libro su Assisi. 18. Glielo dia. 19. Ci dia questo libro; lo dia loro. 20. Ci dia questa guida; la dia loro. 21. Quando troverò questo libro glielo comprerò. 22. Le porterò questi libri. 23. Questa camicia, gliela laverà Pierina.

Leçon

La vita è bella

1 — I bimbi quando n**a**scono pi**a**ngono. •Forse •non sono ○contenti di •**e**ssere in vita? In ogni modo una poppata di ○s**o**lito li calma. Essi •cr**e**scono ○presto. Qualche anno ○dopo sono ragazzi o fanciulli.
I *ragazzi che ○s**o**gliono fare delle birichinate sono dei ○monelli, ma pi**a**cciono lo •stesso.

2 — Alla •fanciullezza ○segue la gioventú.
I •gi**o**vani si •f**o**rmano per la vita.
Vanno a ○scuola e v**i**vono •con i loro coet**a**nei e tr**a**ggono profitto dagli insegnamenti e dalle ○esperienze altrui.
Sono ○minorenni, non hanno •ancora l'età della •ragione, ma •sc**e**lgono già la loro strada. Uno si prepara per il ○commercio e un altro •sceglie un ○mestiere o una •professione : gli uni e gli altri hanno •fede nell'avvenire.

3 — ○Raggiungendo l'età matura essi ○div**e**ntano ○u**o**mini con le loro responsabilità di •lavoro e di fam**i**glia.
Questi è già ○sessantenne, ma •dimostra meno della sua età.
Quell'altro, alla stessa età, pare piú ○vecchio.
Ma per tutti la vita ○volge alla fine. Ognuno si ○duole di lasciarla, anche se un giorno ○aveva pianto affacci**a**ndosi alla vita. La vita vale la •pena di **e**ssere vissuta.

[tz] ragazzi; fanciullezza; esperienze.

L'ETÀ ○PORTA •SENNO

Traduction

La vie est belle

1 — Les bébés pleurent quand ils naissent. Peut-être ne sont-ils pas contents d'être en vie? — De toute façon une tétée les calme, en général. Ils grandissent vite. Quelques années plus tard ce sont des enfants. — Les enfants qui ont l'habitude de faire des gamineries sont des polissons, mais on les aime tout de même.

2 — A l'enfance fait suite la jeunesse. — Les jeunes gens se forment pour la vie. — Ils vont à l'école et vivent avec leurs semblables et ils tirent profit des enseignements et des expériences des autres. — Ils sont mineurs, ils n'ont pas encore l'âge de raison, mais ils choisissent déjà leur voie. L'un se prépare pour le commerce et un autre choisit un métier ou une profession : les uns et les autres ont foi en l'avenir.

3 — En atteignant l'âge mûr, ils deviennent des hommes avec leurs responsabilités de travail et de famille. — Celui-ci est déjà sexagénaire mais il porte moins que son âge. — Cet autre, du même âge, paraît plus vieux. — Mais pour tous, la vie va vers sa fin. Chacun se plaint de la laisser, même si un jour il avait pleuré en venant à la vie. La vie vaut la peine d'être vécue.

Prononciation

Distinguer bien la place de l'accent tonique dans *chiam**a**re;* appeler *chiami**a**mo,* nous appelons; *chi**a**mano,* ils appellent. Le même déplacement de l'accent tonique se produit en français. Nous appel**o**ns, ils app**e**llent.
De même : *sogli**a**mo, s**o**gliono,* de l'infinitif *sol**e**re.*

Vocabulaire

*Il bambino : cr**e**scere un bambino,* élever un enfant.
*Educare, formare. Il ragazzo, il fanciullo. L'adolescente e il giovanotto. Il gi**o**vane. Il monello,* gamin (péjoratif). *L'uomo maturo,* l'homme mûr. *Il vecchio,* le vieillard, le vieux (pluriel : *i vecchi*).

Avec l'âge on devient sage (m. à m. : l'âge porte sagesse)

■ Verbes irréguliers (aux présents)

*Trarre : traggo, trai, trae, traiamo, traete, tr**a**ggono.*
*Sc**e**gliere : scelgo, scegli, sceglie, scegliamo, scegliete, sc**e**lgono.*
*Venire : vengo, vieni, viene, veniamo, venite, v**e**ngono.*
*dol**e**re : io mi dolgo, tu ti duoli, egli si duole, noi ci dogliamo, voi vi dolete, essi si d**o**lgono.*
*Piac**e**re : piaccio, piaci, piace, piacciamo, piacete, pi**a**cciono.*
*Par**e**re : paio, pari, pare, paiamo (pariamo), parete, p**a**iono.*

Les verbes précédents sont irréguliers. Mais de la première personne du singulier du présent de l'indicatif, l'on tire tout le subjonctif présent. Exemples :

Piacere, plaire, *piaccio...*
parere, paraître, *paio...*
donnent au présent du subjonctif :
*piaccia, piaccia, piacciamo, pi**a**cciano.*
*Paia, paia, paiamo; p**a**iano.*

Trarre, tirer, *sc**e**gliere,* choisir, *dolere,* souffrir, *venire,* venir font *traggo, scelgo, dolgo, vengo,* je tire, je choisis...
D'où le subjonctif présent : *tragga, scelga, dolga, venga...*

Exercez-vous au maniement du Mémento grammatical en y retrouvant les verbes ci-dessus.

■ ***Solere :*** avoir l'habitude de.
*Soglio, suole, sogliamo, s**o**gliono.* D'où *soglia.*
Vous consoliderez le sens du verbe *solere* en apprenant les expressions suivantes : *essere s**o**lito, avere l'abit**u**dine* avoir l'habitude; *di s**o**lito = per s**o**lito* d'habitude; *dire le s**o**lite cose* dire toujours les mêmes choses : *síamo alle s**o**lite,* nous y revoilà encore! Pensez au français insolite, *ins**o**lito.* (Voyez page 67).

■ ***Ognuno,*** chacun. ***Ognuna*** *si duole,* chacune...
Ogni giorno, chaque jour; *ogni settimana, ogni mese, ogni anno,* chaque semaine, chaque mois, chaque année.

■ *Quell'altro :* élision de quelle en quell'. Comparez avec *l'uno e l'altro,* l'un et l'autre. Au pluriel : *gli uni e gli altri;* donc : *quegli altri* (voir Mémento). Comparez avec *po'* de poco.

Exercices

A 1. I miei bambini sono appena arrivati. 2. Hanno lasciato i loro giocattoli a Roma. 3. Si lamentano di non averne qui. 4. È sempre la solita cosa : i bambini sono noiosi quando non sanno che cosa fare. 5. Gli uni piangono, gli altri gridano. 6. Qui, in riva al mare, abbiamo l'abitudine di fare il bagno la mattina alle undici e la sera verso le sei. 7. I bambini vengono con noi. 8. Fortunatamente, l'acqua piace loro. 9. Scegliamo queste ore perché ci sembrano piú convenienti. 10. Ognuno può fare ciò che vuole, può andare dove vuole.

B 11. Il n'a pas l'habitude de se plaindre. 12. D'habitude elle non plus ne se plaint pas. 13. Ils semblent heureux. 14. Ils ne semblent pas avoir besoin de changer leurs habitudes. 15. Chaque jour, à la même heure, ils font les mêmes choses. 16. L'un et l'autre aiment leur travail. 17. Ils s'aiment.

Corrigé :

A 1. Mes enfants viennent d'arriver. 2. Ils ont laissé leurs jouets à Rome. 3. Ils se plaignent de n'en pas avoir ici. 4. C'est toujours la même chose : les enfants sont désagréables quand ils ne savent pas quoi faire. 5. Les uns pleurent, les autres crient. 6. Ici, au bord de la mer, nous avons l'habitude d'aller nous baigner le matin à onze heures et le soir vers six heures. 7. Les enfants viennent avec nous. 8. Ils aiment l'eau, heureusement. 9. Nous choisissons ces heures parce qu'elles nous semblent plus convenables. 10. Chacun peut faire ce qu'il veut, peut aller où il veut.

B 11. Non ha l'abitudine di lamentarsi. 12. Abitualmente neanche lei si lamenta. 13. Sembrano felici. 14. Non sembra che abbiano bisogno di cambiare le loro abitudini. 15. Ogni giorno alla stessa ora fanno le stesse cose. 16. L'uno e l'altro amano il loro lavoro. 17. Si amano.

Leçon

Chiuse la porta

1 °Vittorio credette infine di •avere il tempo di lavorare. •Corse a casa, *chiuse la porta, *accese la luce e decise una °volta per tutte di terminare il suo •lavoro.
Cominciò a sfogliare le sue carte, ne °lesse alcune, *mise un po' d'•**o**rdine e scrisse °poche righe.

2 Qualche minuto °dopo il tel**e**fono squillò :
— •Pronto? Ah, è lei ... già, già ... per la •cena ... non ho dimenticato, vengo s**u**bito!
— L'aspettiamo, gli altri invitati sono già arrivati.
Il °p**o**vero °Vittorio che •voleva lavorare finse di **e**sserne lieto, ma se ne afflisse.
Ebbe persino °voglia di gridare, °diede una manata al •portac**e**nere, e suo malgrado, per °convenienza, gli toccò •risp**o**ndere con •gentilezza. Poi °volle **e**ssere piú calmo.

3 Stette un momento °soprappensiero e si °accorse di avere anche la barba lunga. Andò nel bagno, aprí il •rubinetto, •fece •sc**o**rrere l'acqua nella vasca e intanto si *rase. Poi s'°immerse nell'acqua calda. Si vestí quindi in •fretta, •prese il °cappotto •appeso all'attaccapanni, lo mise sul braccio, •scese le scale e fu presto dai °suoi cari amici...

---

[c] Chiuse; accese; mise; scese...

LA •SOLA •RICCHEZZA INSOSTITU**I**BILE È IL °TEMPO

Traduction

Il a fermé la porte.

1 Victor a enfin cru avoir le temps de travailler.
Il est accouru à la maison, il a fermé la porte, il a allumé la lumière et il a décidé une fois pour toutes de terminer son travail. Il a commencé à feuilleter ses papiers, il en a lu quelques-uns, il a mis un peu d'ordre et il a écrit quelques lignes.

2 Quelques minutes après le téléphone a sonné :
— Allô? Ah, c'est vous ... C'est cela ... pour le dîner ... je n'ai pas oublié, je viens tout de suite!
— Nous vous attendons, les autres invités sont déjà arrivés.
Le pauvre Victor qui voulait travailler, a feint d'en être joyeux, mais il s'en est affligé.
Il a même eu envie de crier, il a repoussé le cendrier d'un coup de la main et malgré lui, il a dû répondre avec amabilité, par convenance. Ensuite, il a voulu être plus calme.

3 Il est resté pensif un moment et il s'est aperçu que sa barbe était longue. Il est allé dans la salle de bain, il a ouvert le robinet, il a fait couler l'eau dans la cuvette pendant qu'il s'est rasé. Ensuite il s'est plongé dans l'eau chaude. Il s'est ensuite habillé en hâte, a pris son manteau accroché au porte-manteau, l'a mis sur son bras, a descendu l'escalier et est allé rapidement chez ses chers amis...

Prononciation

Doublement de consonne à certains passés simples : *credette, scrisse, afflisse, ebbe, volle, stette.*
Consonne simple dans : *corse, chiuse, rase, prese, mise.*

Vocabulaire

Il pensiero, la pensée; *pensieroso,* pensif; *soprappensiero,* soucieux.
Doublement de consonne (Rappel : *soprattutto*) : *tassa,* taxe, *soprattassa, prezzo,* prix, *soprapprezzo,* augmentation de prix.

Già, déjà. *Già, già!* Certes oui! Ah! c'est vrai.

Rien ne sert de courir, il faut partir à temps (m. à m. : la seule richesse irremplaçable est le temps).

Grammaire

Le passé simple :

Temps très fréquent en italien. Nous avons traduit les passés simples de cette leçon par des passés composés français.
Pour l'étude des passés simples ayez recours au Mémento (page 419 et suivantes). Nous vous conseillons d'écrire sur une feuille de papier ceux de cette leçon qu'il convient de classer de la façon suivante :

■ Verbes réguliers : *cominciare, squillare; credere; vestirsi* (Mémento § 42, 44, 46).

■ *Avere* (Mémento § 51); *essere* (§ 52); *dare* (§ 59); *fare* (§ 66); *stare* (§ 60).

Sont irréguliers au passé simple et au participe passé : *chiudere, accendere, decidere, leggere, mettere, scrivere, fingere, affliggere, rispondere, immergere, prendere, appendere, scendere* (§ 61). Exercez-vous à les conjuguer oralement et par écrit. Par exemple pour « chiudere » : *chiusi*, chiudesti, *chiuse*, chiudemmo, chiudeste, *chiusero* (notre formule : **1, 3, 3**).

■ **Participes passés des verbes réfléchis.**

Le participe passé, contrairement à ce qui se passe en français, est suivi du pronom réfléchi.
Ex. : *accorgersi* : s'apercevoir; en français le participe passé est « aperçu »; en italien : *accortosi* [çi].
De même : *radersi,* se raser, *rasosi* [çi].
Les exemples suivants vous donneront une idée de la souplesse que le rejet du pronom réfléchi donne à la phrase italienne :
Accortosi che veniva la pioggia ritornò a casa, s'étant aperçu que la pluie venait, il retourna chez lui.
Si le sujet est nous, le pronom complément sera *ci* donc...
Accortici che ... ritornammo a casa, nous étant aperçus que ... nous sommes retournés chez nous.
Rasomi (ou *rasatomi*) *venni in ufficio,* m'étant rasé je suis venu au bureau.
Les deux verbes *accorgersi, radersi,* sont irréguliers (Mémento § 61, 3 et 72).
Rasarsi, synonyme de « radersi » est régulier.

■ *Qualche minuto.*

Qualche est toujours à la forme du singulier, mais il a un sens pluriel :
Qualche riga : quelques lignes.
Par contre *alcuno* prend la marque du pluriel.
Qualche minuto = alcuni minuti.

Exercices

A Mettez les verbes au passé simple.
1. J'ai lu la lettre de Jeanne. 2. J'ai écrit immédiatement à son frère. 3. Je lui ai donné de nos nouvelles. 4. Je me suis décidé à aller la voir après avoir téléphoné à mes parents. 5. Je leur ai donné son adresse pour qu'ils m'y écrivent. 6. J'ai eu à peine le temps de me raser. 7. J'ai couru pour prendre le train. 8. Il est parti à 8 h, 30 avec quelques minutes de retard.

B Faites les questions correspondantes.
1. As-tu lu la lettre...?

C Mettez les verbes de l'exercice B à la forme polie singulier.

D Mettez les verbes de l'exercice A au passé composé.

E 9. Il s'est plaint de ne rien savoir. 10. Elle s'est aperçue qu'elle n'avait pas le temps de prendre son train. 11. Après m'être aperçu que vous m'aviez donné de quoi écrire, j'ai écrit dix lettres à la suite.

Corrigé :

A 1. Lessi la lettera a Giovanna. 2. Scrissi immediatamente a suo fratello. 3. Gli diedi nostre notizie. 4. Mi decisi ad andare a trovarla dopo aver telefonato ai miei genitori. 5. Diedi loro il suo indirizzo affinché mi ci scrivano. 6. Ebbi appena il tempo di radermi. 7. Corsi per prendere il treno. 8. Partí alle otto e mezzo con qualche minuto di ritardo.

B 1. Leggesti la lettera a Giovanna? 2. Scrivesti immediatamente a suo fratello? 3. Gli desti nostre notizie? 4. Ti decidesti...? 5. Desti loro...? 6. Avesti appena il tempo di raderti? 7. Corresti...? 8. Partí...?

C 1. Lesse. 2. Scrisse. 3. Gli dette. 4. Si decise. 5. Dette loro. 6. Ebbe. 7. Corse.

D 1. Ho letto. 2. Ho scritto. 3. Ho dato. 4. Mi sono deciso. 5. Ho dato. 6. Ho avuto. 7. Sono corso per prendere il treno. 8. È partito.

E 9. Si è lamentato di non saper niente. 10. Si è accorta che non aveva il tempo di prendere il treno. 11. Dopo essermi accorto che mi aveva dato di che scrivere, ho scritto dieci lettere di seguito.

Leçon

Che cosa desiderava?

1 — Mi aveva chiamato, signore? Che cosa desiderava?
— •Per me °porti un caffè, per •favore e per l'amico...
— Desiderava qualcosa anche lei?
— °Certo, ieri av**e**vano delle °**o**ttime granite di •limone.
— Spiacent**i**ssimo, ma oggi non ci sono granite. Ce n'°**e**rano ieri, oggi non ce ne sono piú. °Vuole una granita di caffè?
— Non so, se i miei °nervi st**e**ssero calmi, volentieri. Ma la caffe**i**na non la °sopporto. Mi porti un'aranciata.

2 — Le •dicevo che quando ero a N**a**poli, andavo •spesso a Margellina; posteggiavo la mia m**a**cchina e restavo lungamente in quel luogo pieno di sole e d'*azzurro, di •fronte al golfo e a Capri. Ciò che m'infastidiva di piú era la °presenza di uno scugnizzo che voleva che gli dessi una mancia per guardarmi la m**a**cchina. *Ed io lo scacciavo : « V**a**ttene via! » Lei •crede che se ne andasse? Neanche per sogno.

3 — Le dirò che a me non dànno fastidio questi monelli. Una volta andavo •spesso anch'io a Margellina a •godermi il sole e l'azzurro, ma quando incontravo quei monelli dagli occhi °neri e intelligenti offrivo loro un gelato, °proprio affinché non se ne andassero v**i**a.
Gli scugnizzi sono i ragazzi di strada. Sono molto vivaci e mi pi**a**cciono tanto.

*[ed**i**yo]

ANDATE A FARVI BENEDIRE!

Traduction

Que désiriez-vous?

1 — Vous m'aviez demandé, Monsieur? Que désiriez-vous? — Pour moi apportez un café, s'il vous plaît, et pour mon ami... — Désiriez-vous quelque chose, vous aussi? — Certainement, hier vous aviez d'excellents granités de citron. — Je suis désolé, mais aujourd'hui il n'y a pas de granités. Il y en avait hier, aujourd'hui il n'y en a plus. Voulez-vous un granité de café? — Je ne sais pas, si mes nerfs étaient calmes, volontiers. Mais la caféine, je ne la supporte pas. Apportez-moi une orangeade.

2 — Je vous disais que lorsque j'étais à Naples, j'allais souvent à Margellina; je garais ma voiture et je restais longuement dans ce lieu rempli de soleil et d'azur, face au golfe et à Capri. Ce qui me dérangeait le plus, c'était la présence d'un gosse qui voulait que je lui donne un pourboire pour garder ma voiture. Et moi je le chassais : « Va-t-en ! » Vous croyez qu'il s'en allait? Pas le moins du monde (m. à m. : pas même en rêve).

3 — Je vous dirai que ces gamins ne me dérangent pas. Autrefois j'allais fréquemment, moi aussi, à Margellina pour jouir du soleil et de l'azur, mais quand je rencontrais ces petits garçons aux yeux noirs et intelligents, je leur offrais une glace, précisément pour qu'ils ne s'en aillent pas. Les « scugnizzi » sont les enfants de la rue. Ils sont très vifs et je les aime beaucoup.

Prononciation

Prononcez le *« e »* de *certo* comme le français certes.
Le même *« e »* dans *lei, pieno, dieci.*
Le même dans *caffè* (distinguer bien du français : 2 f et un *« è »* ouvert.)
Mais par contre vous direz *volevo* avec é de même *nero, crede.*

Vocabulaire

Guardare, custodire; surveiller.
Qualche cosa, qualcosa; quelque chose.
Qualcuno, qualcheduno; quelqu'un.
Niente, rien. *Nessuno,* personne (féminin : *nessuna).*

Allez vous promener (m. à m. : allez vous faire bénir)

Grammaire

■ L'imparfait

Parlare	*Credere*
parlavo	*credevo*
parlava	*credeva*
parlavamo	*credevamo*
parlavano	*credevano*

Tutoiement.

parlavi, parlavate	*credevi, credevate*

Tous les verbes à l'imparfait de l'indicatif sont réguliers à l'exception de *dire* et *fare* (Mémento 65 et 66), essere (§ 52) addurre, bere, trarre (§ 62).

Tous les imparfaits du subjonctif sont réguliers à l'exception de : *stare* qui fait *stessi; dare, dessi; essere, fossi.*

■ ***Un ragazzo, uno scugnizzo.*** L'on dit *uno* et non pas *un,* parce que le mot qui suit commence par *s* + consonne (*s* impure : voyez la leçon 12).

De même : *quel ragazzo* mais *quello scugnizzo;*
è un buon ragazzo mais *è un buono scugnizzo;*
è un bel ragazzo mais *è un bello scugnizzo;*
la camicia del ragazzo, la camicia dello scugnizzo.

■ *Vattene via*

Doublement du t, *va + te = vatte.* Donc : *vattene.*

Via, hors, dehors, se place après quelques verbes pour insister sur le sens.

andarsene via = s'en aller. *Buttar via* = jeter. *Mandar via,* chasser, renvoyer. *Portar via,* enlever, emporter.

Exemples :

vattene via, va-t'en; *non andarsene via,* ne t'en va pas.
and*atevene via,* allez-vous-en (tutoiement); *non andatevene via = non ve ne andate via;*

se ne vada via, allez-vous-en (vouvoiement : voyez page 60); *non se ne vada via;*
butti via la cicca della sigaretta, jetez le mégot (vouvoiement);
mandi via quella cameriera, renvoyez cette bonne;
porti via questi piatti, enlevez ces assiettes.

■ *Dagli occhi neri.* Le détail caractéristique est introduit par la préposition *da* :

L'uomo dai capelli bianchi, l'homme aux cheveux blancs.
Il soldati dall'uniforme azzurra, le soldat à l'uniforme bleu.
I giovani dai capelli lunghi, les jeunes gens aux cheveux longs.
Un uomo dalla fronte alta, un homme au front large.

Exercices

A 1. Cet homme-là parlait trop. 2. Il croyait toujours avoir raison. 3. Quand il parlait tout le monde devait se taire. 4. Charles venait nous voir quelquefois. 5. Son frère avait l'habitude de venir tous les dimanches. 6. Il choisissait un programme à la radio et il l'écoutait. 7. Il restait assis des heures et des heures. 8. Il ne se plaignait jamais. 9. Il aimait être seul.

B 10. J'étais allé à Messine. 11. J'avais voulu connaître la Sicile. 12. J'avais dû aller d'abord à Naples. 13. Une fois décidé je ne changeais jamais. 14. Mes frères aussi faisaient toujours ce qu'ils avaient dit. 15. C'était plus facile pour eux. 16. Et leurs amis aimaient cela. 17. Ils savaient à qui ils avaient à faire, n'est-ce pas?

C 18. Ce garçon aux cheveux longs est un beau garçon; il est beau. 19. C'est aussi un bon garçon; il est bon. 20 et 21. : phrases 18 et 19 au pluriel.

Corrigé :

A 1. Quell'uomo parlava troppo. 2. Credeva di aver sempre ragione. 3. Quando parlava tutti dovevano tacere. 4. Qualche volta Carlo veniva a trovarci. 5. Suo fratello aveva l'abit**u**dine di venire tutte le dom**e**niche. 6. Sceglieva un programma alla radio e lo ascoltava. 7. Restava seduto ore e ore. 8. Non si lamentava mai. 9. Gli piaceva star solo.

B 10. Ero andato a Messina. 11. Avevo voluto •con**o**scere la Sicilia. 12. Ero dovuto andare prima a Napoli. 13. Una volta deciso non cambiavo mai. 14. Anche i miei fratelli facevano sempre ciò che avevano detto. 15. Era piú facile per loro. 16. E ciò piaceva ai loro amici. 17. Sapevano con chi avevano a che fare, non è vero?

C 18. Quel ragazzo dai capelli lunghi è un bel ragazzo; è bello. 19. È anche un buon ragazzo; è buono. 20. Quei ragazzi dai capelli lunghi sono dei bei ragazzi; sono belli. 21. Sono anche dei buoni ragazzi, sono buoni.

Leçon

Arrivederla, •signore

1 Lungo la strada •dove ○Antonio se ne va a spasso ci sono molti negozi le cui vetrine lo att**i**rano. C'è anche quello di abbigliamento con tante ○belle camicie, maglie, calzini, cravatte e guanti!
— Mi ○vuol dire il ○prezzo di •quella camicia, per favore? ○Chiede alla •commessa, la quale gli risponde con •gentilezza :
— ○Costa seimila lire. È un po' cara, ma è la migliore che abbiamo.

2 — Non ne ha di •meno care? — le chiede ancora.
— Ne ho di un altro tipo, ma non •gliele consiglio. Altri ○clienti, ai quali le •avevo sconsigliate, sono rimasti scontenti. Può vederle in vetrina. Ce ne sono due esposte. Una bianca e l'altra azzurra. Antonio le vede, gli pi**a**cciono e ne c**o**mpera due. Paga ○**o**ttom**i**la lire alla commessa e la saluta : « •arrivederla, •signora, la ringrazio. »

3 Antonio, passeggiando per la strada, era stato attirato dalla vetrina di un negozio di •abbigliamento. Era entrato perché aveva visto delle camicie. Ne aveva •bisogno. La •commessa gliene aveva consigliate alcune di ○**o**ttima qualità, ma, trov**a**ndole care, ne •aveva •scelto due di qualità •inferiore. La •commessa lo aveva avvertito che altri clienti non ne **e**rano rimasti soddisfatti. La commessa aveva sconsigliato anche a loro di acquistarle. Antonio, •come loro, aveva voluto ○pr**e**nderne per sé di •meno care per risparmiare.

[ttz] prezzo; gentilezza.

○SP**E**NDERE E SP**A**NDERE

Traduction

Au revoir, Monsieur

1 — Le long de la rue où Antoine s'en va se promener, il y a de nombreux magasins dont les vitrines l'attirent. Il y a également celui d'habillement avec tant de belles chemises, de tricots, de pantalons, de cravates et de gants!
— Voulez-vous me dire le prix de cette chemise, s'il vous plaît? demande-t-il à l'employée, laquelle lui répond avec gentillesse :
— Elle coûte six mille lires. Elle est un peu chère, mais c'est la meilleure que nous ayons.

2 Vous n'en avez pas de moins chères? lui demande-t-il encore?
— J'en ai d'un autre modèle, mais je ne vous les conseille pas. D'autres clients, à qui je les avais déconseillées, ont été mécontents. Vous pouvez les voir en vitrine. Il y en a deux exposées. L'une blanche et l'autre bleue.
— Antoine les voit, elles lui plaisent et il en achète deux. Il paie huit mille lires à l'employée et la salue : « au revoir, Madame, je vous remercie. »

3 Antoine, en se promenant dans la rue, avait été attiré par la vitrine d'un magasin d'habillement. Il était entré parce qu'il avait vu des chemises. Il en avait besoin. L'employée lui en avait conseillé quelques-unes d'excellente qualité mais, les trouvant chères, il en avait choisi deux de qualité inférieure. L'employée l'avait averti que d'autres clients n'en avaient pas été satisfaits. L'employée leur avait déconseillé à eux aussi d'en faire l'acquisition. Antoine, comme eux, avait voulu en prendre pour lui de moins chères, afin d'économiser.

Prononciation

Attention à l'accent tonique : °*trepido*, °*ottimo, attirano, piacciono Glielo, gliela, glieli, gliele; gliene*, l'accent tonique tombe sur le premier de ces deux pronoms (voir ci-dessous au paragraphe de la grammaire).

Vocabulaire

La commessa, la vendeuse.
Il commesso viaggiatore, le commis voyageur; *la commissione*, la commission; *fare delle commissioni*, faire des commissions.

Brûler la chandelle par les deux bouts (m. à m. : dépenser et répandre).

Ringraziare, remercier; *riconoscente,* reconnaissant.
Rifare, refaire; *da rifare,* à refaire; *ridire,* redire.
Il Rinascimento, la Renaissance.

*And**a**rsene a spasso = passeggiare,* s'en aller se promener.
lo spasso, l'amusement; *spass**a**rsela,* prendre du bon temps.

■ ***Le avevo sconsigliate*** (§ 2, page 86).
Le, ce sont les chemises *(la camicia, le camicie);* le participe passé s'accorde avec le complément direct d'objet s'il est placé avant le verbe *avere,* obligatoirement si ce complément est un pronom, facultativement si ce complément est un nom (Voyez page 34).
La règle italienne diffère encore de la française en ce que :
a) l'accord du participe passé est facultatif si le nom ou le pronom est après lui;
b) l'accord se fait avec *ne* = en; en français nous considérons généralement « en » comme complément indirect; donc nous ne faisons pas l'accord. Ex. : ***gliene aveva consigliate alcune*** (§ 3 page 86).

Vous vous rappelez le rôle du préfixe -s- (page 50). Aujourd'hui : *consigliare,* conseiller; *sconsigliare,* déconseiller; *contento,* content; *scontento,* mécontent.

Nous avons déjà évoqué ce caprice arithmétique (page 72) :
*Gli + le = gli**e**le; gli + ne = gli**e**ne.*

Tout en raisonnant de l'emploi et de l'ordre correct des pronoms répétez souvent certains exemples afin de forger vos habitudes. *And**a**rsene, arrived**e**rla* (*la* étant la forme polie) : rejet du pronom après l'infinitif.

■ ***Se ne va,*** il s'en va. *Se ne afflisse* (leçon 17) il s'en est affligé : l'ordre est le même qu'en français.
Distinguer bien ce dernier exemple de : *si afflisse, il s'est affligé* de l'infinitif *affl**i**ggersi.*
De même ne confondez pas : *si vestí,* il s'est habillé *(vestirsi)* et *se ne vestí,* il s'en habilla.

■ *Il negozio di alimentari, di abbigliamento.* On peut dire aussi : *il negozio d'alimentari, d'abbigliamento.* L'élision est donc facultative, dans ces deux exemples.

■ ***Le cui vetrine.***
L'article s'accorde avec le substantif auquel il se rapporte.
Le monsieur dont la maison..., *il signore la cui casa.*

Le monsieur dont l'ami..., *il signore il cui amico;* pluriel : *i cui amici.*

■ ***Seimila lire***

Mille lire; duemila lire, ecc. Le pluriel de « mille » est « mila » (Mémento § 28). Apprenez de temps à autre les nombres.

Exercices

A 1. Je le vois tous les jours. 2. Nous ne nous voyons pas souvent mais nous aimons nous rencontrer. 3. Je lui disais il y a quelques jours que je vous (singulier) avais vu. 4. Je ne lui ai pas parlé de votre visite. 5. Je ne lui en ai pas parlé.

B 6. En allant à la Place Navone, j'ai vu des chemises qui m'ont beaucoup plu. 7. J'achète d'ordinaire mes chemises à la Trinité des Monts. 8. Je n'en achète jamais ailleurs. 9. Quand on en vendra de belles ici j'en achèterai. 10. Ce sera plus facile pour moi. 11. Combien en avez-vous acheté? 12. En avez-vous besoin de beaucoup?

C 13. Ils sont allés se promener. 14. Ils prennent du bon temps. 15. Vous aussi vous avez dû prendre du bon temps!

Corrigé :

A 1. Lo vedo ogni giorno. 2. Non ci vediamo spesso, ma ci piace incontrarci. 3. Qualche giorno fa gli dicevo che l'avevo visto. 4. Non gli ho parlato della sua visita. 5. Non gliene ho parlato.

B 6. Andando a Piazza Navona ho visto delle camicie che mi son piaciute molto. 7. Abitualmente compro le mie camicie a Trinità dei Monti. –. Non ne compro mai altrove. 9. Quando se ne venderanno di belle qui, ne comprerò. 10. Sarà piú facile per me. 11. Quante ne ha comprate? 12. Ne ha bisogno di molte?

C 13. Sono andati a passeggiare. 14. Se la spassano. 15. Anche lei ha dovuto spass**a**rsela!

Leçon

Che •ore sono?

1 — Dimmi che ore sono, per favore. Il mio °orologio è di •**o**ttima marca, ma va sempre indietro. •Segna le °dieci meno cinque.
— Anche il mio è di una buona marca, ma non è preciso. Di °s**o**lito va avanti. •Segna le dieci e dieci.
— E il tuo orologio, Pierino, che •ore fa? Di s**o**lito va •bene.
— •Quello che mi •avete comprato è una marca secondaria, ma è precis**i**ssimo. È certamente il piú preciso. Sono le dieci in punto.

2 — Che ore °érano quando siamo partiti?
— Erano le °otto e un quarto all'orologio della stazione.
— Tra quanto tempo pensi che •arriveremo?
— Tra un'•oretta al m**a**ssimo. L'arrivo è previsto per le °dieci e cinquanta.
— Il viaggio è lungo, ma sono già stanco. Hai •messo la •sveglia °troppo °presto •questa mattina. Prest**i**ssimo.

3 — Abbiamo sempre avuto orologi di **o**ttime marche, ma mai nessuno è stato preciso : l'orologio a •p**e**ndolo, la sveglia e persino •quell'•orologetto piccolino che tu mi regalasti. Lo •avevi pagato cosí caro. °Ricordi? Andava sempre avanti. Non si riusciva a farlo regolare. E io ti •chiedevo sempre : — Che ore saranno?
— Con i °nostri °orologi non sapevamo mai l'ora esatta. L'orario preciso ce lo dava •solo l'orologio della •torre, che •batteva le ore sul •campanone.

MEGLIO TARDI CHE MAI

Traduction

Quelle heure est-il?

1 — Dis-moi quelle heure il est, s'il te plaît. Ma montre est d'excellente qualité mais elle retarde toujours. Elle indique 10 heures moins cinq. — La mienne est aussi d'une bonne marque, mais elle n'est pas précise. En général, elle avance. Elle indique 10 heures 10. — Et ta montre, Pierrot, quelle heure indique-t-elle? En général elle marche bien. — Celle que vous m'avez achetée est d'une marque de second ordre, mais elle est très précise. C'est certainement la plus précise. Il est 10 heures juste.

2 — Quelle heure était-il quand nous sommes partis? — Il était huit heures un quart à l'horloge de la gare. — Dans combien de temps pensez-vous que nous arriverons? — Dans une petite heure au plus. L'arrivée est prévue pour 10 heures 50. — Le voyage est long, mais je suis déjà fatigué. Tu as mis le réveil trop tôt ce matin. Très tôt.

3 — Nous avons toujours eu des horloges ou des montres d'excellentes marques, mais aucune n'a jamais été précise : la pendule, le réveil et même cette petite montre minuscule que tu m'as offerte. Tu l'avais payée si chère! Tu te rappelles? Elle était toujours en avance. On n'arrivait pas à la faire régler. Et moi je te demandais toujours : — Quelle heure peut-il bien être? — Avec nos pendules et nos montres, nous ne savions jamais l'heure exacte. L'heure précise, seule l'horloge de la tour, qui sonnait les heures sur la grosse cloche, nous la donnait.

Prononciation

Remarquez le déplacement de l'accent tonique : *orologio, orologetto; piccolo, piccolino,* tout petit; *campana, campanone;* grosse cloche; *Piero, Pierino,* Pierrot; *un'ora, un'oretta,* une petite heure.

Vocabulaire

L'arrivo, la partenza; l'arrivée, le départ.
I signori viaggiatori sono pregati di salire sul treno. MM. les voyageurs sont priés de monter dans le train. *Signori in carrozza!* En voiture s'il vous plaît!

Mieux vaut tard que jamais (m. à m. : mieux tard que jamais).

Andare indietro, retarder. *Essere in ritardo* = être en retard. *Andare avanti,* avancer = *essere in anticipo* = être en avance.

Ex. : *Sono in ritardo perché il mio orologio va indietro.*
Je suis en retard parce que ma montre retarde.

L'orologio da polso, la montre bracelet; ... *a pendolo,* la pendule; ... *del campanile,* l'horloge (d'un clocher par exemple.)... *elettrico,* la pendule, l'horloge électrique; *la sveglia,* le réveil.

Grammaire

■ *Mettere, misi, messo,* mettre, j'ai mis, mis. Mémento § 61 n° 53. Familiarisez-vous avec les verbes de cette liste où nous mettons en jeu un moyen mnémotechnique qui vous sera d'un grand profit.

■ **Superlatifs.**

Di qualità molto buona peut aussi se dire : *di **o**ttima qualità.*

De même :

Molto cattivo, très mauvais — *p**e**ssimo*
molto preciso, très précis — *precis**i**ssimo*
molto grande, très grand — *m**a**ssimo.*

Ne confondez pas *presto* avec *pronto. Se lei è pronto, è meglio che partiamo presto.* Si vous êtes prêt, il vaut mieux que nous partions rapidement. *Meglio* s'oppose à *peggio,* pis.

È così caro, c'est si cher.

Retenez aussi *inferiore, superiore; peggiore,* pire, *migliore,* meilleur.

Il mio orologio ***è migliore del*** *tuo.*
Ma montre est meilleure que la tienne.
È migliore di quello, elle est meilleure que celle-là.
È il migliore. C'est la meilleure.

■ ***Nessuno,*** personne (contraire de *qualcuno*).

Nessuno dice che lei à un uomo cattivo, personne ne dit que vous soyez un méchant homme.

On peut dire aussi : *non dice nessuno che...*

■ ***Tra*** *quanto tempo* = ***Fra*** *quanto tempo...?* = Dans combien de temps?

Exercices

A 1. Nous avons un très mauvais temps. 2. Il a neigé tout le temps. 3. J'aime la neige en montagne. 4. Mais en ville c'est très déplaisant. 5. Nous avions eu meilleur temps l'année dernière. 6. Il est vrai que nous étions arrivés plus tôt. 7. J'aime mieux vraiment l'été que l'hiver; le ciel bleu, la mer bleue, la chaleur, même s'il fait un peu humide, les fruits exquis, les boissons fraîches, les vêtements légers. 8. C'est tellement mieux!

B 9. Le pire serait qu'il pleuve tous les jours. 10. Si vous n'êtes pas prêt il faut rester. 11. C'est si facile d'être prêt à l'heure. 12. On ne peut pas partir si personne ne le veut. 13. Dans combien de temps croyez-vous que nous pourrons nous en aller?

Corrigé :

A 1. Abbiamo un pessimo tempo. 2. È nevicato continuamente. 3. Mi piace la neve in montagna. 4. Ma in città è spiacevolissimo. 5. Avevamo avuto tempo migliore l'anno scorso. 6. È vero che eravamo arrivati prima. 7. Preferisco veramente di piú l'estate che l'inverno : il cielo blu, il mare blu, il caldo, anche se è un po'umido, le frutta squisite, le bevande fresche, i vestiti leggieri. 8. È tanto meglio!

B 9. Il peggio sarebbe che piovesse ogni giorno. 10. Se non è pronto, bisogna restare. 11. È cosí facile essere pronti in tempo. 12. Non si può partire se nessuno lo vuole. 13. Tra quanto tempo pensa che potremo andarcene?

Leçon

Contrôle et révisions

Revoyez les verbes au passé simple, au futur et conditionnel, au participe passé; le verbe devoir (auxiliaire essere) et les autres questions de grammaire étudiées des leçons 11 à 20.

A *Traduisez :*

1. Je dois partir. Je suis parti. J'ai dû partir. 2. J'ai fait ce travail. J'ai dû faire ce que vous m'avez dit. 3. Il n'a pas compris. Il n'a pas dû comprendre. 4. Il a dû aller jusqu'à Rome.

B *Traduisez* **(tutoiement pluriel)** :

5. Nous sommes restés trop longtemps à Milan : plus d'une semaine. 6. Nous n'avons pas pu bien voir Venise. 7. Venise est plus intéressante que Milan. 8. Nous devons retourner à Venise. Et vous? 9. Nous y sommes restés moins d'une semaine. 10. Venise est moins grande que Milan mais nous préférons Venise. 11. Nous sommes restés autant de temps que vous à Milan.

C *Traduisez :*

12. Quand vous serez à Florence, je vous écrirai. 13. Je vous dirai quand nous partirons. 14. Vous aimerez Florence. 15. Irez-vous en Italie cet été? 16. Si vous allez en Italie j'irai avec vous. 17. Si vous y allez, vous me le direz?

D *Traduisez* **(forme du tutoiement pluriel)** :

18. Dites-le moi, s'il vous plaît. 19. D'ordinaire quand je pars, je vous le dis. 20. Écrivez-moi. 21. Montrez ce livre à Pierre. Montrez-le lui. 22. Pas à Jeanne? Je ne le montre pas à Jeanne? 23. Si, si vous le montrez à Pierre, montrez-le-lui à elle aussi; montrez-le-leur à tous les deux.

E *Traduisez les phrases 18 à 23* **(forme du vouvoiement singulier)** :

Corrigé :

A 1. Devo partire. Sono partito. Sono dovuto partire. 2. Ho fatto questo lavoro. Ho dovuto fare •quello che lei mi ha •detto. 3. Non ha capito. Non ha dovuto capire. 4. È dovuto andare fino a •Roma.

B 5. Siamo rimasti °troppo a lungo a Milano : piú di una settimana. 6. Non abbiamo potuto •vedere °bene °Venezia. 7. Venezia è piú interessante di Milano. 8. Dobbiamo tornare a Venezia. E •voi? 9. Noi ci siamo rimasti •meno di una settimana. 10. Venezia è meno grande di Milano, ma noi preferiamo Venezia. 11. Noi siamo rimasti a Milano tanto °tempo quanto voi.

C 12. Quando sarete a Firenze, vi scriverò. 13. Vi dirò quando partiremo. 14. Firenze vi piacerà. 15. Andrete in Italia quest'estate? 16. Se andrete in Italia, verrò con voi. 17. Se ci andate, me lo direte?

D 18. D**i**temelo, °prego. 19. Abitualmente quando parto ve lo dico. 20. Scriv**e**temi. 21. Mostrate questo libro a °Pietro. Mostr**a**teglielo. 22. A Giovanna, no? Non lo mostro a Giovanna? 23. Si, se lo mostrate a Pietro, mostr**a**telo anche a °lei; mostr**a**telo a tutti e due (= f**a**telo vedere...).

E 18. •Melo dica, prego. 19. Abitualmente quando parto •glielo dico. 20. Mi scriva. 21. Mostri questo libro a Pietro. Glielo mostri. 22. A Giovanna, no? Non lo mostro a Giovanna? 23. Sí, se lo mostra a Pietro, lo mostri anche a lei; lo mostri a tutti e due (lo faccia vedere...).

Leçon

La fiamma brucia allegramente

1 Una ○volta si conservava la brace da un giorno all'altro, •costantemente. Oggi, per fortuna, quando si ha bisogno del ○fuoco, lo si ○ottiene s**u**bito ○premendo il pulsante di un •apparecchio ○el**e**ttrico, dove una spirale met**a**llica si ○arroventa diventando ○incandescente e può ○acc**e**ndere di colpo il gas. Lí accanto c'è il ○fornello, il che facilita •consider**e**volm**e**nte il lavoro della ○cuoca.

2 — Allora ci si può perfino ○acc**e**ndere una •sigaretta?
— Certo. Del resto è il ○sistema a spirale ○incandescente che spesso è inserito nel ○cruscotto delle ○autom**o**bili non troppo ○modeste; •l'aggeggio è ormai cosí diffuso, che hai capito a •volo a che cosa alludo, senza ins**i**stere •oltre.
— Frattanto, mi hai •messo la voglia di acc**e**ndere immediatamente una •sigaretta. Ma •vedo che te ne rim**a**ngono poche.

3 — Di due ne ho abbastanza. Anzi, meno fumo meglio è. In •fondo piú mi astengo e meno ci •rimetto nei miei bronchi.
— D'altra parte, nonostante l'opinione degli igienisti, che •p**o**ngono in cima a tutti i •veleni di oggigiorno il tabacco, io sono ○disposto a tirarmi ○addosso ogni ○g**e**nere di guai, ma non ○posso v**i**vere senza sigaretta.

[tz] abbastanza; senza.

•MOLTO FUMO E ○NIENTE •ARROSTO

Traduction

La flamme brûle allègrement

1 — Autrefois on conservait les braises d'un jour à l'autre, constamment. Aujourd'hui, heureusement, quand on a besoin de feu, on l'obtient tout de suite en appuyant sur le ressort d'un appareil électrique, où une spirale métallique rougit en devenant incandescente et peut allumer d'un seul coup le gaz. Là, à côté il y a le fourneau, qui facilite considérablement le travail de la cuisinière.

2 — Alors, on peut même allumer une cigarette?
— Certainement. D'ailleurs c'est le système à spirale incandescente qui est souvent inséré dans le tableau de bord des autos d'un certain prix; l'appareil est désormais si répandu que tu as compris tout de suite à quoi je fais allusion, sans insister davantage.
— Entre-temps, tu m'as donné l'envie d'allumer immédiatement une cigarette.
— Mais je vois qu'il t'en reste peu.

3 — Avec deux j'en ai assez. Et même, moins je fume, mieux cela vaut. Au fond plus je m'abstiens et moins mes bronches en souffrent.
— D'autre part, malgré l'opinion des hygiénistes, qui mettent le tabac au-dessus de tous les poisons d'aujourd'hui, je suis disposé à attirer sur moi tout genre de malheur, mais je ne puis vivre sans cigarette.

Vocabulaire

Sotto, sous; *sopra,* sur. *Sotto la tavola; sopra la tavola.* Sous la table; sur la table.
Qui, qua, ici; *lì, là,* là. *Qui c'è una sedia, là c'è una poltrona.* Ici, il y a une chaise; là il y a un fauteuil.
Accanto, à côté; *vicino,* près; *lontano,* loin. *La chiesa è accanto,* l'église est à côté.
Rappel : *dove,* où. *Sempre,* toujours; *mai,* jamais; *ora,* maintenant; *prima,* d'abord; *poi,* après; *dopo,* ensuite; *una volta,* une fois, autrefois.

Beaucoup de fumée pour rien (m. à m. : beaucoup de fumée et pas de rôti).

Ci rimetto nei miei bronchi (m. à m. : j'y laisse dans mes bronches. *Rimetterci* (ci = y) est très fréquent. Ex. : *Con le sigarette ci rimetto molto denaro,* dans les cigarettes j'y laisse beaucoup d'argent.

Grammaire

■ Mots invariables.

● Pour le lieu.
— *al di sotto, c'è un tappeto,* dessous il y a un tapis; ou aussi : *sotto, c'è un tappeto.*
— *al di sopra, c'è un paralume,* dessous il y a une lampe, ou aussi : *sopra c'è un paralume.*
— *qua e là,* çà et là.
— *lí per lí,* sur-le-champ (expression du temps).
— *l'albergo è qui vicino.* l'hôtel est près d'ici.
Ajoutons l'adjectif *discosto,* loin de : *il Duomo è discosto dalla piazza,* la cathédrale est éloignée de la place.

● pour le temps.
— *lí per lí* (appris ci-dessus).
— *ormai,* désormais (*ora,* maintenant).
— *dapprima,* d'abord; *prima di tutto,* tout d'abord.
— *a volte, talvolta, talora,* parfois.
da molto tempo, pendant longtemps, depuis longtemps.

● Les adverbes en « -ment », se forment comme en français. Lent, lente, lentement : *lento, lenta, lentamente.*
certo, certa, certamente : certainement.
Vous trouverez aussi des adjectifs employés comme adverbes : *Parla basso, parla forte,* il parle bas, fort... = *a bassa voce, ad alta voce.*
Cammina piano, ... svelto, il marche lentement ... vite.

● Veillez à l'emploi correct de la préposition :
Pronto a partire, prêt à partir; *lento a venire, a ...,* long à venir, lent à...
Da molto tempo, depuis longtemps.
Rappel : *da lui,* chez lui (*da* indique la provenance).
Et rattachez à cette idée les noms propres : *Fra' Giovanni da Fiesole, Santa Caterina da Siena, Leonardo da Vinci. San Francesco d'Assisi* (da + A = d'A).

■ Quelques diminutifs.

Uomo : omino, petit homme. *Oggetto : oggettino,* petit objet. Bott*one : bottoncino,* petit bouton; *forno, fornello a gas* [gaz], fourneau à gaz; *fiamma,* flamme : *fiammella.*

Exercices

A 1. Avant de fumer une cigarette, dites-vous : est-ce utile? 2. Ensuite : je fume depuis longtemps; est-ce que cela m'a fait du bien? 3. Certainement non! Pendant longtemps je n'ai pas fumé et, alors, je me trouvais beaucoup mieux. 4. Alors! Désormais je ne fumerai plus. 5. Je prends cette décision sur-le-champ. 6. Hors d'ici le tabac! Hors d'ici les cigarettes! Mieux vaut tard que jamais; je fume cette dernière et ça suffit!

B 8. On se plaint souvent d'être malade alors que l'on en est soi-même responsable. 9. L'on choisit d'être malade plutôt qu'en bonne santé. 10. Nous prenons souvent de mauvaises habitudes. 11. Il me semble que chacun peut le constater sur lui et sur les autres.

C 12. Dites-lui de moins fumer. 13. Dites-le lui. 14. Moi il ne me croit pas. 15. Et l'argent qu'il dépense en cigarettes! 16. Qu'est-ce que ça coûte d'être fumeur!

Corrigé :

A 1. Prima di fumare una sigaretta si dica : è utile? 2. Quindi : fumo da molto tempo; mi ha fatto bene? 3. Certamente no! Per molto tempo non ho fumato e, allora, mi trovavo molto meglio. 4. Allora! Ormai non fumerò piú. 5. Prendo questa decisione immediatamente. 6. Via di qui il tabacco! Via di qui le sigarette! 7. Meglio tardi che mai; fumo quest'ultima e basta!

B 8. Ci si lamenta spesso di essere ammalati, quando siamo noi stessi responsabili. 9. Si sceglie di essere ammalati piuttosto che in buona salute. 10. Prendiamo spesso delle cattive abitudini. 11. Mi sembra che ognuno possa costatarlo su di lui e sugli altri.

C 12. Gli dica di fumar meno. 13. Glielo dica. 14. A me lui non crede. 15. E il denaro che spende in sigarette! 16. Quanto costa ad essere fumatori!

Agli esami di guida

1 Si sorpassa sulla °destra o sulla sinistra?
— Sempre sulla sinistra.
Ci si riporta sulla destra appena è possibile, quando non c'è per**i**colo per il ve**i**colo sorpassato che sarà venuto a trovarsi °dietro di noi.
— Si può sorpassare sulla destra?
— Solo quando il °conducente che si vuole sorpassare si è portato nel °mezzo della strada, segnalando che intende voltare a sinistra, oppure quando è •ammessa la circolazione a file °parallele.

2 — Quando è vietato il sorpasso?
— ... In prossimità o in °corrispondenza delle curve, dei dossi e in caso di scarsa visibilità... °Ogniqualvolta si incontra il segnale che indica il °divieto di sorpasso... È vietato il sorpasso dell'**a**utobus in sosta alla fermata, della m**a**cchina che si s**i**a fermata per consentire ai pedoni di attraversare la strada.
— Potrebbe sorpassare •quella macchina che è di •fronte a •noi, laggiú?
— No, perché ne sta già sorpassando un'altra.

3 — °Bene. Vediamo la guida. Metta in °moto e prenda a destra.
•Ora vada diritto e mantenga la destra lungo il ciglio della strada fino all' •altezza di quella casa che vede lassú. Ecco. Ora guardi °bene °indietro, non dim**e**ntichi di segnalare la sua °manovra con le •frecce di °direzione e si °metta in °mezzo alla strada. Giri a sinistra sulla cima del °dosso e si •fermi °presso quell'**a**lbero vicino alla casa.

FIDARSI È °BENE, NON FIDARSI È °MEGLIO

Traduction

En passant le permis de conduire

1 — Est-ce qu'on double à droite ou à gauche?
— Toujours à gauche. On se replace sur la droite dès que cela est possible, quand il n'y a pas de danger pour le véhicule doublé qui se trouvera derrière nous. — Peut-on doubler à droite? — Seulement quand le conducteur que l'on veut doubler s'est porté au milieu de la route, montrant qu'il a l'intention de tourner à gauche, ou bien lorsque la circulation en files parallèles est admise.

2 — Quand le dépassement est-il interdit? — ... A proximité ou dans les courbes, les côtes et en cas de visibilité réduite. ... Chaque fois que se trouve le signal d'interdiction de doubler... Est interdit le dépassement de l'autobus à l'arrêt, de la voiture qui se serait arrêtée pour permettre aux piétons de traverser la rue. — Pourrait-on doubler cette voiture qui est là devant nous? — Non, parce qu'elle est déjà en train d'en doubler une autre.

3 — Bien. Voyons la conduite. Mettez en mouvement et prenez à droite. Maintenant allez tout droit et tenez votre droite sur le bord de la route jusqu'à la hauteur de cette maison que vous voyez là-haut. Voici. Maintenant regardez bien derrière vous, n'oubliez pas de signaler votre manœuvre avec le clignotant et mettez-vous au milieu de la rue. Tournez à gauche au sommet de la côte et arrêtez-vous près de cet arbre voisin de la maison.

Vocabulaire

La guida, le guide (le livre ou la personne), la conduite (automobile, par exemple).
È vietato l'ingresso = è proibito l'ingresso, l'entrée est interdite.
Divieto di sosta, stationnement interdit (m. à m. : défense de stationnement); *divieto di caccia,* chasse interdite.
Laggiú, là-bas; *quaggiú,* ici, en bas. *Lassú,* là-haut; *quassú,* ici, en haut.
In sosta alla fermata, m. à m. : en arrêt, à l'arrêt. *La fermata* est l'endroit où les passagers montent. *Sostare,* garer.
Freccia di direzione, synonyme : *lampeggiatore.*

Méfiance est mère de sûreté (se fier est bien, ne pas se fier est mieux).

Grammaire

■ **Passé proche, futur prochain.**
Vediamo la guida, nous allons voir la conduite. Le français se sert du verbe « aller » pour exprimer le futur prochain. En italien ceci est impossible : employez le futur ou le présent, avec *ora,* maintenant.

Ora facciamo gli esercizi, nous allons faire les exercices.

Pour exprimer le passé proche, en français nous nous servons du verbe venir. Ex. : Nous venons d'arriver.
En italien cela est impossible également : employez le passé simple ou le passé composé avec *appena,* à peine, tout juste.

Ex. : *Siamo appena arrivati.*
nous venons d'arriver = *Siamo arrivati or'ora.*

Si le verbe est à un temps passé (imparfait, passé simple) n'employez que *appena;* car *or ora* veut dire « maintenant » et ne peut donc s'ajouter à un verbe à un temps passé.

Eravamo appena arrivati, nous étions à peine arrivés.

■ Préposition ***a.***

È venuto a trovarsi dietro di noi.
Car venire est un verbe de mouvement.

Une langue vivante, même très solidement construite, comme l'italien, a toujours des caprices.
Ainsi vous direz : *Dietro di noi,* derrière nous; mais *davanti a noi,* devant nous, *davanti alla casa,* devant la maison; *dietro alla casa,* derrière la maison ou *dietro la casa,* derrière la maison.

■ ***Ogniqualvolta.***

Rappel : *Ogni* est invariable; *ogni settimana,* chaque semaine; *ogni due* settimane, toutes les deux semaines. *Ogni quindici giorni,* tous les quinze jours.
Il sorpasso è lecito solo quando. Vous pouvez dire aussi : *soltanto, solamente.* En français : ne... que = seulement.

Exercices

A 1. Je vais passer mon permis de conduire. 2. Je vais aller à Rome bientôt. 3. Je vais voir Saint-Pierre. 4. Nous allons rester plusieurs semaines dans la capitale italienne. 5. Vous allez avoir beau temps certainement. 6. Vous allez pouvoir vous reposer. 7. Est-ce que Rome est aussi grand que Paris? 8. Est-ce que Paris n'est pas plus grand?

B 9. Nous venons d'arriver à Rome. 10. Il fait assez chaud. 11. L'après-midi je fais la sieste. 12. Tout près d'ici il y a deux églises semblables. 13. Nous avons devant nos fenêtres une coupole baroque. 14. Au-dessous, il y a un vaste parc. Nous aimons de plus en plus la Rome baroque. 15. Au début nous trouvions qu'il y avait trop d'églises. 16. Maintenant nous en faisons le but de nos promenades.

C 17. Chacun peut faire ce qu'il veut. 18. C'est la grande vie! 19. Chaque jour on se lève quand on le désire. 20. On part à l'heure qu'il vous plaît (trad. : nous). 21. Tous les jours on mange des nouilles. 22. Toutes les semaines nous allons une ou deux fois en excursion à la campagne.

Corrigé :

A 1. Vado a fare gli esami di guida. 2. Andrò presto a Roma. 3. Vado a vedere San Pietro. 4. Resteremo molte settimane nella capitale italiana. 5. Avranno certamente bel tempo. 6. Potranno riposarsi. 7. Roma è cosí (tanto) grande come (quanto) Parigi? 8. Non è piú grande Parigi?

B 9. Siamo appena arrivati a Roma. 10. Fa abbastanza caldo. 11. Il pomeriggio faccio la siesta. 12. Qui vicino ci sono due chiese simili. 13. Davanti alle nostre finestre abbiamo una cupola barocca. 14. Di sotto c'è un ampio parco. La Roma barocca ci piace sempre piú. 15. In principio reputavamo che ci fossero troppe chiese. 16. Ora ne facciamo lo scopo delle nostre passeggiate.

C 17. Ognuno può fare quello che vuole. 18. È la gran vita! 19. Ci si alza ogni giorno quando si desidera. 20. Si parte all'ora che ci piace. 21. Mangiamo (si mangiano) tagliatelle ogni giorno. 22. Ogni settimana andiamo una o due volte in gita in campagna.

Leçon

Vorrei che tu ti alzassi

1 °Avviene di rado che tu mi faccia una v**i**sita. •Occorrerebbe che tu venissi da me per vedere il giardino in •fiore. °Desidererei che mi portassi un'altra pianta come •quella che mi portasti l'anno •scorso. Sarà poss**i**bile farti accompagnare da tuo fratello? Gradirei che veniste °insieme.

2 La correlazione dei °tempi in italiano è •molto importante. Sull'°argomento si racconta un °divertente aneddoto che ha per protagonista il letterato napoletano Basilio Puoti. Un suo amico, per fargli uno •scherzo, nel bel •mezzo della °notte, andò a bussare all'uscio di casa sua. Il p**o**vero letterato si •sveglia, si alza e domanda chi ha bussato alla porta a quell'ora cosí inopportuna.

3 — Vorrei che tu ti alzi — gli grida l'amico dalla strada, dopo **e**ssersi fatto •ricon**o**scere.
— Sciagurato! — esclama Basilio Puoti — si deve dire « Che tu ti alzassi, che tu ti alzassi! »
Il letterato, pedante anche in una s**i**mile circostanza, era piú risentito per •l'infrazione alla r**e**gola della •correlazione dei tempi che per **e**ssere stato svegliato •bruscamente nel cuore della notte.

SE GIOVENTÚ •SAPESSE, SE VECCHIAIA POTESSE...

Traduction

Je voudrais que tu te lèves

1 — Il arrive rarement que tu me fasses une visite. Il faudrait que tu viennes chez moi pour voir le jardin en fleurs. Je désirerais que tu m'apportes une autre plante comme celle que tu m'as apportée l'année dernière. Sera-t-il possible que tu te fasses accompagner par ton frère? Cela me ferait plaisir que vous veniez ensemble.

2 — La correspondance des temps est très importante en italien. A ce sujet on raconte une anecdote amusante qui a pour protagoniste le lettré napolitain Basilio Puoti. Un de ses amis, pour lui faire une plaisanterie, au beau milieu de la nuit alla frapper à la porte de sa maison. Le pauvre lettré se réveille, se lève et demande qui a frappé à la porte à cette heure si inopportune.

3 — Je voudrais que tu te lèves — lui crie l'ami depuis la rue, après s'être fait reconnaître. — Malheureux! s'exclame Basilio Puoti. On doit dire : « que tu te levasses! que tu te levasses! » Le lettré, pédant jusque dans une circonstance de ce genre, était plus irrité par l'infraction à la règle de la correspondance des temps que pour avoir été réveillé brusquement au cœur de la nuit.

Vocabulaire

Di rado, rarement; *ogni tanto,* de temps en temps; aussi : *di tanto in tanto, di quando in quando.*
Gradirei. On peut dire aussi : *mi piacerebbe.*
Letterato : de *lettera,* lettre; *letteratura,* littérature.

Lo scherzo, la plaisanterie; *scherzare,* plaisanter. *Scherzo* est aussi un terme de musique. De même *allegro,* allègre, *gai; andante* vient de *andare* qui veut dire aller; *adagio,* lentement; *presto,* vif; *prestissimo,* très vif.

Nel bel mezzo della notte, nel cuore della notte. Pour dire l'heure, revoyez la leçon 20 et apprenez les expressions : *sono le dieci in punto,* il est 10 heures précises; *sono press'a poco le undici,* il est à peu près 11 heures.

Si jeunesse savait, si vieillesse pouvait.

La correspondance des temps et les constructions invariables qui en découlent :

1. *Desidero che vada,* je désire qu'il aille.
2. *Desideravo che fosse,* je désirais qu'il fût.
3. *Desiderai che fosse,* j'ai désiré qu'il fût.
4. *Desidererò che vada,* je désirerai qu'il aille.
5. *Desidererei che fosse,* je désirerais qu'il fût.

Les phrases 2, 3 et 5 demanderaient normalement en français ainsi qu'en italien l'imparfait du subjonctif; mais vous savez que ce temps est généralement considéré comme désuet, aujourd'hui. En italien l'emploi de l'imparfait du subjonctif en phrases 2 et 3 (temps du passé) et 5 (conditionnel) est absolument obligatoire.

Il vous faut donc :
— y penser,
— savoir les imparfaits du subjonctif qui sont très simples (rappel : l'imparfait du subjonctif des verbes irréguliers au passé simple et au participe passé est toujours régulier sauf *stare, essere* et *dare.* Voyez leçon 17).

● Dans de nombreux cas le subjonctif s'emploie en italien ainsi qu'en français :
Bisogna che io parta subito, il faut que je parte; *è necessario; è utile che; è opportuno che; è desiderabile.*
Preferisco che parta, je préfère qu'il parte.

De même : ... *affinché lo sappia,* afin que vous le sachiez.
... *perché lo sappia,* afin qu'il le sache.
... *comunque lei dica,* quoique que vous disiez...
... *sebbene lei dica,*
... *purché questo libro sia buono,* pourvu que ce livre soit bon.

● Dans d'autres cas l'italien peut employer le subjonctif (ou parfois l'indicatif) tandis que le français n'emploie que l'indicatif. Il s'agit d'une nuance de doute moins accusée dans le cas de l'indicatif, plus accusée dans le cas de subjonctif.
So che è venuto, je sais qu'il est venu. *Non so se sia venuto.* Je ne sais pas qu'il est venu. *Non so che si debba fare in caso di incidente,* je ne sais ce qu'on doit faire en cas d'accident.

Exercices

A 1. Je veux qu'il écrive à ses parents. 2. Il veut que nous nous décidions avant le 3 Août. 3. Nous voulons faire de façon qu'il puisse étudier. 4. Ils veulent que je m'en aille.

B Même exercice : a) en mettant le verbe « vouloir » au passé composé : j'ai voulu.
b) en mettant le verbe « vouloir » au futur : je voudrai.
c) en mettant le verbe « vouloir » au conditionnel : je voudrais.

C 5. Quand vous verrez ce monsieur, vous l'aimerez. 6. Quand vous lirez ce livre, vous comprendrez mieux cette question. 7. Quand vous m'écrirez, vous me direz ce que vous en pensez. 8. Quand vous serez décidé, vous me ferez savoir la date de votre arrivée.

D 9. Si vous voyiez ce Monsieur, vous l'aimeriez. 10. Si vous lisiez ce livre, vous comprendriez mieux cette question. 11. Si vous m'écriviez, vous me diriez ce que vous en pensez. 12. Si vous étiez décidé, vous me feriez savoir la date de votre arrivée.

Corrigé

A 1. Voglio che egli scriva ai suoi genitori. 2. Vuole che ci decidiamo prima del tre agosto. 3. Vogliamo fare in modo che possa studiare. 4. V**o**gliono che me ne vada.

B a) 1. Ho voluto che scrivesse. 2. Ha voluto che ci decid**e**ssimo. 3. Abbiamo voluto fare in modo che potesse studiare. 4. Hanno voluto che io me ne andassi.
b) 1. Vorrò che scriva... 2. Vorrà... 3. Vorremo... 4. Vorranno...
c) 1. Vorrei che scrivesse... 2. Vorrebbe... 3. Vorremmo... 4. Vorr**e**bbero...

C 5) Quando vedrà quel signore, lo amerà. 6. Quando leggerà questo libro, capirà meglio questa questione. 7. Quando mi scriverà, mi dirà quello che ne pensa. 8. Quando si sarà deciso, mi farà sapere la data del suo arrivo.

D Se vedesse quel signore, lo amerebbe. 10. Se lei leggesse questo libro, capirebbe meglio questa questione. 11. Se mi scrivesse, mi direbbe ciò che ne pensa. 12. Se lei fosse deciso, mi farebbe sapere la data del suo arrivo.

Leçon

24 Dal Tabaccaio

1 — °Dopo di lei, Signorina.
— Grazie. (Al tabaccaio) Un pacco di sale raffinato da t**a**vola e un chilo di sale da cucina.
— Ma •come? (All'amico) Questo tabaccaio •vende il sale?
— Tutti i tabaccai. In Liguria c'è •ancora qualcuno che chiama il tabaccaio « salinante », perché, prima dell'•istituzione dei •francobolli e del °commercio del tabacco, era il suo commercio principale. Oggi il sale è •prodotto di regía.

2 — Regía?, che sign**i**fica?
— St**o**ricamente era una società che aveva l'appalto di •v**e**ndita dei •prodotti di privativa, cioè fabbricati dallo Stato e non dai cittadini, come i francobolli, la carta bollata, i s**i**gari, il tabacco, i fiamm**i**feri. Oggi •v**e**ndono anche •sigarette di °provenienza straniera sulle quali gr**a**vano delle tasse governative. (Al tabaccaio) Per favore, d**i**a a questo m**i**o amico tre o quattro tipi di s**i**gari italiani, toscano, Virginia... Faccia lei. E anche del tabacco da pipa.

3 — Forte?
— No, piuttosto •dolce. Ma non troppo. Abbiamo •orrore di °certi tabacchi •olandesi e nordamericani che •s**e**mbrano impastati di °miele e acqua di °Colonia. Anche una di quelle sc**a**tole cil**i**ndriche di tabacco per pipa e quell'altro tabacco presentato in una •borsa tasc**a**bile di caucciú —
— Ah! Dimenticavo le sigarette per mia moglie. Mi dia un °po' di tutto.

BACCO, TABACCO E °V**E**NERE RIDUCON L'°UOMO IN •C**E**NERE

Traduction ·

Chez le marchand de tabac

1 — Après vous, Mademoiselle. — Merci. (Au marchand de tabac) : Un paquet de sel raffiné de table et un kilo de sel de cuisine. — Mais comment? (A l'ami) Ce marchand vend du sel? — Tous les marchands de tabac. En Ligurie il y a encore des personnes qui appellent le marchand de tabac « marchand de sel » parce que, avant l'institution des timbres et du commerce du tabac, c'était son commerce principal. Aujourd'hui le sel est un produit de régie.

2 — Régie? Qu'est-ce que cela signifie? — Historiquement, c'était une société qui avait la concession de vente des produits de monopole, c'est-à-dire fabriqués par l'État et non par les citoyens, tels que les timbres, le papier timbré, les cigares, le tabac, les allumettes. Aujourd'hui on vend aussi des cigarettes de provenance étrangère sur lesquelles pèsent des taxes gouvernementales. (Au marchand de tabac) : S'il vous plaît, donnez à mon ami trois ou quatre types de cigares italiens, toscan, Virginie... comme vous le voudrez. Et aussi du tabac pour la pipe.

3 — Fort? — Non plutôt doux. Mais pas trop. Nous avons horreur de certains tabacs hollandais et nord-américains qui semblent mélangés de miel et d'eau de Cologne. Aussi une de ces boîtes cylindriques de tabac pour la pipe et cet autre tabac présenté dans une bourse de caoutchouc pour mettre dans la poche. Ah! J'oubliais les cigarettes pour ma femme. Donnez-moi un peu de tout.

Vocabulaire

Prodotto di regía, prodotto di privativa, de monopole.
Sale de cucina, da tavola, sel de cuisine, de table.
Tascabile, vient de *la tasca,* la poche.
Piuttosto, plutôt. Distinguer bien de *piú presto,* plus tôt.

Pour les fumeurs, *Per i fumatori!*
I fiammiferi, il fiammifero; les allumettes; *i cerini, il cerino,* les allumettes bougies, allumettes de cire *(la cera).*

---

m. à m. : Bacchus, le tabac et Vénus réduisent l'homme en cendre.

N. B. : *Regía,* régie; on écrit l'accent sur « i » pour distinguer ce mot de l'adjectif féminin *regia,* royale. Ex. : *la Regia Accademia delle Belle Arti,* l'Académie Royale des Beaux-Arts (*del tempo della monarchia,* au temps de la monarchie).

L'accendisigari, le briquet (mot *sdrucciolo*).
La ruota dentata, la roue dentée; *la pietra, la pietrina,* la pierre.
La scintilla, l'étincelle; *la fiamma,* la flamme; *lo stoppino,* la mêche.
Un pacco di tabacco, un paquet de tabac (pluriel : *pacchi, tabacchi*) *tabacco da pipa,...* pour la pipe; *tabacco di provenienza straniera,* de provenance étrangère.

Grammaire

■ ***Da*** et ***Di.***
Carta da lettere, papier à lettre.
Sale da cucina, da tavola, sel de cuisine, de table.
Pagato dallo stato, payé par l'état.
Pagato dai cittadini, payé par les citoyens.
Tandis que :
prodotto di regía, prodotto di privativa, produit de monopole.
Negozio di abbigliamento, magasin d'habillement; *negozio di alimentazione,* épicerie.

■ La marchandise, le marchand et la boutique.
Le pain, le boulanger, la boulangerie; *il pane, il panettiere, la panetteria* [iya].
De même :
les gâteaux..., *le paste, il pasticciere, la pasticceria.*
Les livres..., *i libri, il libraio, la libreria.*
Le saucisson, le charcutier..., *il salame, il salumaio, la salumeria* (prenez garde au changement de *a* en *u*).
La viande... *la carne, il macellaio, la macelleria.*
Attention :
Il pastificio, la fabrique de pâtes alimentaires.
Il caseificio, la fabrique de fromages.

■ ***Faccia lei.***
Vous pouvez dire aussi *come vuole,* comme vous voulez; *come crede,* comme bon vous semble (m. à m. : comme vous croyez.)

Exercices

1. Cette eau n'est pas potable. 2. Elle n'est pas bonne à boire. 3. Vous ne faites rien. 4. Vous n'avez donc rien à faire? 5. Vous ne me dites rien. 6. Qu'avez-vous à me dire? 7. Dites-moi si vous avez vu le marchand de produits exotiques de la rue Sanseverino. 8. D'où venez-vous? De quelle année êtes-vous? 9. Est-ce le jeune homme aux cheveux blonds que vous avez vu il y a trois jours? 10. Depuis quand le connaissez-vous? 11. Comprenez-vous tout ce qu'il y a de beau dans cette œuvre? 12. C'est un livre d'italien. 13. Il m'a été offert par mon professeur. 14. J'ai beaucoup appris de lui. 15. J'ai beaucoup appris aussi par moi-même. 16. Les choses ne se font pas toutes seules. Cela va de soi.

Corrigé :

1. Quest' acqua non è pot**a**bile. 2. Non è buona da bere. 3. Lei non fa niente. 4. Non ha dunque niente da fare? 5. Non mi dice niente. 6. Che cosa ha da dirmi? 7. Mi dica se ha visto il negoziante di prodotti es**o**tici della via Sanseverino. 8. Di dove viene? Di che anno è? 9. È il giovanotto dai capelli biondi che ha visto tre giorni fa? 10. Da quando lo conosce? 11. Capisce quanto c'è di bello in questo lavoro? 12. È un libro d'italiano. 13. Mi è stato offerto dal mio professore. 14. Ho imparato molto da lui. 15. Ho anche imparato molto da solo. 16. Le cose non si fanno da sole. Va da sè.

Leçon

25 L'Autostrada del Sole

1 L'Autostrada del •Sole costituisce °oggi la grande via di •comunicazione che °collega la Lombard**i**a alla Camp**a**nia, attraversando L'Em**i**lia-Romagna, la Toscana, l'**U**mbria e il L**a**zio.
•Numerose uscite °cons**e**ntono di raggi**u**ngere •rapidamente altre autostrade e strade nazionali che °p**o**rtano alle •regioni contigue, quali il •Piemonte, la Lig**u**ria, il V**e**neto, le Marche, gli Abruzzi, le Puglie, la Luc**a**nia e la Cal**a**bria.

2 Il tratto dell'autostrada che ha °richiesto •maggiori °sforzi per la •costruzione, è quello appenn**i**nico, che congiunge °Bologna, sede della piú antica Università, a °Firenze, culla della lingua italiana.

3 Una °volta per coprire la distanza di circa °cento °chil**o**-metri, •occorr**e**vano tre o quattro ore, a causa della strada °tortuosa e a volte °coperta di •neve, che portava da Bologna a Firenze attraversando il passo della Futa. Oggi, grazie all'°**o**pera tit**a**nica compiuta •contro gli elementi, con una m**a**cchina di °media cilindrata si copre la •stessa distanza in quaranta minuti.

[tz] Abruzzi

SE BEVI NON GUIDARE, SE GUIDI NON •BERE

Traduction

L'autoroute du soleil

1 — L'autoroute du soleil constitue aujourd'hui la grande voie de communication qui relie la Lombardie à la Campanie, en traversant l'Émilie-Romagne, la Toscane, l'Ombrie et le Latium. De nombreuses sorties permettent de gagner rapidement d'autres autoroutes et des routes nationales qui conduisent aux régions contiguës telles que le Piémont, la Ligurie, la Vénétie, les Marches, les Abruzzes, les Pouilles, le Basilicate et la Calabre.

2 — Le tronçon de l'autostrade qui a demandé les plus grands efforts pour la construction est le tronçon des Apennins qui relie Bologne, siège de l'Université la plus ancienne, à Florence, berceau de la langue italienne.

3 Autrefois, pour couvrir la distance de près de 100 kilomètres, il fallait 3 ou 4 heures, à cause de la route tortueuse et parfois couverte de neige qui conduisait de Bologne à Florence en traversant le Col de la Futa.
Aujourd'hui, grâce à l'œuvre titanesque accomplie contre les éléments, avec une voiture de cylindrée moyenne, on couvre la même distance en quarante minutes.

Vocabulaire

Apprenez le nom des provinces d'Italie, que nous groupons suivant la division habituelle en quatre parties.

a) *L'Italia settentrionale*
Val d'Aosta, Val d'Aoste. *Piemonte,* Piémont. *Lombardia,* Lombardie. *Trentino, Alto Adige,* Trentin, Haut Adige. *Veneto,* Vénétie. *Emilia,* Emilie. *Liguria,* Ligure.

b) *L'Italia centrale*
Toscana, la Toscane. *Umbria,* l'ombrie. *Marche,* les Marches. *Lazio,* le Latium. *Abruzzo e Molise,* les Abruzzes et la Molise.

c) *L'Italia meridionale*
Campania, la Campanie. *Puglie,* les Pouilles, *Basilicata o Lucania,* le Basilicate ou Lucanie. *Calabria,* la Calabre.

d) *L'Italia insulare*
Sicilia, Sicile. *Sardegna,* Sardaigne.

---

m. à m. : Si tu bois, ne conduis pas; si tu conduis, ne bois pas.

■ *Costituire,* constituer, se conjugue comme *capire (capisco)* tandis que *coprire* se conjugue comme *partire (parto).*

Rappel : seuls les présents de l'indicatif et du subjonctif diffèrent.

Quant à *richi**e**dere,* réclamer, il se conjugue évidemment comme *chiedere, chiesi, chiesto* (§ 61).

Rappel : **1-3-3 :**

Richiesi, j'ai rappelé, *richiese, richiedemmo, richi**e**sero.*

L'imparfait du subjonctif est régulier.

■ ***Non guidare, non bere***

L'impératif, au tutoiement singulier, se forme avec l'infinitif. Vous direz donc : *bevi, non bere,* bois, ne bois pas; *guida, non guidare,* conduis, ne conduis pas.

■ ***In cui, nel quale.***

« Dont » n'a pas de traduction directe en italien. Traduisez donc l'équivalent de dont : de qui. Vous retiendrez dès lors très facilement les formules suivantes si vous pensez que *uomo = cui = il quale.*

L'uomo a cui parlo = l'uomo al quale parlo, l'homme à qui je parle.

L'uomo con cui stavo ieri = l'uomo col quale stavo ieri, l'homme avec qui j'étais hier.

L'uomo di cui parlo = l'uomo del quale parlo, l'homme de qui je parle (de qui = dont).

L'uomo per mezzo di cui (del quale) sono entrato in contatto con lei, l'homme par l'intermédiaire de qui (m. à m. : au moyen de qui) je suis entré en contact avec vous.

Cui et *quale* sont vraiment d'emploi universel!

La casa in cui (nella quale = dove) son nato, la maison où je suis né.

L'anno in cui sono nato, l'année où je suis né (ne dites pas *dove,* car il ne s'agit pas d'un lieu mais d'une année!)

■ *Occ**o**rrere* veut dire falloir, mais il s'accorde avec le sujet *occ**o**rrono tre o quattro ore,* il faut trois ou quatre heures. Vous pouvez dire aussi : *si aveva bisogno di tre o quattro ore,* on avait besoin de trois ou quatre heures : *Ci vol**e**vano,* il nous fallait...

Exercices

A 1. Avec qui étiez-vous hier au soir? 2. Qui était la personne à qui vous parliez? 3. Les amis avec qui nous étions avant-hier nous ont dit beaucoup de bien de lui. 4. Je l'ai connu par M. Galileo. 5. M. Galileo est le directeur des produits Formica. 6. M. Galileo, grâce à qui je suis allé à Berlin, est aussi connu pour ses livres.

B 7. J'ai rappelé (passé simple) à vos invités qu'ils pouvaient venir nous voir pendant la journée. 8. Nous avons réclamé à Pierre la somme de 3 000 lires qu'il nous devait. 9. Je ne voudrais pas que vous lui en réclamiez davantage. 10. Pouvez-vous leur dire de venir dimanche? 11. Ne pourriez-vous pas dire à Pierre aussi de nous écrire au plus tard vendredi?

Corrigé :

A 1. Con chi era ieri sera? 2. Chi era la persona con la quale parlava? 3. Gli amici con cui eravamo l'altro ieri ci hanno detto molto bene di lui. 4. L'ho conosciuto tr**a**mite il Signor Galileo. 5. Il Signor Galileo è il direttore dei prodotti F**o**rmica. 6. Il Signor Galileo, grazie al quale sono andato a Berlino, è anche conosciuto per i suoi libri.

B 7. Ricordai ai suoi invitati che pot**e**vano venire a trovarci durante il giorno. 8. Abbiamo richiesto a Pietro la somma di tremila lire che ci doveva. 9. Non vorrei che gliene reclamaste di piú. 10. Può dire loro di venire dom**e**nica? 11. Non potrebbe dire anche a Pietro di scr**i**verci venerdí al piú tardi?

Leçon

26

La macchina

1 L'autista mette in marcia il •motore, per ○mezzo del •mo-t**o**rino d'•avviamento. Mette in marcia la m**a**cchina ○premendo sul pedale della frizione e sull'acceleratore, dopo •aver posto la ○leva della marcia in prima. V**i**a v**i**a che la vettura ○prende velocità, egli passa alla •seconda,○ poi alla ○terza e quindi in quarta.

2 Per arrestare la m**a**cchina si •frena, si mette la leva del cambio in ○folle. Per •sp**e**gnere il motore si gira la •chiavetta di contatto e si mette il •freno a mano.

3 Io, personalmente, preferisco le vetture a quattro porte.
La m**i**a è grande : ci ○p**o**ssono stare ○sei persone.
Nel portabagagli •posteriore ho ○sempre una latta d'○olio •come ○riserva e la ○ruota di ○scorta.
Ho invertito la disposizione delle ruote : la ruota •anteriore destra l'ho messa ○dietro, a sinistra.
Il •lampeggiatore di sinistra non •funziona, e il tergicristallo cigola; bisogna dargli del grasso.

Rappel :

Le signe ○ indique l'ouverture de l'e ou de l'o (français : cet, sotte).
Le signe • indique la fermeture de l'e ou de l'o (français : été, sot).

CHI VA PIANO VA SANO E VA LONTANO

Traduction

L'auto

1 Le conducteur met le moteur en marche au moyen du démarreur. Il met la voiture en marche en appuyant sur la pédale d'embrayage et sur l'accélérateur, après avoir mis le levier de vitesses en première. Au fur et à mesure que la voiture prend de la vitesse il passe en seconde, puis en troisième, et ensuite en quatrième.

2 Pour arrêter la voiture on freine, on met le levier de changement de vitesse au point mort. Pour arrêter le moteur, on tourne la clef de contact et l'on met le frein à main.

3 Moi, personnellement je préfère les voitures à quatre portes.
La mienne est grande : six personnes peuvent y prendre place.
Dans la malle arrière, j'ai toujours un bidon d'huile en réserve et la roue de secours.
Je viens de croiser les roues : la roue avant droite, je l'ai mise derrière, à gauche.
Le clignotant gauche ne marche pas et l'essuie-glace grince; il faut le graisser.

Vocabulaire

L'auto, la voiture se dit donc l'automobile, *la macchina.* Le camion, *l'autocarro;* le garage, *l'autorimessa. L'autonoleggio* est la location de voitures.
Il paraurti, le pare-chocs; *il c**o**fano,* le coffre, *lo specchio retrovisore,* le rétroviseur; *il copertone,* le pneu; *la camera d'aria,* la chambre à air.
*Le segnalazioni ac**u**stiche, luminose,* les signaux acoustiques et lumineux.
La panna, il guasto, la panne.
Mettere la chiave di contatto, mettre la clef de contact; *mettere in prima,* mettre en première.
Essere in folle, être au point mort.
Bisognare, falloir, est un verbe impersonnel (il ne se conjugue, donc qu'à la 3e du singulier) : *bisogna stringersi,... partire,* il faut se serrer, ... partir.

Mieux vaut faire le tour du fossé que d'y tomber (m. à m. : celui qui va doucement va sainement et va loin).

Grammaire

A partir de cette leçon nous ferons des rappels de notions déjà étudiés.

■ Verbes *preferire, preferisco,* je préfère.
invertire, inverto, et *invertisco,* j'inverse (Mémento § 46 et 47).
mettere, misi, messo, mettre.

■ L'élision en italien n'est pas toujours facile. Ainsi l'on peut dire *una latta di olio* (ou *d'olio*), un flacon d'huile. Mais vous devez prononcer et écrire correctement : *sul pedale; sul = su + il* (*il* devant un masculin commençant par une consonne). *Sull'acceleratore; sull'=su+l'* (*l'* devant un masculin ou féminin commençant par une voyelle).

■ *La ruota, l'ho messa.*
Accord du participe passé avec le pronom complément *l'* mis pour *la ruota,* la roue; l'auxiliaire est en effet *avere.*

■ ***Si frena.***
Traduction de « on » avec le pronom *si.* Dans les exemples suivants le sujet du verbe, en italien, est le complément du verbe en français.
*Di questa macchina si l**o**dano le sue qualità,*
on loue les qualités de cette voiture.
*Si v**e**ndono m**a**cchine,* on vend des voitures;
ou, aussi, avec le rejet du pronom : *v**e**ndonsi macchine.* Remarquez que « vendono » devient « vendon ».

Lecture

Regolamento per la circolazione sulle autostrade

(dal Testo **U**nico del C**o**dice della strada e suo Regolamento di Esecuzione).

Sosta

1. La °sosta è consentita •solo in caso di necessità, ed esclusivamente negli spazi ad essa destinati.
2. Siete stanchi? Ferm**a**tevi nelle **a**ree di servizio o nei Parcheggi. Ogni sosta in autostrada è un per**i**colo.

3. La vostra auto è in «panne»? In attesa del soccorso fermatevi nella corsia per la sosta di emergenza.
4. In caso di incidente altrui se la vostra presenza non è necessaria, non fermatevi solo per curiosare su quanto è accaduto.

Sorpasso

1. Prima di sorpassare attenzione a chi segue.
2. Segnalate per tempo il sorpasso.
3. Guardate nel retrovisore per un sorpasso sicuro.
4. Dopo il sorpasso rientrate gradualmente in corsia di marcia.

Altre raccomandazioni

1. A 100 km (cento chilometri) occorrono 100 m (cento metri) per fermarsi.
2. A 140 km (cento quaranta) occorrono 200 (duecento) metri per fermarsi.
3. Accendete i fari in galleria.
4. Moderate la velocità.
5. Mantenersi sempre a distanza di sicurezza.

Règlement pour la circulation sur les autoroutes

(Extrait du texte unique du code de la route et son règlement d'exécution.)

Arrêt

1. L'arrêt est autorisé seulement en cas de nécessité, et exclusivement dans les espaces qui lui sont destinés. 2. Êtes-vous fatigués? Arrêtez-vous sur les voies de service ou dans les parkings. Tout arrêt sur l'autoroute est un danger. 3. Votre auto est-elle en panne? En attendant du secours, arrêtez-vous sur l'accotement pour l'arrêt en cas d'urgence. 4. En cas d'accident survenu à autrui si votre présence n'est pas nécessaire, ne vous arrêtez pas seulement par curiosité pour savoir ce qui est arrivé.

Dépassement

1. Avant de dépasser attention à la voiture qui suit. 2. Signalez à temps le dépassement. 3. Regardez dans le rétroviseur pour un dépassement sûr. 4. Après le dépassement rentrez progressivement dans la file de marche.

Autres recommandations

1. A 100 km, il faut 100 mètres pour s'arrêter. 2. A 140 km, il faut 200 mètres pour s'arrêter. 3. Allumez les phares dans le tunnel. 4. Modérez la vitesse. 5. Se maintenir toujours à distance de sécurité.

Leçon

Dal •distributore di benzina

1 — Che °cosa le do? Super o normale?
— Super. Il °pieno, per favore.
— •Metta dell'olio.
— Verifichiamo anche la •pressione. Non lo faccio da °tempo. Se può pulire il •parabrezza...
— Occorre altro?
— °Nient' altro, per il •momento. S**a**bato °pr**o**ssimo •ritorneremo per il lavaggio e il cambio dell'olio.
— Quanto fa?
— Duemila lire.
— Prenda.
— Non ha sp**i**ccioli?
— No, ho •appena passato la °frontiera ed ho solo questo •biglietto da diecimila lire.
— •Attenda.

2. — Per andare a casa non passi per °Salerno. Sarebbe piú lungo perché la strada fa molte deviazioni e si °perde tempo. •Segua la strada diritto, sempre diritto. A •tre chil**o**metri da qui, arrivato davanti al •distributore, prenda la seconda a sinistra. Quando la strada °diventa a °senso **u**nico, °volti a destra; la nostra casa è s**u**bito dopo la banca a circa °cento °metri dal quadr**i**vio.

CHI LASCIA LA STRADA °VECCHIA PER LA °NUOVA SA •QUEL •CHE LASCIA E NON SA QUEL CHE °TROVA

Traduction

Chez le pompiste

1 Qu'est-ce que je vous donne? Du super ou de l'essence? – Du super. Le plein s'il vous plaît. – Mettez de l'huile. – Nous allons vérifier aussi la pression. Il y a quelque temps que je ne l'ai pas fait. Si vous pouvez nettoyer le pare-brise... – Y a-t-il autre chose? – Rien d'autre pour le moment. Samedi prochain nous reviendrons pour le lavage et la vidange. – Combien cela fait-il? – 2 000 lires. – Prenez. – Vous n'avez pas de monnaie? – Non, je viens de passer la frontière et je n'ai rien que ce billet de 10 000 lires. – Attendez.

2 Pour aller à la maison ne passez pas par Salerne. Ce serait plus long parce que la route fait beaucoup de détours et l'on perd du temps. Suivez la grand-route tout droit, toujours tout droit. A trois kilomètres d'ici, en arrivant à la station d'essence, prenez la seconde à gauche. Quand la route devient à sens unique, tournez à droite. Notre maison est tout de suite après la banque, à quelque cent mètres du carrefour.

Vocabulaire

La stazione di servizio.

La pompetta della benzina, la pompe à essence; *la pompa dell'olio,* la pompe à huile; *il filtro dell'aria,* le filtre à air; *il serbatoio della benzina,* le réservoir à essence; *la miscela,* le mélange.

Il radiatore; l'anticongelante; il ventilatore, il carburatore. La batteria, le candele, les bougies. *Le valvole,* les soupapes; *la smerigliatura delle valvole,* le rôdage des soupapes. *Il motorino d'avviamento,* le démarreur.

La retromarcia, la marche arrière.
Se rendre au théâtre : *andare al teatro;* rendre la monnaie, *dare il resto;* rendre un service, *fare un favore.*

Lâcher la proie pour l'ombre (m. à m. : celui qui laisse la vieille route pour la nouvelle sait ce qu'il laisse et ne sait pas ce qu'il trouve).

Grammaire

■ Notez les subjonctifs exhortatifs (impératifs de vouvoiement : Mémento § 49).

metta, mettez, de *mettere*
prenda, prenez, de *prendere*
segua, suivez, de *seguire* (*io seguo,* je suis).

■ Futur rapproché, passé rapproché (voyez leçon 22).
En français : nous venons de passer la frontière, nous allons vérifier la pression.
En italien : dans le premier cas : un temps passé + *appena : ho appena passato la frontiera*
En italien : dans le second cas : le présent ou le futur : *verifichiamo la pressione.*
Remarquez la modification d'orthographe destinée à conserver le son de l'infinitif verificare : *ca,* mais *chi, e chi, chia...*

■ La tendance phonétique de l'italien est la succession régulière consonne + voyelle (sur la consonne *s,* voyez les leçons 8, 12, 18). Mais il ne s'agit que d'une tendance, pas d'une règle.
Nient' altro au lieu de *niente altro* qui ferait se rencontrer deux voyelles.
Dell'olio = dell' = di + lo
Sette od otto, sept ou huit : *od* au lieu de *o* pour éviter la rencontre des deux *o.*
De même ***ed, ad*** dans : *logico ed evidente, andare ad Amalfi.*

Exercices

Traduire : 1. Abbiamo solo cinque litri di benzina in riserva. 2. Dove si trova il prossimo distributore? 3. A quasi tre chilometri di qui, a destra prima di entrare nel paese. 4. Non perdiamo tempo. 5. Continuiamo. 6. Quando avremo attraversato la frontiera compreremo la benzina. 7. Il confine è vicinissimo.

Corrigé :

1. Nous n'avons que cinq litres d'essence en réserve. 2. Où se trouve le prochain pompiste? 3. A quelque trois kilomètres d'ici, à droite avant d'entrer dans le village. 4. Ne perdons pas de temps. 5. Continuons. 6. Quand nous aurons traversé la frontière nous achèterons de l'essence. 7. La frontière est très proche.

Lecture

Rilascio di °buoni di benzina a tariffa •ridotta

Il turista che si reca in Italia con un veicolo a •motore ha diritto a due assegnazioni annuali di buoni di benzina a tariffa ridotta, ognuna per un •soggiorno di quarantacinque giorni consecutivi al massimo. L'assegnazione giornaliera è di quindici litri per le °automobili, di dieci litri per le motociclette di cilindrata uguale o superiore a centoventicinque centimetri cubi, di cinque litri per le motociclette di cilindrata inferiore a centoventicinque cm^3 (centimetri cubi).
Prezzi della benzina a tariffa ridotta : normale a settantaquattro lire il litro; super a ottantaquattro lire il litro.
La tariffa piena è, rispettivamente, di centodieci e centoventi lire il litro. Ci si può procurare i buoni di benzina : 1) Prima della partenza, presso una banca abilitata alla vendita, a presentazione della carta grigia del veicolo e del documento d'identità del proprietario dell'auto. Vi consigliamo vivamente di procurarvi la prima assegnazione di buoni di benzina prima della partenza per l'Italia. 2) In Italia, a presentazione della « Carta carburante e turistica » e del documento d'identità del proprietario del veicolo, in un ufficio dell'Automobile Club Italiano (A.C.I.); questi buoni sono pagabili in lire.

Délivrance des bons d'essence à tarif réduit

Le touriste qui se rend en Italie avec un véhicule à moteur a droit à deux attributions annuelles de bons d'essence à tarif réduit, chacune pour un séjour maximum de 45 jours consécutifs. L'attribution journalière est de 15 litres pour les automobiles, 10 litres pour les motos de cylindrée égale ou supérieure à 125 cm^3, 5 litres pour les motos de cylindrée inférieure à 125 cm^3.
Prix de l'essence à tarif réduit : normale 74 lires le litre, super 84 lires le litre.
Le plein tarif est respectivement, de 110 et 120 lires le litre. On peut se procurer les bons d'essence : 1) Avant le départ, auprès d'une banque habilitée à la vente, sur présentation de la carte grise du véhicule et du document d'identité du propriétaire de la voiture. Nous vous conseillons vivement de vous procurer la première attribution de bons d'essence avant le départ pour l'Italie. 2) En Italie sur présentation de la « Carte carburant et touristique » et de la pièce d'identité du propriétaire du véhicule, dans un bureau de l'Automobile Club Italien (A.C.I.); ces bons sont payables en lires.

Leçon

L'aereo

1 Per prendere °l'aereo bisogna comprare il •biglietto. Questo biglietto può essere di andata semplice, andata e •ritorno, o un biglietto circolare. Con un biglietto di andata e ritorno, o un biglietto circolare si può avere una •riduzione.

2 •Generalmente si •compra il biglietto dell'aereo al momento in cui si °prenota il posto per il primo •volo. Si può anche prenotare il posto per i voli successivi.

3 Ogni compagnia aerea importante ha un °proprio ufficio •nelle grandi città. Ma ci si può anche °rivolgere ad una agenzia di viaggi. In linea di massima tutte le agenzie di viaggi possono procurare un passaggio su qualunque linea.

4 In ogni aereo ci sono due classi : la classe turistica e la prima classe. Il •peso dei bagagli accettati in franchigia è di •venti o trenta chili, •secondo la classe. La tariffa del peso °eccedente varia secondo la distanza. Il •viaggiatore può recarsi direttamente •all'aeroporto dove si registrano i bagagli : ma può anche farli registrare alla •stazione aerea se è piú vicina al suo domicilio.

PAESE CHE VAI, USANZE CHE TROVI

Traduction

L'avion

1 Pour prendre l'avion il faut acheter un billet. Ce billet peut être un aller simple, un aller et retour, ou un billet circulaire. Avec un billet aller et retour ou un billet circulaire l'on peut avoir une réduction.

2 Généralement, l'on achète le billet d'avion au moment où l'on réserve sa place pour le premier vol. L'on peut aussi réserver sa place pour les vols suivants.

3 Chaque compagnie d'aviation importante a un bureau particulier dans les grandes villes.
Mais l'on peut passer aussi par une agence de voyage. En principe toutes les agences de voyage peuvent procurer un passage sur n'importe quelle ligne.

4 Sur tout avion, il existe deux classes : la classe touriste et la première classe. Le poids des bagages acceptés en franchise est de vingt ou trente kilos, selon la classe. Le tarif du poids excédentaire varie selon la distance. Le voyageur peut se rendre directement à l'aéroport où l'on enregistre ses bagages : mais il peut aussi les faire enregistrer à l'aérogare si elle est plus proche de son domicile.

Vocabulaire

*L'a**e**reo (l'aeroplano); l'elic**o**ttero; l'idrovolante; il reattore.*
*L'a**e**reo da turismo; l'a**e**reo da caccia,* l'avion de chasse. *Il bombardiere.*

Il monomotore, le monomoteur; *bi-, tri- quadri-, pluri-.*
*La carlinga, l'**e**lica,* l'hélice; *il timone di direzione. La fusoliera,* le fuselage.

Il pilota, l'equipaggio [coui], *la hostess.*

Autant de pays, autant de guises (m. à m. : pays où tu vas, usages que tu trouves).

Grammaire

■ Les verbes de la lecture :
pregare, gonfiare, soffiare, afferrare, applicare, respirare; t**o**gliere, chi**u**dere, m**e**ttere;
seguire.

Preparate, gonfiate, soffiate, sont des impératifs à la forme de tutoiement pluriel. Ce ne sont donc pas des subjonctifs exhortatifs (les infinitifs des verbes cités sont en *-are;* le subjonctif serait donc terminé en *-i : prepari, gonfi, soffi*). Nous avons déjà expliqué que la distinction entre tutoiement et vouvoiement est moins tranchée en italien qu'en français. Revoyez, en particulier, les indications destinées aux automobilistes sur les autoroutes (leçon 26). *Togli**e**tevi* (infinitif : *togliersi*) *infil**a**telo* (infinitif : *infilare*) présentent le rejet du pronom complément.

■ ***Esistono due classi.***
Il existe une classe, il existe deux classes. « Exister », verbe impersonnel, dans ce cas, ne connaît que le singulier en français. Faites l'accord en italien : *esiste una classe, esistono due classi.*
Rapprochez de *c'è soltanto un ufficio della compagnia a Brescia, ma ce ne sono tre a Milano.*

■ *Ogni agenzia, tutte le agenzie.*
« Toute agence » serait : *ogni agenzia,* chaque agence. Apprenez aussi : ***un'agenzia qualunque = qualsiasi agenzia,*** n'importe qu'elle agence.

Exercices

Traduire : 1. Abitualmente viaggio in aereo quando devo fare un percorso consider**e**vole. 2. Mi piace molto viaggiare in aereo. 3. Costa quasi come le ferrov**i**e. 4. Non si arriva stanchi. 5. Si può scrivere piú facilmente che nel treno. 6. Mi piace molto che i miei amici mi asp**e**ttino all'arrivo.

Corrigé :

1. Je voyage d'ordinaire par avion quand je dois faire un parcours important. 2. J'aime beaucoup voyager par avion. 3. Cela coûte presque comme le chemin de fer. 4. On n'arrive pas fatigué. 5. On peut écrire plus facilement que dans le train. 6. J'aime beaucoup que mes amis m'attendent à l'arrivée.

Norme di sicurezza.

In caso di necessità il personale di cabina provvederà all'apertura delle uscite di sicurezza; vi preghiamo di restare calmi.
In caso di ammaraggio, togli**e**tevi anche le scarpe se a tacco alto e con °suola chiodata e preparate il salvagente. Infil**a**telo, agganciate le bretelle e tir**a**tele fuori, fino ad avere il salvagente bene aderente al °corpo; ai bambini fate passare le bretelle •sotto le gambe e tend**e**tele come sopra.
Non gonfiate il savagente finché non siete usciti dall'a**e**reo; per gonfiarlo tirate i cordoncini delle bombolette. Se con tale sistema il salvagente non si •gonfia, soffiate negli app**o**siti tubi di •gomma, chiudete quindi le v**a**lvole, e seguite le disposizioni impartite dall'equipaggio, che metterà in funzione i mezzi collettivi di •soccorso.
Se vedete aprirsi davanti a •voi lo scomparto contenente le m**a**schere per l'oss**i**geno, afferrate rapidamente una m**a**schera ed applic**a**tela al viso, respirando normalmente. Per tutto il per**i**odo in cui respirate ossigeno, non fumate.

(Alitalia)

Consignes de sécurité.

En cas de nécessité le personnel de bord ouvrira les issues de secours : nous vous prions de garder votre calme.
En cas d'amerrissage, ôtez aussi vos chaussures, si elles sont à talons hauts ou à semelles cloutées et préparez votre gilet de sauvetage. Enfilez-le, fixez-en les sangles et tirez-les en dehors, jusqu'à ce que le gilet soit bien adhérent à votre corps; pour les enfants faites-leur passer les jambes à travers les bretelles et tirez-les comme ci-dessus.
Ne gonflez pas votre gilet avant d'avoir quitté l'avion; pour le gonfler, tirez les cordonnets des bombes (d'oxygène). Si, en agissant de la sorte, le gilet ne se gonfle pas, soufflez dans les tubes en caoutchouc, fermez ensuite les soupapes et suivez les indications données par l'équipage qui mettra en œuvre les moyens collectifs de secours.
Si vous voyez s'ouvrir devant vous la boîte à masque à oxygène, prenez rapidement un masque et appliquez-le sur le visage, en respirant normalement. Pendant la période où vous respirez l'oxygène, ne fumez pas.

Leçon

29 Per prendere l'aereo

1 — Vorrei andare a Messina in a**e**reo. •Potrebbe darmi gli orari e i °prezzi per favore? — Sí, signore. Quando des**i**dera partire?
— Il 15 (qu**i**ndici) aprile. — Il 15 aprile è un s**a**bato.
Il sabato mattina lei ha un volo Alitalia con partenza da Orly alle °nove e trenta. Arrivo all'aeroporto di Fiumicino alle °dieci e cinquantacinque.
— Ora vediamo da Fiumicino a Messina. Partenza tutti i giorni, °eccetto dom**e**nica da Fiumicino alle •dodici con la Compagn**i**a Alit**a**lia; arrivo a Messina alle dodici e quarantacinque.

2 — °Vuol dirmi le condizioni, per favore?
— °Volentieri. Il biglietto in classe tur**i**stica, •semplice andata, costa trentamila lire, andata e ritorno cinquantasettemila lire. La validità è di due •mesi. Ogni persona ha diritto a •venti kg (chilogrammi) di bagaglio in franchigia. In prima classe l'andata semplice °costa quarantamila lire, l'andata e ritorno settantacinquemila lire; ogni persona ha diritto a trenta kg di bagaglio in franchigia. •Inoltre bisogna pagare la tassa d'imbarco e il biglietto dell'**a**utobus dalla stazione a**e**rea all'aeroporto.

3 — Per il ritorno non •dimentichi di riconfermare la •prenotazione °quarantotto ore prima del °volo.

4 — I signori viaggiatori a •destinazione di M., volo n**u**mero trecento sono pregati di presentarsi alla °porta numero tre. Imbarco immediato. I signori viaggiatori sono pregati di presentare la carta d'imbarco. °Precedenza ai viaggiatori in tr**a**nsito.

TUTTO IL MONDO È PAESE

Traduction

Pour prendre l'avion

1 — Je voudrais aller à Messine en avion. Pourriez-vous me donner les heures et les prix, s'il vous plaît? — Oui, Monsieur. Quand désirez-vous partir? — Le 15 avril. — Le 15 avril est un samedi. Le samedi matin vous avez un vol par Alitalia, départ d'Orly à 9 h 30. Arrivée à l'aéroport de Fiumicino à 10 h 55. Maintenant, voyons de Fiumicino à Messine. Départ tous les jours, sauf le dimanche, de F. à midi par la Cie Alitalia; arrivée à M. à 12 h 45.

2 — Voulez-vous me dire les conditions, s'il vous plaît? — Volontiers. Le billet en classe touriste, aller simple, coûte 30 000 lires, aller et retour 57 000. La validité est de deux mois. Chaque personne a droit à 20 kg de bagages en franchise. En 1re classe, l'aller simple coûte 40 000 lires, l'aller et retour 75 000 lires; chaque personne a droit à 30 kg de bagages en franchise. En outre, il faut payer la taxe d'embarquement et le billet de l'autobus de l'aérogare à l'aéroport.

3 Pour le retour, n'oubliez pas de reconfirmer (la réservation) dans les 48 heures précédant le vol.

4 Messieurs les voyageurs à destination de Messine, vol n° 300 sont priés de se présenter à la porte n° 3 pour embarquement immédiat. Présentez la carte d'embarquement s'il vous plaît (MM. les voyageurs sont priés de...). Les voyageurs en transit d'abord.

Prononciation

Tenez bien compte de nos signes : °ouverture, •fermeture de l'*o* ou de l'*e* tonique.

Vocabulaire

*L'aeroporto, l'aerodromo; la pista d'atterraggio, la torre di controllo; la stazione meteorol**o**gica.*
*Decollare; planare; virare; manten**e**re la rotta,* maintenir la route; *invertire la rotta, atterrare, ammarare; allunare,* atterrir sur la lune.

C'est partout pareil (m. à m. : tout le monde est pays).

Grammaire

■ Verbes : *Volere, potere, vedere* sont irréguliers (Mémento § 62 et 64). Chaque fois que vous rencontrez un verbe irrégulier, révisez l'ensemble de sa conjugaison, car ces verbes sont très fréquents; c'est la raison de leur irrégularité.

Partire fait *parto,* je pars, mais *unire : unisco.* Attention à l'accent tonique. Che desidera? — Desidero... (mots sdruccioli).

■ **È iniziato..., è cominciato...** (page 131).
Auxiliaire « essere » en italien, « avoir » en français. Il s'agit, en effet d'un état. Une liaison aérienne vient de commencer, *un collegamento aereo è appena cominciato.*

Mais s'il s'agissait d'une action, l'auxiliaire est « avere » : *ha cominciato a lavorare,* il a commencé à travailler.

■ Remarquez : ***con il primo novembre*** (page 131).

■ *Alcun aumento, alcuna difficoltà.* De même *un aumento, una difficoltà. Nessuno, alcuno* perdent le o final lorsqu'ils sont suivis d'un nom ou d'un adjectif. Mais lorsqu'ils sont pronoms le *o* se conserve toujours. *Nessuno è venuto,* personne n'est venu.

Exercices

Traduire. Il suo biglietto e il suo passaporto, per favore. 2. Dove sono i suoi bagagli, prego? 3. Quanto p**e**sano? — Venti chili. 4. Che cos'ha come bagaglio a mano? 5. Questo? è troppo. 6. Dovrà registrarlo. 7. Avrà un p**i**ccolo supplemento di bagaglio. 8. Mi spiace molto.

Corrigé :

1. Votre billet s'il vous plaît et votre passeport! 2. Où sont vos bagages s'il vous plaît? 3. Combien pèsent-ils? — Vingt kilos. 4. Qu'avez-vous comme bagages à la main? 5. Ceci? C'est trop. Vous devrez l'enregistrer. 7. Vous aurez un petit supplément de bagage. 8. Je regrette beaucoup.

Il circuito dei tre golfi : Napoli, Cagliari, Palermo [Na...], [Calyali].

Con il primo novembre è iniziato infatti un nuovo importante collegamento che, per la prima volta nella storia dell'aviazione civile italiana, unisce la Sicilia e la Sardegna. Uno degli aspetti piú importanti di questi nuovi voli, che interessano in modo particolare gli agenti di viaggio e le agenzie turistiche nazionali ed internazionali, è la possibilità per i viaggiatori provenienti dal Nord America, dai Paesi scandinavi e da numerose città europee, di arrivare in Sicilia via Milano e Roma, dopo aver visitato Napoli e la Sardegna senza alcun aumento di tariffa.
Ovviamente, l'itinerario potrà essere svolto nei due sensi.

Le circuit des trois golfes : Naples, Cagliari, Palerme.

Le premier novembre a commencé en fait une nouvelle liaison importante qui, pour la première fois dans l'histoire de l'aviation civile italienne, unit la Sicile et la Sardaigne. Un des aspects les plus importants de ces nouveaux vols qui intéressent de façon particulière les agents de voyages et les agences touristiques nationales et internationales, c'est la possibilité pour les voyageurs en provenance de l'Amérique du Nord, des Pays Scandinaves et de nombreuses villes européennes, d'arriver en Sicile par Milan et Rome, après avoir visité Naples et la Sardaigne sans aucune augmentation de tarif.
Naturellement, l'itinéraire pourra s'effectuer dans les deux sens.

Leçon

Il °treno

— Si può comprare il biglietto e prenotare il posto in una stazione ferrovaria o in un' agenz**i**a. Per le le l**i**nee suburbane il biglietto si prende al momento di salire sul treno. I biglietti di andata e •ritorno sono •val**e**voli per piú giorni. Per viaggiare su alcuni treni è necessario un •supplemento; si tratta generalmente di treni r**a**pidi e di treni di lusso.

2 — I treni che vi**a**ggiano di °notte hanno generalmente una o piú vetture-•cuccette (di prima o •seconda classe). Questi treni hanno •spesso anche dei •vagoni-°letto divisi in cabine; in ogni cabina ci sono un letto o due letti °sovrapposti e un lavabo.
La maggi**o**r parte dei treni importanti ha •almeno una carrozza ristorante, che •funziona durante una parte del •percorso, oppure una vettura-buffet. In certi treni di lusso, i viaggiatori sono serviti al loro posto.

3 Vi sono treni rapidi, treni espressi, treni accelerati. Molte linee della ferrovia sono state soppresse. Sono state sostituite con autobus. Il vantaggio degli autobus è che lasciano il viaggiatore al centro delle città e dei paesi. Le stazioni sono in certi casi lontane dal centro.

4 Tra Parigi e Roma circolano treni molto rapidi e lussuosi. Bisogna prenotare molto tempo prima soprattutto in periodi di vacanze e di ferie.
Presto le prenotazioni si faranno dappertutto con apparecchi elettronici.

PARTIRE È UN PO' MORIRE

Traduction

Le train

1 On peut acheter son billet et réserver sa place dans une gare de chemins de fer ou dans une agence. Pour les lignes de banlieue, l'on prend son billet au moment de monter dans le train. Les billets d'aller et retour sont valables plusieurs jours. Pour voyager dans certains trains, un supplément est nécessaire; il s'agit, en général, de trains rapides et de trains de luxe.

2 Les trains qui circulent de nuit ont, en général, une ou plusieurs voitures-couchettes (de première ou de deuxième classe). Ces trains ont souvent aussi des wagons-lits divisés en cabines; dans chaque cabine il y a un lit ou deux lits superposés et un lavabo. La plupart des trains importants ont au moins un wagon-restaurant, qui opère sur une partie du parcours, ou bien une voiture-buffet. Dans certains trains de luxe, les voyageurs sont servis à leur place.

3 Il y a des trains rapides, des trains express, des trains omnibus. Beaucoup de lignes de chemins de fer ont été supprimées. Elles ont été remplacées par des autocars. L'avantage des autocars est qu'ils déposent le voyageur au centre de la ville et des villages. Les gares sont, dans certains cas, éloignées du centre.

4 Entre Paris et Rome circulent des trains très rapides et luxueux. Il faut réserver très à l'avance surtout en période de vacances et de congés. Bientôt les réservations se feront partout par ordinateurs.

Prononciation

N'oubliez pas notre principe : la voyelle tonique des mots *sdruccioli* nouveaux est en caractère gras. Cependant, nous n'hésitons pas à nous répéter, afin que vous puissiez acquérir l'habitude d'une accentuation correcte dans le fil de la phrase. Vous remarquerez que les paragraphes 3 et 4 de cette leçon ne comportent aucune voyelle en caractère gras, ni aucun signe de fermeture ou d'ouverture. Cherchez les mots intéressés sur le dictionnaire; écrivez-les sur une feuille de papier; ne portez aucune note sur la page 132. Puis corrigez-vous (page 137, exercice F).

Partir c'est mourir un peu.

Vocabulaire

La ferrovia, le chemin de fer. *Le Ferrovie dello Stato,* les Chemins de fer de l'État.
Il treno; il capotreno, le chef de train; *il controllore; il facchino (il portabagagli),* le porteur.
La stazione [tç]; *il capostazione,* le chef de gare.
La biglietteria, le guichet; *la sala d'aspetto,* la salle d'attente; *il deposito bagagli,* la consigne; *il chiosco dei giornali,* le kiosque à journaux.
Il binario, la voie; *la banchina, il marciapiede,* le quai.
Il sottopassaggio, le passage souterrain.
Il passaggio a livello, le passage à niveau.
La galleria, le tunnel.

Grammaire

■ *Sovrapposto* est le participe passé de *sovrapporre.* L'infinitif simple est *porre,* mettre, verbe irrégulier (mémento § 62). Vous êtes déjà familier avec le doublement de la consonne dans certains mots composés.

■ *Soprattutto* (de *tutto*), surtout.
Remarquez, dans cette leçon, la quantité de mots à doubles consonnes et rappelez-vous que vous devez les prononcer doubles toujours et non de manière presque facultative comme en français. Dans *lusso,* les -ss- correspondent à notre x; de même dans *eccedente, accettare,* les -cc- correspondent au son [kç] des mots français équivalents. L'auteur du texte de la page 4 a écrit *le valigie,* pluriel de *la valigia.* Nous expliquons dans le mémento (§ 11) que l'orthographe nouvelle est *valige* au pluriel.

■ *Un violentare* (page 135).
Le français moderne connaît « le boire », « le manger », « le devenir », c'est-à-dire qu'il nous est possible d'employer un infinitif précédé d'un article défini « le ». Cette construction italienne est analogue, mais avec l'article indéfini *uno* est très souple.

Exercices

1. A quelle heure part le rapide pour Milan? 2. A-t-il un wagon restaurant? 3. Oui Madame, et un bar aussi. 4. Combien coûte le billet? 5. Je n'ai pas le tarif maintenant mais environ cinq mille lires. 6. Combien de temps met-il? 7. Quelque six heures. 8. Faut-il réserver les places? 9. Il vaut mieux, surtout si vous partez un samedi.

Corrigé :

1. A che ora parte il rapido per Milano? 2. Ha una vettura ristorante? 3. Sí, Signora, e anche un bar. 4. Quanto costa un biglietto? 5. Non ho la tariffa ora, ma circa cinquemila lire. 6. Quanto tempo impiega? 7. Circa sei ore. 8. È necessario prenotare i posti? 9. È meglio soprattutto se parte un sabato.

Lecture

L'amico di Florestano

Tu vai alla stazione per veder arrivare Bartoletti, che evidentemente è tuo conoscente o tuo amico, credendo di usare nell'un caso atto di cortesia, nell'altro di affetto verso di lui. Invece gli fai la peggiore villania che si possa immaginare. Andar a prendere qualcuno alla stazione è un violentare la sua libertà, un dargli l'umiliazione d'esser veduto da te mentre è sporco, polveroso, scarmigliato, impazientito, pesto, stanco e nelle peggiori condizioni di corpo e di spirito. E il minuto ch'egli perderà a salutarti, sarà forse il solo in cui avrebbe potuto afferrare a volo l'inafferrabile facchino o la fugace carrozza, onde per colpa tua egli dovrà andare a casa a piedi e portandosi le valigie da sé. C'è di peggio. Tu vai a prendere Bartoletti, perché credi d'essere un intimo suo. No. Eri intimo del Bartoletti che è partito, non di quello che ritorna.

Massimo Bontempelli, *Ed. Mondadori*

L'ami de Florestan

Tu vas à la gare pour voir arriver Bartoletti, qu'évidemment tu connais et qui est ton ami, croyant faire dans le premier cas un acte de courtoisie et dans l'autre d'affection envers lui. Au contraire, tu lui fais la pire injure que l'on puisse imaginer. Aller chercher quelqu'un à la gare, c'est violer sa propre liberté, c'est lui causer l'humiliation d'être vu de toi au moment où il est sale, poussiéreux, dépeigné, énervé, moulu, las et dans les pires conditions de corps et d'esprit. Et la minute qu'il perdra à te saluer, sera peut-être la seule où il aurait pu saisir au vol l'insaisissable porteur et le taxi fugace; à cause de cela, par ta faute, il devra marcher jusqu'à chez lui et en portant lui-même sa valise. Il y a pis. Tu vas chercher Bartoletti, parce que tu crois être un de ses intimes. Non. Tu étais intime du Bartoletti qui est parti, non de celui qui revient.

Contrôle et révisions

Révisez toutes les notions de grammaire depuis la leçon 21.

A

1. Quelqu'un m'a dit qu'il existe des trains pour Brindisi. 2. Est-ce vrai? 3. Non, Madame. Il n'existe aucun train pour Brindisi. 4. Y a-t-il un bateau? 5. Non plus : pas de bateau, pas de train!

B

6. Alors nous allons prendre l'autobus. 7. Non, nous venons de faire un long voyage. 8. Nous avons besoin de dormir. 9. D'abord nous allons chercher un hôtel. 10. Ensuite nous verrons ce que nous ferons.

C

11. Où montez-vous? Devant? Derrière? 12. Montez derrière. 13. Vous serez mieux : vous pourrez dormir. 14. Montez devant. 15. Vous verrez mieux. 16. Où sont les cartes? 17. Je les ai mises sous le siège de devant.

D

18. J'aime beaucoup vos dessus de siège. 19. On dirait du cuir. 20. C'est du cuir n'est-ce pas? 21. Non ils ne sont pas en cuir. 22. Ah! En quoi sont-ils? 23. C'est une matière plastique. 24. Vous savez bien, on fait tout en matière plastique maintenant. 25. D'où est-ce qu'ils viennent? 26. Nous les avons achetés à Assise, mais je crois qu'on les fait à Parme. 27. Après tout, je ne sais pas s'ils ne sont pas fabriqués en France.

E

28. Mange, bois et surtout ne parle pas. 29. Il faut manger sans parler. 30. On ne parle pas en mangeant, comme cela, tout le temps. 31. On ne peut pas comprendre ce que tu dis.

F

Écrivez à nouveau sur une feuille de papier, mais sans vous servir du dictionnaire, les mots de la page 132 (leçon 30), § 3 et 4 :
a) sdruccioli,
b) ayant un *o* ou un *e* ouvert tonique,
c) un *o* ou un *e* fermé tonique.

Corrigé :

A 1. Qualcuno mi ha •detto che es**i**stono dei °treni per Br**i**ndisi. 2. È °vero? 3. No, •signora. Non esiste nessun treno per Br**i**ndisi. 4. C'è un battello? 5. Neanche : nessun °battello, nessun treno!

B 6. •Allora •prenderemo l'**a**utobus. 7. No, abbiamo •appena fatto un lungo viaggio. 8. Abbiamo bisogno di dormire. 9. Prima di tutto andiamo a cercare un °albergo. 10. Poi •vedremo quello che faremo.

C 11. Dove salite? Davanti? Dietro? 12 Salite °dietro. 13. •Starete °meglio : •potrete dormire. 14. Salite davanti. 15. •Vedrete meglio. 16. Dove sono le carte stradali? 17. Le ho •messe •sotto il sed**i**le •anteriore.

D 18. Mi pi**a**cciono •molto le foderine dei vostri sedili. 19. Si dir**e**bbero di °cuoio. 20. È cuoio, vero? 21. No, non sono di cuoio. 22. Ah! di che cosa sono? 23. È una °materia pl**a**stica. 24. •Sapete bene, ora si fa tutto in materia pl**a**stica. 25. Da dove °v**e**ngono? 26. Le abbiamo comperate ad Assisi, ma •credo che s**i**ano fabbricate a Parma. 27. Dopo tutto non so se non siano fabbricate in Francia.

E 28. Mangia, bevi e soprattutto non parlare. 29. Bisogna mangiare senza parlare. 30. Non si parla continuamente cosí, mangiando. 31. Non si può capire ciò che dici.

F a) rapidi, linee, autobus, lasciano, circolano, elettronici;
b) treni, espressi, della, soppresse, certi, tempo, ferie, presto, lussuosi, elettronici;
c) molte, sono, centro, stazioni, bisogna, prenotazioni.

Prendiamo il treno

1 — Vorrei prenotare due posti per °Genova. Partirò giovedí ventisette maggio alle ore venti; due posti di prima classe.
— Che posti desidera?
— Un posto vicino al finestrino nel °senso della marcia e il posto accanto.
— Mi dispiace signore, ma non ci sono piú posti vicino al finestrino. Le posso dare un posto d'angolo vicino al •corridoio con la °schiena alla macchina, però è nel centro della vettura.
— Va °bene, °d'accordo!

2 — Vorrei un'andata (o un'andata e ritorno) in prima classe per •Livorno.
— Sportello numero sei, signore, ma per Livorno non ci sono carrozze di prima; solo di seconda classe.

3 (Al facchino) — Al treno per °Bologna, carrozza numero quindici posto numero trentadue.
— Quant'è?
— Settantacinque a °collo, signore.

4 — Dove devo cambiare per andare a •Ravenna?
— A Bologna.
— Troverò subito la coincidenza?
— Dovrà aspettare dieci minuti.

5 — A che ora arriva il treno da Brindisi? Alle otto e cinquantacinque.
— Su quale binario? Non si sa ancora, il treno ha un'ora di ritardo.
— Allora vado ad aspettare al bar o in sala °d'aspetto.

TUTTE LE STRADE CONDUCONO A ROMA

Traduction

Nous prenons le train

1 — Je voudrais réserver deux places pour Gênes. Je partirai jeudi 27 mai à 20 h; deux places de première classe. — Quelles places désirez-vous? — Un coin fenêtre sens de la marche et la place à côté. — Je regrette Monsieur, mais il n'y a plus de coins fenêtre. Je puis vous donner un coin couloir dos tourné à la machine, mais c'est au milieu du wagon. — C'est bien, d'accord!

2 — Je voudrais un aller (ou un aller et retour) en première classe pour Livourne. — Guichet n° 6 Monsieur, mais pour L. il n'y a pas de voitures de première classe; il n'y a que des secondes.

3 — (Au porteur) Train pour Bologne voiture 15 place 32. — Combien est-ce? — 75 lires par colis Monsieur.

4 — Où dois-je changer pour aller à Ravenne? — A Bologne. — Est-ce que j'aurai la correspondance immédiatement? — Vous devrez attendre 10 minutes.

5 — A quelle heure arrive le train de Brindisi? — A 8 h 55. — Sur quel quai? — On ne sait pas encore, le train a une heure de retard. — Alors, je vais attendre au buffet ou à la salle d'attente.

Prononciation

Vous avez remarqué que nous employons le caractère gras pour la voyelle tonique dans des mots comme : *d**u**e, l**u**i, agenz**i**a,* bien que ces mots soient piani.
Mais nous ne le faisons pas pour : *viaggio, maggio, Italia, franchigia,* parce que le « i » de la dernière syllabe ne se détache pas de la voyelle finale « o » ou « a »; ces mots sont piani et l'accent tonique tombe sur la voyelle précédant la finale « io » ou « ia ».
Dans *prenotazione* vous retrouvez le rythme français des mots en « -tion » (accent tonique sur « o » de « -zione »).
Vous comprendrez notre précaution concernant le mot *corridoio* (page 138, ligne 9).

Tout chemin mène à Rome
(m. à m. : toutes les routes conduisent à Rome).

Vocabulaire

Il diretto, l'express, *il direttissimo,* le rapide; *il treno speciale; il treno straordinario, il treno di lusso.*
Il vagone passeggeri, le wagon de voyageurs; *il bagagliaio,* le fourgon. *La carrozza letto (la vettura letto)* le wagon-lits;
Lo scompartimento, le compartiment; *il finestrino,* la fenêtre; *la tendina,* le rideau; *la ritirata, il gabinetto,* les W.C.

Grammaire

■ Verbe : *percepire; percepisco,* je perçois (comme capire, capisco).

■ ***Ventun giorno, ventun deliziosi giorni.***
Le nom qui suit l'adjectif numéral peut rester au singulier à moins qu'il ne soit précédé d'un adjectif qualificatif. Mais vous direz les vingt-un jours : *i ventun giorni,* et aussi vingt-et-un jours : *giorni ventuno.*

Tre s'écrit sans accent mais *ventitré, trentatré,* suivent la règle prescrivant d'écrire un accent sur les mots « tronchi » (c'est-à-dire ceux où l'accent tonique tombe sur la dernière syllabe.) Vous savez que trois mille se dit *tremila,* (mila étant invariable).

Parfois *tre,* employé comme préfixe, entraîne le doublement de la consonne suivante *treppiede* (tre + piede), trépied.

■ *Partirei giovedí.*
En italien la date s'exprime comme en français :
Giovedi 1° (primo) maggio 19..
Milano 2 giugno 19..

Sono arrivato martedí scorso, parto mercoledí prossimo. Je suis arrivé mardi dernier, je pars mercredi prochain. Je viens ici le vendredi, les vendredi, tous les vendredi : *vengo qui il venerdí, i venerdí, tutti i venerdí.*

Exercices

Traduire : 1. Non ho sonno. 2. Giovanni mi aveva prenotato un posto in prima classe. 3. Ho potuto dormire quasi tutta la notte. 4. Sono molto riposato. 5. Se volete possiamo vederci subito. 6. Torno a Roma stasera col treno delle ventitré. 7. Il venerdí sono sempre a Roma. 8. La settimana prossima ci sarò, eccezionalmente, sabato.

Corrigé :

1. Je n'ai pas sommeil. 2. Jean m'avait réservé une place en première classe. 3. J'ai pu dormir presque toute la nuit. 4. Je suis très reposé. 5. Si vous voulez nous pouvons nous voir tout de suite. 6. Je retourne à Rome, ce soir, par le train de onze heures. 7. Le vendredi je suis toujours à Rome. 8. La semaine prochaine, j'y serai, exceptionnellement, samedi.

Lecture

Prenotazioni dei posti

Le prenotazioni si eff**e**ttuano alle stazioni di partenza, nel l**i**mite di ventun giorno al m**a**ssimo e di due ore al m**i**nimo. Nelle stazioni di Milano Centrale e di Roma T**e**rmini le prenotazioni sono accettate, rispettivamente, fino a tre e a cinque ore prima della partenza.
La prenotazione d'un posto costa trecento lire. Le agenz**i**e di viaggio accettano le prenotazioni fino a sei ore prima della partenza del treno e percep**i**scono trecentocinquanta lire il posto.
Se si prenota dall'**e**stero, il l**i**mite è di un mese al m**a**ssimo e di sei giorni al m**i**nimo prima della partenza; il prezzo è di trecento lire. Nei treni r**a**pidi la prenotazione à obbligatoria.
(E.N.I.T.)

Réservation des places

Les réservations s'effectuent aux gares de départ, dans un délai de 21 jours au maximum et 2 heures au minimum.
Dans les gares de Milan Central et de Rome Termini les réservations sont acceptées, respectivement, jusqu'à 3 et 5 heures avant le départ.
La réservation d'une place coûte 300 lires. Les agences de voyage acceptent les réservations jusqu'à 6 heures avant le départ du train et perçoivent 350 lires par place.
Si l'on réserve depuis l'étranger, le délai est d'un mois au maximum et de 6 jours au minimum avant le départ; le prix est de 300 lires. Dans les trains rapides la réservation est obligatoire.

Leçon

32 La nave

1 Le navi, •come i transatlantici, •permettono di fare delle •piacevoli traversate purché non si °soffra il mal di mare. Ad ogni °modo esistono delle pillole specifiche •contro il mal di mare.

2 Quando ci sono tre classi, la prima classe è posta nel centro della nave e °comprende •saloni, bar, °biblioteca, sala da •pranzo. La seconda classe o classe turistica si °trova °indietro °verso poppa, la °terza davanti verso prua. In una nave ci sono delle cabine °interne e delle cabine °esterne. Le migliori cabine sono le cabine di •ponte.

3 In generale la vita a bordo è piacevole. I °passeggeri possono camminare sul ponte e respirare l'aria del mare. A •bordo viene •organizzato un programma di spettacoli (cinema, °concerti e °conferenze) e quando si tratta di una crociera, l'ultima *sera °viene °offerto ai passaggeri un ballo.
È un •onore essere invitati al tavolo del comandante.

4 I viaggi in nave sono molto piú lenti che con ogni altro mezzo di trasporto. L'imbarco e lo sbarco possono essere abbastanza lunghi, soprattutto quando si tratta di una nave piena di passeggeri.

NAVIGARE È NECESSARIO. NON È NECESSARIO VIVERE

Traduction

Le navire

1 Les navires, tels que les transatlantiques, permettent de faire d'agréables traversées, à condition qu'on ne souffre pas du mal de mer. De toute façon il existe des pilules spécifiques contre le mal de mer.

2 Lorsqu'il y a trois classes, la première classe est placée au centre du navire et comprend des salons, un bar, une bibliothèque, une salle à manger. La seconde classe ou classe touriste se trouve à l'arrière, vers la poupe, la troisième à l'avant, vers la proue. Dans un bateau il y a des cabines intérieures et des cabines extérieures. Les meilleures cabines sont les cabines de pont.

3 En général la vie à bord est agréable. Les passagers peuvent marcher sur le pont et respirer l'air de la mer. A bord est organisé un programme de spectacles (cinémas, concerts et conférences) et quand il s'agit d'une croisière, le dernier soir, un bal est offert aux passagers.
C'est un honneur que d'être invité à la table du commandant.

4 Les voyages en bateau sont beaucoup plus lents que par tout autre moyen de transport. L'embarquement et le débarquement peuvent être assez longs, surtout quand il s'agit d'un bateau plein de passagers.

Vocabulaire

La nave, le navire; *il naviglio, la flotta,* la flotte.
La navigazione; il navigatore; navigabile.

Il motoscafo, le canot automobile; *il °piroscafo,* le bateau à vapeur; *il fuoribordo,* le hors-bord; *il transatlantico,* le transatlantique.

Navigare; approdare, aborder; *ancorare,* mouiller, jeter l'ancre; *imbarcarsi,* s'embarquer; *sbarcare,* débarquer.

Naviguer est nécessaire, il n'est pas nécessaire de vivre.

Grammaire

■ Verbes. *Soffrire,* souffrir : *io soffro.* Ce verbe se conjugue comme « offrire ». Passé simple : *offrii* et *offersi;* participe passé : *offerto* (§ 67).
Remarquez l'emploi du verbe *venire* (**viene offerto** page 142) à la place de *essere* en français. Vous direz de même : *una decorazione fu data dal generale al soldato* ou bien *venne data...*
N'imitez pas, pour l'instant, cette tournure, car vous risqueriez de ne pas le faire à bon escient.

■ Différences dans l'emploi de l'article
1) *verso poppa, verso prua.*
2) *Le cabine piú belle,* les cabines les plus belles car l'article est déjà exprimé devant le nom. Mais vous direz : *queste cabine sono le piú belle,* ces cabines sont les plus belles.
3) *È l'una,* il est une heure. En Toscane : *è il tocco,* il est une heure.

■ *È un onore essere invitati.*
La construction italienne est plus simple que la construction française; elle est aussi plus logique car « être invité » est sujet et, comme tel, doit être en rapport direct avec le verbe.
È un piacere incontrarti. C'est un plaisir que de te rencontrer. *È difficile fare tante cose,* c'est difficile de faire tant de choses. Pour ne pas vous tromper, pensez au français lorsque, dans les phrases de ce genre, vous mettez le sujet avant le verbe : « te rencontrer est un plaisir », etc.

Exercices

1. Je ne sais pas si vous aimez les voyages en mer. 2. Je n'ai pas le mal de mer, c'est pourquoi je les aime tant. 3. La dernière fois que j'ai voyagé dans un bateau, cela a été pour aller de Naples à Palerme. 4. Je ne prends pas beaucoup le bateau d'ordinaire; je dispose en général de très peu de temps, je préfère l'avion. 5. Pour les prochaines vacances, j'aimerais rester plusieurs jours à bord d'un bateau très confortable.

Corrigé :

1. Non so se le pi**a**cciono i viaggi in mare. 2. Non soffro il mal di mare, perciò mi piacciono tanto. 3. L'**u**ltima volta che ho viaggiato in una nave è stato per andare da N**a**poli a Palermo. 4. Di s**o**lito non prendo molto la nave; in °g**e**nere dispongo di molto poco tempo e preferisco l'a**e**reo. 5. Per le pr**o**ssime vacanze mi piacerebbe restare molti giorni a bordo di una nave molto confort**e**vole.

Principali caratteristiche delle navi

Ausonia. — Undicimilaottocentosettantotto tonnellate. Costruita nei cantieri di Monfalcone nel millenovencentocinquantasette ed adibita alla Linea Grande espresso Italia — Egitto-Libano, è la nave ammiraglia dell'Adriatica e la piú veloce e lussuosa in servizio nel Mediterraneo.
Può alloggiare centottantuno passeggeri di prima classe, centodiciotto di seconda e duecentotrenta di classe turistica (cinquecentoventinove in totale) Le cabine di prima classe sono per la maggior parte fornite di bagno o doccia e bagni e docce d'uso comune sono a disposizione dei passeggeri delle tre classi. L'Ausonia dispone di saloni vasti ed ariosi, di ampie passeggiate coperte e scoperte, di una piscina coperta utilizzabile anche d'inverno, di sale da °giuoco, sale di lettura, di un oratorio, di un bar in ogni classe (un bar-pizzeria è annesso anche alla piscina), di un negozio ben fornito e infine di un capace cinematografo modernamente attrezzato. Un' orchestra esegue programmi di musica varia piú volte al giorno.
La nave è servita da un impianto generale di aria condizionata ed è munita di stabilizzatori anti-rollio.

Principales caractéristiques des navires

L'Ausonia, 11 878 tonnes. Construit dans les chantiers de Monfalcone en 1957 et affecté à la ligne « Grand-Express » Italie-Égypte-Liban, c'est le vaisseau amiral de l'Adriatique et le plus rapide et luxueux en service dans la Méditerranée.
Il peut prendre à bord 181 passagers de première classe, 118 de seconde et 230 de classe touriste (529 au total). Les cabines de première classe sont en majeure partie pourvues d'une salle de bains ou d'une douche et des salles de bains et des douches à usage collectif sont à la disposition des passagers des trois classes. L'Ausonia dispose de salons vastes et aérés, de ponts promenades amples couverts et découverts, d'une piscine couverte utilisable même en hiver, de salles de jeux, de salles de lecture, d'une chapelle, d'un bar dans chaque classe (un bar-pizzeria est adjoint également à la piscine), d'un magasin bien approvisionné et enfin d'un cinéma spacieux équipé de façon moderne. Un orchestre exécute des programmes de musique variée plusieurs fois par jour. Le navire est desservi par une installation générale d'air conditionné et est pourvu de stabilisateurs anti-roulis.

Leçon

L'Arrivo a bordo

1 — I biglietti, signore, per favore.
Qual è il n**u**mero della sua cabina? Lasci pure qui i bagagli, il cameriere glieli porterà. Mi °segua, °prego.

2 — **E**ccoci arrivati. Entri, prego : ecco la luce per la cuccetta •superiore e quella per la cuccetta •inferiore. Ecco il campanello per chiamare il cameriere ed ecco i salvagenti con le istruzioni. Per i pasti si presenti al commissario di bordo che le indicherà il posto a t**a**vola.

3 Vorrei dei s**i**gari.
— La v**e**ndita comincia dopo la °partenza della nave, signore.
— Quante sigarette si ha diritto di portare a °terra?
— In generale i doganieri l**a**sciano passare °duecento sigarette e quaranta sigari.
— Quali altri °g**e**neri °esenti da dogana si v**e**ndono a •bordo?

4 — Per favore potrei avere due °sedie a sdraio?
— A °babordo o a °tribordo?
— A babordo, per il sole.

5 — Non potrebbe darci una cabina un po' piú grande?
— Credo di sí. L'avvertirò verso le sei, e se è poss**i**bile farà il cambio prima di pranzo.
— Veramente molto gentile, mille grazie.

AVERE IL VENTO IN POPPA

Traduction

L'arrivée à bord

1 — Vos billets s'il vous plaît, Monsieur.
— Quel numéro de cabine avez-vous? Laissez donc vos bagages ici, le garçon vous les portera. Suivez-moi s'il vous plaît.

2 Nous voici arrivés. Entrez, s'il vous plaît. Voici la lumière pour la couchette du haut et celle pour la couchette du bas. Voici la sonnette pour appeler le garçon et voici les bouées de sauvetage avec les instructions. Pour les repas, présentez-vous au commissaire de bord, qui vous indiquera votre place à table.

3 — Je voudrais des cigares. — La vente commence après le départ du bateau, Monsieur. — Avec combien de cigarettes a-t-on le droit de débarquer? — Les douaniers laissent passer en général 200 cigarettes et 40 cigares. — Quels autres articles exempts de droits de douane vend-on à bord?

4 — S'il vous plaît, pourrais-je avoir deux chaises longues? — A babord ou à tribord? — A babord, à cause du soleil.

5 — Est-ce que vous ne pourriez pas nous donner une cabine un peu plus grande? — Je crois que oui. Je vous aviserai vers six heures et si c'est possible vous ferez le changement avant le dîner. — Vraiment très aimable, Monsieur, merci beaucoup.

Vocavulaire

°*L'oc**e**ano,* l'océan; *l'alto mare,* la haute mer; *la costa (la Costa Azzurra,* la Côte d'Azur).
*La bassa mar**e**a,* la marée basse : *l'alta mar**e**a,* la marée haute; *il flusso,* le flux, *il riflusso,* le reflux.
La chiglia, la quille; *la poppa,* la poupe; *la prua,* la proue; *il ponte,* le pont; *la stiva,* la cale; *il timone,* le timon, le gouvernail.
Il canotto, le canot; *il battello di salvataggio,* le canot de sauvetage.
Beccheggiare, tanguer; *rullare,* rouler.

Grammaire

■ ***Credo di sí.*** Je crois que non, se dit donc : *credo di no.* Notez ces expressions où apparaissent « di » : *dare del tu,* dire tu (tutoyer), *dare del lei,* dire vous (vouvoyer).

Avoir le vent en poupe.

On emploie « di » aussi : *prima di partire, mangeremo,* avant de partir, nous mangerons; tandis que : *prima mangeremo, dopo partiremo,* d'abord nous mangerons, ensuite nous partirons.
Prima di pranzo, avant le déjeuner = prima del pranzo.
Prima il piacere dopo il dovere, d'abord le plaisir, ensuite le devoir.
Dopo pranzo, après le déjeuner, *dopo la partenza,* après le départ.
A prima di : avant, correspond *dopo di,* après.

■ ***Da.***
L'emploi correct de *da* suppose une grande pratique de l'italien. Vous n'hésiterez pas sur : *un servizio svolto da un personale premuroso,* parce qu'il s'agit d'un passif (mémento § 56). Mais vous devez souligner soigneusement : *dissimili... da quelle...; sono da due e da quattro posti, sala da pranzo.* Et aussi : *sala di scrittura* (Voyez page 149).

■ ***Eccomi :*** me voici.
Excellente occasion pour réviser les pronoms personnels compléments directs (Mémento § 16).
Eccomi; eccoli; eccolo; eccola (formes polies singulier : *eccolo, eccola*); *eccoci, eccovi, eccoli* (formes polies pluriel : *eccoli*).

Exercices

1. J'ai vu la cabine. 2. Je ne l'aime pas. J'en voudrais une autre. Est-il possible de changer? 3. Nous allons voir. Tout est plein, je le regrette beaucoup. 4. Peut-être à la prochaine escale pourra-t-on vous changer. 5. Venez vers six heures; je pourrai vous le dire. 6. Maintenant je n'ai pas la liste des passagers. 7. Voici votre billet. Nous allons vous porter vos bagages dans votre cabine.

Corrigé :

1. Ho visto la cabina. 2. Non mi piace. Ne vorrei un'altra. È possibile cambiare? 3. Vedremo. È tutto pieno, me ne dispiace molto. 4. Potrà forse cambiare al prossimo scalo. 5. Venga verso le sei; potrò dirglielo. 6. Ora non ho la lista dei passeggeri. 7. Ecco il suo biglietto. Le portiamo i bagagli nella sua cabina.

Lecture

Classe turistica

Se pensate di scegliere la Turistica per il vostro viaggio al Nord America sappiate che le attrattive presentate da questa Classe sui famosi transatlantici « Leonardo da Vinci » e « Cristoforo Colombo » non sono dissimili, malgrado le modiche tariffe per

essa praticate, da quelle delle altre classi; e che potrete godere di un servizio perfetto, svolto da un personale premuroso e cordiale.
Le cabine accoglienti e confortevoli sono da due e da quattro posti, fornite di razionali servizi e, come tutti gli ambienti della nave, d'aria condizionata. Deliziosa la vita all'aperto : il nuoto nella vasta piscina, il salutare rilassamento sul lido al sole e alla brezza dell'Oceano oppure i divertenti giuochi e gli sport; o le liete conversazioni nella lussuosa veranda bar. Suggestivi ed eleganti gli ambienti sociali : la sala da pranzo dove si gusta la squisita cucina, ricca di portate, che è tradizionale sulle navi dell'« Italia »; la Sala delle Feste con le sue brillanti serate; la sala di scrittura, la biblioteca, la veranda bambini. I programmi cinematografici offrono film della migliore produzione italiana e internazionale.
Ambedue le navi sono fornite di stabilizzatori a quattro pinne che praticamente annullano gli effetti del rollio.
Trascorrerete cinque giorni gioiosi e sereni dall'imbarco all'arrivo, come nella piú allegra e spensierata delle vacanze.

Classe touriste

Si vous pouvez choisir la classe touriste pour votre voyage en Amérique du Nord, sachez que les attractions présentées par cette classe sur les fameux transatlantiques Léonard de Vinci et Christophe Colomb ne sont pas différentes, malgré les tarifs modiques qui y sont pratiqués, de celles des autres classes; et que vous pourrez jouir d'un service parfait, effectué par un personnel empressé et cordial.
Les cabines accueillantes et confortables sont à deux ou à quatre places et pourvues de services rationnels et d'air conditionné, comme toutes les pièces du navire. Délicieuse la vie au grand air : la natation dans la vaste piscine, la détente salutaire sur la plage au soleil et avec la brise de l'Océan ou bien les jeux amusants et les sports; et les joyeuses conversations dans la luxueuse véranda-bar. Le climat social est suggestif et élégant : la salle à manger où l'on déguste l'exquise cuisine aux plats multiples, qui est traditionnelle sur les navires de « l'Italia »; la salle des fêtes avec ses brillantes soirées; le salon de correspondance, la bibliothèque, le jardin d'enfants. Les programmes de cinéma offrent des films de la meilleure production italienne et internationale.
Les deux navires sont pourvus de stabilisateurs à quatre pennes qui annulent pratiquement les effets du roulis.
Vous passerez cinq jours joyeux et calmes depuis l'embarquement jusqu'à l'arrivée, comme dans les plus gaies et les plus insouciantes des vacances.

Il passaporto

1 •Ogni °uomo è cittadino di un •paese, di una •nazione. Io sono italiano.
— Di che nazionalità è lei? •Tedesca, •inglese, °spagnuola, •portoghese, belga, olandese, •francese, nord-americana, messicana, argentina...? Il °passaporto garantisce la vostra identità. Vi si menziona il °cognome, i °nomi (nomi di •battesimo), la data e il °luogo di nascita, la •professione, il domicilio. La fotografia si °trova su una delle prime pagine. Il titolare del passaporto deve firmarlo.
In molti casi, la carta d'identità è sufficiente; viaggiare è sempre piú facile.

2 In °certi casi, prima di passare la frontiera, si deve riempire un °modulo per la polizia, con il nome e il cognome, il luogo di partenza e quello di destinazione, il numero del passaporto, la data e il luogo dove è stato rilasciato. Quando si °attraversa la °frontiera si deve presentare il passaporto alla polizia. Gli agenti sono generalmente molto corretti.
Per recarsi in certi paesi stranieri, bisogna ottenere un visto. Le ambasciate o i consolati rilasciano i visti.

3 I calcolatori elettronici si usano sempre piú nelle ricerche di polizia. Non v'è piú un angolo della terra dove si possa vivere senza •documento d'identità.

I VIAGGI FORMANO LA GIOVENTU

Traduction

Le passeport

1 Tout homme est un citoyen d'un pays, d'une nation. Je suis italien.
— De quelle nationalité êtes-vous? Allemande, anglaise, espagnole, portugaise, belge, hollandaise, française, nord-américaine, mexicaine, argentine...? Le passeport garantit votre identité. On y mentionne le nom de famille, les prénoms (noms de baptême), la date et le lieu de naissance, la profession, le domicile. La photographie se trouve sur l'une des premières pages. Le titulaire du passeport doit le signer.
Dans de nombreux cas, la carte nationale d'identité est suffisante; il est de plus en plus facile de voyager.

2 Dans certains cas, avant de passer la frontière on doit remplir une fiche de police, avec le prénom et le nom, le lieu de départ et celui de destination, le numéro du passeport, la date et le lieu où il a été délivré. Lorsqu'on traverse la frontière il faut montrer le passeport à la police. Les policiers sont généralement très corrects.
Pour aller dans certains pays étrangers, il faut obtenir un visa. Les ambassades ou les consulats délivrent les visas.

3 Les ordinateurs s'utilisent de plus en plus dans les recherches policières. Il n'y a plus de coin de la terre où l'on puisse vivre sans pièce d'identité.

Vocabulaire

Validò, valèvole, valable; *scadere,* ne plus être valable : *il mio passaporto è scaduto,* mon passeport est périmé; *la scadenza,* le terme; *rinnovare,* renouveler; *rifare,* refaire.
Passare, passer; *attraversare,* traverser; *percòrrere,* parcourir; *valicare,* franchir.
La data, la date; *il poliziotto,* le policier; *la prefettura,* la préfecture de police.
La carta d'identità; l'indirizzo, l'adresse; *firmare,* signer; *la firma.*

Les voyages forment la jeunesse.

Grammaire

■ *Concedere* (page 153) fait au passé simple *concessi* et au participe passé *concesso.* Les formes irrégulières nous rappellent le français « concession ». Ce rapprochement aidera votre mémoire.

Vous vous rappelez la formule **1-3-3 :** l'irrégularité du passé simple n'intéresse que la 1re, la 3e personne du singulier et la 3e du pluriel. Donc :
Les personnes irrégulières du passé simple de *concedere,* accorder, admettre, sont donc :
1 : *concessi,* j'ai accordé
3 : *concesse,* il a accordé
3 : *conc**e**ssero,* ils ont accordé.
Mais la première personne du pluriel est régulière ainsi que les formes du tutoiement singulier et pluriel.
Comparons le passé simple et l'imparfait du subjonctif de ce verbe :

(io) concessi, j'ai accordé	*concedessi,* que j'accordasse
(egli) concesse	*concedesse*
(noi) concedemmo	*conced**e**ssimo*
*(essi) conc**e**ssero*	*conced**e**ssero*

Tutoiement :

(tu) concedesti	*concedessi*
(voi) concedeste	*concedeste*

Constatez l'identité des formes de tutoiement pluriel : vous avez accordé, *concedeste* et que vous accordassiez, *concedeste.*

N'oubliez pas que l'imparfait du subjonctif est un temps vivant en italien; la concordance des temps s'y fait comme en français, au temps des rois!

■ Vous savez que *bastare* = suffire. Ex. : Basti cosí, que cela suffit ainsi. *Abbastanza,* assez bient de *bastare. È abbastanza gentile,* il (elle) est assez gentil.

■ ***Sia ... sia*** (texte page 153), soit ... soit.
Vous pouvez aussi employer *o ... o,* ou bien : *o ... oppure,* ou bien : *o ... ovvero.*

Exercices

1. Quel est votre prénom? 2. Quel est votre nom de famille? 3. Avez-vous vos pièces d'identité? 4. D'où êtes-vous? 5. De quelle

nationalité? 6. Où habitez-vous? 7. D'où venez-vous? 8. Où allez-vous? 9. Combien de temps allez-vous rester ici? 10. Vous pouvez passer. (Les verbes au vouvoiement pluriel).

Corrigé :

1. Qual è il vostro nome? 2. Qual è il vostro cognome? 3. Hanno i loro documenti d'identità? 4. Di dove sono? 5. Di che nazionalità? 6. Dove abitano? 7. Di dove vengono? 8. Dove vanno? 9. Quanto tempo resteranno qui? 10. Possono passare.

Lecture

Passaggio della frontiera per i veicoli.

Per entrare in Italia con un ve**i**colo a motore basta presentare la « carta carburante e tur**i**stica »; quest'**u**ltima è concessa gratuitamente a presentazione della « carta grigia » della m**a**cchina, sia prima di entrare in Italia in occasione dell'acquisto dei buoni di benzina, sia alla frontiera italiana. Questo documento è v**a**lido per un solo viaggio della durata di sei mesi al m**a**ssimo. È concessa una pr**o**roga di tre mesi. Bisogna riv**o**lgersi al Ministero delle Finanze, Direzione Generale Dogane, Roma. Nel caso di impossibilità a reimportare il ve**i**colo entro i l**i**miti previsti, il turista dovrà presentarsi in Italia a un ufficio dell'Autom**o**bile-Club.
La « carta carburante e tur**i**stica » dev'**e**ssere restituita all'uscita dall'Italia, anche a un posto di frontiera diverso da quello d'entrata.

(E. N. I. T.)

Passage de la frontière pour les véhicules.

Pour entrer en Italie avec un véhicule à moteur, il suffit de présenter la « carte carburant et touristique »; cette dernière est délivrée gracieusement sur présentation de la carte grise de la voiture, soit avant l'entrée en Italie à l'occasion de l'achat des bons d'essence, soit à la frontière italienne. Ce document n'est valable que pour un seul voyage d'une durée maximale de six mois. Une prorogation de trois mois est admise. Il faut s'adresser au Ministère des Finances, Direction générale des Douanes, Rome. En cas d'impossibilité de réimportation du véhicule dans les délais prévus, le touriste devra se présenter en Italie à un bureau de l'Automobile-Club.
La « carte carburant et touristique » doit être rendue à la sortie d'Italie, même à un poste frontière autre que celui d'entrée.

Leçon

La dogana, il cambio

1 — I doganieri sono funzionari che hanno il diritto di esaminare i °vostri bagagli. È dunque °obbligatorio dichiarare le °merci che non °godono di franchigia, e, •eventualmente pagare i relativi diritti di dogana.
Per esempio, un •viaggiatore può portare delle sigarette per suo uso personale.

2 — Passaporto, per favore.
— Quanti bagagli ha?
— Questa valigia, un'altra piú piccola laggiú, questa •borsa •portadocumenti, questo pacco e basta.
— Qualcosa da dichiarare? Sigarette, •liquori, profumi, giradischi?
— Niente. Ho solo effetti personali, qualche ricordino, dei libri. Niente altro.
— Di che •valore?...
— Apra quella valigia, per favore.
— Va °bene.
(Il doganiere traccia una •croce col •gesso sulle due valige, sulla borsa e sul pacco).

UOMO AVVISATO MEZZO SALVATO

Traduction

La Douane, le change

1 Les douaniers sont des fonctionnaires qui ont le droit d'examiner vos bagages. Il est donc obligatoire de déclarer les marchandises qui ne sont point admises en franchise (m. à m. : qui ne jouissent pas de...) et, éventuellement de payer les droits de douane respectifs. Par exemple un voyageur peut emporter des cigarettes pour sa consommation personnelle.

2 — Le passeport s'il vous plaît. — Combien de bagages avez-vous? — Cette valise, une autre plus petite qui est là-bas, cette serviette porte-documents, ce paquet et c'est tout. — Quelque chose à déclarer? Cigarettes, alcools, parfums, tourne-disques? — Rien. Je n'ai que des affaires personnelles, quelques souvenirs, des livres. Rien d'autre. — De quelle valeur?... — Ouvrez cette valise s'il vous plaît. — Bon, ça va.
(Le douanier trace une croix à la craie sur les deux valises, sur la serviette et sur le paquet).

Vocabulaire

La dogana, la douane; *il dazio,* l'octroi.
I generi, la mercanzia, la roba, la merce, les articles.
Il contrabbando, la contrebande; *il contrabbandiere,* le contrebandier.
La contravvenzione, la contravention; *contravvenire,* contre-venir.
Pagare i diritti doganali, payer les droits de douane.

Grammaire

■ Verbes : *ammettere* *ammisi* *ammesso*
ridurre *ridussi* *ridotto*
scrivere *scrissi* *scritto*

I turisti residenti; « residenti » est le participe présent. A l'infinitif *risiedere* correspond le gérondif *risiedendo* et le participe présent *residente.*
Risiedendo remplit en italien les fonctions de notre participe présent et de notre gérondif; *residente* ne s'emploie que comme adjectif ou substantif.
Cette règle est générale.

Un homme averti en vaut deux (m. à m. : un homme avisé à moitié sauvé).

■ Pluriel
Tabacco fait *tabacchi; disco, dischi* (*il giradischi*, le tourne-disques). *Elastico* fait *elastici*. De même : *fotografico, cinematografico*. Dans la leçon 34 : *tedesco, tedeschi; segnaletico, segnaletici*.

■ ***Da, Di.***
Dans le texte page 157, remarquez que *di* est très fréquent. Les deux cas d'emploi de *da* ne se traduisent pas « de » en français mais « à » : *macchina da scrivere, un passaporto da vistare*, un passeport à faire viser.

Exercices

1. A qui est cette valise? 2. A vous? 3. Non, elle n'est pas à moi. Je ne sais pas à qui elle est. 4. Avez-vous beaucoup de cigarettes? 5. Combien en avez-vous? 6. Elles sont pour moi, pour ma consommation personnelle. 7. Combien de bouteilles de vin avez-vous? 8. Je n'en ai aucune.

Corrigé :

1. Di chi è questa valigia? 2. Sua? 3. No, non è mia. Non so di chi sia. 4. Ha molte sigarette? 5. Quante ne ha? 6. Sono per me, per il mio consumo personale. 7. Quante bottiglie di vino ha? 8. Non ne ho nessuna.

Lecture

Dogana

Importazioni di oggetti personali.
La dogana italiana ammette in franchigia i g**e**neri seguenti riservati all'uso personale del turista :
duecento sigarette, o cinquanta s**i**gari, o duecentocinquanta grammi di tabacco, o ancora un assortimento di questi g**e**neri per un peso totale di duecentocinquanta grammi; una bottiglia di vino ordinario (per i turisti residenti in paesi non europ**e**i o posti fuori del bacino mediterraneo, queste prime disposizioni sono piú el**a**stiche); un quarto di litro d'acqua di Colonia e una p**i**ccola quantità di profumi; delle provviste alimentari per il viaggio; strumenti port**a**tili d'uso personale; apparecchio fotogr**a**fico e di riprese cinematogr**a**fiche di formato ridotto; m**a**cchina da scr**i**vere; giradischi con un n**u**mero limitato di dischi; apparecchio

radio portatile. I turisti che portano dei gioielli hanno interesse a farne una lista da vistare alla Dogana d'entrata, al fine di non doverne giustificare eventualmente la provenienza alla loro uscita dall'Italia.

(E.N.I.T.)

Douane

Importations d'objets personnels.

La douane italienne admet en franchise les articles suivants réservés à l'usage personnel du touriste : 200 cigarettes, ou 50 cigares, ou 250 grammes de tabac, ou encore un assortiment de ces articles pour un poids total de 250 grammes; une bouteille de vin ordinaire (pour les touristes résidant dans des pays non européens ou situés hors du bassin méditerranéen, ces premières dispositions sont élargies); un quart de litre d'eau de Cologne et une petite quantité de parfums; des provisions alimentaires pour le voyage; instruments portatifs d'usage personnel; appareil photographique et de prises de vues cinématographiques à format réduit; machine à écrire; tourne-disques avec un nombre limité de disques; appareil radio portatif. Les touristes qui emportent des bijoux ont intérêt à en établir une liste qu'ils feront viser à la Douane d'entrée, afin de ne pas avoir à en justifier éventuellement la provenance à leur sortie d'Italie.

L'albergo, la camera

1 Si chiama °albergo il °luogo in cui un viaggiatore può trovare °alloggio per una **o** piú °notti. Vi si °p**o**ssono anche •trasc**o**rrere •molte settimane o molti •mesi e in questo caṣo l'•albergatore « fa un °prezzo » sí che l'affitto « al mese » è meno caro che se si dov**e**ssero pagare trenta o trentun notti alla tariffa normale.

2 Al prezzo della c**a**mera si aggiunge il servizio (dieci, d**o**dici o qu**i**ndici per cento) e, in alcune città, una tassa chiamata « tassa si •soggiorno ». Durante l'alta •stagione è °prudente prenotare in ant**i**cipo. Se l'albergo è °completo è °talvolta poss**i**bile trovare °alloggio °presso privati.

3 Es**i**stono •numerose categor**i**e di alberghi, e nelle grandi città si °tr**o**vano alberghi di lusso. •Inoltre, •catene di alberghi assic**u**rano ai °clienti •condizioni di °conforto costanti in •paesi diversi. All'arrivo ci si presenta in portiner**i**a. Lí si tr**o**vano •molti impiegati : il cont**a**bile, il portiere incaricato delle chiavi e della posta, i fattorini e i facchini.

L'ALBERGO DELLA LUNA

Traduction

L'hôtel, la chambre

1 On appelle hôtel l'endroit où un voyageur peut trouver à se loger pour une ou plusieurs nuits. L'on peut aussi y passer plusieurs semaines ou plusieurs mois et, dans ce cas, l'hôtelier « fait un prix » de telle sorte que la location au mois est moins chère que si l'on devait payer trente ou trente et une nuits au tarif normal.

2 Au prix de la chambre s'ajoute le service 10, 12 ou 15 %, et, dans certaines villes, une taxe appelée taxe de séjour. En pleine saison il est prudent de réserver à l'avance. Si l'hôtel est plein il est parfois possible de trouver un logement chez l'habitant (m. à m. : des habitants).

3 Il y a plusieurs catégories d'hôtels et, dans les grandes villes, l'on trouve des hôtels de luxe. En outre, des chaînes d'hôtels assurent à leur clientèle des conditions de confort constantes d'un pays à l'autre (m. à m. : dans des pays divers).

4 En arrivant, l'on se présente à la réception. Là se trouvent plusieurs employés : le comptable, le réceptionniste chargé des clefs et du courrier, les chasseurs, les porteurs.

Vocabulaire

Talvolta, quelquefois; on peut dire aussi : *a volte* (pluriel). Le mot « volta » a deux sens : 1. *Una volta,* une fois; *piú volte,* plusieurs fois; *in una volta,* en une seule fois; *a volta a volta,* de temps en temps; *c'era una volta...* il y avait une fois; *uno alla volta,* un à la fois. 2. *Voltare,* tourner; *voltarsi,* se tourner. *A mia volta,* à mon tour; *dar di volta il cervello,* devenir fou. *La volta celeste,* la voûte céleste.

Quelquefois, *talvolta* ou *a volte;* quelque chose, *qualche cosa* ou *qualcosa;* quelqu'un, *qualcheduno* ou *qualcuno.*

Anteguerra, avant-guerre; mais : *l'avanbraccio,* l'avant-bras; *l'avanguardia,* l'avant-garde; *l'avanspettacolo,* l'avant-spectacle.

Sviluppare : le préfixe français « dé » est souvent représenté par « s » qui donne l'idée du contraire. Ex. : *il viluppo,* le chaos, la

---

A la belle étoile (m. à m. : l'auberge de la lune).

confusion d'où aucun développement ne peut surgir; d'où : *svilup-pare;* synonyme : *svolgere* (*Volgere* = tourner : *volgere lo sguardo,* tourner le regard).

Alloggiarsi, se loger (*l'alloggio,* le logement); *ospitare,* héberger (*l'ospedale,* l'hôpital : *sono ricoverato all'ospedale,* je suis hospitalisé). *L'osteria,* le restaurant.

Grammaire

■ Verbes : *Trascorrere,* trascorsi, trascorso. *Aggiungere,* aggiunsi, aggiunto.

Soddisfare, satisfaire, se conjugue comme *fare* de même que les autres composés de « fare » : *contraffare, rifare, disfare.*

Soddisfacente (texte page 161) participe présent de *soddisfare* équivaut à satisfaisant (en français, nous l'appelons un adjectif verbal; on peut le mettre au féminin ou au pluriel). De même plus bas *esigente* (de es*igere*) et *eccellente* (de *eccellere*).

■ Pluriels
Conservation du son du masculin : *albergo,* ***alberghi.*** Changement au contraire : *turistico,* ***turistici;*** *climatico, climatici.* **Au féminin pluriel le son se conserve toujours:** *turistiche, climatiche.*

■ Remarquez que *la metà, la maggior parte* sont respectivement suivi d'un verbe au singulier et au pluriel (texte page 161).

Maggiore devient *maggior* devant un nom. De même *Signore* et *professore.* Ex. : Il signor professore; il professor Galilei.

Sí che est l'abréviation de *cosí che,* de sorte que.

Exercices

1. Je voudrais trouver un logement à bon marché. 2. Cette chambre est trop chère. 3. Je dois y rester trois mois. 4. Dès que je pourrai, je changerai d'hôtel. 5. Mais maintenant tous les hôtels sont pleins. 6. En arrivant ici je ne savais pas où aller.

Corrigé :

1. Vorrei trovare un alloggio a buon mercato. 2. Questa camera è troppo cara. 3. Devo restarci tre mesi. 4. Non appena potrò cambierò albergo. 5. Ma adesso tutti gli alberghi sono pieni. 6. Arrivando qui non sapevo dove andare.

L'ospitalità

Almeno la metà degli stabilimenti alberghieri è stata costruita o ricostruita in questi ultimi dodici anni, mentre la maggior parte degli alberghi restanti sono stati radicalmente rinnovati secondo i metodi piú moderni e piú razionali. Il turista piú esigente potrà dunque trovare in ogni luogo, nelle grandi come nelle piccole città, nei centri turistici come nelle stazioni balneari, climatiche o di villeggiatura, o nelle stazioni termali, un'istallazione ampiamente sodisfacente.
In Italia gli alberghi sono ufficialmente classificati in cinque categorie (di lusso, di prima, seconda, terza e quarta). Queste ultime due non comprendono solo stabilimenti modesti, sistemati in maniera che il turista esigente giudicherà un po' rudimentale, ma vi si trovano anche numerosi alberghi confortevoli, dove il servizio è eccellente.

(E.N.I.T.)

L'hospitalité

La moitié au moins des établissements hôteliers a été construite ou reconstruite dans ces douze dernières années, tandis que la majeure partie des hôtels restants a été radicalement rénovée selon les méthodes les plus modernes et les plus rationnelles. Le touriste le plus exigeant pourra donc trouver en tous lieux, dans les grandes et les petites villes, dans les centres touristiques comme dans les stations balnéaires, climatiques ou de villégiature, ou dans les stations thermales, une installation pleinement satisfaisante.
En Italie les hôtels sont officiellement classés en cinq catégories (luxe, première, seconde, troisième, quatrième). Ces deux dernières ne comprennent pas seulement des établissements modestes, aménagés d'une façon que le touriste exigeant jugera quelque peu rudimentaire, mais on y trouve aussi de nombreux hôtels confortables, où le service est excellent.

Leçon

Per prenotare una camera d'albergo

1 Per l**e**ttera

Parigi, 3 gennaio 19...

Gentile Signore,

Vorrei prenotare una c**a**mera ad un °letto con bagno (una c**a**mera a due letti, una c**a**mera matrimoniale, con un lettino per bambino) per il 3 febbraio °pr**o**ssimo. Desidererei una c**a**mera molto tranquilla e bene illuminata. Arriverò in serata, verso le °diciannove e ripartirò al mattino del sei.

In •attesa di una Sua •conferma, le inv**i**o i miei •migliori saluti.

2 Per °tel**e**fono.

— •Pronto! Per •favore, •avrebbe una c**a**mera per il •giorno sei?
— Sí, signore. Qual è il suo °nome?
— Guido •Rossi.
— A che ora arriverà, signore?
— In serata, piuttosto tardi.
— Mi vuol dire il °prezzo, per favore?
— Dalle duemila alle duemilacinquecento lire, a seconda della c**a**mera.

OVUNQUE VAI, FA COME VEDRAI

Traduction

Pour réserver une chambre d'hôtel

1 Par lettre

Paris, le 3 janvier 19...

Monsieur,

Je voudrais retenir une chambre avec salle de bains à un lit (à deux lits, à un grand lit, avec un lit d'enfant) pour le 3 février prochain. Je désirerais une chambre très calme et bien éclairée. J'arriverai dans la soirée, vers 19 heures, et je partirai le six au matin.

Dans l'attente de votre confirmation, je vous prie d'agréer, Monsieur, l'expression de mes salutations distinguées.

2 Par téléphone

— Allo! S'il vous plaît, auriez-vous une chambre pour le 6 prochain? — Oui, Monsieur. Quel est votre nom? — Guy Rossi. — A quelle heure arriverez-vous Monsieur? — Dans la soirée, plutôt tard. — Voulez-vous me dire le prix, s'il vous plaît? — De 2 000 à 2 500 lires, selon la chambre.

Vocabulaire

Prenotare, réserver (une chambre, une place d'avion,...); *la prenotazione.* Ex. : *Bisogna prenotare molto tempo prima,* il faut réserver très à l'avance.

La lettera; il foglio, la feuille; *la firma,* la signature; *la busta,* l'enveloppe; *l'indirizzo,* l'adresse; *il francobollo,* le timbre.

Il telefono; l'apparecchio, l'appareil; *il gettone,* le jeton. *L'elenco telef**o**nico,* l'annuaire téléphonique. *Comporre il numero,* composer le numéro : *componga il numero,* faites le numéro.

Il letto, le lit; *il materasso,* le matelas; *il lenzuolo,* le drap (plur. *le lenzuola*); *la coperta,* la couverture; *il cuscino,* l'oreiller. *Il bagno,* la salle de bain; *la vasca,* la baignoire; *la doccia,* la douche; *l'acqua calda, fredda,* l'eau chaude, froide.

Les jours de la semaine : *lunedí, martedí, mercoledí, giovedí, venerdí, s**a**bato, dom**e**nica.*

Il faut hurler avec les loups (m. à m. : Où que tu ailles, fais comme tu verras).

Grammaire

■ verbes : *estendere* (Mémento § 61 n° 94) *spendere, dipendere, attendere, spargere, rendere.*

Sparso vous rappelle « épars »; *speso* a un *s* comme « dépense »; *esteso* rappelle « extension ».

In attesa = en attente;

Attribuire, attribuer; *attribuisco* (comme capire; V. page 38)
ordire, ourdir; *ordisco*

■ *Come se entrasse.*

Le subjonctif se justifie parce que le verbe *entrare* n'indique pas une action réelle, mais une action supposée.
La règle est générale. « Si » ou « comme si » suivis, en français, de l'imparfait de l'indicatif = *se, come se* + le subjonctif imparfait, en italien.
Ex. : ***Se entrasse, vedrebbe i tappeti.*** S'il entrait, il verrait les tapis.

■ **Che se lo può pagare = che può pagarselo.**

En effet *se lo* sont compléments de pagare et vous pouvez donc les rejeter après ce verbe qui est à l'infinitif (mémento § 19).
Attention : l'accent tonique ne change pas de place sur l'infinitif.

Exercices

1. J'aime me lever de bonne heure. 2. Ce matin je me suis levé à huit heures. 3. Ce n'est pas très tôt. 4. Vous étiez déjà parti, n'est-ce pas? 5. Oui aujourd'hui, comme c'est mercredi, je me suis levé à sept heures. 6. Tous les mercredis je me lève à cette heure-là.

Corrigé :

1. Mi piace alzarmi di buon'ora. 2. Questa mattina mi sono alzato alle otto. 3. Non è molto presto. 4. Lei era già partito, non è vero? 5. Sí, oggi, siccome è mercoledí, mi sono alzato alle sette. 6. Tutti i mercoledí mi alzo a quell'ora.

Lecture

Grande Albergo

Grande Albergo, Grand Hôtel, Palace ... Parole che cr**e**ano un'atmosfera, un clima, un universo, es**a**ltano la fantas**i**a degli imaginativi, e, naturalmente, delle donne. L'uomo che entra in un albergo si sente « qualcuno »; non è piú « quel signore »; è il forestiero. Assume un'andatura autor**e**vole e disinvolta, come se entrasse nei propri domini, come se i tappeti persiani del vest**i**bolo fossero suoi. La piccola borghese si sente un po' gran donna. Tutte le donne fatali del romanzo e del film ord**i**scono i loro intrighi al Grand hôtel, questo passaggio obbligato per tutta l'umanità che se lo può pagare. Non si r**e**ndono conto che per il personale sono semplicemente il n**u**mero quarantotto, o, se hanno un appartamento, il quarantotto-quarantanove. Tuttavia dal portiere al direttore, nelle manifestazioni esteriori hanno tutti l'aria di valorizzarli. Attribu**i**scono t**i**toli nobiliari e titoli universitari.

Pitigrilli *(Contin**u**a)*

Grand Hôtel

Grande Albergo, Grand Hôtel, Palace ... Mots qui créent une atmosphère, un climat, un univers, exaltent la fantaisie des imaginatifs et, naturellement des femmes. L'homme qui entre dans un hôtel se sent « quelqu'un »; ce n'est plus « ce monsieur-là »; c'est l'étranger. Il prend une allure autoritaire et désinvolte, comme s'il entrait dans ses propres domaines, comme si les tapis persans du vestibule étaient à lui. La petite bourgeoise se sent un peu grande dame. Toutes les femmes fatales du roman et du film ourdissent leurs intrigues au Grand Hôtel, ce passage obligé pour toute l'humanité qui peut se l'offrir. Ils ne se rendent pas compte que pour le personnel ils sont seulement le numéro 48 ou s'ils ont un appartement, le 48-49. Quoi qu'il en soit, du portier au directeur, dans les manifestations extérieures, tous ont l'air de les mettre en valeur. Ils attribuent des titres nobiliaires et des titres universitaires.

(A suivre)

Leçon

L'arrivo all'albergo

1 (In portineria) — Ho prenotato una camera otto giorni fa.
— Per lettera o per °telefono?... Il suo nome, per favore. (L'impiegato •cerca sul registro delle •prenotazioni)... Ah! Ecco : al quinto piano, camera numero cinquanta. È °piuttosto grande, molto •luminosa e con bagno.

2 — Per favore, vuole firmare la sua °scheda? Se ha la cortesia di lasciarmi il suo passaporto, la riempirò io •stesso.
— C'è °posta per me?
— Guardo, ma non credo... No, signore, non c'è niente per lei. (°Suona per chiamare un facchino.)
— Accompagni il signore al cinquanta.

3 (Il facchino accompagna il cliente •all'ascensore.)
— Prego, signore, •entri. I bagagli arriveranno col montacarichi.
— Bella giornata oggi, •vero? Il °barometro è al bello fisso. Pare che durerà tutta la settimana.
— Speriamo.

4 (La camera).
— Ecco la camera : il bagno è a °destra, qui a sinistra c'è un armadio. (Il facchino °accende la luce, posa le valige, tira le °tende e il cliente gli dà una mancia).
— Grazie, signore : se ha bisogno di qualche cosa, suoni il °campanello.

LA NOTTE PORTA CONSIGLIO

Traduction

L'arrivée à l'hôtel

1 *(A la réception)* — J'ai réservé une chambre voici huit jours. — Par lettre ou par téléphone?... Votre nom, s'il vous plaît (l'employé cherche sur le registre des réservations)... Ah! Voici : au 5e étage, chambre n° 50. Elle est assez grande, très claire et avec salle de bains.

2 S'il vous plaît voulez-vous signer votre fiche? Si vous avez l'amabilité de me laisser votre passeport, je la remplirai moi-même. — Y a-t-il du courrier pour moi? — Je vais regarder mais je ne crois pas... Non, Monsieur, il n'y a rien pour vous. (Il sonne pour appeler un porteur.) Conduisez Monsieur au 50.

3 *(Le porteur accompagne le client à l'ascenseur.)* — Entrez, Monsieur, je vous en prie. Les bagages arriveront par le monte-charge. — Il fait beau aujourd'hui, n'est-ce pas? Le baromètre est au beau fixe. Il paraît que cela va durer toute la semaine. — Espérons-le.

4 *(La chambre).*
— Voici la chambre. La salle de bains est à droite. Ici, à gauche il y a une armoire. (Le porteur ouvre la lumière, pose les valises, tire les rideaux et le client lui donne un pourboire). — Merci Monsieur; si vous avez besoin de quelque chose, vous n'avez qu'à sonner (m. à m. : sonnez la sonnette).

Vocabulaire

La camera da letto, la chambre à coucher; *la camera singola,...* à un lit; *il letto matrimoniale,* le lit à deux places; *la camera con bagno.*

En entrant dans un hôtel *(albergo)* vous verrez écrits les mots : *bar, ristorante; salotto,* salon; *sala di lettura,* salle de lecture; *direzione; portineria,* réception. Aussi; *sala da pranzo,* salle à manger (*il pranzo,* le déjeuner; *dopo il pranzo,* après le déjeuner.

Il pianterreno, le rez-de-chaussée; le cinquième étage, *il quinto piano.*

Nuit porte conseil.

Remplir une fiche se dit : *riempire una scheda;* ... un imprimé, *uno stampato. Riempire una bottiglia,* remplir une bouteille; *vuotare,* vider :

Vuota il bicchier ch'è pieno;
empi il bicchier ch'è vuoto!

Vide le verre *(il bicchiere)* qui est *(che è)* plein; remplis le verre qui est vide!

Grammaire

■ Composés de *venire : convenire, rivenire, divenire.*
Ces composés se conjuguent comme *venire* (mémento § 70).
Survenir se dit *sopravvenire.*
Revenir se dit *rivenire* et aussi *tornare, ritornare.* De même devenir = *divenire, diventare.*

■ Réfléchissons sur certains aspects constants des mots italiens.
Nous avons (p. 169) ***l'impiegato,*** l'employé; ***le chiavi,*** les clefs. De même : *piegare* (*la piega del pantalone,* le pli du pantalon); *pieno,* plein, *riempire,* remplir. *Un piatto,* un plat, une assiette; *piacere,* plaire; *la pioggia,* la pluie; *piovere,* pleuvoir; *piangere,* pleurer; *la spiaggia,* la plage. Etc...
Vous constatez que le *l* français après la consonne initiale est représenté, en italien, par un *i* suivi d'une voyelle. Cela aidera votre mémoire.

■ *Non può entrare nessuno.*
Vous pouvez dire aussi : *non può entrare alcuno,* aucun ne peut entrer.

Exercices

1. Bonjour, Monsieur, j'ai réservé une chambre pour deux personnes. 2. A quel nom s'il vous plaît? 3. Donnez-moi la clef s'il vous plaît. 4. Quel numéro avez-vous? 5. On vous a téléphoné, Monsieur. 6. On a demandé que vous téléphoniez au numéro 51.28.33. 7. Appelez-moi à huit heures s'il vous plaît.

Corrigé :

1. Buon giorno, signore. Ho prenotato una camera per due persone. 2. Con quale nome, prego? 3. Mi d**i**a la chiave, per piacere. 4. Che numero ha? 5. Le hanno telefonato, signore. 6. Hanno chiesto che lei tel**e**foni al cinquantuno ventotto-trentatré. 7. Mi chiami alle otto per favore.

Grande Albergo (continuazione)

In Germania l'impiegato che registra il nome e consegna la chiave, lo annota come Herr Doktor. Nel dubbio, Herr Direktor. Non si sa che cosa diriga, e con ogni probabilità non dirigerà mai nulla, ma diventa di colpo un dirigente. Certi clienti, suggestionati dall'ambiente, si trasformano nel personaggio dei loro effimeri attributi, e certuni, convinti di appartenere all'alta finanza, pagano il conto con degli assegni a vuoto. Fino a qualche tempo fa, in certi alberghi americani era esposto un cartello : « Il cliente ha sempre ragione ». Però i costumi si rinnovano. Un albergo di Monaco di Baviera ha esposto quest'altro : « I signori clienti sono pregati di trattare bene il personale, perché non sono i clienti quelli che scarseggiano. Sono gli impiegati ». Progressismo? Segno dei tempi?

Pitigrilli

Grand Hôtel (suite)

En Allemagne, l'employé qui enregistre le nom et remet la clef, le note comme Monsieur le Docteur. Dans le doute, Monsieur le Directeur. On ne sait ce qu'il dirige, et en toute probabilité il ne dirigera jamais rien, mais il devient tout d'un coup un dirigeant. Certains clients, influencés par l'ambiance se transforment dans le personnage de leurs attributs éphémères, et certains, convaincus qu'ils appartiennent à la haute finance, paient la note avec des chèques sans provision (m. à m. : à vide).
Jusqu'à il y a quelque temps, dans certains hôtels américains, était affiché un écriteau : « Le client a toujours raison ». Cependant les habitudes se renouvellent. Un hôtel de Munich a affiché cet autre : « Messieurs les clients sont priés de bien traiter le personnel, parce que ce ne sont pas les clients qui manquent, ce sont les employés ».
Progressisme? Signe des temps?

I pasti

1 L'albergo serve sempre la prima colazione : il viaggiatore può f**a**rsela servire in c**a**mera. In alcuni •paesi bisogna pagare un p**i**ccolo, •supplemento. A ○volte il prezzo della prima •colazione è •compreso in quello della c**a**mera.

2 Se desiderate prendere i vostri pasti in albergo, potete ottenere un ○prezzo di pensione purché il vostro soggiorno in albergo superi un certo n**u**mero di giorni che vi si indica al vostro arrivo. Se desiderate pr**e**ndere la colazione o il pranzo, vi si farà un prezzo di mezza pensione.
•Spesso gli alberghi non ○s**e**rvono i due pasti principali, cioè la colazione e il •pranzo e neppure la merenda. Perciò per mangiare il viaggiatore può •sc**e**gliere fra le locande, i ristoranti, le trattor**i**e, le pizzer**i**e, le t**a**vole calde, i caffè; se vuole fare ○merenda, può andare in una pasticcer**i**a o in una gelater**i**a •dove si s**e**rvono ○**o**ttimi gelati di ogni ○specie.

3 Nei paesi civili si mangia nel piatto e si beve nel ○bicchiere. Per le ○minestre, i liquidi o le ○creme si usa il cucchiaio, per le altre vivande la •forchetta; per tagliare si usa il ○coltello. Per il •campeggio vi sono piatti e bicchieri di •cartone e ○tovaglioli di carta. Nei ristoranti i piatti sono di cer**a**mica o di porcellana e i tovaglioli e le tovaglie di •tela.

AVER L'ACQUOLINA IN BOCCA

Traduction

Les repas

1 L'hôtel sert toujours le petit déjeuner : le voyageur peut se le faire servir dans sa chambre. Dans certains pays, il faut payer un léger supplément. Parfois le prix du petit déjeuner est compris dans celui de la chambre.

2 Si vous désirez prendre vos repas à l'hôtel, vous pouvez obtenir un prix de pension pourvu que votre séjour à l'hôtel dépasse un certain nombre de jours que l'on vous indique à votre arrivée. Si vous désirez prendre le déjeuner ou le dîner, l'on vous fera un prix de demi-pension.
Souvent les hôtels ne servent pas les deux principaux repas, c'est-à-dire le déjeuner et le dîner, non plus que le goûter. C'est pourquoi, pour manger, le voyageur peut choisir parmi les auberges, les restaurants, les *trattorie*, les *pizzerie*, les « tables chaudes » et les cafés; s'il veut goûter il peut aller dans une pâtisserie ou chez un glacier où l'on sert d'excellentes glaces de toutes sortes.

3 Dans les pays civilisés, on mange dans une assiette (m. à m. : dans l'assiette) et on boit dans un verre. Pour le potage, les liquides ou les crèmes l'on se sert d'une cuiller, d'une fourchette pour les autres mets. Pour couper on emploie un couteau. Pour le camping, il y a des verres et des assiettes en carton et des serviettes en papier. Dans les restaurants les assiettes sont en faïence ou en porcelaine et les serviettes et les nappes en toile.

Vocabulaire

Les spaghetti sont toujours servis dans une assiette creuse, *piatto fondo; piatto piano*, assiette plate. Le diminutif : *piattino*, la soucoupe. De même *la tovaglia*, la nappe; *il cucchiaio*, la cuiller donnent : *il tovagliolo*, la serviette; *il cucchiaino*, la petite cuiller. Le petit couteau sera : *il coltellino*.
La saliera, l'oliera, l'acetiera sont respectivement : la salière, l'huilier, le vinaigrier (*il sale*, le sel; *l'olio*, l'huile; *l'aceto*, le vinaigre).
La brocca, la cruche; *il fiasco*, la bouteille de forme ovoïde.

Avoir l'eau à la bouche (m. à m. : la petite eau).

Grammaire

■ Verbes

● Composés de *prendere, presi, preso* [ç].
Comprendere, riprendere, apprendere. Ex. : *apprendo l'italiano con molto piacere* (ou : *imparo l'italiano...;* infinitif : *imparare*), j'apprends l'italien avec beaucoup de plaisir.
Afin de retenir plus aisément les formes irrégulières, pensez au français : « la prise », « pris ». Vous savez que la formule 1, 3, 3 vous rappelle la conjugaison du passé simple : *presi, prese, prendemmo, presero.*

● Bere (Voyez Mémento § 62).

● « Goûter » se dit *fare merenda,* « la merenda » étant le repas léger de quatre ou cinq heures. Mais dans le sens d'essayer : *assaggiare.* Ex. : *assaggi e dica se le piace,* goûtez et dites si cela vous plaît.

■ *Neppure*
Apprenez les contraires.
Oppure, ou bien; *neppure,* pas même; *anche,* aussi, même; *neanche,* non plus.

■ *Può farsela servire* ou bien se *la può fare servire* (voyez page 164).

Exercices

1. Nous n'avons pas l'habitude de déjeuner à l'hôtel. 2. Nous préférons manger dehors. 3. Chaque jour nous découvrons un nouveau restaurant. 4. Où irons-nous aujourd'hui? 5. Celui d'hier ne m'a pas beaucoup plu. 6. Allons, c'est l'heure et j'ai très faim.

Corrigé :

1. Non abbiamo l'abitudine di far colazione in albergo. 2. Preferiamo mangiare fuori. 3. Ogni giorno scopriamo un nuovo ristorante. 4. Dove andremo oggi? 5. Quello di ieri non mi è piaciuto molto. 6. Andiamo, è l'ora e ho molta fame.

Lista	Menu
Antipasti	*Hors-d'œuvre*
Melone e prosciutto	Melon et jambon
Prosciutto di Parma	Jambon de Parme
Prosciutto e fichi	Jambon et figues
Affettato misto	Charcuterie variée en tranches
Salami regionali	Saucissons régionaux
Filetti di acciughe ripieni	Filets d'anchois farcis
Minestre in brodo	*Potages*
Pastina in brodo	Bouillon aux petites pâtes
Tortellini in brodo	Bouillon aux pâtes farcies
Ristretto in tazza	Consommé en tasse
Stracciatella in brodo	Consommé aux œufs et au fromage
Zuppa alla Pavese	Soupe pavésane (bouillon, œufs, pain grillé)
Minestrone (1)	Minestrone (1)
Pasta e fagioli	Pâtes et haricots en grains
Minestre asciutte	*Pâtes ou riz servis sans bouillon*
Spaghetti con pomodoro	Spaghetti sauce tomate
Spaghetti alla carbonara (2)	Spaghetti à la charbonnière (2)
Spaghetti con pesto (3)	Spaghetti au pistou (3)
Fettuccine alla romana	Nouilles fines à la romaine
Tagliatelle alla bolognese	Nouilles à la bolognaise
Ravioli con panna	Ravioli à la crème fraîche
Cannelloni	Pâtes roulées et farcies
Lasagne verdi al forno (4)	Lasagnes vertes au four (4)
Gnocchi alla napoletana (5)	Gnocchi à la napolitaine (5)
Gnocchi alla romana (6)	Gnocchi à la romaine (6)
Risotto alla milanese (7)	Risotto à la milanaise (7)
Timballo di riso con fegatini	Timbale de riz aux foies de poulet
(continua)	**(à suivre)**

(1) Potage à base de riz et de pâtes et de légumes variés. (2) Lard fumé, œufs battus, vin blanc, poivre, parmesan et fromage de brebis, persil. (3) Basilic, ail, pignons et noix, fromage de brebis, huile d'olive, le tout écrasé dans un mortier. (4) Pâte pétrie avec des épinards, découpée en larges lamelles et servie avec une béchamelle au fromage. (5) Pâte à base de farine et pommes de terre et servie avec une sauce tomate. (6) Pâte à base de semoule et de lait, gratinée au beurre et au fromage. (7) Riz cuit dans du bouillon de poulet, safran, beurre et fromage.

Leçon

La prima colazione

1 Per favore, ieri sera avevo chiesto che mi servissero la prima colazione in c**a**mera per le °otto, ma non l'hanno •ancora portata, d**e**vono **e**ssersene dimenticati.
— Un momento, °prego, le passo il ristorante.
— Buon giorno signore, che cosa des**i**dera?
— Vorrei la colazione s**u**bito, per favore. L'avevo ordinata per le otto e sto aspettando da •venti minuti.
— Mi scusi, signore ma non sono stato avvertito.

2 — Che °cosa des**i**dera?
— Due succhi di arancia, un caffè °completo e un tè completo, per favore.
— Tè con latte o con limone?
— Limone.
— Des**i**dera del pane tostato o dei panini? °Miele o marmellata?
— Panini con burro e marmellata, grazie.
— Le manderò s**u**bito tutto, signore.

3 — Che prende per la prima colazione? — Io? Ebbene! una mela e una tazza di tè senza z**u**cchero. — Nient'altro? — Nient'altro. Con ciò, ne ho abbastanza. Vi sono di quelli che cominciano la loro giornata con un bicchiere di anisetta. Io no!

IL MATTINO HA L'ORO IN BOCCA

Traduction

Le petit déjeuner

1 — S'il vous plaît, hier soir j'avais demandé qu'on me serve le petit déjeuner dans la chambre pour huit heures mais on ne l'a pas encore apporté; on doit l'avoir oublié. — Un moment s'il vous plaît; je vous passe le restaurant. — Bonjour Monsieur, que désirez-vous? — Je voudrais le petit déjeuner tout de suite, s'il vous plaît. Je l'avais commandé pour huit heures et j'attends depuis vingt minutes. — Excusez-moi mais je n'ai pas été prévenu.

2 — Que désirez-vous? — Deux jus d'orange, un café complet et un thé complet, s'il vous plaît. — Thé au lait ou au citron? — Citron. — Voulez-vous du pain grillé ou des petits pains, du miel ou de la confiture? — Des petits pains avec du beurre et de la confiture, merci. — Je vais vous faire monter (m. à m. : je vous enverrai) cela tout de suite Monsieur.

3 — Que prenez-vous pour le petit déjeuner? — Moi? Eh bien! une pomme et une tasse de thé sans sucre. — Rien d'autre? — Rien d'autre. Avec cela, j'ai suffisamment. Il y en a qui commencent leur journée avec un verre d'anis. Moi, non!

Vocabulaire

Caffè ou *espresso,* café noir; *caffelatte* ou *cappuccino,* café au lait; dans le *cappuccino,* le lait est gonflé de vapeur.
Caffè ristretto (m. à m. : serré) : café fort, concentré; le contraire est : *caffè lungo* (m. à m. : long).
Il cioccolato, le chocolat.
Remarquez la préposition *« con » : tè con latte, tè con limone.*

Manca la caffettiera, manca la teiera sulla guantiera (o sul vassoio) : il manque la cafetière, il manque la théière sur le plateau.

(m. à m.) Le matin a l'or à la bouche.

Grammaire

N'hésitons pas à faire quelques rappels.

■ Verbes
Chiedere, chiesi, chiesto, demander.
La formule 1, 3, 3 donne : *chiesi, chiedesti, chiese, chiedemmo, chiedeste, chiesero.*
Au subjonctif imparfait : *chiedessi,* etc.
Vorrei de *volere* (Mémento § 62).
Toute irrégularité affectant le futur se retrouve au conditionnel : *vorrò vorrei.*

■ ***Essersene.*** Le pronom réfléchi se et le pronom ne (traduisant « en ») se placent après l'infinitif. De même *andarsene,* s'en aller. On aurait pu dire, au lieu de *devono essersene dimenticati : se ne devono essere dimenticati.* Le sujet est « ils » sous-entendu, c'est-à-dire « on ».

■ Accord du participe passé conjugué avec « avere » avec le complément direct d'objet s'il est placé avant et si c'est un pronom : *non l'ho portata; l'* est mis pour *la colazione.*

Exercices

1. On a oublié de mettre une cuiller sur le plateau du petit déjeuner. 2. Dites s'il vous plaît qu'on me serve le petit déjeuner à 7 heures. 3. Vous me réveillerez par la même occasion. 4. Bonjour Monsieur, passez-moi le restaurant. 5. Allô! J'attends depuis un quart d'heure. 6. Vous avez oublié sans doute... cela ne fait rien. 7. Montez le café tout de suite je suis très pressé maintenant. 8. L'on vient de m'avertir que je dois être à 8 heures place de Venise. 9. Non! Pas de café au lait : un café noir.

Corrigé :

1. Hanno dimenticato di mettere un cucchiaio sul vassoio della prima colazione. 2. Per favore, dica di servirmi la prima colazione alle sette. 3. Con l'occasione mi sveglierà. 4. Buon giorno, mi passi il ristorante. 5. Pronto! Aspetto da un quarto d'ora. 6. Forse ha dimenticato... Non fa niente. 7. Mi porti il caffè subito, adesso ho molta fretta. 8. Mi hanno appena avvisato che devo essere alle otto a Piazza Venezia. 9. No!, non un caffelatte : un caffè.

Lista (continuazione)	**Menu (suite)**
Carni	*Viandes*
Filetto di tacchino	Filet de dinde
Pollo arrosto	Poulet rôti
Costatina di vitello alla griglia	Côte de veau sur le gril
Animelle dorate al burro	Ris de veau dorés au beurre
Scaloppine al Marsala	Escalopes au Marsala
Fegato di vitello alla salvia	Foie de veau à la sauge
Saltinbocca alla romana	Veau au jambon et au fromage
Bistecca alla fiorentina (1)	Bifteck à la florentine (1)
Abbacchio al forno	Agneau de lait (de moins de deux mois) rôti
Pesci	*Poissons*
Frittura mista	Friture assortie
Scampi fritti	Langoustines frites
Seppie ripiene	Seiches farcies
Gamberi e calamari	Homards et calmars
Cozze alla marinara	Moules à la marinière
Baccalà alla romana	Morue à la romaine
Triglie alla livornese	Rougets à la livournaise
Merluzzo in umido	Merlan en sauce
Trote o sogliole alla mugnaia	Truites ou soles à la meunière
Contorni e uova	*Garniture et œufs*
Fagioli con aglio e prezz**e**molo	Haricots écossés à l'ail et persil
Fagiolini con olio e limone	Haricots verts à l'huile et au citron
Bi**e**tole all'agro	Betteraves en vinaigrette
Piselli al burro	Petits pois sautés
Patate arrostite	Pommes de terre rôties
Insalata verde	Salade verte
Peperoni e melanzane	Poivrons et aubergines
Frittata di zucchine	Omelette aux courgettes
Uova sode	Œufs durs
Frutta e dolci	*Fruits et desserts*
Frutta di stagione	Fruits de saison
Torta di fr**a**gole	Tarte aux fraises
Cassata alla siciliana	Glace aux fruits confits à la sicilienne

(1) Filet de bœuf (d'au moins 300 g) sauté à l'huile et accommodé avec de l'ail et du romarin.

Contrôle et révisions

A 1. Les Allemands font d'excellents appareils photographiques et cinématographiques. 2. Leurs tourne-disques aussi sont assez bons. 3. Mais je n'aime pas leurs tabacs. 4. Les hôtels dits « touristiques » sont-ils plus ou moins chers que les autres? 5. Cela dépend! Dans les stations climatiques ils sont naturellement plus chers. 6. Mais c'est un plaisir que d'y vivre.

B 7. Ma machine à écrire ne marche plus. 8. Elle a été revue par le spécialiste; il croit qu'elle est trop vieille. 9. J'en ai été satisfait. 10. Je vais en acheter une autre, de la même marque. 11. En voici une qui vous plairait. 12. Mais le modèle le moins cher est celui que vous aviez.

C 13. Si vous buviez moins, vous auriez moins chaud. 14. Si vous restiez à l'hôtel l'après-midi, vous seriez moins fatigué. 15. Il vous suffirait de dormir jusqu'à six heures pour ne pas souffrir de la chaleur. 16. Si vous vouliez, vous pourriez visiter le musée le matin. 17. Si vous le désiriez on vous servirait le petit déjeuner dans votre chambre. 18. Vous pourriez prendre votre petit déjeuner soit en bas, soit dans votre chambre.

D 19. Nous conviendrons d'un jour de la semaine prochaine. 20. Mardi vous conviendrait-il pour que nous allions vous voir? 21. Mercredi dernier nous sommes revenus de la campagne. 22. Cette visite nous a satisfaits.

E (2 traductions). Cette bouteille pourrait-on me la monter dans ma chambre? 23. Le garçon peut-il me la monter? 24. Je crois que oui. 25. Pouvez-vous le lui dire? 26. Le voilà, dites-le lui vous-même.

Corrigé :

A 1. I •Tedeschi fanno •eccellenti m**a**cchine fotogr**a**fiche e cinematogr**a**fiche. 2. Anche i •loro giradischi sono abbastanza °buoni. 3. Ma non mi pi**a**cciono i loro tabacchi. 4. Gli °alberghi •detti tur**i**stici sono cari piú o •meno quanto gli altri? 5. °Dipende! Nelle stazioni clim**a**tiche sono •naturalmente piú cari. 6. Ma è un •piacere •v**i**verci.

B 7. La mia m**a**cchina da scr**i**vere non •funziona piú. 8. È stata revisionata dallo specialista; •crede che s**i**a °troppo °vecchia. 9. Ne sono stato soddisfatto. 10. Ne comprerò un'altra della •stessa marca. 11. **E**ccone una che le piacerebbe. 12. Ma il °modello meno caro è quello che lei •aveva.

C 13. Se •bevesse di meno, avrebbe meno caldo. 14. Se restasse in albergo il pomeriggio, sarebbe meno stanco. 15. Le basterebbe dormire fino alle °sei per non soffrire il caldo. 16. Se lei volesse, potrebbe visitare il °museo, il mattino. 17. Se lo desiderasse, le servir**e**bbero la colazione in c**a**mera. 18. Potrebbe far colazione s**i**a giú che in camera.

D 19. Stabiliremo un •giorno della settimana °pr**o**ssima. 20. Le andrebbe °bene martedí per venire a farle v**i**sita? 21. Mercoledí scorso siamo tornati dalla campagna. 22. •Questa visita ci ha soddisfatto.

E 23. Questa bottiglia potr**e**bbero port**a**rmela nella m**i**a camera? (... me la potrebbero portare...). 24. Il °cameriere può port**a**rmela? (... me la può portare...). 25. •Credo di sí. 26. Può d**i**rglielo? (... glielo può dire?). 26. °**E**ccolo, •glielo dica °lei •stesso.

Leçon

Una rapida colazione

(Il marito, *Ma;* la moglie, *Mo;* il camariere, *Ca*)

1 *Ma.* — Cameriere per favore vuol portarci la lista delle vivande? Abbi**a**mo •fretta e non abbiamo °tempo per aspettare. Che cosa c'è di •pronto?
Ca. — Abbiamo del •pesce in salsa. Ma bisognerebbe aspettare un po' : quindi non mi •sembra il caso.
Mo. — Ma sí, del •pesce : siamo al mare e dovrebbe **e**ssere freschi**s**simo. Sarebbe un peccato non approfittarne.
Ma. — Non abbiamo tempo. Dobbiamo partire fra tre quarti d'ora. •Mangeremo °meglio stasera.
Ca. — Allora °potrei portar loro un •arrosto con patate •lesse.
Mo. — Ben**i**ssimo.
Ca. — E per cominciare, che cosa des**i**derano i signori?
Ma. — Antipasto misto.

2 *Ca.* — Che cosa •b**e**vono i signori?
Mo. — Acqua minerale.
Ma. — Almeno un po' di vino! Un quarto di •rosso.
Ca. — E per terminare?
Ma. — Vedremo °poi.

3 *Ma.* — Vorrei del pane per favore!
Mo. — Vuole portarmi il peperoncino, il sale e il •pepe?
Ma. — Per favore, ci °porti il •secondo.
Ca. — Un istante, prego, arriva s**u**bito.

MEGLIO L'UOVO OGGI CHE LA GALLINA DOMANI

Traduction

Un déjeuner rapide

(Le mari, *Ma;* la femme, *Mo;* le garçon, *Ca*)

1 *Ma.* — Garçon, s'il vous plaît! Voulez-vous nous apporter le menu? Nous sommes pressés. Nous n'avons pas le temps d'attendre. Qu'est-ce qu'il y a de prêt?
Ca. — Nous avons du poisson en sauce. Mais il faudrait attendre un peu; alors ça ne va pas.
Mo. — Ah! Si du poisson. Nous sommes à la mer. Il devrait être très frais. Ce serait dommage de ne pas en profiter.
Ma. — Nous n'avons pas le temps. Nous devons partir dans trois quarts d'heure. Nous mangerons mieux ce soir.
Ca. — Alors je pourrais vous apporter du rôti avec des pommes vapeur.
Mo. — Très bien.
Ca. — Et pour commencer, qu'est-ce que vous désirez?
Ma. — Des hors-d'œuvre variés.

2 *Ca.* — Qu'est-ce que vous allez boire?
Mo. — De l'eau minérale.
Ma. — Un peu de vin, tout de même! Un quart de vin rouge.
Ca. — Et pour terminer?
Ma. — On verra tout à l'heure.

3 *Ma.* — Je voudrais du pain s'il vous plaît.
Mo. — Voulez-vous m'apporter le piment, le sel et le poivre?
Ma. — S'il vous plaît, vous nous apportez la suite!
Ca. — Une petite minute, s'il vous plaît. Ça vient tout de suite.

Vocabulaire

*Svit**a**bile; la vite,* la vis; *avvitare,* visser; *svitare,* dévisser. Ne confondez pas avec : 1. *La vita,* la vie; 2. *evitare,* éviter.
Rappel : *piacere, spiacere* (*mi piace, mi spiace; spiacent**i**ssimo,* voir la leçon 10); *la ventura, la sventura,* le bonheur, le malheur; *sventurate,* malheureux. Mais heureux : *felice.*
Attention : *fare,* faire; mais : défaire, *disfare.*

Mieux vaut un oiseau en cage que poule d'eau qui nage (m. à m. : mieux l'œuf aujourd'hui que la poule demain).

Dans la même idée, rapprochez *smistare,* trier, de *misto,* mêlé (*insalata mista,* salade mixte se composant de laitue et de tomate).
Il secondo; sous-entendu : *piatto,* le second plat.
Aspettare; rappelez-vous : *la sala d'aspetto,* la salle d'attente.
Fresco; le superlatif est *freschissimo;* modification orthographique destinée à maintenir le son. De même : *fiasco,* plur. *fiaschi.*

Grammaire

■ Délaissons les verbes aujourd'hui (un peu seulement!). Revoyez *essere, volere, potere, vedere* en particulier au futur et au conditionnel (Mémento (§ 52, 62, 63, 64).

■ Le superlatif : ben**i**ssimo, très bien (bene), fresch**i**ssimo, très frais (fresco).

Meglio est un adverbe : *mangeremo meglio.*
L'adjectif comparatif est migliore. Ex. : *la nostra cena sarà migliore del pranzo.*
Le superlatif ***o****ttimo : un* ***o****ttimo pranzo,* un déjeuner excellent.

La même différence existe entre *peggio,* adverbe, pis et *peggiore,* plus mauvais, *p****e****ssimo,* très mauvais.

■ Réfléchissons à la formation de quelques mots ou expressions. Dans *innanzitutto,* vous retrouvez *innanzi* = devant; mais : *dinanzi a noi,* devant nous. Ex. : *dinanzi a lui tremò tutta Roma,* devant lui tout Rome trembla.

La vivanda, le mets, vient du verbe *v****i****vere,* vivre.

Exercices

1. Qu'y a-t-il à manger? 2. Qu'est-ce qui est le meilleur, le poulet ou le poisson? 3. Vous devez essayer cela. 4. C'est très bon. 5. Vous n'avez pas besoin de me le dire. 6. Je le sais très bien! 7. Le reste n'est rien en comparaison. C'est ce que je voulais. 8. C'est ce dont j'avais besoin.

Corrigé :

1. Che cosa c'è da mangiare? 2. È migliore il pollo o il pesce? 3. Deve assaggiare questo. 4. È molto buono. 5. Non ha bisogno di d**i**rmelo. 6. Lo so benissimo! 7. Il resto non è niente al confronto. È ciò che volevo. 8. È quello di cui avevo bisogno.

La pietanziera

Le gioie di quel recipiente tondo e piatto chiamato « pietanziera » consistono innanzitutto nell'essere svitabile. Già il movimento di svitare il coperchio richiama l'acquolina in bocca, specie se uno non sa ancora quello che c'è dentro, perché ad esempio è sua moglie che gli prepara la pietanziera ogni mattina. Scoperchiata la pietanziera, si vede il mangiare lí pigiato : salamini e lenticchie, o uova sode e barbabietole, oppure polenta e stoccafisso, tutto ben assestato in quell'area di circonferenza come i continenti e i mari nelle carte del globo, e anche se è poca roba fa l'effetto di qualcosa di sostanzioso e di compatto. Il coperchio, una volta svitato, fa da piatto, e cosí si hanno due recipienti e si può cominciare a smistare il contenuto.

Italo Calvino, Racconti

(Continua)

La gamelle

Les joies de ce récipient rond et plat que l'on appelle la « gamelle » résident avant tout dans le fait qu'elle se dévisse. Déjà le geste de dévisser le couvercle vous donne l'eau à la bouche, surtout si vous ne savez pas encore ce qu'il y a à l'intérieur, parce que, par exemple, c'est votre femme qui vous prépare votre gamelle le matin. Une fois la gamelle ouverte, on voit la nourriture là bien serrée : des saucissons avec des lentilles, ou des œufs durs avec des betteraves, ou bien de la polenta avec de la morue, le tout bien arrangé dans cet espace de circonférence comme les continents et les mers sur les cartes de géographie du globe, et même s'il n'y a pas grand-chose cela donne l'impression de quelque chose de nourrissant et de solide. Le couvercle, une fois dévissé, sert d'assiette, et l'on a ainsi deux récipients et l'on peut commencer à trier le contenu.

(à suivre)

Leçon

42 Il pranzo

(Il camariere, *C;* il cliente, *S;* la cliente, *S.ra*).

1 *C.* — I signori des**i**derano un aperitivo per cominciare? Succo di frutta? Che succo di frutta desiderano? Anan**a**s, °pompelmo? Desiderano qualche oliva con gli aperitivi? Nel °frattempo p**o**ssono •sc**e**gliere sulla lista delle vivande.

2 *S.* — Bene, ci °porti la lista, per favore. Vediamo, che cosa le piacerebbe mangiare? Le piace l'insalata mista ed anche il •pesce? Se ben °ricordo, lei non mangia mai carne la sera. Le potrei suggerire la specialità della casa, la assaggiai tempo fa; ed è veramente molto buona. Il ristorante è anche •famoso per gli antipasti assortiti. Scelga, che cosa des**i**dera °pr**e**ndere?
S.ra. — Vorrei qualcosa di legg**e**ro. L'antipasto misto è troppo pesante. Prenderò del pesce e basta.
S. — Ma no! Prenda qualcosa col pesce. *S.ra.* — Un po' di verdura... Vedrò.
S. — Io •invece desidererei una minestra in °brodo e un •pollo alla cacciatora. C. — Insalata condita col limone?

3 *C.* — Che vino desidera il signore?
S. — Ci favorisca la lista dei vini. °Penso che sia meglio scegliere il vino bianco che il vino rosso, che ne pensa?

4 *C.* — Desidera del formaggio? Le posso consigliare un **o**ttimo •dolce. Un po' di frutta?
S.ra. — Oh, sa, non ho piú fame.
C. — Desiderano il caffè? Un •liquore per terminare?
S. — Non beviamo mai °alco**o**lici, grazie. Mi porti per favore il •conto.

MEGLIO LA °NOTA DEL °TRATTORE CHE •QUELLA DEL DOTTORE

Traduction

Le dîner

(le garçon, *C;* le client, *S;* la cliente, *S.ra.*)

1 *C.* — Voulez-vous un apéritif pour commencer?... Un jus de fruit... Quel jus de fruit désirez-vous?... Ananas, pamplemousse?... Désirez-vous quelques olives avec les apéritifs... Pendant ce temps, vous pouvez composer votre menu (mot à mot : choisir, sur...).

2 *S.* — C'est cela : apportez-nous le menu s'il vous plaît. Voyons, qu'est-ce que vous aimeriez manger? Vous aimez les crudités et aussi le poisson? Si mes souvenirs sont bons, vous ne prenez (m. à m. mangez) jamais de viande le soir? Je pourrais vous suggérer la spécialité de la maison. Je l'ai goûtée il y a quelque temps : elle est vraiment très bonne. Le restaurant est également renommé pour les hors-d'œuvres variés. Choisissez, qu'est-ce que vous désirez prendre?
S.ra. — Je voudrais quelque chose de léger. Les hors-d'œuvre variés, c'est trop lourd. Je prendrai du poisson et c'est tout.
S. — Mais non prenez quelque chose d'autre avec le poisson!
S.ra. — Un légume vert... je verrai.
S. — Moi, par contre, je désirerais un potage aux pâtes et un poulet-chasseur.
C. — Une salade assaisonnée au citron.

3 *C.* — Quel vin désire Monsieur?
S. — Montrez-nous la carte des vins.
— Je pense qu'il vaut mieux choisir un vin blanc plutôt qu'un vin rouge, qu'en pensez-vous?

4 *C.* — Voulez-vous un fromage. Je peux vous conseiller un très bon gâteau. Quelques fruits?
S.ra. — Ah! Vous savez je n'ai plus faim.
C. — Désirez-vous du café? Une liqueur pour terminer?
S. — Nous ne buvons jamais d'alcool, merci. Apportez-moi l'addition, s'il vous plaît.

Mieux la note du traiteur que celle du docteur.

Prononciation

Vous devez toujours lire en prononçant d'une manière correcte. Le premier point est l'accent tonique : tout mot *sdrucciolo* que vous n'avez pas vu est marqué par un caractère gras. Les mots accentués sur la finale portent régulièrement l'accent écrit. Restent les mots accentués sur l'avant-dernière syllabe pour lesquels vous n'avez donc pas d'hésitation à avoir (Voyez le Mémento p. 389).
Le second point concerne les voyelles : nous espérons que vous prononcez toujours la lettre « u » comme [ou] en français, « e » comme [é] ou [è].
Le troisième point concerne les consonnes : le « r » roulé du bout de la langue, comme dans les campagnes françaises, autrefois. Le « ch » comme un [k] : anche, aussi [k]; le « sc » comme notre [ch] : *pesce,* le poisson [ch]; le « c » devant e ou i comme [tch]; *la Cina è vicina* [tch]; « ci » devant a, o, u : même son [tch]; « z » se prononce tantôt [dz], tantôt [tç]; « gi » devant a, o, u se prononce comme « g » devant e ou i, c'est-à-dire : [dj']; « zz », « gg » se prononcent de la même manière que « ze » ou « g » mais un peu plus durement. Nous indiquons pour chaque mot nouveau : [dz] ou [tç] pour la lettre « z ».

Grammaire

■ Verbes : *suggerire,* suggérer, *suggerisco* (comme *capire).*
Pour *scegliere* et les verbes habituels : *potere, vedere, volere* (Mémento § 62).
Vous remarquerez qu'à l'impératif de vouvoiement (subjonctif exhortatif) les pronoms complément se placent avant le verbe et non après, comme avec l'impératif de tutoiement (Voyez leçon 28).

Ci porti, apportez-nous.
Portaci, apporte-nous; pluriel *portateci.*

■ *Ho fatto una mangiata.*
Le suffixe *ata* est assez fréquent.
Una manata di riso, une poignée de riz (*la mano,* la main). *Una manata* est aussi un coup de la main sur l'épaule d'un ami, par exemple.
Una fucilata est un coup de fusil (*il fucile*), *una cannonata,* un coup de canon (*il cannone*).
De même que *una manata* est le contenu de la main, *una forchettata,* ce que peut prendre une fourchette.

Ho fatto una mangiata, una bevuta, una dormita, j'ai beaucoup mangé, beaucoup bu, beaucoup dormi; vous reconnaissez *mangiare, bere, dormire* à l'origine de ces substantifs en -ata. Autre suffixe que ce dernier exemple fait venir à l'esprit : •*-one.* Ex. *Sono un mangione, une beone, un dormiglione,* je suis un gros mangeur, un gros buveur, un gros dormeur.

■ *Anziché,* au lieu de = *invece di* (dans le texte ci-après). Mais *anzi che sia giorno* = *prima che sia giorno,* avant qu'il ne fasse jour.

Lecture

La pietanziera (continuazione).

Il manovale Marcovaldo, svitata la pietanziera e aspirato velocemente il profumo, dà mano alle posate che si porta sempre dietro, in tasca, involte in un fagotto, da quando a mezzogiorno mangia con la pietanziera anziché tornare a casa. I primi colpi di forchetta servono a svegliare un po' quelle vivande intorpidite, a dare il rilievo e l'attrattiva d'un piatto appena servito in tavola a quei cibi che se ne sono stati lí rannicchiati già tante ore. Allora si comincia a vedere che la roba è poca, e si pensa : « Conviene mangiarla lentamente », ma già si sono portate alla bocca, velocissime e fameliche, le prime forchettate.
Per primo gusto si sente la tristezza del mangiare freddo, ma subito ricominciano le gioie, ritrovando i sapori del desco familiare, trasportati su uno scenario inconsueto.

Italo Calvino, Racconti *(Einaudi).*

La gamelle (suite).

Le manœuvre Marcovaldo, après avoir dévissé la gamelle et en avoir rapidement humé l'odeur, saisit le couvert qu'il porte toujours avec lui dans la poche arrière, enveloppé dans un paquet, depuis qu'à midi il mange avec la gamelle au lieu de rentrer chez lui. Les premiers coups de fourchette servent à réveiller un peu ces mets engourdis, à donner le relief et l'attrait d'un plat qui vient d'être servi à table à cette nourriture qui est restée là blottie pendant tant d'heures. Alors on commence à voir qu'il n'y en a pas beaucoup et l'on pense : « il faut manger lentement »; mais déjà, rapidement et faméliquement, la fourchette a porté les premières bouchées.
Comme première sensation, il y a la tristesse de manger froid, mais aussitôt les joies recommencent, en retrouvant les saveurs de la table familiale, transportées dans un décor inhabituel.

Leçon

La •circolazione in città

1 Arrivando in m**a**cchina si •entra in città °attraverso v**i**e larghe che si chi**a**mano •corsi o viali. Agli •incroci si •inc**o**ntrano piazze piú o •meno larghe. Sulle vie principali •sb**o**ccano vie piú •strette. I v**i**coli °ciechi com**u**nicano con una •sola via, °avendo una sola uscita.

2 In alcune strade la •circolazione dei ve**i**coli è consentita nei due °sensi, in altre vie vi è invece un senso **u**nico. I fiumi si attrav**e**rsano sui ponti. Per evitare gli •ingorghi stradali, in alcuni incroci, una parte dei ve**i**coli °viene fatta passare •sotto una galler**i**a.

3 I •pedoni camm**i**nano sul °marciapiede, attrav**e**rsano le strade sui passaggi pedonali o util**i**zzano i passaggi sotter-r**a**nei.
La circolazione è regolata da sem**a**fori : •verde, giallo, •rosso. I vigili sono scaglionati nei punti di °maggior tr**a**ffico.

4 Per andare da un punto all'altro della città, se si ha tempo, ci si può servire degli **a**utobus, dei f**i**lobus, o della metro-politana. Ma, se si ha fretta, °conviene pr**e**ndere un tassí. I tassí °s**o**stano nei •posteggi, dove si °p**o**ssono chiamare anche per °tel**e**fono.

ESSERE IN MEZZO A UNA STRADA

Traduction

La circulation en ville

1 En arrivant en auto, on entre en ville par des rues larges que l'on appelle aussi boulevards ou avenues. Aux croisements sont aménagées des places plus ou moins vastes. Sur les rues principales débouchent des rues plus étroites. Les impasses ne communiquent qu'avec une rue n'ayant qu'une seule sortie.

2 Dans certaines voies, la circulation des voitures est possible (m. à m. accordée) dans les deux sens. Par contre, d'autres rues sont à sens unique. L'on traverse les rivières en passant sur les ponts. Pour éviter les encombrements, à certains carrefours, on fait passer une partie des voitures par un tunnel.

3 Les piétons marchent sur le trottoir, traversent les rues dans les passages cloutés ou utilisent les passages souterrains. La circulation est réglée par des feux : vert, orange, rouge. De place en place se trouvent (m. à m. : sont échelonnés) des agents de la paix, aux points les plus fréquentés.

4 Pour aller d'un point de la ville à un autre si l'on a le temps, l'on peut utiliser les autobus, les trolleybus ou le métro. Si l'on est pressé, il convient de prendre un taxi. Les taxis sont arrêtés aux lieux de stationnement ou on peut les appeler aussi par téléphone.

Vocabulaire

Le boulevard extérieur, *il bastione, la circonvallazione.* A Rome, *la circolare sinistra* est l'autobus qui fait le tour de la ville en tournant à gauche (telles les oies du Capitole!). Ne confondez pas *la strada,* la route *(la strada maestra,* la grand-route) avec *la via,* la rue, *il viale,* l'allée, *il viale alberato (l'albero,* l'arbre). *Il vicolo,* la ruelle, *il vicolo cieco,* l'impasse (m. à m. : aveugle). A Venise : *il calle,* la rue.
Il bivio, le carrefour à deux rues ou deux routes (il *trivio,* à trois..., *il quadrivio, ...* à quatre...); il *marciapiede,* le trottoir; *il gradino,* le marchepied; *il semaforo,* le feu rouge; *l'incrocio,* le croisement; *il passaggio pedonale,* le passage pour piétons.

Être sans toit (m. à m. : être au milieu d'une rue).

Grammaire

■ Ne confondez pas *attraverso,* je traverse (du verbe *attraversare*) et *attraverso,* à travers. Ex. : ***attraverso vie larghe,*** je traverse des rues larges; ***vado attraverso la città,*** je vais à travers la ville.
Viene fatta passare; venire remplace ici *essere.* Nous avons déjà rencontré un exemple semblable (leçon 32) m. à m. : « une partie des véhicules sont faits passer... » c'est-à-dire : on fait passer une partie des véhicules.

■ *Ciascun muro* (texte page 191) *ciascuno* perd son *o* final devant un nom masculin, de même que *uno,* que vous trouverez toujours à l'état de *un.*
Rappel : *con + il = col; su + il = sul; su + la = sulla.*
Mais l'on dit : *con la; per il; per la.*

■ *Se si ha fretta, se si ha tempo.*
Se = « si » français; et *si* = « se » français (ici : « on »).

N'intervertissez pas les deux pronoms! Vous vous rappelez que *se* est suivi de l'imparfait du subjonctif en italien, au lieu de l'imparfait de l'indicatif en français. Voyez leçon 37.
Donc : Si l'on avait du temps... *Se si avesse tempo.*
Si l'on était pressé... *Se si avesse fretta.*

Dès lors que *se* italien apparaîtra souvent suivi de l'imparfait du subjonctif, la similitude de sonorité entre le pronom et la terminaison du verbe pourra aider votre mémoire.

■ *Da*
Da un punto all'altro (p. 188), *Da una parte e dall'altra* (p. 191).
Da dietro, da sinistra, da destra; de derrière, de la gauche, de la droite.

Lecture

Dove troverò un posto?

E le vie lunghissime e diritte hanno già da una parte e dall'altra una ininterrotta fila di automobili ferme e vuote, a perdita d'occhio.
Dove troverò un posto per mettere la mia? La macchina, com-

perata d'occasione, ce l'ho da pochi mesi, non sono ancora pratico abbastanza, e di posteggi esistono almeno seicento-trentaquattro categorie diverse, un labirinto dove anche i vecchi lupi del volante si perdono. Ciascun muro ha i suoi cartelli indicatori, è vero, ma sono stati fatti di dimensioni piccole per non turbare la monumentalità, come si dice, delle antiche strade. E poi chi sa decifrare le minime variazioni nel colore e nel disegno? Io giro, cercando, nelle straduzze laterali col mio macinino sul quale incalzano da dietro cateratte di camion e furgoni chiedendo via libera con barriti orrendi. Dove c'è un posto? Laggiú, come miraggio di laghi e fontane al beduino del Sahara, un intero lunghissimo fianco di un maestoso viale si offre, completamente libero. Illusione. Proprio i lunghi tratti sgombri che dovrebbero rallegrarci l'animo sono i piú infidi. Troppa grazia. Si può giurare che c'è sotto qualche insidia.

Dino Buzzati — Sessanta Racconti *(Ed. Mondadori).*

Où trouverai-je une place?

Et les rues très longues et droites ont déjà d'un côté et d'autre une file ininterrompue d'automobiles arrêtées et vides, à perte de vue.
Où trouverai-je une place pour mettre la mienne? La voiture, achetée d'occasion, je l'ai depuis peu de mois, je ne suis pas encore assez expert, et des places, il en existe au moins de 634 catégories différentes, un labyrinthe où les vieux loups du volant eux-mêmes se perdent. Chaque mur a son panneau indicateur, c'est vrai, mais ils ont été (faits) de petite dimension pour ne pas nuire au caractère monumental, comme l'on dit, des vieilles rues. Et puis qui sait déchiffrer les moindres variantes dans la couleur et le dessin?
Je tourne, cherchant, dans les petites rues adjacentes avec mon « teuf-teuf » derrière lequel se pressent des cataractes de camions et de fourgons demandant le passage avec d'horribles barrissements. Où y a-t-il une place? Là, comme le mirage de lacs et de sources pour le bédouin du Sahara, un côté entier très long d'une avenue majestueuse s'offre, complètement libre. Illusion! Les longues parties vides qui devraient nous réjouir l'âme sont tout justement les plus traîtres. Trop beau! on peut jurer qu'il y a quelque piège là-dessous.

Leçon 44 — Per chiedere informazioni

1 — Vorrei andare alla Banca. Per favore, potrebbe indicarmi la strada?
— Volentieri, è qui vicino.
— °Uscendo dall'Albergo lei prende a sinistra. Attraversa al semaforo e continua a camminare sempre tenendosi sul marciapiede da •questa parte della strada. La Banca è il °terzo o il quarto isolato.

2 — E per andare al °Museo •come posso fare?
— Di qui, a piedi, ci vogliono •tre quarti d'ora, è piuttosto lontano. Potrebbe prendere l'autobus ma è un po' difficile, quando non si •conosce la città. Sa dove si trova Piazza Castello?
— °No.
— Sa dov'è il Bar °Nuovo? Bene! Piazza Castello è la piazza •rotonda lí vicino. Dunque in quella piazza dalla parte °opposta al Bar Nuovo c'è la fermata dell'autobus. °Chieda al bigliettaio di farla scendere davanti alla Cattedrale; il museo è proprio dietro alla Cattedrale; appena scende dall'autobus chieda la strada. Non può sbagliare.

3 — Per favore, per andare alla Stazione Centrale? — Può andarci con la Metropolitana, ma non c'è una linea diretta; deve cambiare due °volte.
In ogni °modo, in tutto ci sono una decina di stazioni, circa un quarto d'ora. Io penso però che •farebbe °meglio a prendere il filobus che ha una fermata proprio davanti alla Stazione Centrale. Di qui non ci metterà piú di dieci minuti.

TROVARE LA STRADA FATTA

Traduction

Pour demander son chemin (m. à m. : des renseignements).

1 — Je voudrais aller à la banque. Pourriez-vous m'indiquer le chemin s'il vous plaît? — Volontiers, c'est près d'ici. — En sortant de l'hôtel, vous prenez à gauche. Vous traversez au feu rouge, et vous continuez à marcher toujours sur le trottoir de ce côté-ci de la rue. La banque est le troisième ou quatrième pâté de maisons.

2 — Et pour aller au musée, comment puis-je faire? — D'ici à pied il faut trois quarts d'heure; c'est assez loin. Vous pourriez prendre l'autobus. Mais c'est un peu difficile quand on ne connaît pas la ville. — Savez-vous où est la place du Château? — Non. — Vous savez où est le Bar Nouveau? Eh bien! La Place du Château est la place ronde qui est tout à côté. Alors sur cette place et à l'opposé du Bar Nouveau se trouve l'arrêt de l'autobus. Demandez au contrôleur de vous faire descendre devant la cathédrale; le musée est juste derrière la cathédrale; en descendant de l'autobus, demandez votre chemin. Vous ne pouvez pas vous perdre.

3 — S'il vous plaît, pour aller à la Gare centrale? — Vous pouvez y aller par le métro, mais il n'y a pas de ligne directe; vous devez changer deux fois. De toute façon, en tout, cela fait une dizaine de stations, un quart d'heure à peu près. Je pense cependant que vous feriez mieux de prendre le trolleybus qui a un arrêt juste devant la gare centrale. D'ici vous ne mettrez pas plus de 10 minutes.

Vocabulaire

È lontano, c'est loin; *è vicino,* c'est près; *è molto lontano; un po' piú lontano,* un peu plus loin.
Sempre diritto, toujours tout droit; *Ci vuole poco,* m. à m. : il faut peu), ce n'est pas loin; *ci vuole molto.*
A mezza strada, a metà strada, à mi-chemin; *strada facendo,* chemin faisant.
Percorrere, parcourir; *attraversare,* traverser; *svoltare,* tourner.
Dove si trova...? Où se trouve...? *Che mezzo devo prendere?* Quel moyen dois-je prendre?

Trouver son chemin tout fait.

Grammaire

■ Verbes irréguliers au passé simple et au participe passé (Mémento § 61) *scendere, chiedere, rispondere, riscuotere, aggiungere.*
De plus : *dire, sapere, potere.*

Rappel : Pour conjuguer le passé simple, servez-vous de la formule 1,3-3 (personnes irrégulières) : *scesi, scese, scendemmo, scesero.*
Le subjonctif imparfait est régulier : *se scendessi a vederlo parleremmo dei nostri affari,* si je descendais le voir nous parlerions de nos affaires.
Pour soulager votre effort de mémoire, rapprochez les formes verbales irrégulières de mots français qui les évoquent. Ainsi : *risposi* et « réponse » (« s » commun aux deux langues), *detto,* dit (le « t » commun aux deux langues), *seppi* et « sapience »; *potetti* et « potentat ».

■ Prépositions *a, da.*

Lei farebbe meglio a prendere : de prendre.
Dalla parte opposta ... Du côté opposé.
Scendere dall'autobus ... de l'autobus.
Cavarsi di seno ... de sa poche. m. à m. : sein.
Sfogliare, effeuiller et feuilleter.

Ce verbe vient de *la foglia,* la feuille de l'arbre; *il foglio,* la feuille de papier.

Exercices

1. Que faites-vous maintenant? 2. Eh bien! Je finis d'écrire une lettre. 3. Si cela vous semble bien, nous continuerons à parler de ceci demain matin. 4. Depuis longtemps déjà j'y pense. 5. Dites-moi, comment puis-je aller d'ici à l'Avenue du Soleil? 6. D'ici il n'y a que des taxis, surtout à cette heure-ci. 7. Maintenant les autobus et les métros ne circulent plus.

Corrigé :

1. Che cosa fate ora? 2. Ebbene, finisco di scrivere una lettera. 3. Se vi par giusto, continueremo a parlare di ciò domani mattina. 4. Ci penso già da molto tempo. 5. Ditemi, come posso andare di qui al Viale del Sole? 6. Di qui ci sono solo dei tassí, soprattutto a quest'ora. 7. Ora gli autobus e le metropolitane non circolano piú.

Lecture

Via Belloveso

Scusi, signore, sa dirmi dov'è via Belloveso? Non so, risposi con la maggior grazia possibile. — Sa, aggiunsi poi, sentendo non so qual dovere di giustificarmi, io non sono di Milano... — E se fosse di Milano? — Se fossi di Milano, risposi con pronta dialettica, sarebbe piú probabile, non però certo, ch'io sapessi dov'è via Belloveso...
— Vigile, sa dirmi dov'è via Belloveso? L'altro riscosso mormorò :
— Pellevese, Pellevese... nun saccio[1].
— Potrebbe guardare nella guida. L'esule partenopeo si cavò blandamente di seno un libretto e cominciò a sfogliarlo : — Come avete detto? Pellurese? — No : Bel-lo-ve-so; col bi. Il pubblico funzionario compitò con scrupoloso travaglio parecchi nomi del suo indice alfabetico : Bec-ca-ria, Bel-fio-re, Bel-gio-io-so... quest'è, Belgioioso? — No, Belloveso, — Bel-lez-za, Bel-lo-ti... mo' ce stiamo in coppa[2]. Be-na-co... No : Bellevese nun ce sta, Eccelenza.

Massimo Bontempelli, *Racconti e romanzi* (Modadori, Milano).

1. *Napolitain pour :* non so.
2. *Napolitain pour :* ora ci stiamo sopra.

Rue Belloveso

— Excusez-moi Monsieur, pouvez-vous (m. à m. : savez-vous) me dire où est la rue Belloveso? — Je ne sais pas, répondis-je avec le plus de grâce possible. Vous savez, ajoutai-je ensuite, ressentant je ne sais quel besoin de me justifier, je ne suis pas de Milan... — Et si vous étiez de Milan? — Si j'étais de Milan, répondis-je avec présence d'esprit, il serait plus probable, pas certain cependant, que je sache où est la rue Belloveso...
— Monsieur l'agent, pouvez-vous me dire où est la rue Belloveso? L'autre, surpris, murmura : — Pellevese, Pellevese... je ne sais pas. — Pourriez-vous regarder dans le guide? L'exilé napolitain tira doucement de sa poche intérieure (m. à m. : de son sein) un petit livre et commença à le feuilleter : — Comment avez-vous dit? Pellurese? — Non : Bel-lo-ve-so; avec un B. Le fonctionnaire public épela avec une application scrupuleuse plusieurs noms de son index alphabétique : Bec-ca-ria, Bel-fio-re, Bel-gio-io-so... C'est ça, Belgioioso? — Non, Belloveso. — Bel-lez-za, Bel-lo-ti,... maintenant nous brûlons. Be-na-co... Non : Bellevese n'y est pas, Excellence.

La banca, °la posta

1 Se dovete cambiare il denaro, dovete andare in banca; i corsi del cambio sono affissi, e in l**i**nea di m**a**ssima v**a**riano di giorno in giorno.
Se •volete incassare un •assegno nominativo, dovete andare ad un altro °sportello. Se non siete conosciuto, dovete mostrare un documento d'identità.
Gli assegni tur**i**stici sono accettati in pagamento dappertutto : basta firmarli.

2 Non potrete far nulla con un •assegno sbarrato se non avete un •conto corrente in banca. Se siete titolari di un conto, vi accr**e**ditano l'ammontare dell'assegno sbarrato. Il libretto di assegni vi permetterà di ritirare del denaro dal vostro conto quando vorrete e all'**o**rdine di chi vorrete.

3 •Potete anche •ricevere o inviare del denaro per posta per °mezzo di v**a**glia telegr**a**fici o ordinari.
Il portal**e**ttere può pagarvi a domicilio l'ammontare di un vaglia; in questo caso potete dargli una mancia.

GLI AMICI SI RICON**O**SCONO NEL BISOGNO

Traduction

La banque, la poste

1 Si vous devez changer de l'argent, vous devez aller à la banque; les cours du change sont affichés et ils varient d'un jour à l'autre, en principe. Si vous voulez toucher un chèque à votre ordre, vous devez aller à un autre guichet. Si vous n'êtes pas connu, vous devez montrer une pièce d'identité.
Les chèques de voyage sont acceptés comme moyens de paiement un peu partout : il suffit de les signer.

2 Vous ne pourrez rien faire avec un chèque barré si vous n'avez pas de compte-courant en banque. Si vous êtes titulaire d'un compte, on vous crédite du montant du chèque barré. Le chéquier vous permettra de tirer de l'argent de votre compte quand vous voudrez et à l'ordre de qui vous voudrez.

3 Vous pouvez aussi recevoir ou envoyer de l'argent par la poste au moyen de mandats télégraphiques ou de mandats ordinaires.
Le facteur peut vous régler à domicile le montant d'un mandat; dans ce cas vous pouvez lui donner un pourboire.

Vocabulaire

Il portalettere (la lettera; pluriel : *le lettere),* le facteur; se dit aussi *il postino.*
Il conto corrente, le compte-courant; *l'assegno bancario,* le chèque bancaire; ... *non trasferibile,* non transférable; ... *circolare,* endosable; ... *sbarrato,* barré. *La cambiale,* la lettre de change; *la lettera di credito; la valuta,* la devise. *Il vaglia postale,* le mandat postal.

Grammaire

■ Vous remarquez que les verbes (p. 196) sont à l'impératif, forme de tutoiement pluriel. L'on ne s'adresse pas, en effet, à une personne ou à plusieurs personnes qui existent réellement; les recommandations ont une portée générale, non individualisée. Si un employé s'adressait à des clients en particulier, il emploierait évidemment *loro.*

Les amis se reconnaissent dans le besoin.

■ *Linea di massima.*
La *massima* c'est la maxime. Vous savez que la lettre « x » n'existe pas en italien. Lorsque le mot italien est semblable au mot français, comment cet « x » est-il représenté en italien? — Tantôt par *-s- : esigente,* exigeant (leçon. 36), *eseguire,* exécuter (leçon 32); tantôt par *-ss- : lusso,* luxe; *massimo,* maximal; *esposto,* exposé.
Remarquez que le *-s-* du mot italien ou le *-ss-* présente la même différence de son [z] ou [ç] que le -x- du mot français correspondant [gz] ou [kç].
Dans d'autres cas, au son [kç] du français correspond, en italien *-cc-* [ttch] : *accettare, eccellente.*

■ *Signore,* ou *Signor?*
Devant un autre nom, signore devient signor. Monsieur le Professeur, ***Signor Professore.*** Si ce dernier nom est suivi, à son tour, d'un nom de famille il perd son e : *Signor Professor Alfio Maugeri. Dottore, ingegnere* suivent la même règle.

■ *Da.*
Toujours *da* et *di!*
Da un giorno all'altro, d'un jour à l'autre.
Di giorno in giorno, de jour en jour.

Exercices

1. Devo riscuotere un assegno. 2. Ho ritirato or ora del denaro dalla banca. 3. Le pago la nota della settimana. 4. Bene! Eccola. 5. Se vuole, la prossima volta può darmi un assegno. 6. Faccio conto che lei mi paghi alla fine d'ogni mese. 7. Le sta bene cosí? 8. Certo, perché no? 9. Glielo dicevo nel caso avesse voluto che io le pagassi la pensione in due o tre volte. 10. No, tante grazie. 11. Non c'è di che.

Corrigé

1. Je dois toucher un chèque. 2. Je viens de retirer de l'argent de la banque. 3. Je vais vous payer la note de la semaine. 4. Bon! La voici. 5. Si vous voulez, la prochaine fois, vous pouvez me donner un chèque. 6. Je compte que vous me paierez à la fin de chaque mois. 7. Cela vous va-t-il comme ça? 8. Bien sûr, pourquoi pas? 9. Je vous le disais au cas où vous auriez voulu que je vous paie la pension en deux ou trois fois. 10. Non, merci beaucoup. 11. Il n'y a pas de quoi.

Lecture

Informazioni pratiche

Fermo-posta. Fatevi indirizzare la vostra corrispondenza con le indicazioni seguenti sulla busta : Signor... Fermo posta, Posta Centrale di... (nome della città).
Ritirerete la vostra corrispondenza dietro presentazione di un documento d'identità e previo versamento di una tassa di quaranta lire.
Tariffe postali. Per l'Italia e la Francia : lettera fino a venti grammi : cinquanta lire; cartolina postale scritta : trenta lire; cartolina postale con un massimo di cinque parole : venti lire.
Tariffe telegrafiche. All'interno è applicata la seguente tariffa. Minimo sedici parole : telegrammi ordinari, seicento lire; telegrammi urgenti, mille lire. Per ogni parola supplementare, rispettivamente : venticinque e cinquanta lire.
Come per l'interno, i telegrammi urgenti sono ugualmente ammessi per l'estero, per la maggior parte delle destinazioni, con tariffa doppia di quella ordinaria.

(E.N.I.T.)

Renseignements pratiques

Poste restante. Faites-vous adresser votre correspondance avec l'indication suivante sur l'enveloppe : Monsieur ... Poste restante, Poste centrale de ... (nom de la ville.)
Vous retirerez votre courrier sur la présentation d'une pièce d'identité et contre versement d'une taxe de 40 lires.
Tarifs postaux. Pour l'Italie et la France : lettre jusqu'à 20 g : 50 lires; carte postale écrite : 30 lires; carte postale avec un maximum de 5 mots : 20 lires.
Tarifs télégraphiques. A l'intérieur, le tarif suivant est appliqué. Minimum 16 mots : télégrammes ordinaires, 600 lires; télégrammes urgents, mille lires, pour chaque mot supplémentaire, respectivement : 25 lires et 50 lires.
Comme pour l'intérieur, les télégrammes urgents sont également admis pour l'étranger, pour la plupart des destinations, avec un tarif double du tarif ordinaire.

Leçon

Alla Banca

1 — Vorrei delle lire, per favore. Qual è il cambio oggi?
— Cento lire : 0,77 franchi. Con la • commissione della banca 0,80.
— Sono piú care dell'**u**ltima volta che le ho comprate.
— Può darsi. Aum**e**ntano e diminu**i**scono a seconda del •movimento tur**i**stico.
— Fra un •mese la lira avrà •ripreso il suo corso normale.
— Me ne d**i**a duecentomila o piuttosto me ne d**i**a per milleottocento franchi. Quanto tempo •occorre per fare il cambio?
— Cinque o ○dieci minuti al m**a**ssimo.
— Per favore, dove si inc**a**ssano gli •assegni?
— Allo sportello n**u**mero ○s**e**dici.

2 — Potrei incassare quest'assegno?
(l'impiegato guarda l'assegno e ○legge il nome del beneficiario).
— Lei è il Dottor Mauro Leone? — Sí.
— Per favore la carta d'identità o il passaporto. Firmi qui ○dietro. Ecco il •gettone. Quando chiameranno il suo n**u**mero, si presenterà alla cassa, sportello n**u**mero ○sette.

3 (Il ○cassiere chiama il n**u**mero segnato sul gettone).
— Quale somma des**i**dera?... Vuole dei biglietti da diecimila, da cinquemila o da mille?
— Biglietti da diecimila, per favore.
— ...e diecimila che fanno duecentoventimila e cinquemila che fanno duecentoventicinquemila. ○Ecco, signore, vuole ricontarli per favore?
— •Arrivederla, signore.

IL DENARO APRE TUTTE LE PORTE

Traduction

A la banque

1 — Je voudrais des lires, s'il vous plaît. Quel est le cours aujourd'hui? — Cent lires : 0 F 77. Avec la commission de banque, 0 F 80. — C'est plus cher que la dernière fois où j'en ai acheté. — C'est possible. Ça monte et ça descend selon le mouvement des touristes. D'ici un mois la lire aura repris son cours normal. — Donnez-m'en 200 000 ou plutôt donnez-m'en pour 1 800 F. Combien de temps faut-il pour le change? — Cinq ou dix minutes au plus. — Où touche-t-on les chèques, s'il vous plaît? — Au guichet n° 16.

2 — Est-ce que je pourrais toucher ce chèque, s'il vous plaît? (L'employé regarde le chèque et lit le nom du bénéficiaire). — Vous êtes le Dr M. L.? — Oui. — Une pièce d'identité, s'il vous plaît, ou votre passeport. Signez, ici, au dos. Voici votre (m. à m. : le) jeton. Quand on appellera votre numéro vous vous présenterez à la caisse, guichet n° 7.

3 (Le caissier appelle le numéro porté sur le jeton). — Quelle somme voulez-vous?... Vous voulez des coupures de 10 000, de 5 000 ou de 1 000? — En billets de 10 000, s'il vous plaît. — ... et 10 000 qui font 220 000 et 5 000 qui font 225 000. Voici Monsieur, vous voulez recompter s'il vous plaît. — Au revoir Monsieur.

Vocabulaire

L'agente di cambio, l'agent de change.
Girare, endosser; *protestare; avallare,* avaliser.
L'impiegato, l'employé.
La valuta, la moneta, la devise, monnaie d'une nation étrangère (ne confondez pas avec *la divisa,* l'uniforme ni avec : *l'insegna, il motto,* la devise; *diviso,* divisé (infinitif : *dividere*).
Il cambio, pluriel *i cambi* (comme *monetario, monetari; beneficiario, beneficiari; monetario, monetari).*
L'abréviation pour lires est *Lit.* (parfois £ comme livre sterling, *lira sterlina*).

L'argent ouvre toutes les portes.

Grammaire

■ Vous remarquez que, dans cette leçon, les impératifs sont à la forme de vouvoiement (subjonctif exhortatif) parce que l'employé s'adresse à une personne qui va réellement à la banque. Comparez avec le texte de la leçon 45 et avec notre remarque page 198.
Ainsi : *me ne dia* (§ 1), *firmi qui* (§ 2).
Diminuire fait *diminuisco* (comme *capire*).

■ Pluriel

Pratico fait **pratici.** De même : *telegrafico, turistico* font telegrafici, turistici.

Beneficiario fait **beneficiari.** De même : *monetario, viaggio, cambio* font *monetari, viaggi, cambi.* De même : *taglio,* coupure fait *tagli, Farsi un taglio al dito,* se faire une coupure au doigt.

■ Selon...

A seconda del = *secondo il...*
Conformemente al movimento.
Dipende dal movimento, cela dépend du mouvement.

Cent lires = 0 F 77 se dira : *cento lire equivalgono a zero franchi e settantasette centesimi.*
N'oubliez pas d'apprendre à compter (Mémento § 28).

Exercices

1. Quante lire mi dà per duecento dollari? 2. Vado a fare un giro. 3. Come dice? 4. Sarò di ritorno tra dieci minuti. 5. Mi dica, per favore, dovrò aspettare ancora molto? 6. Aspetto da piú d'un quarto d'ora. 7. Ora può passare alla cassa. 8. Può cambiarmi questo biglietto di mille lire, per favore?

Corrigé :

1. Combien de lires me donnez-vous pour deux cents dollars? 2. Je vais faire un tour. 3. Comment dites-vous? 4. Je serai de retour dans dix minutes. 5. Dites-moi, s'il vous plaît, je devrai attendre encore longtemps? 6. Il y a plus d'un quart d'heure que j'attends. 7. Maintenant vous pouvez passer à la caisse. 8. Pouvez-vous me changer ce billet de mille lires, s'il vous plaît?

Lecture

Valute

I Francesi possono ottenere ad ogni viaggio, prima della partenza, il contro-valore in valuta di cinquemila franchi; inoltre possono portare per ogni viaggio mille franchi in biglietti di banca che possono essere cambiati in Italia, senza formalità, in una banca o in un ufficio di cambio.
Alcuna limitazione all'importazione di valute dalla Svizzera in Italia. Se si prevede di riesportare dall'Italia una somma in valuta uguale o superiore a cinquecentomila lire, si consiglia di dichiarare sul formulario « V. 2. » delle Dogane italiane, al momento dell'entrata, la somma importata.

Biglietti di banca e monete italiane.
Il sistema monetario italiano ha per base la Lira e comprende biglietti in tagli da : Lire diecimila, cinquemila, mille, e monete da lire cinquecento, cento, cinquanta, venti, dieci e cinque.

(E.N.I.T.)

Devises

Les Français peuvent obtenir à chaque voyage, avant le départ, la contre-valeur en devises de 5 000 francs; de plus, ils peuvent emporter à chaque voyage 1 000 francs en billets de banque échangeables en Italie, sans formalité, dans une banque ou bureau de change.
Pas de limitation à l'importation des devises de Suisse en Italie. Si l'on prévoit de réexporter d'Italie une somme en devises égale ou supérieure à 500 000 lires, il est conseillé de déclarer sur le formulaire « V.2 » des Douanes italiennes, au moment de l'entrée, la somme importée.

Billets de banque et monnaies italiens. Le système monétaire italien a pour base la lire et comprend des billets dans les coupures de : 10 000 lires, 5 000, 1 000 et des pièces de 500, 100, 50, 20, 10 et 5 lires.

Leçon

47 Alla Posta

1 — Per favore, dov'è il •Fermo Posta?
— In •fondo a °destra, sportello n**u**mero •quatt**o**rdici.
— Grazie.
(Il •viaggiatore •mostra il passaporto °aperto alla prima p**a**gina all'impiegato che si trova dietro lo sportello.
— Lei è il signor Galvani? — Sí.
— °Adesso •vedo.
(L'impiegato non °riesce a leggere il •nome.)
— Questa l**e**ttera è per lei?

2 — Vorrei spedire questa lettera raccomandata °espresso.
— All'altro sportello, signora.
— Vorrei anche tre •francobolli per delle l**e**ttere da spedire in Francia (posta a**e**rea) e quattro francobolli per cartoline con meno di cinque °parole.
— Quanto fa in tutto?... Dov'è la cassetta delle lettere?

3 — Per favore, se spedisco un telegramma adesso, a che •ora approssimativamente arriverà a Parigi?
— Non •dim**e**ntichi il nome e l'indirizzo del •mittente.

4 — Il postino è passato ma non c'è niente per lei.
— Strano, da due giorni non •ricevo posta da casa mia.
— °Aspetti la •distribuzione di stasera. •Forse ci sarà qualcosa per lei.

NESSUNA NUOVA, BUONA NUOVA

Traduction

A la poste

1 Où est la poste restante, s'il vous plaît? — Dans le fond à droite, guichet n° 14. — Merci.
(Le voyageur montre son passeport ouvert à la première page, à l'employé qui se trouve derrière le guichet). — Vous êtes Monsieur Galvani? — Oui. — Je vais voir. (L'employé ne réussit pas à lire le nom). — Cette lettre est pour vous?

2 — Je voudrais envoyer cette lettre exprès en recommandé. — Au guichet suivant, Madame... — Je voudrais aussi trois timbres pour des lettres à expédier en France, par avion, et quatre timbres pour des cartes postales de moins de cinq mots. — Combien cela fait-il en tout?... — Où est la boîte aux lettres?

3 — Si j'expédie un télégramme maintenant, à quelle heure approximativement sera-t-il distribué à Paris, s'il vous plaît... — N'oubliez pas le nom et l'adresse de l'expéditeur.

4 — Le facteur est passé. Mais il n'y avait rien pour vous. — C'est curieux, je n'ai pas reçu de lettres de chez moi depuis deux jours. — Attendez la distribution de ce soir. Peut-être y aura-t-il quelque chose pour vous.

Vocabulaire

La corrispondenza
Biglietto da visita, carte de visite; *cartolina postale,* carte postale, *cartolina illustrata; Le stampe,* les imprimés; *manoscritti,* manuscrits; *campione senza valore,* échantillons sans valeur; *pacco postale,* colis postal; *vaglia postale,* mandat postal; *lettera assicurata,* lettre chargée; *posta aerea,* poste aérienne.
Il francobollo, le timbre (pour affranchir une lettre), *il timbro,* le cachet.
La levata, la levée; *a stretto giro di posta = a volta di corriere,* par retour de courrier.

Pas de nouvelle bonne nouvelle (mot à mot : aucune...).

Grammaire

■ Verbes
1) Riuscire, *réussir* (p. 204) fait *riesco* et se conjugue sur *uscire.*
spedire, expédier, *spedisco* (comme capire).
leggere, lire, *lessi, letto.*
richiedere, réclamer, *richiesi, richiesto.*
soddisfare se conjugue comme *fare* (Mémento § 66).
2) Le nom *mittente,* expéditeur vient du verbe *mettere,* mettre, *misi, messo.*
Rapprochez les mots suivants : *il messo,* l'envoyé, le messager. *Il commesso,* l'employé, le commis. *La commissione,* la commission.
3) *Aprire,* ouvrir, *coprire,* couvrir, *offrire,* offrir se conjuguent comme *partire (io parto).* Les participes passés *aperto, coperto, offerto* vous rappellent le français.

■ Nous avons déjà évoqué le suffixe *-ata* (Leçon 42). Aujourd'hui apprenez : *l'occhio,* l'œil, *un' occhiata,* un coup d'œil. ***Un'aranciata*** serait donc un coup d'orange (*mi ha dato un'aranciata sulla testa!* il m'a donné un coup d'orange sur la tête!) mais c'est aussi, communément, « un jus d'orange ». De même *limonata* de *limone,* citron.
Rappelez-vous *una manata,* une poignée (ce que contient la main) ou bien *una manata sulla spalla* (le fait de frapper la main sur l'épaule d'un ami. Une poignée de main; *una stretta di mano;* le coup de poing, *il pugno* (c'est aussi le poing.)

Exercices

1. Signorina, desidero spedire questo pacchetto. 2. Per dove? 3. Per la Francia. 4. Che cosa contiene? — Dei libri, nient'altro. 5. Raccomandato o per posta ordinaria? 6. Quant'è? 7. Seicentocinquanta lire. 8. Ma lo sportello dei vaglia è chiuso. 9. A che ora aprite? 10. Non apriamo prima delle sei. 11. Bisogna che torni, mi spiace molto.

Corrigé

1. Mademoiselle, je désire envoyer ce paquet. 2. C'est pour où? 3. Pour la France. 4. Que contient-il? — Des livres, rien d'autre. 5. Recommandé ou par courrier ordinaire? 6. Combien est-ce? 7. 650 lires. 8. Mais le guichet des mandats est fermé. 9. A quelle heure ouvrez-vous? 10. Nous n'ouvrons pas avant six heures? 11. Il faut que vous reveniez; je le regrette beaucoup.

Un ufficiale postale curioso

Don Luigino avrebbe potuto esercitare il suo ufficio « pro forma » : dare un'occhiata alle lettere, e sbarazzarsene al piú presto; ma non c'era da sperarlo. La censura postale era per lui un nuovo onore, un nuovo e insperato mezzo di soddisfare il suo latente sadismo e la sua fantasia da romanzo giallo.
Gli consegnavo le mie lettere; don Luigino le portava a casa, e le leggeva con attenzione. Nei giorni seguenti, ogni volta che mi incontrava, lodava le mie qualità letterarie. — Come scrive bene, don Carlo! È un vero scrittore. Mi leggo le sue lettere a poco a poco : è una delizia. Quella di tre giorni fa, me la sto copiando; è un capolavoro. Don Luigino copiava tutte le mie lettere, non so se davvero per ammirazione stilistica o per lo zelo poliziesco, o per tutte e due le cose insieme : questo lavoro richiedeva molto tempo e la mia corrispondenza non partiva mai.

Carlo Levi, Cristo si è fermato ad Eboli *(ed. Einaudi).*

Un employé de la poste curieux

Don Luigino aurait pu exercer sa fonction pour la forme : jeter un coup d'œil aux lettres et s'en débarrasser au plus vite; mais il ne fallait pas s'y attendre (m. à m. : espérer). La censure postale était pour lui un nouvel honneur, un moyen nouveau et inespéré de satisfaire son sadisme latent et son imagination de roman noir (m. à m. : jaune). Je lui remettais mes lettres; Don Luigino les apportait chez lui et les lisait attentivement. Les jours suivants, chaque fois qu'il me rencontrait, il louait mes qualités littéraires. « Comme vous écrivez bien, Don Carlo! Vous êtes un véritable écrivain. Je lis vos lettres petit à petit; c'est un délice. Celle d'il y a trois jours, je suis en train de la recopier : c'est un chef-d'œuvre. » Don Luigino recopiait toutes mes lettres. Admiration pour mon style ou zèle de policier, je ne sais, peut-être les deux à la fois; ce travail demandait beaucoup de temps et ma correspondance ne partait jamais.

48 Il telefono

1 — Signorina, per favore, vorrei il n**u**mero settantadue, settantacinque, sessantasette a °Moncalieri.
— Un **a**ttimo, prego.
— Parli, il suo n**u**mero è in l**i**nea... — Terminato?
— Non •interrompa, per favore.

2 — Signorina per °Venezia c'è la •teleselezione, °vero?
— Sí, signore, può formare lei *stesso il n**u**mero.

3 — Il n**u**mero è occupato, signore, riattacchi, la richiamerò.

4 — Signorina c'è un •errore. Le ho °chiesto il 72 75 67 e lei mi ha dato il trentaquattro, ventisette, sessantanove.
— Qual è il suo n**u**mero? Rimanga in l**i**nea, prego.
— Signorina, quanto tempo ci vuole per avere R**i**mini? — Due ore, che n**u**mero des**i**dera?
— Signorina, vorrei Parigi, comunicazione a c**a**rico del destinatario.
— •Pronto, informazioni •elenco abbonati?
— Per cortes**i**a, potrebbe darmi il n**u**mero del Signor Rezza? È un °nuovo abbonato e non figura ancora nell'elenco °telef**o**nico.

5 — Pronto, chi parla?
— Sono °Te**o**filo, vorrei parlare con il Signor °Sigismondi.
— Mi dispiace, ma non c'è, vuole lasciarmi una comunicazione?
— No, desidererei parlargli •personalmente. A che ora °pensa che io possa richiamare?
— Di °s**o**lito il Signor Sigismondi •ritorna °verso le °sei.
— Molte grazie.

LA CORTES**I**A È LA NOSTRA PAROLA D'**O**RDINE

Traduction

Le téléphone

1 — Mademoiselle, voulez-vous me donner, s'il vous plaît, le numéro 72 75 67 à Moncalieri. — Ne quittez pas (mot à mot : un instant...) — Parlez demandeur, vous avez votre numéro. — Terminé? — Ne coupez pas s'il vous plaît.

2 — Mademoiselle, pour Venise c'est automatique, n'est-ce pas? — Oui Monsieur, vous pouvez composer vous-même votre numéro.

3 — Le numéro n'est pas libre Monsieur; raccrochez, je vous rappellerai.

4 — Mademoiselle, il y a une erreur. Je vous ai demandée le 72.75.67 et vous m'avez donné 34.27.69. — Quel est votre numéro? Ne quittez pas, je vous prie. — Mademoiselle, combien d'attente y a-t-il pour Rimini? — Deux heures. Quel numéro désirez-vous? — Mademoiselle je voudrais appeler Paris en P.C.V. — Service de renseignements, j'écoute. (mot à mot : liste d'abonnés.) — S'il vous plaît, pourriez-vous me donner le numéro de Monsieur Rezza? C'est un nouvel abonné qui ne figure pas encore sur l'annuaire.

5 — Allô! qui est à l'appareil? — Théophile; je voudrais parler à M. Sigismondi. — Je regrette mais il n'est pas ici. — Voulez-vous me laisser un message? — Non je désirerais lui parler personnellement. A quelle heure pensez-vous que je puisse rappeler? — D'ordinaire M. Sigismondi revient vers six heures. — Merci beaucoup.

Vocabulaire

*La centrale telef**o**nica; il centralino,* le standard; *la centralinista; la telefonista; il posto telef**o**nico p**u**bblico.*
*L'elenco telef**o**nico,* l'annuaire des téléphones.
La chiamata telefonica, l'appel téléphonique; *urbana, interurbana, internazionale. Chiamare,* appeler; *risp**o**ndere. Comunicare,* communiquer. *Una comunicazione,* un message.
Pronto! con chi parlo? Allô! qui est à l'appareil?

La courtoisie est notre mot d'ordre.

Grammaire

■ Verbes.

1) Notons les verbes à l'impératif forme de vouvoiement (subjonctif exhortatif) puisqu'au téléphone les conversations se font entre personnes réelles. (V. p. 202).

Parli, de *« parlare »; riattacchi,* de *« riattaccare ».*
Interrompa de *« interrompere »; rimanga* de *« rimanere ».*

2) *Potere* devient *poter* devant un infinitif : *poter telefonare, poter dire, poter fare.* Ceci rappelle *Signor Professor Maugeri.*
3) ***Prego*** de *pregare,* prier, je vous prie, je vous en prie, s'il vous plaît.

■ Pluriel

Carico, elenco font : *carichi, elenchi* (conservation du son); tandis que *telefonico* fait *telefonici* (Voir leçon 45).
Capofamiglia fait *capifamiglia,* chefs de famille.

Dove lo si dovrebbe mettere
si traduit « on »; *lo* est mis pour telefono. L'ordre des mots est à l'inverse du français.
Gli è che, le fait est que (exercice ci-dessous; phrase 3), c'est que. On peut dire aussi : *egli è che...*

Exercices

1. Una lettera impiegherà molto tempo per arrivare. 2. Perciò preferisco telefonare. 3. Gli è che i miei genitori non hanno il telefono. 4. Ebbene, allora, spediamo loro un telegramma. 5. Impiegherà un po' piú di tempo. 6. Ma certamente sapranno la notizia del vostro arrivo domani mattina prima di mezzogiorno. 7. Non le sembra che vada bene cosí? 8. Per me sí; i miei genitori non si allarmeranno. 9. Pronto! Sí! A che ora pensa che rientrerà il Signor Paolo? 10. Abitualmente è in casa verso le sei.

Corrigé

1. Une lettre mettra longtemps pour arriver. 2. C'est pourquoi je préfère téléphoner. 3. C'est que mes parents n'ont pas le téléphone. 4. Eh! bien, alors, nous allons leur envoyer un télégramme. 5. Il mettra un peu plus de temps? 6. Mais certainement ils sauront la nouvelle de votre arrivée demain matin avant midi. 7. Cela ne vous semble pas bien comme cela? 8. A moi, si; mes parents ne s'inquiéteront pas. 9. Allô! Oui! A quelle heure croyez-vous que rentrera Monsieur Paolo? 10. Habituellement il est à la maison vers six heures.

Lecture

Il telefono

Gustavo — Perché non c'è il telefono? Cosí nessuno ci secca. E quando abbiamo bisogno di telefonare...
Lavinia — Andiamo da Rosaura al piano di sotto.
G. — E il telefono lo paga lei.
Leonardo. — Da me invece il telefono è già istallato, nel living, con derivazione in caso di chiamate notturne.
G. — Derivazione in camera da letto?
Le. — In quale stanza da letto avreste messo voi la derivazione?
G. — In nessuna. Non mi piace essere svegliato di soprassalto.
Le. — Ma dovendo scegliere, in quale?
G. — In quella dal capofamiglia, naturalmente. Anche per evitare disturbi alla signora.
Le. — E infatti è cosí. Giulietta há aggrottato la fronte. Quando aggrotta la fronte diventa perfino brutta. « E perché devi poter telefonare di notte senza che io senta e a chissà chi » ha detto. Ma io calmo : « e dove lo si dovrebbe mettere per la notte? » le ho domandato. « Nella mia », ha risposto.
G. — Quella ragazza aveva delle brutte intenzioni.

Alessandro de Stefani, *Il Sabato del Peccato* (S.I.A.D., Roma).

Le téléphone

Gustave. — Pourquoi il n'y a pas le téléphone? Ainsi personne ne nous dérange. Et quand nous avons besoin de téléphoner...
Lavinia — Nous allons chez Rosaura à l'étage d'en dessous.
G. — Et le téléphone c'est elle qui le paie.
Léonard — Chez moi au contraire le téléphone est déjà installé dans la pièce de séjour, avec dérivation en cas d'appels nocturnes.
G. — Dérivation dans la chambre à coucher?
Le. — Dans quelle chambre à coucher auriez-vous mis, vous, la dérivation?
G. — Dans aucune. Je n'aime pas être réveillé en sursaut.
Le. — Mais si vous aviez à choisir, dans laquelle?
G. — Dans celle du chef de famille, naturellement. Également pour éviter de déranger Madame.
Le. — Et en fait c'est ce qui se passe. Juliette a plissé le front. Quand elle plisse le front elle en devient même laide. « C'est parce que tu dois pouvoir téléphoner la nuit sans que j'entende et à je ne sais qui », a-t-elle dit. Mais moi calmement : « et où devrait-on le mettre pendant la nuit? » lui ai-je demandé. « Dans la mienne » a-t-elle répondu.
G. — Cette fille avait de mauvaises intentions.

49 Il °medico

1 Quando non stiamo °bene possiamo anche curarci da soli. Se abbiamo mal di testa, prendiamo una °compressa; se abbiamo •preso •freddo o siamo raffreddati, compriamo delle pastiglie •contro il •raffreddore. •Inoltre in tutte le farmacie si vendono medicine contro °l'influenza e °termometri per misurare la °febbre. Per i °dolori o per i reumatismi esistono liquidi o °creme per •frizioni. Se abbiamo mal di °stomaco ci sono compresse o •polveri da °sciogliere nell'acqua.

2 Se siamo ammalati invece è piú °prudente andare da un °medico. •D'altronde non possiamo fare •altrimenti se dobbiamo •interrompere la nostra attività professionale. Se possiamo °muoverci andiamo noi stessi a consultare il medico nel suo studio, se invece siamo •costretti a °letto il medico viene a visitarci durante il suo giro di •consultazioni a domicilio.

3 Il medico redige una °ricetta in cui indica le medicine da prendere e prescrive il regime da seguire. In °seguito, il farmacista prepara la medicina •secondo la ricetta del medico.

VALE PIU UN ASINO VIVO CHE UN •DOTTORE MORTO

Traduction

Le médecin

1 Lorsque nous ne sommes pas bien, nous pouvons également nous soigner nous-mêmes. Si nous avons mal à la tête nous prenons un comprimé. Si nous avons attrapé froid et si nous sommes enrhumés nous achetons des pastilles pour le rhume. En outre dans toutes les pharmacies l'on vend des remèdes pour la grippe, des thermomètres pour prendre (mot à mot : mesurer) la fièvre. Pour les douleurs ou pour les rhumatismes, il existe des liquides ou des crèmes pour se frictionner.
Si nous souffrons de l'estomac il existe des cachets ou des poudres à dissoudre dans l'eau.

2 Si nous sommes malades, par contre il est plus prudent d'aller chez le médecin. D'autre part, nous ne pouvons faire autrement si nous devons interrompre nos activités professionnelles. Si nous pouvons nous déplacer, nous allons, nous-mêmes, consulter le médecin dans son cabinet; si, au contraire, nous gardons la chambre, le médecin vient nous voir au cours de ses consultations à domicile.

3 Le médecin rédige une ordonnance sur laquelle il indique les médicaments à prendre et il prescrit le régime à suivre. Ensuite le pharmacien prépare le médicament selon l'ordonnance du médecin.

Vocabulaire

La medicina est à la fois « la médecine » et « le médicament ».
*La farmac**i**a, il farmacista; il prodotto farmac**e**utico,* le produit pharmaceutique.
*La p**i**llola,* la pilule; *lo scir**o**ppo,* le sirop; *il calm**a**nte,* le calmant; *il ricostitu**e**nte,* le reconstituant; *il digest**i**vo; l'ov**a**tta,* le coton hydrophile; *lo sp**i**rito denaturato,* l'alcool dénaturé; *il cerotto = lo sparadr**a**ppo,* le sparadrap.

Chien en vie vaut mieux que lion mort
(m. à m. : un âne vivant vaut plus qu'un docteur mort).

Grammaire

■ Verbes.

1) *costringere, prendere, scrivere, prescrivere.*
Vous remarquerez : *costringere, costruire, istituire, iscrivere.* En français nous avons un n avant l's.
2) ***E**ssere malato,* être malade. *Non star bene,* ne pas être bien.
3) Acheter = *comprare* ou *comperare.*

Ecco, voici, voilà. Suivi de l'adverbe *qui* ou *qua : ecco qui,* voici; *ecco qua,* voilà. Suivi d'un pronom : ***e**ccolo,* le voici; ***e**ccoci arrivati,* nous voici arrivés; ***e**ccovi questo,* voici ceci pour vous.

■ Pluriel.

Medico, amico font *medici, amici. Mais stomaco,* fait *stomachi.* Et *farmacia, farmacista* = pharmacie, pharmacien. Dans la leçon 50 : *alcoolico, dentista, stitico* font *alcoolici, dentisti, stitici.*

■ Prépositions.

1) Chez un médecin = *da un medico.*
Les médicaments à prendre = *le medicine da prendere.*
se soigner tout seul = *curarsi da soli.*
chambre à coucher = *stanza da letto* (leçon 48).

2) *Lontano da noi,* loin de nous; tandis que *vicino a noi, accanto a noi* près de nous.

Exercices

1. Comment allez-vous? Mieux ou plus mal? 2. Un peu mieux grâce aux médicaments que m'a donnés le docteur. 3. Cela n'a pas été facile, croyez-le bien! 4. J'avais très mal à la tête. 5. L'aspirine ne me faisait rien. 6. Je ne savais que faire. 7. Vous aviez mal à l'estomac? 8. Pas beaucoup, c'était un malaise général. 9. Maintenant je peux sortir autant que je le veux. 10. La vie est beaucoup plus agréable comme ça, n'est-ce pas?

Corrigé :

1. Come sta? Meglio o peggio? 2. Un po' meglio grazie alle medicine che mi ha dato il dottore. 3. Non è stato facile, lo creda! 4. Avevo molto male alla testa. 5. L'aspirina non mi faceva nulla. 6. Non sapevo che cosa fare. 7. Aveva mal di stomaco? 8. Non molto, era un malessere generale. 9. Ora posso uscire quanto voglio. 10. La vita è molto piú piacevole cosí, non è vero?

Lecture

Come fare a meno del Medico

Se accanto a voi non c'è qualche Dottore
da consultare, o amici, eccovi qua
tre norme da seguire in ogni età :
Riposo limitato e Buon Umore
e soprattutto la Sobrietà.

Moyens de se passer du Médecin

S'il n'est nul Médecin près de votre personne,
Qui dans l'occasion puisse être consulté;
En voici trois que l'on vous donne :
Un fond de Belle Humeur, un Repos limité,
Et surtout la Sobriété.

(*L'Art de conserver sa santé,* ENIT, Salerno).

Leçon

Dal medico e dal dentista

1 — Bene, cos'è che non va? Dove le fa male?
— °Dopo pranzo ho dei dolori allo st**o**maco, •lavoro con difficoltà e ho •spesso delle emicranie.
— Quanti anni ha? — Quaranta.
— Fuma? •Beve alco**o**lici? Fa ginn**a**stica? °Dorme bene? Quante ore? Conduce una vita regolata? Ha avuto °l'influenza quest'°inverno? Va regolarmente di °corpo? È st**i**tico?
— No, piuttosto il contrario!

2 — Si °spogli, ora la ausculterò. Si sdrai sul lettino. Le faccio male? Questa parte è un po' sens**i**bile. Bene! Respiri °forte. Il cuore •funziona bene. Nessun °problema di circolazione. La •tensione arteriale è normale.

3 Penso che il f**e**gato e la •vescichetta non funzi**o**nino come si deve. •Faremo quindi un'an**a**lisi del sangue e delle urine. Le prescriverò una cura quando vedremo i risultati. Mangi cibi •leggeri. °**E**viti tutto ciò che è pesante e i grassi. Non è niente di grave, ma bisogna fare •attenzione. •Ritorni a farsi visitare fra otto giorni.

4 (Dal dentista)
— Pronto •dottore? Potrei venire oggi pomeriggio?
— Ho degli •appuntamenti fino alle otto e mezzo di stasera.
— °Soffro molto, ho un mal di °denti terr**i**bile da piú di due ore.
— Va bene. Allora venga alle sei. Cercherò di farla passare fra due v**i**site.
— Grazie anticipate, dottore. A piú tardi.

LA LINGUA BATTE DOVE IL DENTE DUOLE

Traduction

Chez le médecin, chez le dentiste

1 — Eh bien! qu'est-ce qui ne va pas? Où avez-vous mal? — Après déjeuner, j'ai des douleurs à l'estomac, je travaille avec difficulté et j'ai souvent des migraines. — Quel âge avez-vous? — Quarante ans. — Vous fumez? Vous buvez de l'alcool? (mot à mot : des alcools). Vous faites de la gymnastique? Dormez-vous bien? Combien d'heures? Avez-vous une vie réglée? Avez-vous été grippé cet hiver? Allez-vous régulièrement à la selle? Vous êtes constipé? — Non plutôt le contraire.

2 — Déshabillez-vous. Maintenant je vais vous ausculter. Allongez-vous sur ce divan. Je vous fais mal? Cette région est un peu sensible. Bien! Respirez fort. Le cœur va bien. Aucun problème de circulation. La tension artérielle est normale.

3 Je pense que le foie et la vésicule ne fonctionnent pas comme il faut. Nous allons donc faire une analyse de sang et une analyse d'urine. Je vous donnerai votre traitement lorsque nous verrons les résultats. Manger légèrement (mot à mot : des plats légers). Évitez tout ce qui est lourd et les graisses. Ce n'est rien de grave, mais il faut faire attention. Revenez vous faire examiner dans huit jours.

4 (Chez le dentiste)
— Allo Docteur? Est-ce que je pourrais venir cet après-midi? — J'ai des rendez-vous jusqu'à 8 h 30 ce soir. — Je souffre beaucoup, j'ai une rage de dents depuis plus de deux heures. — Bien! Alors venez à six heures. Je tâcherai de vous faire passer entre deux consultations. — Merci à l'avance, Docteur. — A tout à l'heure.

Vocabulaire

Il dente, la dent, *il dentista,* le dentiste (pluriel : *i dentisti); il dente del giudizio,* ... de sagesse; ... *i denti artificiali = i denti finti,* les fausses dents.
Il dentifricio, le dentifrice, *lo spazzolino,* la brosse à dents.
La radice, la racine; *la carie,* la carie.
Il dolore; la sofferenza, la souffrance; *l'insonnia,* l'insomnie; *il mal di testa, di pancia,* le mal de tête, de ventre.

De l'abondance du cœur la langue parle
(m. à m. : la langue bat où la dent fait mal).

Grammaire

■ Verbes.
1) *Penso che... non funzionino. Funzionare* est au subjonctif présent, contrairement à ce qui est de règle en français.

De même après : *credo che...*

2) *Bisogna fare :* « bisognare » ne s'emploie que suivi d'un infinitif ainsi que nous l'avons déjà dit. On peut dire aussi : *occorre fare attenzione.*
3) *Spargere,* répandre, *sparsi, sparso* (§ 62).
Précédemment nous avons raccordé *sparso* au français « épars » pour aider la mémoire.

■ Mots invariables.

1) *Molto* traduit très ou beaucoup (« moult » en ancien français); *moltissimo* est un superlatif.

Molto occupato; soffro molto.

2) *Da piú di due ore,* depuis plus de deux heures; *piú di due ore fa,* voici plus de deux heures.

Fra due ore, dans deux heures.
Fra due visite, entre deux consultations.

Non è niente di grave = Non è per nulla grave. Grave peut s'appliquer aussi au malade : *il malato non è grave :* le malade n'est pas gravement atteint.

Exercices

1. Ebbene, no signore, non avevo vizi! 2. Non sono mai stato malato. 3. La sola cosa è che ho molto da fare. 4. Lavoro, dopo pranzo, fino a molto tardi. 5. Non prendo quasi vacanze. 6. Mia moglie è molto gentile; ha molta pazienza. 7. Ma, per finire, questo genere di vita, non le si addice. 8. Ho i nervi molto stanchi. 9. Ho bisogno di qualche cosa, di qualche regime per rimettermi. 10. Non può continuare cosí. 11. Non ha bisogno di nessuna medicina. 12. Deve calmarsi e basta.

Corrigé

1. Eh bien! Non Monsieur je n'avais pas de vices! 2. Jamais je n'ai été malade. 3. La seule chose c'est que j'ai beaucoup à faire. 4. Je travaille, après le dîner, jusque très tard. 5. Je ne

prends presque pas de vacances. 6. Ma femme est très aimable; elle a beaucoup de patience. 7. Mais, enfin, ce type de vie ne lui convient pas. 8. J'ai les nerfs très fatigués. 9. J'ai besoin de quelque chose, de quelque régime pour me remettre. 10. Vous ne pouvez pas continuer ainsi. 11. Vous n'avez besoin d'aucun médicament. 12. Vous devez rester tranquille, c'est tout.

Lecture

Contro il mal di denti.

Spargi di bianchi porri le sementi,
Giusquiamo, incenso sui carboni ardenti;
Poi, con l'ausilio di un comune imbuto,
Il fumo aspira a fondo, e in un minuto
Si attenua e cessa il tuo dolor di denti.

Contre le mal de dents.

Afin de conserver vos dents,
Mettez sur la braise allumée
La graine de poreau, la jusquiame et l'encens;
Et par un entonnoir prenez-en la fumée.

(*L'Art de conserver sa santé,* ENIT, Salerno)

Leçon

Contrôle et révisions

Revoyez les notions de grammaire étudiées depuis la leçon 41.

A *(passé simple) :*

1. Vous m'avez demandé où j'allais. 2. Je vous ai répondu : — je serai à Pise le 13 juillet. 3. Je vous ai dit : — si vous pouviez m'accompagner, ce serait très bien. 4. Vous avez ajouté : — J'en serais très contente. 5. N'est-ce pas ce que vous avez dit?

B *Traduire de deux manières :*

6. Si l'on a du temps, l'on va à pied à travers les petites rues. 7. Si l'on trouve une église, l'on peut y entrer. 8. Si l'on veut choisir un souvenir, on peut le voir aujourd'hui et le revoir demain.

C

9. Vous n'aimez pas vous promener à pied? 10. Si vous saviez comme c'est agréable! 11. Si vous aviez visité Venise à pied, vous auriez vu beaucoup plus de choses! 12. Je pense que vous avez raison. 13. Je vous suggère de venir avec moi la prochaine fois.

D

14. Apporte-moi du vin, s'il te plaît. 15. Sers-le-moi. 16. Pose-le sur la table. 17. D'eau! Ne m'en mets pas. 18. Mademoiselle, apportez-nous du café s'il vous plaît. 19. Servez-le-nous. 20. Posez-le sur la table. 21. Ne mettez pas de sucre.

E

22. Où allons-nous? A droite ou à gauche? 23. En face, voici l'hôtel de ville. 24. Le musée n'est donc pas loin d'où nous sommes. 25. Nous en sommes même très près. 26. Sur la droite vient la rue Cavour. 27. Prenons-la. 28. Nous y serons avant qu'il n'ouvre.

Corrigé :

A 1. Lei mi domandò dove andavo. 2. Io le •risposi : — Sarò a Pisa il tr**e**dici luglio. 3. Le dissi : — Se potesse accompagnarmi, sarebbe un' °**o**ttima °cosa. 4. Lei aggiunse : — ne sarei •molto °contenta. 5. Non è questo che disse?

B 6. Se si ha °tempo, si va a °piedi per le stradine. (Se abbiamo tempo, andiamo...). 7. Se si °trova una °chiesa, ci si può entrare. (Se troviamo una chiesa, ci possiamo entrare.) 8. Se si vuol •sc**e**gliere un °ricordo, si può vederlo oggi e rivederlo domani. (Se vogliamo sc**e**gliere un ricordo, possiamo...).

C 9. Non le piace passeggiare a piedi? 10. Se sapesse quanto è •piac**e**vole. 11. Se lei avesse visitato Venezia a piedi, avrebbe visto molte piú cose. 12. Penso che lei abbia ragione. 13. Le suggerisco di venire con me la °pr**o**ssima volta.

D 14. °P**o**rtami del vino, per •piacere. 15. °S**e**rvimelo. 16. °P**o**salo sulla t**a**vola. 17. Acqua! non •m**e**tterne! 18. •Signorina, ci °porti del caffè, °prego. 19. Ce lo °serva. 20. Lo •metta sulla t**a**vola. 21. Non metta z**u**cchero.

E 22. Dove andiamo? A °destra o a sinistra? 23. Di •fronte, °ecco il Municipio. 24. Il °museo dunque non è lontano da dove siamo. 25. Ne siamo anche •molto vicini. 26. A destra °viene via Cavour. 27. Prendi**a**mola. 28. Ci saremo prima che apra.

Leçon

I monumenti, i musei

1 In un •paese si tr**o**vano di s**o**lito due edifici p**u**bblici : il municipio e la ○chiesa. Piú la città è importante, piú grande ○diventa il n**u**mero degli edifici p**u**bblici.
Nelle città •popolose, le stazioni e i grandi magazzini p**o**ssono ○acc**o**gliere un gran n**u**mero di persone : la posta centrale, le banche, le sedi delle grandi società, le compagn**i**e di •assicurazione ecc. ○**o**ccupano a ○volte ○interi edifici.

2 In una capitale i ○differenti servizi amministrativi sono distribuiti in var**i** uffici. In molte città ○moderne i servizi amministrativi sono riuniti in uno ○stesso ○luogo chiamato Centro Amministrativo. Per risparmiare spazio si costruisce in •alt**e**zza : sono i ○grattacieli.

3 I turisti vis**i**tano soprattutto i •monumenti che pres**e**ntano un ○interesse art**i**stico : cattedrali, chiese o ○templi, ○cappelle. Molti palazzi e molti ○castelli sono trasformati in ○musei.

4 Le ○biblioteche p**u**bbliche, le università e i ○c**o**llegi, i teatri e le sale da ○concerto dànno ad una città la •reputazione e il ○tono di città intellettuale.

MEGLIO VOTARSI A D**I**O CHE AI SANTI

Traduction

Les monuments. Les musées

1 Dans un village on trouve d'ordinaire deux édifices publics : la mairie et l'église. Plus la ville est importante, plus le nombre des édifices croît.
Dans les villes peuplées, les gares et les grands magasins peuvent recevoir un grand nombre de personnes. La poste centrale, les banques, les sièges des grandes sociétés, les compagnies d'assurance, etc., occupent parfois des immeubles entiers.

2 Dans une capitale, les différents services administratifs sont répartis entre plusieurs bureaux. Dans beaucoup de villes modernes, les services administratifs sont réunis dans un même endroit appelé Centre administratif. Pour économiser la place on construit en hauteur : ce sont les gratte-ciel.

3 Les touristes visitent surtout les monuments qui présentent un intérêt artistique : cathédrales, églises, ou temples, chapelles. Beaucoup de palais et beaucoup de châteaux sont transformés en musées.

4 Les bibliothèques publiques, les Universités et collèges, les théâtres et salles de concerts donnent, à une ville, la réputation et le ton d'une ville intellectuelle.

Vocabulaire

L'ufficio (pluriel : *gli uffici*) est le bureau où l'on travaille. *Gli uffici dell'Alitalia,* les bureaux de la Compagnie Alitalia. La table-bureau est la scrivania. Ne confondez pas avec *Gli Uffizi,* les Offices c'est-à-dire *la Galleria degli Uffizi,* à Florence.
La Compagnia, la Società, l'Ente (masculin) sont synonymes. Ex. : *una compagnia aerea, una società d'assicurazione, l'Ente nazionale italiano per il turismo* (ENIT).
La cattedrale et *il duomo* sont synonymes. Ex. : *il duomo con la cupola sono di Brunelleschi,* la cathédrale avec son dôme sont de B.

Il vaut mieux Dieu prier que ses saints
(m. à m. : mieux se vouer à Dieu qu'aux saints)

Le château, *il castello;* le château-fort, *la rocca forte; il palazzo,* [tç], le palais; *il palazzo di Giustizia,* le palais de justice. *Il palazzo della Ragione* (à Vicence, à Mantoue, etc) était *le municipio* de maintenant, l'hôtel de ville. *Il commissariato di polizia,* le commissariat de police.

Grammaire

■ Verbes. *Ritenere, Perdere, rendere, nascere.* (Mémento § 62)
La formule 1, 3-3 donne pour *nascere : nacqui, nacque, nascemmo, nacquero.*
L'imparfait du subjonctif de ces verbes est régulier.
Se perdessi al giuoco, mi spiacerebbe, si je perdais au jeu, je le regretterais.

■ Formation de mots.

Nous vous avons déjà fait observer certaines constances dans la différence entre certains mots italiens et leur correspondant français :
1. ***bianco,*** *la chiave, la chiesa, piangere, la pioggia;* blanc, la clef, l'église, pleurer, la pluie (leçon 45). Ajoutons : *la piazza,* la place. *Piacenza,* Plaisance; *piacere,* plaire ou le plaisir; *la pianta,* la plante; *la pianta,* le plant, *il fiore,* la fleur. *Fiorire (fiorisco :* comme *capire),* fleurir; *il fiume,* le fleuve.

2. Constatons que certains adjectifs en -able en français sont en *-abile* en italien : ***indimenticabile,*** inoubliable. Exemples :
potabile, amabile, contabile, comptable, *cantabile.*
D'autres sont terminés en *-evole :* ***lodevole,*** louable; *gradevole,* agréable, *mutevole,* changeant, *immutevole,* immuable. Précédemment nous avons rencontré : *valevole,* valable (leçon 30) *confortevole,* confortable (leçon 33) N.B. : *autorevole,* autorisé (leçon 30) compétent.
Pluriels : *artistici, pubblici, tipici, melodici* (les singuliers sont en *-co*).

Exercices

1. C'est une ville très intéressante. 2. Il faut visiter les monuments. 3. Je dois sortir de l'hôtel à huit heures du matin. 4. Je ferai un tour dans le centre. 5. Je serai de retour à l'hôtel vers midi. 6. Nous verrons ensuite ce que nous ferons l'après-midi. 7. J'aime beaucoup aller à pied dans les vielles rues. 8. Vous n'aimez pas (cela)? 9. Bien sûr que si.

Corrigé :

1. È una città molto interessante. 2. Bisogna visitare i monumenti. 3. Devo uscire dall'albergo alle otto del mattino. 4. Farò un giro nel centro. 5. Sarò di ritorno all'albergo verso mezzogiorno. 6. Vedremo dopo quello che faremo nel pomeriggio. 7. Mi piace molto andare a piedi per le vecchie strade. 8. Non le piace (ciò)? 9. Sí certo.

Lecture

Amedeo Modigliani (Livorno 1884-Parigi 1920).

In Modigliani riaffiora un istintivo gusto per la linea squisitamente musicale e leggera, che in qualche modo si può ritenere connaturato alle origini toscane dell'artista e alle sue probabili, ancorché scarsamente documentate, simpatie per i Primitivi senesi. Nascono cosí le piú tipiche creazioni modiglianesche, nelle quali la linea, senza perdere la sua melodica fluidità, si fa capace di coordinare e unificare i piani della composizione e di articolarla in profondità nei suoi valori di volume, in stretta aderenza con la funzione lirica del colore, esaltato in gamme di intensa purezza e preziosità. Sensualità e malinconia si alternano a slanci di umana pietà nelle sue indimenticabili, gentilissime immagini di fanciulli del popolo precocemente maturi, di giovinette patite, di intellettuali e di artisti la cui inquietudine spirituale è resa con timbro penetrante e pur pieno di delicata discrezione, di donne angelicate e di splendenti nudi femminili.

E. Carli, G.-A. Dell'Acqua, *Storia dell'Arte, vol. II (Istituto italiano di Arti grafiche, Bergamo).*

Chez Modigliani, apparaît un attrait instinctif pour la ligne délicatement musicale et légère, qui d'une certaine manière peut être considérée comme inhérente aux origines toscanes de l'artiste et à ses sympathies probables, bien que maigrement documentées, pour les primitifs siennois. Ainsi naissent les créations les plus typiques de Modigliani, dans lesquelles la ligne, sans perdre sa mélodique fluidité, devient capable de coordonner et d'unifier les plans de la composition et de l'articuler en profondeur dans ses valeurs de volume, en rapport strict avec la fonction lyrique de la couleur, exaltée en gammes d'impureté et de préciosité. Sensualité et mélancolie alternent dans des élans d'une pitié humaine : inoubliables et très charmantes images d'enfants du peuple précocement mûrs, de jeunes filles souffreteuses, d'intellectuels et d'artistes dont l'inquiétude spirituelle est rendue avec un timbre pénétrant et cependant plein de délicate discrétion, de femmes angéliques et de splendides nus féminins.

Leçon

Al Museo e alla Cattedrale

1 — Per favore, è aperto oggi il mus**e**o?
— Sí, signore, il museo è aperto tutti i giorni fuorché il martedí.
— A che ora?
— Dalle °dieci alle •d**o**dici il mattino, e dalle quatt**o**rdici alle diciasette il pomeriggio. I mercoledí e i venerdí dalle venti alle •ventidue.

2 — Quanto costa, per favore? Sono uno °studente, e credo di avere diritto ad una •riduzione.
— °Certo signore, tariffa •ridotta, come per i gruppi.
— Può dirmi dove si tr**o**vano i Fra' Filippo Lippi?
— Le sale riservate ai Fra' Filippo Lippi sono chiuse per •lavori, e le •tele sono temporaneamente esposte nel °sottosuolo. •Scenda la scala che si trova in fondo alla galler**i**a dei Primitivi e °prenda il primo corridoio a sinistra, dopo la sala delle sculture °greche.

3 — Dove posso trovare delle riproduzioni?
— Al •pianterreno, signore, a sinistra dopo la sala da tè.
— Vorrei l'autoritratto di Michel**a**ngelo. Lei ce l'ha in bianco e •nero, ma io lo vorrei a colori.
— Mi dispiace, signore, l'abbiamo solo in bianco e nero; ma se des**i**dera abbiamo delle diapositive.

PEZZO DA MUSEO

Traduction

Au musée et à la cathédrale

1 S'il vous plaît, le musée est-il ouvert aujourd'hui? — Oui, Monsieur, le Musée est ouvert tous les jours à l'exception du mardi. — A quelle heure? — De 10 h à 12 h le matin et de 14 h à 17 h l'après-midi. Les mercredi et vendredi de 20 à 22 heures.

2 — Combien est-ce, s'il vous plaît? Je suis étudiant et je crois que j'ai droit à une réduction. — Certainement, Monsieur, tarif réduit, comme pour les groupes. — Pouvez-vous me dire où se trouvent les Fra Filippo Lippi? — Les salles consacrées aux Fra Filippo Lippi sont fermées pour travaux et les toiles sont temporairement exposées au sous-sol. Descendez l'escalier qui se trouve au fond de la galerie des primitifs et prenez le premier couloir à gauche, après la salle des sculptures grecques.

3 — Où puis-je trouver des reproductions? — Au rez-de-chaussée, Monsieur, à gauche après le salon de thé. — Je voudrais le portrait de Michel-Ange peint par lui-même. Vous l'avez en noir et blanc mais je le voudrais en couleur. — Je regrette, Monsieur, nous ne l'avons qu'en noir et blanc; mais si vous désirez, nous avons des diapositives.

Vocabulaire

Vous pouvez vous tromper de cent années! *Il Trecento* désigne les années 1300, c'est-à-dire le 14e siècle *(s**e**colo quattordic**e**simo); il quattrocento* est le 15e siècle; puis : *il cinquecento, il seicento, il settecento, l'ottocento;* le 20e siècle est donc : *il novecento* ou *il s**e**colo vig**e**simo.*
La mostra, l'exposition. Mais esp**o**rre *(esposi, esposto)* exposer.
Il pittore, lo scultore, le peintre, le sculpteur; *l'architettetto. Il pittore* est aussi le peintre en bâtiment; parfois on l'appelle : *l'imbianchino.*
La pittura, la scultura, l'architettura.
*Gli affreschi, la pittura ad **o**lio; dipinto ad olio,* peint à l'huile.
*I primitivi senesi, fiorentini, v**e**neti, lombardi;* les primitifs siennois, florentins, vénitiens, lombards...

Vieille momie (pièce de musée).

Grammaire

■ Verbes.

ridurre, réduire; prés. *riduco,* p. s. *ridussi,* f. *ridurrò* cond. p. *ridurrei,* part. p. *ridotto* (§ 62).
condurre, conduire; *sedurre,* séduire; *dedurre,* déduire; *scendere,* descendre : *scesi* [ç], *sceso* [ç]; *ascendere,* monter; *accendere,* allumer (§ 61).

Rappel : j'aime Michelange. ***Mi piace Michelangelo.*** Le sujet en italien est le complément en français; donc : *mi piacciono le tele dei pittori primitivi,* j'aime les toiles des peintres primitifs. *A lei (le) piacciono?* Et vous, vous les aimez? (*le* est le pronom complément indirect.)

■ *Fuorché il martedí.*

Vous pouvez dire aussi *al di fuori del martedí,* en dehors du mardi. *Fuorché = fuori che =* hors de. Un expatrié se dira : *un fuoruscito* (*uscita,* sortie) un hors la loi, *un fuorilegge; fuorviare,* fourvoyer (aussi *sviare qualcuno,* mettre quelqu'un hors de son chemin).

■ Pluriel.

romanici, unici, pittorici.
Bianco fait *bianchi* comme tous les mots en -co de deux syllabes. Mais *greco, greci; porco, porci.*

Exercices

1. Le musée est fermé? 2. Oui Monsieur; le mardi il n'est pas ouvert. 3. A quelle heure peut-on monter à la tour le matin? 4. Je voudrais quatre billets. 5. Aujourd'hui comme c'est dimanche, vous ne payez pas. Passez! 6. Raphaël est en haut et Giotto en bas. 7. Ne vous trompez pas. 8. Où sont les Patini? 9. Quels jours sont ouvertes les galeries de peinture moderne? 10. Les bijoux sont-ils exposés?

Corrigé :

1. Il museo è chiuso? 2. Sí, signore, il martedí non è aperto. 3. A che ora si può salire sulla torre il mattino? 4. Vorrei quattro biglietti. 5. Siccome oggi è domenica, lei non paga. Passi! 6. Raffaello è in alto e Giotto, in basso. 7. Non si sbagli. 8. Dove sono i Patini? 9. In quali giorni sono aperte le gallerie di pittura moderna? 10. I gioielli sono esposti?

La Basilica di San Francesco d'Assisi.

La Basilica di San Francisco ad Assisi si compone di due chiese sovrapposte, con piante a croce commissa : l'una, inferiore, saldamente ancorata alla roccia del Subasio è simile ad una vasta cripta romanica nelle sue basse e cavernose arcate a tutto sesto e nelle sue ampie crociere; l'altra, superiore, slanciata e leggera con un'unica luminosa navata nitidamente spartita da pilastri a fascio e coperta da una ritmica e serena successione di volte a crociera sestiacute : immagine di fervida meditazione e di raccolta preghiera la prima, concreto strumento agli ideali e agli scopi del nuovo ordine religioso la seconda, « pronta al fremito della parola ». E veramente l'ariosa vastità dell'interno del tempio superiore sembra fatta per accogliere in ogni sua parte e riecheggiare senza impedimenti la voce dei predicatori; mentre non meno eloquente si dispiega sulle pareti il mirabile ciclo delle storie francescane affrescate da Giotto, con un' esemplare e quasi miracolosa capacità di integrazione tra il linguaggio pittorico e i valori dell'architettura.

E. Carli — G.A. Dell'Acqua *Storia dell'Arte, I, (Istituto Italiano di Arti grafiche, Bergamo).*

La Basilique de Saint François d'Assise.

La Basilique de Saint François à Assise se compose de deux églises superposées suivant un plan en croix à forme de T; l'une inférieure, solidement ancrée dans la roche du Mont Subasio est semblable à une vaste crypte romane dans ses arcades basses et caverneuses en plein cintre et dans ses amples galeries; l'autre, la supérieure, élancée et légère avec une lumineuse nef unique clairement divisée par des pilastres en faisceaux et couverte d'une succession rythmique et sereine de voûtes à croisées sexpartites; la première, image de méditation fervente et de prière recueillie, la seconde, instrument concret des idéaux et des desseins du nouvel ordre religieux, « sensible au frémissement de la parole ». Et vraiment l'ampleur aérienne de l'intérieur du temple supérieur semble faite pour accueillir dans toutes ses parties et propager sans entraves la voix des prédicateurs; tandis que non moins éloquent se déploie sur les murs le cycle admirable de l'histoire de Saint François peinte à la fresque par le Giotto, avec une capacité d'intégration exemplaire et presque miraculeuse entre le langage pittoresque et les valeurs de l'architecture.

Leçon

53 A Teatro

1 — Ci sono dei posti per « Cosí è se vi pare », per martedí prossimo alle venti e quarantacinque?
— Mi dispiace, signore, è una serata di gala. Non ho piú nulla, tutto è esaurito. °Forse potrebbe °rivolgersi ad una agenzia. Però i posti di °loggione si vendono tre quarti d'ora prima dell'inizio dello spettacolo; se vuole avere qualche probabilità dovrebbe venire a fare la •coda a partire dalle venti.

2 — E per la °« Locandiera » di giovedí pomeriggio ha ancora qualche posto?
— Sí, per giovedí pomeriggio rimangono quattro strapuntini in galleria, due posti in un palco e la •poltrona numero trecentocinquanta in °platea. Quanti posti desiderava?
— Due.
— Allora in platea il centotrenta e il centotrentadue, davanti e di lato. È tutto quello che posso darle, ma sono posti abbastanza °buoni.

3 Chi è l'attrice che interpreta la « Locandiera » giovedí? Emilia da Fonti?
— No, la sua sostituta. — Peccato!
— Allora, signore, ha deciso? Prende questi due posti o no?
— Bene, li prendo lo stesso.

4 — (Al °controllo cassa).
— I biglietti, prego. — Ecco.
— La scala a destra, primo piano. (La maschera):-Che posti ha, signore?... — Ecco, subito dopo la signora vestita di azzurro. Molte grazie, signore!

LA CRITICA È FACILE, L'ARTE È DIFFICILE

Traduction

Au théâtre

1 — Y a-t-il des places pour « A chacun sa vérité », pour mardi prochain 20 h 45? — Je regrette, Monsieur c'est soirée de gala, je n'ai plus rien; tout est pris. Peut-être pourriez-vous vous adresser à une agence. Cependant, les places de quatrième galerie sont mises en vente trois quarts d'heure avant le début du spectacle. Si vous voulez avoir quelque chance, vous devriez venir faire la queue à partir de vingt heures.

2 — Et pour la « Locandiera » de jeudi après-midi, vous avez encore quelques places? — Oui, pour jeudi après-midi il reste quatre strapontins au balcon, deux fauteuils de loge et le numéro 350 à l'orchestre. Combien de places désirez-vous? — Deux. — Alors à l'orchestre le 130 et le 132, en avant et de côté. C'est tout ce que je puis vous donner, mais ce sont des places assez bonnes.

3 — Qui est-ce qui joue la « Locandiera » jeudi? E. da F.?
— Non, sa remplaçante. — Dommage!
— Alors, Monsieur, avez-vous décidé? Prenez-vous ces deux places ou pas? — Bien! Je vais les prendre quand même.

4 — (Au contrôle). — Les billets, s'il vous plaît. — Voici. — Escalier de droite 1er étage.

5 (L'ouvreuse). — Quelles places avez-vous, Monsieur? — C'est tout de suite après la dame en bleu... Merci beaucoup, Monsieur.

Vocabulaire

Cosí è se vi pare, du verbe *parere. Mi pare che...,* il me semble que...; synonyme : *mi sembra che...*
Distinguez bien : *mi dispiace di..., mi pento di..., rimpiango...*
Ex. : *mi dispiace di non poter avere un posto per il teatro,* je regrette de ne pouvoir avoir une place pour le théâtre.
Rimpiango la nostra vecchia casa, je regrette notre vieille maison. (*il rimpianto,* le regret; *il compianto,* les regrets après une mort). *È morto tra il compianto generale,* il est mort regretté de tout le monde (m. à m. : parmi le regret général).

La critique est aisée et l'art est difficile
(m. à m. : la critique est facile, ...).

Mi pento di essere stato scortese, je regrette d'avoir été discourtois.

Les composés de *fare : far la coda,* faire la queue; *far fare,* faire faire; *farsi tagliare i capelli,* se faire couper les cheveux.

Lo svantaggio (texte p. 233); le contraire est *il vantaggio,* l'avantage.

Distinguez : *insegnare,* enseigner; *imparare,* apprendre.

Grammaire

■ Verbes.

1) *Sostituire, sostituisco,* remplacer.

2) *Mi dispiace* (voyez le rappel concernant piacere, à la leçon 52).

Je regrette... pourra se dire :

a) *Mi dispiace di non poter avere un posto per il teatro.*

b) *Rimpiango la nostra vecchia casa;* je regrette notre vieille maison.

c) *Mi rammarico di non vederla;* je regrette de ne pas vous voir.

Les infinitifs : *rimpi**a**ngere* se conjugue comme *pi**a**ngere,* pleurer. *(rimpiansi, ripianto).*

3) *Far la coda; far costruire,* faire constuire; *far fare,* faire faire; *far tagliare;* faire couper.

■ Pluriels.

Collega, colleghi. (tous les mots en -ca, en -ga conservent leur son au pluriel, sauf *belga, belgi); barocco, barocchi; palcosc**e**nico, palcosc**e**nici.*

Exercices

1. Vous me donnez une place pour la représentation de onze heures et demie? 2. A quels prix en avez-vous? 3. J'en ai à tous les prix. Ce que vous voudrez. 4. Je voudrais assez en avant pour mieux entendre. 5. Ces deux places sont très bonnes. 6. Elles ne sont pas assez près. 7. Vous verrez et vous entendrez bien. 8. Arrivez à l'heure exacte. 9. La représentation commence à neuf heures et demie précises. 10. Au revoir Monsieur! A tout à l'heure!

Corrigé :

1. Mi dà un posto per la rappresentazione delle undici e mezzo? 2. A che prezzi ne ha? 3. Ne ho a tutti i prezzi. Ciò che vorrà. 4. Vorrei abbastanza in avanti per sentir meglio. 5. Questi due posti sono ottimi. 6. Non sono abbastanza avanzati. 7. Vedrà e sentirà bene. 8. Arrivi in orario. 9. La rappresentazione inizia alle nove e mezzo precise. 10. Arrivederla signore, a presto.

Lecture

Gli Italiani sono tutti attori.

L'eccessiva facilità degli Italiani nell'esprimere gli stati d'animo costituisce, strano a dirsi, uno svantaggio per i cantanti e gli attori. Forse essi sono troppo riccamente dotati dalla natura; possiedono piú capacità native e piú talento di quanto sia necessario. La loro esuberante recitazione diventa troppo facilmente barocca se non è severamente controllata. I migliori impiegano anni per disimparare quel che invece devono imparare molti dei loro colleghi stranieri. Orson Welles osservò una volta acutamente che l'Italia è piena di attori, cinquanta milioni di attori, in effetti, e che quasi tutti sono bravi; ve ne sono soltanto pochi cattivi ed essi si possono trovare per lo piú sui palcoscenici e nei cinema.

Luigi Barzini, Gli Italiani *(Ed. Mondadori, Milano).*

Les Italiens sont tous acteurs.

L'excessive facilité des Italiens à exprimer les états d'âme constitue, cela est étrange à dire, un désavantage pour les chanteurs et pour les acteurs. Peut-être sont-ils trop richement doués par la nature; ils possèdent plus de capacités innées et plus de talent qu'il n'en est nécessaire. Leur récitation exhubérante devient trop facilement baroque si elle n'est pas sévèrement contrôlée. Les meilleurs mettent (m. à m. : emploient) des années à désapprendre ce qu'en revanche doivent apprendre beaucoup de leurs collègues étrangers. Orson Welles, une fois, a finement observé que l'Italie est pleine d'acteurs, 50 millions d'acteurs, en effet, et que presque tous sont bons; il n'y en a que peu de mauvais et on peut les trouver pour la plupart sur les scènes et au cinéma.

Il palio di Siena

1 — Tu che fai della pittura mi saprai dire perché quel •color bruno si chiama °terra di °Siena.
— Te lo dirò; non perché io sia un modesto dilettante di °acquarello, ma perché ho assistito al Palio. La pista sulla quale si °svolge il °corteo °storico è °coperta di una terra che ha quel colore e che si °intona con le case circostanti. Ma tu sai che cosa è il Palio? Anzitutto Palio che significa?

2 — Credo che significhi drappo, un drappo che si dà in °premio al •vincitore delle •corse di cavalli.
— Ma non si tratta esattamente di ippica. È un insieme e una °successione di gare fra le diciassette contrade nelle quali è divisa la città, ognuna con i suoi colori, i suoi stendardi, i suoi costumi, il suo spirito di competizione, che stabilisce una momentanea rivalità, ma, nell' insieme, conferisce a tutta la cittadinanza un °orgoglio collettivo e tradizionale.

3 — Allora capisco perché tutti l'hanno nel sangue.
— Siena è connaturata col Palio al quale i •senesi pensano e •lavorano tutto l'anno. Il periodo delle corse e dei festeggiamenti va dal due luglio al •sedici •agosto, ma il •fervore che anima il Palio dura •ininterrottamente da un' estate all'altra, ed esalta la grande anima senese, cosí esuberante, artista, geniale, assetata di •superamento, di °indipendenza e di vittoria.

CONTRO LA FORZA RAGION NON VALE

Traduction

Le palio de Sienne

1- Toi qui fais de la peinture, tu sauras me dire pourquoi cette couleur brune s'appelle terre de Sienne.
— Je te le dirai, non que je sois un modeste amateur d'aquarelle, mais parce que j'ai assisté au Palio. La piste sur laquelle se déroule le cortège historique est recouverte d'une terre qui a cette couleur et qui s'harmonise avec les maisons des alentours. Mais tu sais ce qu'est le Palio? Avant tout Palio qu'est-ce que cela signifie?

2- — Je crois que cela signifie drap, un drap que l'on donne en récompense au vainqueur des courses de chevaux. Mais il ne s'agit pas exactement de sport hippique. C'est un ensemble et une suite de concours entre les 17 districts entre lesquels la ville est divisée, chacun avec ses couleurs, ses étendards, ses costumes, son esprit de compétition qui établit une rivalité momentanée, mais qui, dans l'ensemble, confère à tous les citoyens un orgueil collectif et traditionnel.

3 Alors, je comprends pourquoi tous l'ont dans le sang. — Sienne est assimilée au Palio auquel les Siennois pensent et travaillent toute l'année. La période des courses et des festivités va du 2 juillet au 16 août, mais la ferveur qui anime le Palio dure d'une manière ininterrompue d'un été à l'autre, et exalte la grande âme siennoise, si exubérante, si artiste, si géniale et avide de dépassement, d'indépendance et de victoire.

Vocabulaire

L'Italie possède des parcs d'attraction, *parchi di divertimenti* avec des manèges, *giostre (la giostra); salire sul cavalluccio,* monter sur les chevaux de bois. Auto tamponneuse, *l'autoscontro. La zingara,* la bohémienne; *leggere la mano,* lire les lignes de la main. *Si gioca a pallone,* on joue au football; *...a palla a volo,* au volley-ball, *...a palla a canestro,* basket-ball (*il canestro,* le panier); *...a carte,* ...aux cartes; *...a scacchi,* aux échecs; *...a dama. Si nuota nella piscina,* on nage dans la piscine; *...nel mare; nuotare,* nager; *il nuoto,* la natation; *tuffarsi,* plonger.
Nei concorsi ippici, i cavalieri saltano gli ostacoli.

Force passe droit
(m. à m. : contre la force la raison ne vaut pas).

Grammaire

■ Verbes.

L'indicatif est le mode du fait réel; le subjonctif celui du fait supposé, du doute. Le subjonctif français tend à prendre le même sens, mais avec quelques différences.
Non perché io sia... Non parce que je suis un modeste amateur... mais parce que j'ai assisté... Par discrétion, par « modestie » l'on emploiera le subjonctif, mais l'assistance est un fait réel : on emploiera donc l'indicatif : *ma perché ho assistito.*
C'est le même sentiment qui dans : *credo che significhi drappo* fait que *significare* est au subjonctif.

● *Stabilire,* établir, *stabilisco* (comme *capire*).

■ ***Superate le porte di Siena...*** Une fois les portes de Sienne franchies... Le participe passé italien simplement placé en tête de la phrase permet de rendre cette tournure française : « une fois... »
Ex : Une fois la montagne franchie, nous sommes en Toscane, *valicata la montagna, siamo in Toscana.* Une fois le but dépassé, la victoire revint à l'équipe des rouges. *Superato il traguardo, la vittoria fu della squadra rossa.*

■ *Tutto quanto, tutto ciò che, tutto quello* ou simplement *quanto* traduisent « tout ce que ».

Exercices

1. Où dois-je aller pour acheter un billet pour le spectacle de cette après-midi? 2. Où vend-on les billets? 3. Allez au bar du Palio. 4. Si vous voulez seulement un billet, je peux vous le vendre. 5. Faites-moi le plaisir de vous asseoir, car je ne parviens pas à voir. 6. Qu'est-ce que la tortue, la panthère, l'escargot? 7. Ce sont des emblèmes symboliques de divers districts.

Corrigé

1. Dove devo andare per comprare un biglietto per lo spett**a**colo di questo pomeriggio? 2. Dove si vendono i biglietti? 3. Vada al Bar del Palio. 4. Se vuole solo un biglietto, posso v**e**nderglielo. 5. Mi faccia la cortesia di sedersi poiché non riesco a vedere. 6. Che cosa è la « tartaruga », la « pantera », la « chiocciola »? 7. Sono emblemi simb**o**lici di diverse contrade.

Una festa del genio senese.

È una festa che offre in immagini, in termini vivi, quello che le opere dei geni senesi hanno espresso nella loro arte squisita; come esse antica, eppure sempre viva e singolare tanto che distingue i compatrioti di Santa Caterina da tutti gli altri italiani e perfino dagli altri toscani. Talvolta docili e dolci, talvolta eccitati e bellicosi e subito dopo pazienti ed apatici e poco dopo ancora intolleranti e mordenti, essi trovano, in queste contraddizioni apparenti, il fermento vitale che proviene da una emotività in continuo risveglio, da una sensibilità incessantemente rimodellata attraverso i secoli, dal passato al presente. A tal punto che il passato resta vivo, attuale con la sua storia, quasi con la sua cronaca, nell'anima del popolo piú ancora che nei monumenti di pietra o le pagine dei libri; e la grandezza della città, in passato gloriosa e libera repubblica, non è oggetto di uno sterile rimpianto nostalgico : essa rivive di giorno in giorno, nel cuore fiero e negli atti degli abitanti.
Ecco quanto bisogna sapere se, superate le porte di Siena, si vuol comprendere la città nei molteplici aspetti e nell'espressione piú colorita e piú pittoresca del suo estro : il « Palio ».

(Azienda Autonoma di Turismo, Siena).

Une fête du génie siennois

C'est une fête qui offre en images, en termes vivants, ce que les œuvres des génies siennois ont exprimé dans leur art exquis; comme elles, ancienne, et pourtant toujours vivante et singulière, au point qu'elle distingue les compatriotes de Sainte Catherine de tous les autres Italiens et même des autres Toscans. Tantôt dociles et doux, tantôt emportés et belliqueux, aussitôt après patients, apathiques et peu après encore intolérants et mordants, ils trouvent, dans ces contradictions apparentes, le ferment vital provenant d'une émotivité toujours en éveil, d'une sensibilité sans cesse remodelée, à travers les siècles, du passé au présent. Si bien que le passé reste vivant, actuel, avec son histoire, presque avec sa chronique, dans l'âme du peuple, plus encore que dans les monuments de pierre ou les pages des livres; et la grandeur de la ville, jadis glorieuse et libre république, n'est pas l'objet d'un regret stérile et nostalgique : elle revit, jour après jour, dans le cœur fier et dans les actes des habitants.
Voilà ce qu'il faut savoir si, une fois franchies les portes de Sienne, on veut comprendre la ville sous ses multiples aspects et dans l'expression la plus colorée, la plus pittoresque de son génie : le « Palio ».

Leçon

Formule di cortesia

1 — Buona sera, come sta? — Bene, grazie e lei?
— Felice d'incontrarla. Mi •permetta di presentarle mia °sorella, che sua •moglie •conosce bene. — Molto onorato, signora!
— Buongiorno, infatti sua moglie mi ha parlato simpaticamente di lei.

2 — Non le ho chiesto come stanno i bambini!
— I bambini stanno bene, grazie. — E suo padre?
— Cosí, cosí, stenta a rimettersi dalla malattia; e la °morte di sua sorella l'ha colpito profondamente.
— Gli porti i miei saluti e miei •migliori auguri.
— Grazie, non mancherò.
— A °proposito ha notizie del suo amico magistrato?
— Sí grazie, il mio amico è sempre in gamba.
— Arrivederla, a °presto.

3 a) •Creda ai miei •sentimenti •amichevoli. b) °Accolga, signore, •l'espressione dei miei sentimenti piú distinti. c) La prego, signora, di accettare i miei piú °devoti omaggi. d) Mi °ricordi ai suoi.

4 a) Le auguro buon anno! — Altrettanto a lei! Grazie. b) Buon Natale e molti auguri per l'anno nuovo. c) Felicitazioni vivissime ai •giovani °sposi. d) Le invio le mie piú °sincere condoglianze.

CORTESIA NON RECA DANNO

Traduction

Formules de politesse

1 — Bonsoir, Monsieur, comment allez-vous? — Très bien, merci et vous-même? — Heureux de vous rencontrer. Permettez-moi de vous présenter ma sœur, que votre femme connaît bien. — Je vous présente mes hommages, Madame (mot à mot : très honoré, Madame). — Bonjour Monsieur, votre femme m'a beaucoup parlé de vous (mot à mot : avec sympathie).

2 — Je ne vous ai pas demandé comment allaient vos enfants? — Les enfants vont bien, merci. — Et votre père? — Moyennement. Il se remet difficilement de sa maladie et la mort de sa sœur l'a profondément affecté. — Vous lui transmettrez mes amitiés (mot à mot : mes salutations) et mes vœux de rétablissement. — Merci, je n'y manquerai pas. — A propos, avez-vous des nouvelles de votre ami magistrat? — Oui merci, mon ami est toujours plein de vigueur; (mot à mot : sur (ses) jambes). — Au revoir Monsieur; à bientôt.

3 a) Croyez à mes sentiments amicaux. b) Veuillez agréer, Monsieur, l'expression de mes sentiments les plus distingués. c) Je vous prie de bien vouloir agréer, Madame, l'expression de mes hommages les plus respectueux. d) Rappelez-moi aux bons souvenirs des vôtres.

4 a) Je vous souhaite une bonne année. — Moi aussi (m. à m. : autant pour vous), merci. b) Bon Noël; meilleurs vœux pour le nouvel an. c) Félicitations très vives aux jeunes mariés. d) Je vous exprime mes condoléances les plus sincères.

Vocabulaire

Je vous souhaite la bienvenue, *Le do il benvenuto;* ... de bonnes vacances, *Le auguro buone vacanze.* ... la bonne année, *Le auguro buon anno.* Meilleurs vœux, *migliori auguri.*
Je forme des vœux pour votre prompt rétablissement, *Formulo voti per la Sua pronta guarigione.*

Beau parler n'écorne point la langue
(m. à m. : courtoisie n'apporte pas de dommage).

Vœux de bonheur et de bonne santé, *Auguri di felicità e di buona salute.*
Saluer est *salutare; il saluto,* mais : *salute! = salve!,* salut! *Buon giorno, buona sera, buona notte.* Au revoir se dit de différentes manières : *a rivederla Signore, Signora, Signorina,* est la formule la plus respectueuse; *a rivederci* est plus familier (au plaisir de nous revoir). *Ciao* est très familier.
Fare un cenno di saluto, saluer d'un signe; *rispondere al saluto,* répondre au salut; *salutare, rivolgere il saluto,* adresser le salut. *Togliere il saluto,* cesser de saluer quelqu'un, l'ignorer (*togliere,* ôter, enlever).

Grammaire

■ Verbe *accogliere :* il se conjugue évidemment comme *cogliere : colgo, cogli...* donc, au subjonctif présent : *colga* (§ 62).
Comparez les deux temps du présent (indicatif et subjonctif) :
Indicatif : *accolgo, accogli, accoglie; accogliamo, accogliete, accolgono.*
Subjonctif : *accolga, accolga, accolga; accogliamo, accogliate, accolgano.*
Refaites souvent, avec d'autres verbes, ce même exercice de conjugaison; il constitue une excellente discipline mentale, à condition que vous ne le fassiez pas mécaniquement mais que vous repassiez chaque fois et sans faute par les mêmes points de repère, savoir :

a) l'infinitif est en -ęre : subjonctif en *a.*

b) l'irrégularité du présent de l'indicatif *accolgo* donne *accolga.*

c) Les 1re, 2e et 3e personnes du singulier du subjonctif présent sont semblables.

d) La 1re personne du pluriel est commune aux deux présents.

■ ***Cosí cosí!*** Comme ci, comme ça. Cette expression est fréquente en italien. Ex. : *Come sta? — Cosí cosí!* On pourrait répondre aussi : *Non c'è male!* ou bien *mediocremente.*

■ Pour l'emploi des majuscules à la forme polie, voyez le mémento § 17 C.

1 Il Gr. Uff. Dott[1]. Gino Bianchini e la Signora Joséphine Bianchini Delessert partecipano il matrimonio della loro figlia Isabella con il Signor Mario Cipriani.

Il Comm. Dott[2]. Ciro Cipriani e la Signora Elena Cipriani Vesperini, partecipano il matrimonio del loro figlio Mario con la Signorina Isabella Bianchini.

La cerimonia religiosa sarà officiata de S. Em. Rev. ma[3] il Signor Cardinale Egidio Vagnozzi nella Basilica di San Pietro in Vaticano — Cappella del S.S.[4] Sacramento il 2 Dicembre 19.. alle ore 11.

Roma — Via di Villa Ada, 10.

Roma — Via delle Grazie, 3.

Dopo la cerimonia gli sposi saranno lieti di salutare parenti ed amici all'Hôtel Cavalieri Hilton.

2 Olindo d'Angelo

Rosita Fernández.

partecipano il loro matrimonio avvenuto a Madrid il 7 gennaio 19..

1. Il Grand'Ufficiale Dottor.
2. Il Commendatore Dottor.
3. Sua Eminenza Reverendissima.
4. Santissimo.

1 Le Grand Officier Docteur G. B. et Madame ... font part du mariage de leur fille... avec...
La cérémonie religieuse sera célébrée par S. Em. Rév[e] Mgr le Cardinal E. V. dans la Basilique de Saint Pierre du Vatican — Chapelle du Très Saint Sacrement, le 2 décembre 19.. à 11 heures.
Rome — 10, Rue de Villa Ada...
Après la cérémonie, les époux seront heureux de saluer leurs parents et amis à l'Hôtel C. H.

2 O. d'A., R. F.
font part de leur mariage qui a eu lieu à Madrid le 7 janvier 19...

Leçon

Visita ad amici

1 (Si fissa l'•appuntamento per °telefono).
— Verremo a salutarvi da parte dei °nostri comuni amici i Berluti.
— Bene, ci hanno appunto annunciato la °vostra visita. Faremo la vostra conoscenza con molto •piacere. Venite una •sera dopo •cena, potremo chiacchierare. Che giorno vi farebbe °c**o**modo? Scegliete pure voi. •Avrete certamente molte cose da vedere e il tempo contato. Fissate un giorno e per noi andrà ben**i**ssimo.
— Andrebbe bene s**a**bato sera?
— Ah! no; il s**a**bato andiamo sempre fuori, ma rientreremo •dom**e**nica, non tropp**o** tardi per evitare gli •ingorghi sulle strade. Volete venire dom**e**nica °pr**o**ssima dopo cena, alle °nove?
— In l**i**nea di m**a**ssima va bene, ma abbiamo un appuntamento in serata, tuttav**i**a °penso che potremo **e**ssere a casa vostra per quell'ora. Dove potrei trovarvi nel caso •aveste un impegno imprevisto?... È giusto il vostro indirizzo : Via di San Giovanni in Laterano, 3?
— Sí, quarto piano, è la porta a destra uscendo dall'ascensore.
— Ben**i**ssimo, a presto!

2 — E lei, come trova questo •paese? Le piace stare qui? È la prima volta che viene?
— Sono qui solo da qualche giorno e mi piace molto. È il mio primo viaggio in Italia e °spero non sia l'**u**ltimo.
— Ha visto la •Mostra di pittura °moderna?
— Purtroppo no, parto domani per la provincia. Ma al •ritorno passerò di nuovo per la capitale e andrò a visitarla.

FARSI DESIDERARE

Traduction

Visite à des amis.

1 (L'on fixe le rendez-vous par téléphone).
— Nous irons vous saluer de la part de nos amis communs les Berluti.
— Bien, justement ils nous ont annoncé votre visite. — Nous ferons votre connaissance avec beaucoup de plaisir. — Venez un jour après dîner, nous pourrons bavarder. — Quel jour vous serait commode? C'est à vous de choisir. Vous aurez certainement beaucoup de choses à voir et votre temps est compté.
— Fixez un jour. Votre jour sera le nôtre. — Est-ce que samedi soir irait? — Ah! non; le samedi, nous sortons toujours, mais nous rentrerons dimanche pas trop tard pour éviter les encombrements sur les routes. Voulez-vous venir dimanche prochain après dîner à 9 h? — En principe cela va, mais nous avons un rendez-vous dans la soirée. Mais je pense que nous pourrons être chez vous, pour cette heure-là. Où pourrais-je vous trouver, dans le cas où vous auriez un engagement imprévu?... — Votre adresse c'est bien...?
— Oui, au 4e; c'est la porte de droite en sortant de l'ascenseur.
— Parfait, à bientôt.

2 — Et vous, comment trouvez-vous ce pays? Vous plaisez-vous ici? Est-ce la première fois que vous venez? — Je ne suis ici que depuis quelques jours et je m'y plais bien. C'est mon premier voyage en Italie et j'espère que ce ne sera pas le dernier.
— Avez-vous vu l'exposition de peinture moderne?
— Malheureusement non; je pars demain pour la province. Mais à mon retour je repasserai par la capitale et j'irai la voir.

Vocabulaire

L'appuntamento, le rendez-vous; *dare un appuntamento,* donner un rendez-vous. *Voglio prendere un appuntamento con lei,* je veux prendre un rendez-vous avec vous. Ne confondez pas avec les appointements : *il salario* (pour les ouvriers) *lo stipendio* (pour les employés).
Prendre congé, *accomiatarsi, congedarsi; tagliare la corda* (m. à m. : couper la corde) c'est filer à l'anglaise. *Il commiato,* le congé. Ne confondez pas avec : *il congedo,* le congé, les vacances; en outre : *licenziare,* donner congé.

Se faire désirer.

Chiacchierare, bavarder; *il chiacchierone,* le bavard; *le chiacchiere* (pluriel) le bavardage.
Vantarsi, se vanter; *uno spaccone, uno sbruffone,* un vantard.
Discutere, discuter; exprimer ses opinions, *esprimere le proprie opinioni. Qual è il suo parere (avviso), la sua opinione?* Quel est votre avis... *Essere del parere di,* être de l'avis de... : *sono del suo parere.*
D'accordo! D'accord!

Grammaire

■ Verbes.

Comparire, paraître, comparaître.
Il se conjugue sur le modèle de *parere* bien que la terminaison des infinitifs soit différente. Les verbes *apparire,* apparaître, *scomparire, sparire,* disparaître font comme *comparire* (Mémento § 69).
Mais ils peuvent aussi se conjuguer régulièrement comme *capire;* on a donc *compaio,* ou *comparisco,* je comparais.

■ Le verbe *chiacchieràre,* bavarder et le mot *chiacchierone,* bavard, tous deux curieux, par leur forme sonore nous suggèrent d'introduire ***chicchessia,*** qui que ce soit *(chi che sia),* ***checchessia,*** quoi que ce soit. Où que ce soit = ***dove che sia*** ou bien *dovunque.*
Vous remarquerez que *sia* apparaît avec un doublement d's. De même chissà, qui sait; *davvero,* vraiment; *nossignore, sissignore,* non, oui, Monsieur.

■ *Purtroppo,* malheureusement. *Peccato!* quel dommage! Le composé *« pure »* apparaît dans *neppure,* pas même, non plus (= *neanche*).

Non l'ho fatto neppure (neanche) io, je ne l'ai pas fait non plus.

Exercices

1. Bonsoir Monsieur Tasselli. 2. Je vous présente ma femme. 3. Bonsoir, Monsieur Berenti. Comment allez-vous? Bien merci, et vous? 4. Le voyage dans les Abruzzes s'est-il bien passé? 5. Fort bien. Nous avons été trois jours à Pescara et autant à l'Aquila. 6. C'est peu pour tout voir mais enfin nous avons beaucoup vu. 7. Nous n'aurions jamais imaginé que ce seraient deux villes aussi différentes l'une de l'autre. 8. Vous devez les connaître n'est-ce pas? 9. Vous devez y être allés plusieurs fois.

Corrigé.

1. Buona sera, signor Tasselli. 2. Le presento mia moglie. 3. Buona sera, signor Berenti. Come sta? Bene grazie, e lei? 4. Il viaggio in Abruzzo è andato bene? 5. Molto bene. Siamo stati tre giorni a Pescara e altrettanti all'**A**quila. 6. È poco per veder tutto, ma tutto sommato abbiamo visto molto. 7. Non avremmo mai immaginato che fossero due città cosí differenti l'una dall'altra. 8. Lei deve conoscerle, no? 9. Deve esserci stato diverse volte.

Lecture

Hai scroccato un pranzo!

Gli amici di Alberto e di M**a**rio, raramente compar**i**vano in casa nostra; Gino invece i suoi amici li portava sempre in casa, la sera. Mio padre li invitava a fermarsi a cena. Era, mio padre, sempre pronto a invitare a cena o a pranzo la gente; e magari poi c'era poco da mangiare. Aveva sempre paura, invece, che noi « scroc-c**a**ssimo pranzi » in casa d'altri. — Hai scroccato un pranzo alla Frances! Mi dispiace! — E se uno di noi era invitato da qualcuno a mangiare, e il giorno dopo diceva che questo qualcuno era noioso o antip**a**tico, mio padre s**u**bito protestava : — Antip**a**tico! Però gli hai scroccato un pranzo!

Natalia Ginzburg — *L**e**ssico-Famigliare (Ed. Einaudi).*

Tu as fait le pique-assiette!

Les amis d'Albert et de Mario, faisaient de rares apparitions chez nous; Gino au contraire, ses amis, il les amenait toujours à la maison, le soir.

Mon père les invitait à rester à dîner. Mon père était toujours prêt à inviter les gens à dîner ou à déjeuner; après quoi bien sûr, il y avait peu de chose à manger. Il avait toujours peur, par contre, que nous « escroquions des repas », chez les autres. Tu as fait le pique-assiette (m. à m. : tu as escroqué un repas) chez Frances! Je n'aime pas cela! Et si l'un de nous était invité par quelqu'un à manger, et que le jour d'après il disait que cette personne était ennuyeuse et antipathique, mon père protestait aussitôt — Anti-pathique! Pourtant tu lui as escroqué un repas!

Leçon

57 La campagna

1 — Mi piace molto la grande città, ma dopo otto giorni ho bisogno di prendere aria e di rivedere la campagna. Alcune •persone °possiedono una casa di campagna in cui vanno a passare le domeniche o la « fine settimana », se non lavorano il sabato o il lunedí. Ma •siccome io sono un turista, posso andare a fare un giro in campagna durante la settimana. Là tutto è calmo e riposante.

2 — Mi piacciono i °boschi con i viali diritti sotto i grandi alberi. Si può camminare per ore ed ore; si può montare a cavallo; ci si può °stendere all'*ombra degli alberi e perfino prendere bagni di sole. Mi piacciono anche molto gli spuntini sull'°erba.

3 — Mi piace pescare, benché nei nostri fiumi ci siano °pochi •pesci. Alcune •persone vanno a caccia. Io preferisco prendere delle fotografie a •colori o in bianco e •nero. Ultimamente ho fatto un film sulla vita in campagna ed ho •ripreso bellissimi paesaggi.

DOVE ENTRA IL SOLE NON ENTRA IL MEDICO

Traduction

La campagne

1 J'aime beaucoup la grande ville. Mais au bout de huit jours j'ai besoin de prendre l'air et de revoir la campagne. Certaines personnes possèdent une maison de campagne où elles vont passer les dimanches ou les fins de semaine, si elles ne travaillent pas le samedi ou le lundi. Mais, comme je suis touriste, je puis aller en semaine faire un tour à la campagne. Tout y est calme et reposant.

2 J'aime les forêts avec leurs allées droites sous les grands arbres. L'on peut y marcher des heures et des heures; l'on peut monter à cheval; l'on peut s'y étendre à l'ombre des arbres et, même, prendre des bains de soleil.
J'aime aussi beaucoup les repas sur l'herbe.

3 J'aime pêcher, bien que dans nos rivières il y ait peu de poissons. Certains vont chasser. Je préfère prendre des photographies en couleurs ou en noir et blanc. Dernièrement j'ai fait un film sur la vie à la campagne et j'ai pris de très beaux paysages.

Vocabulaire.

Il campo, le champ (*il camposanto,* le cimetière); *per i campi,* à travers les champs.

L'accorciatoia, l'accourci; *il viottolo,* le sentier; *la mulattiera,* le chemin muletier.

Il bosco, le bois (*San Giovanni Bosco,* Saint Jean Bosco; *Girolamo Bosco,* Jérôme Bosch). *La foresta, la selva,* la forêt; *il parco,* le parc; *la pineta,* la pinède; *il pino,* le pin; *il pignuolo,* le pignon.

L'oliveto, l'oliveraie (*l'olivo,* l'olivier; *l'oliva,* l'olive; *l'olivetta,* la petite olive). De même : *il castagneto,* la châtaigneraie, *il castagno, la castagna. La vigna,* le vignoble, la vigne; *l'uva,* le raisin; *il grappolo d'uva,* la grappe de raisin.

M. à m. : où entre le soleil n'entre pas le médecin.

Grammaire

■ Verbes.

Tingere, stendersi, riprendere (Mémento § 61).
Ne confondez pas *steso* de stendere avec *stesso,* même; appliquez-vous à bien prononcer les consonnes doubles.
Raccogliere se conjugue comme *cogliere* (p. 240).
Dans *accompagniamo, sogniamo,* nous rêvons, prononcez « gna » comme dans *San Gimignano,* la jolie ville toscane. Souvenez-vous qu'entre le groupe *-gn-* et les voyelles *a, e, o, u,* on ne trouve pas de *-i-*. Cependant, lorsque le radical d'un verbe est terminé par ce groupe -gn-, vous écrirez la terminaison -iamo, comme pour les autres verbes. Mais vous ne chercherez pas à prononcer cet « i ».

● *Benché,* bien que est suivi du subjonctif.

■ Quelques mots invariables.

Lí presso = lí vicino = lí accanto = là, tout près.
Lassú en haut *salire su.*
Laggiú, en bas *scendere giú.*
È su, il est en haut; *al di sopra;* en haut.
È giú, il est en bas; *al di sotto;* en bas.

Distinguez bien : ***subito,*** tout de suite. ***subito,*** subi.

Exercices

1. Aller à la campagne, pour sûr que cela me plaît. 2. Jamais je n'ai pensé que je sois un homme de la ville. 3. J'ai toujours aimé les arbres, les fleurs, les animaux, la tranquillité de la campagne et le chant des oiseaux plutôt que le bruit de la ville. 4. Je ne sais si vous pensez la même chose. 5. Moi je n'aimerais pas vivre à la campagne. 6. Y aller de temps à autre, oui! Être toujours dans un village, non! 7. Je suis un homme de la ville.

Corrigé

1. Andare in campagna, è sicuro che (ciò) mi piace. Non ho mai pensato che fossi un uomo di città. 3. Ho sempre amato gli alberi, i fiori, gli animali, la tranquillità della campagna e il canto degli uccelli piuttosto che il rumore della città. 4. Non so se voi pensiate la stessa cosa. 5. A me non piacerebbe vivere in campagna. 6. Andare ogni tanto, sí! Essere sempre in un villaggio, no! 7. Sono un uomo di città.

Un paesaggio silenzioso.

Il silenzio era di una specie affatto nuova a chi veniva dalla città : in quel silenzio si udiva il canto dell'usignuolo levarsi disegnando un argentino ghirigoro nell' aria trasparente. E, sotto il sole vivace del mattino, tutte le cose splendevano : le foglie che si movevano nel vento, e un breve corso d'acqua che passava lí presso e lo smeraldo delle colline, e il canalone ghiaioso della Majella.
Il podere era piccolo, ma ricco di ortaggi, e testimoniava una cura vigile e attenta. Subito, oltre il podere erano prati e brevi boschi frastagliati, poiché il terreno, in quella zona montagnosa, era tutto a terrazze e gradini.
Nel bosco crescevano querce e aceri; le foglie degli aceri in autunno si tingevano del rosa dei coralli e poi del rosso del sangue.
In quella completa solitudine io parlavo con gli alberi, mi chinavo a raccogliere un fiore sconosciuto e m'incantavo addirittura di fronte al delicato disegno di una foglia.

Alba de Céspedes, *Dalla parte di lei (Mondadori, Milano).*

Un paysage silencieux.

Le silence était d'un genre tout à fait neuf pour quiconque venait de la ville : dans ce silence on entendait le chant du rossignol s'élever dessinant dans l'air transparent un zigzag d'argent. Et sous le soleil vif du matin, toutes les choses resplendissaient : les feuilles qui remuaient dans le vent, un tout petit cours d'eau qui passait près de là et l'émeraude des collines et le vaste lit de gravier de la Majella.
La propriété était petite, mais elle abondait en légumes et témoignait des soins vigilants et attentifs. Immédiatement derrière la propriété il y avait des prés et des bosquets découpés, car le terrain, dans cette zone montagneuse, était tout en terrasses et en gradins.
Dans le bois poussaient des chênes et des érables; en automne, les feuilles des érables se teignaient d'un rose de corail (m. à m. : des coraux), puis d'un rouge de sang.
Dans cette complète solitude, je parlais avec les arbres, je me baissais pour cueillir une fleur inconnue et me laissais complètement fasciner à la vue du dessin délicat d'une feuille.

Escursioni

1 — Oggi fa •veramente bel tempo. Non °piove da due giorni; il sole °splende, la terra è asciutta. Potremo fare •colazione sull'erba oppure alla Locanda del °Bosco. Prepari dunque un pranzo al sacco : qualche panino, frutta e caffè in un °thermos. •Metteremo tutto nel sacco da montagna, e Giovanni lo porterà.

2 — Non •dimentichi il costume da bagno!
— •Purtroppo non l'ho preso. Potrebbe prestarmene uno?
— Certo! Chieda a Giovanni. Ha pressappoco le sue misure.
— Ci si può tuffare?
— Naturalmente. Spero che l'acqua sia calda. Gli altri anni avevamo l'abitudine di fare il bagno durante la settimana santa.

3 — Sa sciare? — Ha imparato da molto? — È nevicato. Peccato che non abbia portato i miei •scarponi da sci. Le piste sono magnifiche e c'è una sciovia. — Se •avessi saputo! — Ma venga ugualmente. Vedremo se possiamo trovare laggiú un paio di scarponi da sci. Generalmente ne affittano in albergo.

APERTA CAMPAGNA

Traduction

Excursions

1 — Aujourd'hui il fait vraiment beau. Il ne pleut pas depuis deux jours; le soleil brille; le sol est sec. Nous pourrons déjeuner sur l'herbe, ou bien à l'Auberge du Bois. Préparez donc un repas froid, quelques sandwichs, des fruits et du café dans une bouteille thermos. Nous mettrons tout dans le sac de montagne et Jean le portera.

2 — N'oubliez pas votre caleçon de bain! — Je ne l'ai pas pris malheureusement. Pourriez-vous m'en prêter un? — Bien sûr. Demandez à Jean. Il a à peu près votre taille. — Est-ce qu'on peut plonger? — Naturellement. J'espère que l'eau sera chaude. Les autres années nous avions l'habitude de nous baigner pendant la Semaine sainte.

3 — Est-ce que vous savez skier? — Y a-t-il longtemps que vous avez appris? — Il a neigé. Quel dommage de ne pas avoir apporté mes chaussures de ski. Les pistes sont magnifiques et il y a un téléski. — Si j'avais su! — Mais venez quand même. Nous verrons si, là-bas, nous pouvons trouver une paire de chaussures de ski. A l'hôtel on en loue généralement.

Vocabulaire

Il sacco da montagna se dit aussi *lo zaino;* le sac de couchage, il *sacco a pelo; il pelo,* le poil (le sac est fourré!).
Il giubotto, le duvet (le gilet). *Gli scarponi,* les chaussures de montagne, de ski. *La borraccia,* le gourde de métal. *La giacca a vento,* l'anorac (m. à m. : la jaquette pour le vent).
Il pane, le pain; diminutif : *il panino,* le petit pain, est aussi le sandwich.
Il cestino da viaggio, le panier à provisions (vendu, en particulier dans les gares) *il cesto, il canestro,* le panier.
Gli sci, les skis; prononcez [chi]; *scivolare,* glisser; *sciare,* aller à ski; prononcez [chia]. *La pista da sci. La sciovia,* le remonte-pente *(la filovia* est le trolleybus).
La teleferica, la funicolare.
La discesa, la descente; *la salita,* la montée; *salire,* monter (ne confondez pas avec : salir, *sporcare*).

En rase campagne (mot à mot : campagne ouverte).

Grammaire

■ Verbes.

occludere, scendere, ascendere, travolgere, raggiungere (Mémento § 61).

Aidez votre mémoire, *occluso* évoque l'occlusion; *raggiunto* = rejoint.

Rappel : ***1, 3,3.*** Pour rimanere : *rimasi,* je suis resté, *rimase, rimanemmo, rimasero.* A l'imparfait du subjonctif : *rimanesse.*

Se lei rimanesse alcune ore a Taormina vedrebbe l'Etna in piena eruzione, si vous restiez quelques heures à Taormine, vous verriez l'Etna en pleine éruption.

Rappel : *è nevicato,* il a neigé; *è piovuto,* il a plu; *è tuonato,* il a tonné; *è grandinato,* il a grêlé.
Mais : *ha fatto buon tempo* (cattivo tempo...).

■ ***Da otto giorni.***

Da un anno, da molto tempo, depuis un an, depuis longtemps.
Otto giorni fa, il y a huit jours.
Dal 1° Giugno, depuis le 1er Juin.
Dalla sua nascita, depuis sa naissance.
Fin dalla nascita, dès sa naissance.

Da quando l'ho visto? Depuis quand vous ai-je vu?

In otto giorni, en 8 jours (au plus); *entro otto giorni,* dans l'intervalle de huit jours.
Tra otto giorni = fra otto giorni, dans huit jours.
Per circa un anno, pendant près d'un an.

Exercices

1. Il y a longtemps que je ne suis pas allé à la montagne. 2. Je pense que cela me fera beaucoup de bien. 3. Je suis un peu fatigué par la vie que je mène. 4. Il y a trois mois que je ne sors pas de Rome. 5. Je sors de chez moi très tôt le matin et je rentre à l'heure du dîner. 6. D'ordinaire je suis enfermé dans mon bureau au moins huit heures par jour. 7. Je rêve de champs de neige. 8. Je rêve de repas faits d'omelettes et de vin du pays. 9. Certainement qu'à Pâques, il y aura encore de la neige. 10. Nous profiterons des fêtes pour y aller.

Corrigé

1. Da molto tempo non sono andato in montagna. 2. Penso che (ciò) mi farà molto bene. 3. Sono un po' stanco per la vita che conduco. 4. Da tre mesi non esco da Roma. 5. Esco di casa molto presto la mattina e rientro all'ora di cena. 6. Abitualmente resto rinchiuso nel mio ufficio per almeno otto ore al giorno. 7. Sogno campi di neve. 8. Sogno pasti fatti di frittate e di vino locale. 9. Certamente a Pasqua ci sarà ancora la neve. 10. Approfitteremo delle feste per andarci.

Lecture

Risveglio dell'Etna : trenta boati al minuto.

Catania, 12 gennaio. L'Etna (dopo due anni di quiete) riprende l'attività eruttiva : i primi sintomi si sono manifestati due giorni fa con modesti getti di sabbia infuocata dal cratere. Cenere e lapilli incandescenti (anche di notevole mole) vengono proiettati fino a duecento metri di altezza. Intanto dal cratere centrale si innalza una densa colonna di vapori.
Sulla vetta del piú grande vulcano d'Europa (tremila-duecento-settantatré metri) — ammantato di neve — i tecnici dell'Istituto di vulcanologia dell' Università di Catania conducono rilievi e osservazioni : un portavoce ha dichiarato che si è accentuata la pressione del gas nel condotto craterico rimasto occluso dopo l'ultima eruzione, e che il magma è in ascesa lungo il condotto stesso. È da attendersi quindi una fuoriuscita entro breve termine.

Réveil de l'Etna : trente grondements à la minute.

Catane, 12 janvier. L'Etna — après deux ans de tranquillité — reprend son activité éruptive. Les premiers symptômes se sont manifestés il y a deux jours, par de modestes jets de sable brûlant, hors du cratère. Des cendres et des pierres incandescentes — même de masse remarquable — sont projetées jusqu'à deux cents mètres de hauteur. En même temps, du cratère central s'élève une dense colonne de vapeurs. Sur le sommet du volcan d'Europe le plus grand (3 273 mètres) — recouvert de neige — les techniciens de l'Institut de vulcanologie de l'Université de Catane procèdent à des relevés et à des observations : un porte-parole a déclaré que la pression du gaz s'est accentuée dans le conduit du cratère resté bouché après la dernière éruption et que le magma monte le long du conduit lui-même. Il faut donc s'attendre à une expulsion dans un bref délai.

Acquisto di regali per gli amici

1 — Portare dei regalini ai °parenti e agli amici è sempre un problema. Che cosa farebbe loro •piacere?
Di quanto denaro posso •disporre per questo °genere di acquisti? E soprattutto quanto denaro mi resterà quando avrò pagato tutto (l'albergo, il tassí, il facchino, la °carrozza ristorante o — se viaggio in macchina — la benzina?) Mi piacerebbe non essere •costretto a cambiare il denaro prima della °partenza.

2 — •Inoltre quello che si •vende nei °negozi di regali vale davvero la •pena di essere acquistato? È veramente tipico e fatto nel paese?

3 — Che cosa porterò •come °ricordo ai miei parenti e ai miei amici? — Conosce il negozio di articoli da regalo per turisti sulla Piazza...? Che cosa pensa delle terrecotte che ha?
— Mi sembrano molto graziose. Ha anche delle bambole che rappresentano delle napoletane e delle siciliane. E sia! È una cosa corrente ma farà molto piacere alla mia nipotina.
Per suo fratello, potrò comperare una chitarra. Ma è proprio a miglior mercato qui che altrove? — Non so. Ma poi °viene da Perugia e ciò, ciò conta... Non crede?

A CAVAL DONATO NON SI GUARDA IN BOCCA

Traduction

Achats de souvenirs pour ses amis :

1 C'est toujours un problème que de rapporter des souvenirs à ses parents ou à ses amis. Qu'est-ce qui leur ferait plaisir? De combien d'argent puis-je disposer pour ce genre d'achats? Et surtout combien d'argent me restera-t-il quand j'aurai tout payé (l'hôtel, le taxi, le porteur, le wagon-restaurant ou — si je voyage en voiture — l'essence). J'aimerais bien ne pas avoir à changer d'argent avant mon départ (mot à mot : le).

2 En outre ce que l'on vend dans les boutiques de souvenirs vaut-il vraiment la peine d'être acheté? Est-ce que c'est vraiment typique et fait dans le pays?

3 Qu'est-ce que je vais rapporter comme souvenir à mes parents et à mes amis?
Connaissez-vous le magasin d'articles de souvenirs pour touristes sur la Grand-Place...? Qu'est-ce que vous pensez des poteries qu'il a? — Elles me semblent assez jolies. Il y a aussi des poupées qui représentent des Napolitaines et des Siciliennes. Soit! C'est une chose courante mais cela fera plaisir à ma petite nièce.
Pour son frère, je pourrai acheter une guitare. Mais est-ce bien meilleur marché ici qu'ailleurs? — Je ne sais pas. Mais enfin ça viendra de Pérouse et cela, ça compte... Vous ne croyez pas?

Vocabulaire

Dare, donare, faire un cadeau; donc : *il dono,* le cadeau. *Offrire,* offrir. On dit aussi : *il regalo, il presente. Un ricordino,* un petit souvenir. *La strenna,* le cadeau de fin d'année, les étrennes; *il premio, la gratificazione,* la prime, la gratification.
La ringrazio molto per il suo regalo, je vous remercie beaucoup pour votre cadeau. *Mille grazie, grazie tante, grazie molte.*
Alcuni regali tipicamente italiani : cravatte e fazzoletti di pura seta naturale, cravattes et foulards de pure soie naturelle; *scarpe per uomo o signora,* chaussures...; *vasellame* (singulier collectif),

---

A cheval donné, on ne regarde pas à la bouche (mot à mot : ... dans ...).

objets de faïence pour la table; *ceramiche,* objets en céramique; *oggetti in rame,* ...en cuivre; *argenteria; articoli di vimini,* articles de vannerie; *gioielli di corallo,* bijoux de corail; *fiaschi di vino; il vov,* liqueur à l'œuf.

Grammaire

■ Verbes.

Piacere, costringere, spendere sont les verbes irréguliers de la page 254, avec *potere, disporre, valere, fare, venire, essere.* En page 257 : *mettere, stringere, dire, volere, rimanere, parere.*

■ *Per lei,* pour vous. *Per amor suo,* par amour pour lui. *Questo titolo l'ho ottenuto per merito di alcuni amici,* ce titre je l'ai obtenu par l'intermédiaire de quelques amis. (aussi : *per mezzo di = grazie a ...*).

■ Pluriel.

Armonici; dans la leçon précédente : *magnifici, •tecnici, craterici.*

Exercices

1. J'ai dépensé beaucoup d'argent pendant mon séjour à Palerme. 2. La vie devient chaque année plus chère. 3. Mais malgré tout j'ai rapporté quelques souvenirs pour ma famille. 4. Voyons si ceci vous plaît. 5. J'ai pensé que ce service de table de couleur rose ira très bien avec le service à café que je vous ai rapporté l'année dernière d'Assise. 6. Merci infiniment. Cela me plaît beaucoup. Merveilleux, formidable! 7. Mais pourquoi vous dérangez-vous tant? 8. Il n'y a pas de quoi. C'est un grand plaisir pour moi si vous l'aimez. 9. Vous avez toujours été très aimable avec moi. 10. Et nous sommes amis depuis de nombreuses années.

Corrigé :

1. Ho speso molto denaro durante il mio soggiorno a Palermo. 2. La vita si fa ogni anno piú cara. 3. Malgrado tutto ho portato qualche ricordo per la mia famiglia. 4. Vedíamo se questo le piace. 5. Ho pensato che questo servizio da tavola di color rosa andrà benissimo col servizio da caffè che le ho portato l'anno scorso da Assisi. 6. Grazie tante. Mi piace molto. Meraviglioso, stupendo! 7. Ma perché si disturba tanto? 8. Non c'è di che. È un vero piacere per me se le piace. 9. Lei è stato sempre molto gentile con me. 10. E noi siamo amici da molti anni.

I regali.

— Non hai pensato che non possiamo tornare a casa senza i regali pei parenti e gli amici? I regali sono necessari : è il piú bel momento del ritorno, quando la gente aspetta che tu apra la valigia, i bambini stanno in gruppo e non parlano, la donna non osa mettere le mani sulle valigie e aspetta. Alla fine tu cavi fuori i regali uno per uno, come animali strani, di terre lontane, e i ragazzi li stringono quasi temendo di vederli scappare. Poi si parla di queste cose per molti giorni.
— È vero — dissi io — ma se tu ti metti a comperare regali, non ci restano piú ventimila lire tonde. Tra parenti e amici, pensa che cosa ci vuole! Non si possono fare cattive figure. Bisognava pensarci prima.
Camminammo un poco pensierosi lungo il fiume.
— Rimaniamo ancora un anno — disse Zigrino — In quest'anno metteremo insieme un po' di roba. Ma le ventimila lire non si toccano.
Ci pareva che a toccare queste ventimila lire, sarebbero franate come quei castelli di sabbia che i ragazzi fanno sulla riva del mare.
Corrado Alvaro, *L'amata alla finestra* (Éd. Bompiani, Milano).

Les cadeaux.

— Tu n'as pas pensé que nous ne pouvons revenir à la maison sans cadeaux pour les parents et les amis? Les cadeaux sont nécessaires; c'est le plus beau moment du retour, quand les gens attendent que tu ouvres ta valise, les enfants se tiennent en groupe et ne parlent pas, la bonne n'ose mettre les mains sur les valises et elle attend. A la fin tu extrais les cadeaux un à un comme des animaux étranges, de terres lointaines, et les enfants les serrent craignant presque de les voir s'échapper. Ensuite on parle de ces choses pendant des jours et des jours.
— C'est vrai, ai-je dit. Mais si tu te mets à acheter des cadeaux, il ne nous reste plus vingt mille lires tout rond. Entre parents et amis, pense à ce qu'il faut! On ne peut pas faire piètre figure (m. à m. : de mauvaises figures). Il fallait y penser avant.
Nous avons un peu marché, pensifs, le long du fleuve.
— Restons encore un an — dit Zigrino. Au cours de cette année nous amasserons un peu d'argent. Mais les vingt mille lires, on n'y touche pas.
Il nous semblait que si nous touchions à ces vingt mille lires, elles s'ébouleraient comme ces châteaux de sable que font les enfants au bord de la mer.

Leçon

A •zonzo, guardando le vetrine

1 — Non ho da fare alcun acquisto preciso. Guardo semplicemente le vetrine dei negozi. Non °ho portato denaro proprio °apposta.
Sono nel °quartiere dei negozi di lusso. C'è sempre buon gusto e molta fantasia. Guardare i negozi di antiquariato mi fa sognare e mi dà delle °idee per ammobiliare il mio appartamento.

2 — Mi piace guardare le vetrine dei gioiellieri, mi piacciono gli °effetti di luce °attraverso le bottiglie di profumo. Ammiro l'arte con cui sono presentati i piú •semplici oggetti come le piú belle •sete. Un bell'oggetto deve essere •messo in •valore.

3 — Mi piace entrare dal libraio, prendere un libro dallo scaffale, sfogliarlo, •rimetterlo a posto, riprenderne un altro. Mi piace non decidere subito, mi piace °riflettere, andare a vedere l'oggetto del mio °desiderio esposto in vetrina, immaginarlo a casa mia, pensare al servizio che potrà rendermi e infine comprarlo. Allora non mi delude perché è bello e utile e perché l'ho posseduto con l'immaginazione prima di ammirarlo e di servirmene a casa mia.

4 — Nel mio °vecchio °quartiere c'erano solamente negozi di commestibili : •Fruttivendoli, macellai, salumieri, un fornaio pasticciere proprio •sotto la mia casa.
Il °droghiere di •fronte che aveva un po' piú di fantasia dei suoi °concorrenti vendeva prodotti °esotici e piatti già preparati.

ANDARE A ZONZO

Traduction

En flânant, en regardant les devantures

1 Je n'ai pas d'achat particulier à faire. Je regarde simplement les devantures des magasins. Je n'ai pas emporté d'argent, exprès. Je suis dans le quartier des magasins de luxe. Il y a toujours du bon goût et beaucoup d'imagination. Regarder les boutiques d'antiquités me fait rêver et me donne des idées pour meubler mon appartement.

2 J'aime à regarder les devantures des bijoutiers; j'aime les effets de lumière à travers les flacons de parfums; j'admire l'art avec lequel sont présentées les choses les plus simples comme les plus belles soies. Un bel objet doit être mis en valeur.

3 J'aime entrer chez le libraire, prendre un livre sur le rayon, le feuilleter, le replacer, en reprendre un autre.
J'aime ne pas me décider tout de suite. J'aime réfléchir, aller revoir l'objet de mon désir exposé à l'étalage, l'imaginer chez moi, penser au service qu'il pourra me rendre et enfin l'acheter. Alors il ne me déçoit pas parce qu'il est beau et utile et que je l'ai possédé en imagination avant de l'admirer et de m'en servir chez moi.

4 Dans mon ancien quartier, il y avait seulement des magasins de comestibles : des marchands de légumes et de fruits, des bouchers, des charcutiers, un boulanger-pâtissier juste au bas de chez moi. L'épicier d'en face, qui avait un peu plus d'imagination que ses concurrents, vendait des produits exotiques, et des plats tout préparés.

Vocabulaire

Le antichità, les antiquités.
Acquisto (pluriel *gli acquisti*), l'acquisition; *acquistare,* acquérir.
Il compratore, l'acheteur, *il venditore.*
Discutere il prezzo, marchander; on dit aussi : *contrattare,* dans ce sens. Mais : *il contratto* est le contrat (en particulier, le contrat de location. Voir leçon 69). *Fare un contratto,* faire un contrat. *Ottenere una riduzione,* obtenir une réduction.
Essere a buon mercato, être bon marché; *caro,* cher. *Il mercato,* le marché; *il mercato coperto,* le marché couvert. *Un mercato vantaggioso,* un marché avantageux.

Rouler sa bosse (mot à mot : flâner).

Le gallerie d'arte, les galleries d'art.
Alcuni nomi di negozi : orologeria, horlogerie; *oreficeria,* orfèvrerie, *argenteria; giocattoli,* jouets (magasin de jouets); *abbigliamento maschile, femminile,* vêtements pour hommes, pour femmes.

Grammaire

■ Verbes.

colpire, frapper (*colpisco,* je frappe).
reggere, tenir, *ressi, retto* (§ 61).
reggere lo stato : tenir, gouverner l'État. *Reggere una famiglia numerosa,* soutenir une famille nombreuse.
Il sostẹgno della famiglia, le soutien de la famille.

È sopravvissuto.
Il a survécu; auxiliaire essere parce que *sopravvivere,* survivre est un verbe intransitif (c'est-à-dire dépourvu de complément direct d'objet. De même : ***è vissuto tre anni,*** il a vécu trois ans. Mais : *ha vissuto una gioventú laboriosa,* il a vécu une jeunesse laborieuse.

■ *Ammirevole.*
Dans les mots suivants : objet, spectacle, admirable, les groupes de consonnes -bj-; -ct-, -dm- ne se retrouvent pas en italien, mais ils sont représentés par la deuxième consonne doublée *-gg-, -tt-, -mm-.*

■ **Aussi.**
Perciò non so quando può venire. Aussi (c'est pourquoi) je ne sais quand il peut venir.
L'ho visto anch'io, je l'ai vu moi aussi. *E tu pure,* et toi aussi.
Cosí grande come me, aussi grand que moi.

Exercices

1. Que voulez-vous, Madame? 2. Moi? Rien de particulier. 3. Me permettez-vous de jeter un coup d'œil aux livres, pour voir si je trouve quelque chose qui m'intéresse (subjonctif)? 4. Passez, je vous en prie; il ne manquerait plus que cela. 5. Ici vous avez les livres de voyage, un peu plus loin ceux de théâtre. 6. Si vous ne trouvez pas ce que vous désirez, je suis à votre disposition. 7. Voici un objet très curieux. A quoi cela sert-il? 8. Pouvez-vous me le montrer? 9. Combien coûte-t-il? Je vous l'achète pour deux mille lires. 10. Je n'aime pas discuter les prix, mais parfois il faut le faire. N'est-ce pas?

Corrigé :

1. Che cosa vuole, signora? 2. Io? Niente di particolare. 3. Mi permette di dare uno sguardo ai libri, per vedere se trovo qualche cosa che mi interessi? 4. Passi, la prego; non ci mancherebbe altro. 5. Qui si trovano i libri di viaggio, un po' piú in là quelli di teatro. 6. Se non trova quello che desidera, sono a sua disposizione. 7. Ecco un oggetto curiosissimo. A che serve? 8. può mostrarmelo? 9. Quanto costa? Glielo compero per duemila lire. 10. Non mi piace discutere i prezzi, ma talvolta bisogna farlo. Non le pare?

Lecture

Artigianato, magazzini e moda.

I bei magazzini elegantemente addobbati pi**a**cciono agl'Italiani : perciò i commercianti rinn**o**vano spesso i loro locali e hanno una cura particolare per la presentazione delle mercanz**i**e offerte sempre con gusto.
Ciò che colpisce soprattutto il visitatore è che, vicino ai prodotti della grande industria moderna, fabbricati in serie e che r**e**ggono egregiamente al confronto con ciò che di meglio si trova sui mercati internazionali, è sopravvissuta, in Italia, una grande varietà di art**i**coli di fabbricazione artigianale. Tali oggetti, il cui costo è relativamente m**o**dico, se si cons**i**dera il loro valore art**i**stico, rappres**e**ntano il lavoro di **a**bili artigiani che mant**e**ngono in vita nei loro laboratori vecchie e illustri tradizioni, cercando al tempo stesso, ad applicarle e ad adattarle alle esigenze moderne, sfruttando le risorse del loro talento e del loro innato buon gusto.

E. N. I. T.

Artisanat, magasins et mode.

Les Italiens aiment les beaux magasins élégamment aménagés : aussi les commerçants renouvellent-ils souvent leurs locaux et apportent-ils un soin particulier à la présentation des marchandises toujours offertes avec goût.
Ce qui frappe surtout le visiteur c'est qu'auprès des produits de la grande industrie moderne, fabriqués en série et qui supportent sans dommage la comparaison avec ce que l'on trouve de mieux sur les marchés internationaux, a survécu, en Italie, une grande variété d'articles de fabrication artisanale. Ces objets dont le coût est relativement modique, si l'on considère leur valeur artistique, sont l'œuvre d'habiles artisans qui maintiennent en vie, dans leurs ateliers, de vieilles et illustres traditions tout en cherchant à les appliquer et à les adapter aux exigences modernes, en exploitant les ressources de leur talent et de leur bon goût inné.

Leçon

Contrôle et révisions

Revoyez les notions apprises depuis la leçon 51

A 1. Les Italiens accueillent bien les étrangers. 2. Nous avons été accueillis d'une manière très agréable. 3. Tout ce que nous avons voulu, nos amis nous l'ont offert. 4. Les trois semaines passées chez eux sont, pour nous, inoubliables.

B 5. Comment croyez-vous pouvoir faire ce travail? 6. Le ferez-vous vous-même? 7. Ne pensez-vous pas le faire faire? 8. Je n'aime pas faire travailler les autres. 9. Non qu'ils fassent plus mal que moi, mais c'est un principe. 10. Alors je regrette de ne pouvoir vous aider. 11. Qui sait? Peut-être le travail une fois fait, le regretterai-je aussi.

C 12. Où êtes-vous allés vous promener? Tout près d'ici? 13. Non, nous sommes montés tout là-haut. 14. Où? Au-dessus de la forêt? Vraiment? 15. Oui, au bout de deux heures nous n'étions pas encore arrivés. 16. Malheureusement il a plu. 17. Il faisait très froid. 18. Quel dommage! 19. Après il a fait très chaud. 20. Le ciel était très beau.

D *(Employez le passé simple) :*
21. J'ai perdu votre passeport. 22. Mais vous me l'avez rendu! 23. Nous avons vécu trois mois à Gênes. 24. Nos amis nous ont rejoints à la fin du mois dernier.

E 25. Aussi nous connaissons très bien la ville. 26. Elle est presque aussi grande que Milan. 27. Elle s'étend le long de la mer, au pied de la montagne. 28. Les montagnes sont magnifiques. 29. Il y a des endroits très pittoresques.

Corrigé :

A 1. Gli Italiani °accolgono °bene gli stranieri. 2. Siamo stati °accolti in °modo •molto •piacevole. 3. Tutto quello che abbiamo voluto, i nostri amici ce lo hanno °offerto. 4. Le tre settimane passate da loro sono per noi indimenticabili.

B 5. •Come •crede di •poter fare questo •lavoro? 6. Lo farà lei stesso? 7. Non °pensa di farlo fare? 8. Non mi piace far lavorare gli altri. 9. Non che facciano °peggio di me, ma è per principio. 10. •Allora mi dispiace di non poterla aiutare. 11. Chissà? •Forse una volta fatto il lavoro, dispiacerà anche a me.

C 12. Dove siete stati a passeggiare? Qui vicino? 13. No, siamo saliti lassú. 14. Dove? Piú in alto della °foresta •Davvero? 15. Sí, in cima a due •ore non eravamo •ancora arrivati. 16. Sfortunatamente è piovuto. 17. Faceva molto •freddo. 18. Che peccato! 19. Dopo ha fatto molto caldo. 20. Il °cielo era azzurro azzurro [ddz].

D 21. °Persi il suo °passaporto. 22. Ma lei me lo •rese! 23. Vivemmo tre •mesi a Genova. 24. I nostri amici ci raggiunsero alla fine del mese •scorso.

E 25. •Inoltre, noi conosciamo molto bene la città. 26. È quasi grande quanto Milano. 27. Si °estende lungo il mare, ai piedi della montagna. 28. Le montagne sono magnifiche. 29. Vi sono dei luoghi molto •pittoreschi.

Leçon

Acquisti in un °negozio di generi alimentari

1 (In un supermercato.)

a) — Dove sono i formaggi, per favore?

— In •fondo a sinistra vicino ai prosciutti.

b) — Non °trovo il reparto della pasticceria •secca.

— Guardi il °cartello azzurro dietro di lei, signora.

c) — Non •vedo il °prezzo. Non mi •sembra che sia indicato.

— Veda il capo reparto, signora, per quest'articolo.

2 (Dal negoziante.)

— Vorrei del burro, per favore.

— Quanto, signora? — °Mezzo chilo.

— Va bene cosí? Desidera altro? — No, grazie.

— Va bene. Ha una •rete? Se le può essere utile, le posso •mettere la carne in un •sacchetto.

— °Volentieri, grazie. — Prego, signora.

3 — Ho segnato tutto quello che devo comprare. Aspetti che guardo se non ho dimenticato nulla. Ah! Sono •costretta a ritornare, ho dimenticato di comprare il caffè e la cioccolata. Dove posso trovarne? E in che reparto si trovano i •prodotti per lavare i piatti e i detersivi per lavare la biancheria?

— Nel reparto casalinghi, signora.

CHI LA VUOL ALLESSO E CHI ARROSTO

Traduction

Achats dans un magasin d'alimentation

1 (Dans un supermarché.)
a) — Où sont les fromages, s'il vous plaît? — Au fond, à gauche, à côté des jambons.
b) — Je ne trouve pas le rayon des gâteaux secs. — Regardez l'écriteau bleu derrière vous, Madame.
c) — Je ne vois pas le prix. Il ne semble pas indiqué. — Voyez le chef de rayon pour cet article. Madame.

2 (Chez le détaillant.)
Je voudrais du beurre s'il vous plaît. — Combien Madame? — 500 grammes. — Est-ce que cela ira comme ceci? Et avec cela? — C'est tout. — Ce sera tout. Vous avez un filet? Si cela peut vous être utile, je puis vous mettre la viande dans un sac? — Volontiers, merci. — A votre service.

3 — J'ai noté tout ce que je dois acheter. Attendez que je regarde si je n'ai rien oublié. — Ah! Je suis obligée de retourner, j'ai oublié d'acheter le café et le chocolat. Où puis-je en trouver? — Et à quel rayon se trouvent les produits pour faire la vaisselle et les détersifs pour laver le linge? — Aux produits d'entretien Madame.

Vocabulaire

Il latte, il burro; le lait, le beurre; *la panna,* la crème fraîche.
L'Italie est fameuse par ses fromages : *il cacio, il formaggio,* le fromage. *Il parmigiano, la grana,* le parmesan; *il gorgonzola* sont des fromages très connus. Vous aimerez goûter aux différents fromages blancs plus ou moins fermentés : *la ricotta, il caciocavallo, lo stracchino, la mozzarella, il provolone. Il pecorino, la caciotta... La groviera,* le gruyère.
Quant aux produits carnés : *la mortadella; il salame,* le saucisson; *la salsiccia,* la saucisse; *il prosciutto,* le jambon; *lo strutto,* le saindoux; *il lardo affumicato,* le lard fumé; *la galantina; lo zampone,* le pied de porc farci.

Les avis sont partagés (mot à mot : qui la veut bouillie et qui rôtie).

Grammaire

■ Subjonctif.

Rappelons l'exemple : *credo che sia Pietro,* je crois que c'est Pierre. De même : *mi sembra che sia lui,* il me semble que c'est lui. Les verbes *credere, sembrare* marquent le doute par leur sens; en français « croire » et « sembler » ne demandent le subjonctif que lorsqu'ils sont à la forme négative.

■ Pluriel.

Dans la leçon précédente : *la serie, le serie.* Aujourd'hui : *casalinghi, m**o**dici, dramm**a**tici, patri**o**ttici.*
Certains mots désignant des parties du corps humain ont deux pluriels : l'un féminin en *a,* pour le sens figuré, l'autre masculin, en *i,* pour le sens propre.

> ***Il labbro,*** la lèvre; ***le labbra*** *rosse,* les lèvres rouges; ***i labbri*** *della ferita,* les bords de la blessure.
>
> De même *ciglio,* cil : *i cigli della strada,* les bords de la route; *membro,* membre; *i membri del parlamento.* Mais *le ciglia dell'occhio, le membra dell'uomo.*

Exercices

1. Que voulez-vous, Madame? 2. Choisissez. 3. Lequel des deux voulez-vous? 4. Ce poulet-ci pèse plus que l'autre. 5. Il est de meilleure qualité. 6. N'aimeriez-vous pas un de ces gâteaux? 7. Ne préféreriez-vous pas cet article? 8. Prenez celui-ci; il est très bon; c'est le meilleur que j'aie. 9. Je n'ai que ceci. 10. C'est tout ce que j'ai.

Corrigé :

1. Che cosa desidera, signora? 2. Scelga. 3. Quale dei due vuole? 4. Questo pollo pesa piú dell'altro. 5. È di qualità migliore. 6. Non le piacerebbe uno di questi dolci? è. Non preferirebbe quest'articolo? 8. Prenda questo; è molto buono; è il migliore che abbia. 9. Ho solo questo. 10. E tutto quanto abbia.

Lecture

Negozio di alimentari.

Le vetrine delle salumer**i**e sono degne del pennello di un antico pittore di nature morte, amante allo stesso modo di ritrarre e di mangiare i suoi soggetti : archi trionfali di prosciutti e mortadelle p**e**ndono dal soffitto come lampioncini veneziani, festoni di zamponi, di caciocavalli e di provoloni; mozzarelle in un bagno di latte, pilastri di forme di parmigiano verniciate di nero fun**e**reo, grandi vasi di olive, funghi sott'olio, cetrioli sotto aceto, barili di acciughe in salamoia.
Tutto è esposto in un dis**o**rdine dramm**a**tico e art**i**stico. Un tessuto di cotone a fiori, in vetrina, sembra srotolato con ira e scagliato contro chi guarda. Gli spaghetti disposti a fasci e a covoni sono legati in vita con nastri patri**o**ttici, bianchi, rossi e verdi. Fiaschi di vino e d'olio di oliva sono decorati con medaglie come eroi di guerra. Nelle vetrine dei macellai, p**a**llide teste di vitello, con gli occhi chiusi e le labbra increspate in un segreto sorriso interiore, t**e**ngono tra i denti un limone o un °garofano quasi ostentando il loro disprezzo per la morte.

Luigi Barzini, *Gli Italiani (Éd. Mondadori, Milano).*

Commerce d'alimentation.

Les vitrines des charcuteries sont dignes du pinceau d'un peintre ancien de natures mortes, aimant de la même façon représenter et manger ses sujets; des arcs de triomphe de jambons et de mortadelles pendent du plafond comme des lanternes vénitiennes, des festons de pieds de porc, de fromages secs et de provoloni; des mozzarelles dans un bain de lait, des piles de fromages de parmesan vernis de noir fumé, de grands bocaux d'olives, de champignons à l'huile, de cornichons au vinaigre, des tonneaux d'anchois dans la saumure.
Tout est disposé dans un désordre théâtral et artistique. Un tissu de coton à fleurs, en vitrine, semble déployé avec colère et lancé contre celui qui regarde. Les spaghetti disposés en faisceaux et en gerbes sont serrés (m. à m. : liés) à la taille par des rubans patriotiques, blancs, rouges et verts. Des bouteilles de vin et d'huile d'olive sont décorées avec des médailles comme des héros de guerre. Dans les vitrines des bouchers, de pâles têtes de veau les yeux fermés et les lèvres crispées en un secret sourire intérieur, ont, entre leurs dents, un citron ou un œillet, montrant presque leur mépris pour la mort.

Leçon

Libri, carta, giornali

1 Vorrei dell'°inchiostro stilografico •nero-azzurro e un ricambio per la •penna biro. È sempre sc**a**rica.
— Mamma, la •maestra ha detto che •occorre una grande sc**a**tola di matite colorate.
— Inoltre ho •rotto il pennino della stilogr**a**fica. Quanto tempo ci vuole per ripararlo?
— Prendo anche una •gomma.

2 — Carta da l**e**ttere, per favore.
— Ne ho di molte qualità e di diversi formati. E le buste? Vuole buste ordinarie o buste foderate?
— Vorrei anche carta per posta °a**e**rea. Un •blocchetto con un •pacchetto di buste.
— Le incarto tutto, signore? Vuole una °cordicella o dello °scotch?

3 — Ha giornali •francesi?
— Sí, signore. Si °serva pure.
— Ah, sono tutti dell'altro °ieri! A che •ora arr**i**vano?
— Di °solito fra le dieci e •mezzogiorno.
— Può m**e**ttermi da parte il Corriere della Sera. Passerò a pr**e**nderlo verso sera.
— °D'accordo.
— •Molte grazie. Lei è molto gentile, signorina.

LE PAROLE •VOLANO, GLI SCRITTI °RESTANO

Traduction

Livres, papier, journaux

1 — Je voudrais de l'encre à stylo bleu-noir et une recharge pour mon stylo à bille. Il est toujours vide. — Maman, la maîtresse a dit qu'il nous faut une grande boîte de crayons de couleurs... — En outre, j'ai cassé la plume de mon stylo. Combien de temps faut-il pour le réparer? — Je prends aussi une gomme.

2 — Du papier à lettre s'il vous plaît. — J'en ai de nombreuses qualités et de formats divers. Et comme enveloppes? Voulez-vous des enveloppes ordinaires ou des enveloppes doublées? — Je voudrais aussi du papier pour la correspondance par avion. Un petit bloc avec un paquet d'enveloppes. — Je vous enveloppe tout cela, Monsieur? Voulez-vous une ficelle ou du papier collant?

3 — Est-ce que vous avez des journaux français? — Oui Monsieur. Servez-vous donc. — Ah! ils sont tous d'avant-hier? A quelle heure arrivent-ils? — En général, entre 10 h et midi. — Pouvez-vous me mettre le Courrier du Soir de côté. Je passerai le prendre en fin d'après-midi. — Entendu. — Merci beaucoup. Vous êtes très aimable Mademoiselle.

Vocabulaire

La carta veut dire le papier; *carta carbone,* papier carbone; *carta asciugante,* buvard; *portacarte,* classeur; *la cartella,* la chemise (aussi : *la camicia*); *l'incartamento,* le dossier (aussi : *la pratica*). Le papier d'emballage : *la carta d'imballaggio.*
Il foglio di formato commerciale, la feuille de format commercial.
Il cartone, le carton; *il cartoncino,* la carte de visite.

La corda, lo spago, la ficelle : *datemi dieci metri di spago,* ou bien, à la forme polie : *mi dia...*

La carta da lettere, le papier à lettre; *la busta,* l'enveloppe.
Il taccuino, le carnet; *il quaderno,* le cahier. *L'agenda, il calendario; la macchina da scrivere,* la machine à écrire.

Il fermaglio, le trombone; *le spille,* les épingles; *le puntine da disegno,* les punaises; *la gomma.*

Les paroles s'envolent, les écrits restent.

Il libro tascabile, le livre de poche : *sfogliare un libro prima di comprarlo,* feuilleter un livre avant de l'acheter.
La penna stilografica, le stylo. *Il serbatoio,* le réservoir; *caricare,* charger, remplir d'encre; le contraire : *scaricare,* se décharger, se vider. *L'inchiostro stilografico,* l'encre à stylo.

Grammaire

■ *Si serva pure.*

Nous avons souvent rencontré *pure.*

a) *E tu pure,* et toi aussi. (C'est le sens de l'exemple du texte de la page 268).

b) *Purtroppo,* malheureusement.

c) *Neppure,* pas même : *non sapevamo neppure,* nous ne savions pas même. Synonyme : *non sapevamo neanche.*

■ *Adattare.*

Nous avons déjà constaté qu'aux mots français ayant deux consonnes différentes correspondent des mots italiens où la première consonne double en quelque sorte la seconde : adapter, accepter, objectif... *adattare, accettare, oggettivo.*

■ Rappels.

a) *Ne ho,* j'en ai. Le contraire : *non ne ho,* je, n'en ai pas.

b) *Un ottimo proiettile = un proiettile molto buono,* un très bon projectile.

■ Pluriels.

Stilografici, scarichi. Féminins pluriels : *stilografiche, scariche,* conformément à la règle générale.

Exercices

1. Mon stylo est cassé; pouvez-vous m'en montrer un autre? 2. Je voudrais cent feuilles de papier à lettre et cent enveloppes. 3. Cette qualité vous convient-elle? 4. Un papier plus fin, vous n'avez pas? 5. Celui-ci, oui, je le préfère. 6. Voulez-vous quelque chose d'autre? 7. Rien d'autre, merci beaucoup. 8. Pouvez-vous me l'envelopper? 9. Enveloppez-le-moi s'il vous plaît. 10. Au revoir Monsieur, à la prochaine fois.

Corrigé :

1. La mia stilografica è rotta; può mostrarmene un'altra? 2. Vorrei cento fogli di carta da lettera e cento buste. 3. Le va questa qualità? 4. Non ha una carta piú fine? 5. Questa sí, la preferisco. 6. Vuole altro? 7. Nient' altro, grazie molte. 8. Può incartarmelo? 9. Me lo incarti per favore. 10. Arrivederla, signore, alla prossima volta.

Lecture

Il valore dei libri.

Una signorina un giorno domandò a Mark Twain quale fosse secondo lui, il valore dei libri.
— Il valore dei libri è inestimabile — rispose il noto umorista — ma varia secondo le occasioni. Un libro legato in pelle è eccellente per affilare il rasoio; un libro piccolo, conciso, come ne scrivono i francesi, serve a meraviglia per la gamba più corta di un tavolino; un libro antico legato in pergamena è un ottimo proiettile per tirare ai gatti; e finalmente un atlante con i fogli larghi, ha la carta più adatta per aggiustare i vetri.

Mario Bormioll, G. Alfonso Pellegrinetti,
Letture Italiane per stranieri *(Mondadori, Milano).*

La valeur des livres.

Une demoiselle, un jour, demanda à M. T. quel était selon lui la valeur des livres.
— La valeur des livres est inestimable — répondit le fameux humoriste — mais elle varie selon les occasions. Un livre relié en peau est excellent pour affûter un rasoir; un petit livre, concis, comme en écrivent les Français, sert à merveille pour un pied de table plus court que l'autre; un vieux livre relié en parchemin est un excellent projectile à lancer aux chats; et finalement, un atlas aux grandes feuilles a le papier le plus adapté pour réparer les vitres.

Abbigliamento maschile

1 — Gli **a**biti da uomo d**e**vono **e**ssere ○sobri e ben tagliati. La ○moda può influire sul •colore del tessuto, la •forma della giacca, a un ○petto o a •doppio petto; i •bottoni •p**o**ssono **e**ssere messi piú o meno in alto. La •larghezza e la lunghezza dei •calzoni può variare da un anno all'altro. In ogni modo la mancanza di ○panciotto dà sempre un ○aspetto trasandato.
Solo nella •scelta della cravatta e nel modo di piegare il •fazzoletto del taschino un uomo si può •perm**e**ttere un •poco di fantas**i**a. Si può intonare la cravatta con i calzini solo se si tratta di colori scuri.

2 — I •gi**o**vani, che non hanno ancora una funzione sociale, ○g**o**dono di •maggiore libertà. L'eccentricità è ○propria della loro età, sempre che s**i**a di buon gusto e che st**i**a loro bene : calzoni di velluto a ○coste, camicie a scacchi, •maglioni di lana pesante...

3 — Vorrei farmi un sopr**a**bito.
Vuole mostrarmi il suo campionario? Che cosa si ○porta quest' ○inverno?
— ○Dipende dal suo gusto e dall'uso che ○intende farne; per la città o sportivo, svasato o diritto. Si porta di tutto; un po' piú •corto dell'anno •scorso. Queste tinte si p**o**rtano molto. La qualità è bella.
— Ho molta •fretta. Quando posso tornare per la prima ○prova?

L'**A**BITO NON FA IL ○MONACO

Traduction

Vêtements d'homme

1 Les vêtements d'homme doivent être sobres et bien coupés. La mode peut affecter la couleur du tissu, la forme de la veste, droite ou croisée; les boutons peuvent être placés plus ou moins haut. La largeur et la longueur du pantalon peuvent varier d'une année à l'autre. De toute façon, l'absence de gilet donne toujours un aspect négligé. Un homme ne peut se permettre un peu de fantaisie que dans le choix de la cravate, et la manière de plier la pochette. On peut harmoniser la cravate avec les chaussettes seulement s'il s'agit de couleurs foncées.

2 Les jeunes gens, qui n'ont point encore de fonction sociale, jouissent de plus de liberté. L'excentricité est propre à leur âge pourvu qu'elle soit de bon goût et si elle leur sied bien : pantalons de velours côtelé, chemises à carreaux, chandail de grosse laine...

3 — Je désirerais me faire faire un pardessus. Voulez-vous me montrer vos échantillons. Qu'est-ce qu'on porte cet hiver? — Cela dépend de votre goût et de l'usage auquel vous le destinez. (mot à mot : en faire) : pour la ville, ou pour le sport, forme raglan ou droite; tout se porte; un peu plus court que l'an passé. Ces tons-ci se portent beaucoup. La qualité est belle. — Je suis très pressé. Quand puis-je revenir pour le premier essayage?

Vocabulaire

Il tessuto, le tissu; *tessere,* tisser. *La tela,* la toile; *la stoffa,* l'étoffe, le drap; *i bottoni,* les boutons; *l'asola,* la boutonnière.
La seta, la soie; *la lana; il cotone; il lino; il nailon.*
Il petto, la poitrine; *una giacca a un petto* est donc un veston droit, par opposition à *una giacca a doppio petto,* croisé.
Una persona trasandata, une personne négligée; *trasandarsi,* se négliger. Négliger son travail, *trascurare il proprio lavoro.*
Il soprabito, le pardessus; *la tuta,* le survêtement, la combinaison; *la canottiera,* la chemisette; *lo slip,* le slip.
Aver fretta, être pressé; *un signore frettoloso,* un Monsieur pressé.

L'habit ne fait pas le moine.

Grammaire

■ Verbes.

1) Ayez vous-même recours au mémento pour revoir les verbes de manière incessante. Vous serez gêné aussi longtemps que vous ne les dominerez pas. Remarquez que *la scelta,* le choix correspond à *scegliere,* choisir.

2) *Introdurre* se conjugue comme *condurre* conduire.

3) *Sempre che sia; sempre che* = pourvu que. L'action marquée par cette locution conjonctive est dubitative ou hypothétique; le subjonctif suit donc (comme en français d'ailleurs).

■ **Sempre che stia loro bene.**

Le singulier serait : **sempre che le stia bene. Loro** se met toujours après le verbe; c'est le seul pronom complément qui n'ait pas de forme susceptible de précéder le verbe.

■ Questions de prononciation et d'orthographe.

Distinguez : *il giovane,* le jeune homme; *Giovanni,* Jean. *Divenire,* devenir, maïs *sopravvenire,* survenir. *contravvenire,* contrevenir.

Exercices

1. Eh bien! Ce pantalon vous va très bien. 2. Je ne sais si je me trompe mais je le trouve un peu long. 3. Cependant cet autre me plairait davantage pour l'été. 4. Il est plus léger et j'aime les couleurs claires. 5. Bien entendu ce modèle est plus à la mode. 6. Il vous ira très bien. 7. Nous allons l'essayer. 8. Il est un peu long pour vous. 9. Raccourcissons-le. 10. Quand sera-t-il prêt? 11. Cet après-midi vers six heures vous pouvez passer le prendre.

Corrigé :

1. Ebbene questo calzone le sta benissimo. 2. Non so se mi sbaglio, ma lo trovo un po' lungo. 3. Tuttavia quest'altro mi piacerebbe di piú per l'estate. È piú leggero e mi piacciono i colori chiari. 5. Beninteso questo modello è piú di moda. 6. Le andrà benissimo. 7. Proviamolo. 8. È un po' lungo per lei. 9. Accorciamolo. 10. Quando sarà pronto? 11. Può passare a prenderlo questo pomeriggio verso le sei.

Lecture

La cravatta

La cravatta, come noi oggi la intendiamo, ha una storia tutta particolare. Essa fu introdotta in Francia nel milleseicentottantasei, quando Luigi quattordicesimo in occasione della guerra combattuta in Germania, creò un reggimento di cavalleria leggera formata di Croati. Questi Croati avevano un'uniforme simile a quella degli ussari ungheresi : un dolman rosso con alamari, un peloso colbacco e, caratteristica tutta particolare, una striscia di lino bianco annodata intorno al collo. Croato in francese si dice croate, ma, per corruzione popolare, anche cravate. Il reggimento fu chiamato Royal-Cravate, e fu tenuto in gran conto dal Re Sole. Il quale non tardò a onorare quei soldati cingendosi il collo a sua volta con una preziosa striscia di seta bianca, ordinando che tutta la Corte lo imitasse, e battezzando quel semplice ornamento, sempre in onore dei Croati, cravate. Si capisce che poi, in quel secolo piuttosto iperbolico, la semplice striscia di tela o di seta si mutò presto in un complicato e raffinatissimo nodo di merletto, divenendo un privilegio assoluto dei nobili.

Aldo Gabrielli, Avventure nella foresta del vocabolario
(Ed. Ceschina, Milano.)

La cravate

La cravate, comme nous l'entendons aujourd'hui, a une histoire toute particulière. Elle fut introduite en France en 1686, quand Louis XIV, à l'occasion de la guerre (m. à m. : combattue) en Allemagne, créa un régiment de cavalerie légère formé de Croates. Ces Croates avaient un uniforme semblable à celui des Hussards hongrois : un dolman rouge avec des brandebourgs, un colbac de fourrure et, caractéristique toute particulière, une bande de lin blanc nouée autour du cou. Croate en français se dit croate, mais par corruption populaire, aussi cravate. Le régiment fut appelé Royal-Cravate, et fut tenu en grande considération par le Roi Soleil. Lequel ne tarda pas à honorer ces soldats en s'entourant le cou, à son tour, d'une précieuse bande de soie blanche, ordonnant à toute la Cour de l'imiter, et baptisant ce simple ornement, toujours en l'honneur des Croates, cravate. On comprend qu'ensuite, en ce siècle plutôt hyperbolique, la simple bande de toile ou de soie se changea rapidement en un nœud de dentelle compliqué et très raffiné, devenant un privilège absolu des nobles.

Abbigliamento femminile

1 — A dire il •vero non mi piace affatto la •forma dell'**a**bito a giacca cl**a**ssico. Non sono grassa ma neanche *snella e non mi sta bene. Inoltre trovo che il taglio è °troppo maschile. — Anch' io sono del suo •parere. Un **a**bito a giacca di un bel tessuto é ben tagliato si può portare ogni tanto al pomeriggio, ma, mia cara, un vestito è molto meglio, vero? Nei vestiti c'è piú fantasia.

2 (Nel reparto •confezioni.)
— Mi piace abbastanza questo vestito giallo chiaro. Posso passare nella sala di prova? — Si acc**o**modi, •signora. — Potrebbe farmi qualche °ritocco? Le •riprese sul °petto non sono abbastanza lunghe e poi il vestito mi sembra °troppo •corto; per •favore, me lo allunghi di cinque cent**i**metri. Anche le m**a**niche mi s**e**mbrano troppo corte. I ritocchi p**o**ssono **e**ssere fatti per giovedí? — Aspetti un momento, vado a °chi**e**dere.

3 (Dalla sarta.)
— Quest' estate si porta molto il giallo. Ecco un °modello che non le costerà molto caro e che le andrà bene, penso. — Mi •piacerebbe un vestito senza m**a**niche. Mi farà una scollatura che lasci l**i**bero il °collo, perché ho una bellissima collana e desidero m**e**tterla in rilievo. Ho i fianchi molto °grossi. •Attenzione alle •riprese di dietro. Non segni troppo la vita, la preferisco °piuttosto °molle. E per la °f**o**dera, un °rasatello sullo stesso °tono.

* [znè...].

CHI DICE °DONNA DICE DANNO

Traduction

Vêtements de femme

1 — A dire vrai je n'aime pas du tout la forme tailleur classique. Je ne suis pas forte mais je ne suis pas mince, non plus; ça ne me va pas très bien. De plus, je trouve que la coupe est trop masculine. — Moi aussi je suis de votre avis. Un tailleur de beau drap et bien coupé peut se porter de temps en temps l'après-midi mais, ma chère, une robe est bien mieux, n'est-ce pas? Il y a plus de fantaisie dans les robes.

2 (Dans le rayon de prêt-à-porter.)
— Cette robe jaune clair me plaît assez. Puis-je passer au salon d'essayage? — Je vous en prie, Madame! — Pourriez-vous me faire quelques retouches. Les pinces de poitrine ne sont pas assez longues. Et puis la robe me semble trop courte : allongez-la-moi de 5 cm, s'il vous plaît. Les manches aussi me semblent trop courtes. Est-ce que ces retouches peuvent être faites pour jeudi? — Attendez un instant, je vais demander.

3 (Chez la couturière.)
— Le jaune se porte beaucoup cet été. Voici un modèle qui ne vous reviendra pas trop cher et qui vous ira bien, je crois. — J'aimerais une robe sans manches. Vous me ferez une encolure qui dégage bien le cou, car j'ai un très beau collier et je désire le mettre en valeur. J'ai les hanches très fortes. Attention aux pinces de reins. Ne marquez pas trop la taille; je la préfère assez libre. — Et comme doublure, un taffetas ton sur ton.

Vocabulaire

Vestirsi, s'habiller (*il vestito,* la robe). Être habillé, porter, *portare. Portava un abito di seta che le andava benissimo.*
Il tailleur; la minigonna, la minijupe; *l'abito da sera,* la robe du soir. *La sottoveste,* le jupon; *la fodera,* la doublure; *foderare,* doubler au cinéma : *doppiare,* doubler; *il doppiaggio,* le doublage; *ha fatto un doppiaggio,* il a fait un doublage.
La sarta, la couturière; *la modista. Allungare,* allonger; *accorciare,* raccourcir; *stringere,* serrer; *allargare,* donner de l'ampleur.

Qui femme a guerre a (m. à m. : qui dit femme dit dommage).

Grammaire

■ Impératifs, subjonctif exhortatif.

Dans le texte page 276, deux personnages réels se parlent à la forme polie : *si accomodi, allunghi, aspetti* (n° 2) *segni* (n° 3) sont donc les verbes *accomodarsi, allungare, aspettare, segnare* au subjonctif présent (rappel : infinitif en *-are,* subjonctif présent en *-i*).
Dans le texte page 279 (2e paragraphe) au contraire, le journaliste s'adresse à ses lecteurs : d'où des formules qui sont de la 2e personne du pluriel : *il vostro viso, voi, vedete.*

■ *Donare.*

Questo colore le dona al viso, cette couleur vous va bien (m. à m. : vous donne au visage.) On pourrait aussi dire : *questo colore ti va bene,* ou *ti sta bene,* te va bien.
Rappel : *dà,* il donne (du verbe « dare ») .avec un accent écrit pour éviter la confusion avec *da,* préposition. *Da* et *di* doivent faire l'objet de votre attention constante : ***sala di prova*** mais ***sala da pranzo,*** salle à manger.

Exercices

1. Avez-vous vu les modèles de la saison dans le journal d'aujourd'hui? 2. Je les trouve très bizarres. 3. A moi qui suis un peu grosse, ces jupes si courtes et ces robes à la ceinture si serrées ne m'iront pas du tout. 4. Vous, par contre, tout ceci doit vous enchanter. 5. Eh bien! ne le croyez pas. Tout dépend de l'interprétation. 6. Choisissez un tissu pas trop épais de couleurs un peu vives. 7. Portez la jupe quelques centimètres plus long, la ceinture un peu plus haute et ça y est! 8. En outre la plupart des femmes de notre âge n'ont pas besoin de suivre les caprices de la mode.

Corrigé :

1. Ha visto i modelli della stagione nel giornale di oggi? 2. Li trovo molto strani. 3. A me che sono un po' grossa, queste gonne cosí corte e questi vestiti cosí stretti alla vita, non mi staranno per niente bene. 4. A lei, invece tutto ciò deve entusiasmarla. 5. Ebbene, non creda. Tutto dipende dall'interpretazione. 6. Scelga un tessuto non troppo spesso di colori un po' vivaci. 7. Porti la gonna qualche centimetro piú lungo, la vita un po' piú alta e ecco fatto. 8. Inoltre la maggior parte delle donne della nostra età non hanno bisogno di seguire i capricci della moda.

Lecture

L'ultimo grido della moda.

Benissimo seguire l'ultimo grido, copiare le nuove pettinature, il trucco leggero. Prima, però, è necessario un severo esame di coscienza : « mi starà bene? » « non sarò uguale a tutte? ». Si possono accettare le proposte della moda soltanto cercando di svilupparle a seconda della propria personalità. Si eviterà, cosí, di sembrare una ragazza fabbricata in serie!
Importante che sia « quel » taglio di capelli che dona piú al vostro viso, « quel » rossetto che va bene a voi e non il bellissimo colore che vedete sulle labbra della vostra amica. Attente soprattutto a non smarrire mai il senso della misura cosí importante quando si vuole evitare di cadere in eccessi che trasformano la eleganza in... ridicolaggine!

(Personalità — *Diario per studentesse.* Ed. Veritas, Roma).

Le dernier cri de la mode.

C'est très bien de suivre le dernier cri, de copier les nouvelles coiffures, le maquillage léger. Cependant il faut, tout d'abord, un sévère examen de conscience : « est-ce que cela m'ira bien? Est-ce que je ne serai pas comme toutes les autres? ». On ne peut accepter les propositions de la mode qu'en s'efforçant de les développer selon sa propre personnalité. Ainsi évitera-t-on de ressembler à une fille fabriquée en série!
Il est important que ce soit « cette » coupe de cheveux qui va mieux à votre visage, « ce » rouge à lèvres qui vous va bien à vous et non la très belle couleur que vous voyez sur les lèvres de votre amie. Faites attention à ne jamais perdre le sens de la mesure, si important quand on veut éviter de tomber en des excès qui transforment l'élégance en ... ridicule!

Leçon

Le scarpe, dal calzolaio

1 — Che cosa desidera? — Vorrei un paio di scarpe •nere. — Ha visto qualche ○modello in vetrina? — Sí, è ○meglio che •gliele faccia vedere.

2 — Che n**u**mero porta? — Il quarantuno, ma ho il piede abbastanza largo. — Qual è il ○piede piú ○grosso? — Il sinistro.
(Il cliente disfa il laccio della scarpa per guadagnare tempo, ○mentre il •commesso ritorna c**a**rico di sc**a**tole). — Questo n**u**mero è p**i**ccolo; mi stringe. — Purtroppo è il n**u**mero piú grande che mi ○resta in questo modello. Tuttav**i**a vado nel magazzino per vedere se ce n'è un altro. — Mi dispiace molto, signore, ma non ho il n**u**mero piú grande. — Va bene, proviamo quest'altro modello... — Queste altre •andrebbero meglio. Ci sto bene senza che mi stringano.

3 — Desidera altro, signore? Ha tutti i •prodotti per calzature che •occ**o**rrono? ○Crema, panno, spazzole? Abbiamo anche l'**u**ltimo modello di calze. Mi •permetta di mostrargliele a •s**e**mplice t**i**tolo d'•informazione.

4 — Per favore, può risuolarmi queste scarpe? ○Suole e tacchi. — Quando saranno •pronte?... — Devo •m**e**ttere delle punte di ○ferro o di •gomma?

IL FIGLIO DEL CALZOLAIO HA LE SCARPE ROTTE

Traduction

Les Chaussures. Chez le cordonnier.

1 Qu'y a-t-il pour votre service? — Je voudrais une paire de chaussures noires. — Avez-vous remarqué un modèle en devanture? — Oui, le mieux est que je vous le fasse voir.

2 — Quelle est votre pointure? — Le 41 ; mais j'ai le pied assez large. — Quel est votre pied le plus fort? — Le gauche.
(Le client défait le lacet de sa chaussure pour gagner du temps tandis que le vendeur revient chargé de cartons).
— Cette pointure est petite; elle me serre. — Malheureusement c'est la taille la plus grande qui me reste dans ce modèle. Je vais aller cependant dans la réserve pour voir s'il n'y en aurait pas une autre. — Je regrette beaucoup, Monsieur, mais je n'ai pas la taille au-dessus. — Eh bien! Essayons cet autre modèle!...
— Ces autres iraient mieux. J'y suis à l'aise sans être serré.

3 — Avez-vous besoin d'autre chose, Monsieur? Avez-vous tous les produits d'entretien qu'il faut? Crème, chiffon, brosses? Nous avons aussi le dernier modèle de chaussettes. — Permettez-moi de vous les présenter simplement à titre d'information.

4 — Pouvez-vous me ressemeler ces chaussures : semelles et talons. Quand est-ce que sera prêt?... — Je dois mettre des bouts en fer ou en caoutchouc?

Vocabulaire

Vado dal calzolaio, je vais chez le cordonnier.
La suola, la semelle; *risuolare,* ressemeler. *Il tacco,* le talon; *rimettere i tacchi,* refaire les talons.
Il salvapunte, il salvatacchi désignent les bouts de fer ou de caoutchouc qui protègent la pointe *(punta)* de la semelle ou le talon *(tacco).*

Il cuoio, le cuir; *la pelle,* la peau.
Il lustrascarpe, le cireur; *lustrare,* cirer, faire briller.

Caloscia o soprascarpa, caoutchouc que l'on met par-dessus la chaussure, lorsqu'il pleut.
La ciabatta, la savate; *il sandalo,* la sandale.
Lo stivale, les bottes *(stivalone, stivaletto).*

Notez l'expression très courante en Italie : *scarpe grosse e cervello fino,* grosses chaussures et cervelle fine.

Le cordonnier est toujours le plus mal chaussé
(m. à m. : le fils du cordonnier a les chaussures déchirées).

Calzarsi, se chausser; *le calze,* les bas ou les chaussettes.
I calzini, les chaussettes.

■ **Mi sono messo in mente che... non sia... s'imponga** (page 283). Ces subjonctifs indiquent le doute qui était le mien avant que j'aie pu me rendre à l'évidence que...

Grammaire

■ **Ce n'è,** il y en a.
Ce n'era, il y en avait; *ce ne sarà,* il y en aura.

■ Traductions de « si » français en italien.
Oui, si vous voulez : *Sí, se vuole.*
Cosí importante, si important. Attention : *vestirsi,* se vêtir.

Se ci si veste cosí bene, si on s'habille si bien.

■ Pluriels irréguliers.
Paio, paire, *paia; uovo,* œuf, *uova; bue,* bœuf, *buoi.*

N. B. : Dans les mots *il salvapunte, il salvatacchi punte* est le pluriel de *la punta, tacchi* celui de *il tacco.* Le premier élément du mot composé, *salva,* est le verbe *salvare,* protéger.

Exercices

1. Quel modèle préférez-vous? Celui-ci ou celui-là. 2. Aucun des deux. 3. Ces chaussures sont trop classiques pour mon goût. 4. Je veux des chaussures longues et pointues. 5. S'il vous plaît, asseyez-vous. 6. Je vous apporte tout de suite plusieurs modèles. 7. Lequel de ceux-ci est de meilleure qualité? 8. Combien coûtent-ils? 9. N'en avez-vous pas meilleur marché? 10. Non, Monsieur, ces modèles, habituellement, ne se vendent pas beaucoup. 11. En outre ce sont des modèles d'un type plutôt luxueux et évidemment ils coûtent davantage. 12. Essayez-moi les noirs, s'il vous plaît.

Corrigé :

1. Quale modello preferisce? Questo o quello? 2. Nessuno dei due. 3. Queste scarpe son troppo classiche per il mio gusto. 4. Voglio delle scarpe lunghe e a punta. 5. Si sieda prego. 6. Le porto subito parecchi modelli. 7. Quale di questi è di qualità migliore? 8. Quanto costano? 9. Non ne ha a piú buon mercato? 10. Nossignore, abitualmente questi modelli non si vendono molto. 11. Sono inoltre modelli di tipo piuttosto lussuoso e costano evidentemente di piú. 12. Mi provi le nere, per favore.

Lecture

Le scarpe.

In tutte le vite dei miliardari americani, re di qualche cosa, ho letto che al principio della loro carriera ancora adolescenti arrivarono alla tal città « con le scarpe rotte ». Questa è una notizia immancabile, tanto ch'io mi sono messo in mente che quello non sia un particolare casuale e contingente, ma s'imponga come una condizione fondamentale del miliardario predestinato. Tant'è vero che, a quanto mi assicurano gli esperti, a rompersi le scarpe apposta non serve, e non si diventa miliardari. Domandando dunque se nessuno dei miei lettori è destinato a quella professione intendo di informarmi se nessuno di essi ha, o ha mai avuto, le scarpe rotte.

Massimo Bontempelli, *Racconti e Romanzi, La vita intensa* (Mondadori, Milano).

Les chaussures.

De toutes les vies de milliardaires américains, rois de quelque chose j'ai lu, qu'au début de leur carrière, ils sont arrivés, encore adolescents, à telle ou telle ville « avec les chaussures éculées ». C'est un trait infaillible si bien que je me suis mis dans l'idée que ce n'est pas là une particularité fortuite et contingente, mais qu'elle s'impose comme une condition fondamentale du milliardaire prédestiné. Tant il est vrai que, à ce que m'assurent les experts, se déchirer les chaussures exprès ne sert à rien, et qu'on n'en devient pas milliardaire. En demandant donc si quelqu'un de mes lecteurs n'est pas destiné à cette profession, j'essaie de m'informer s'il n'a pas, ou n'a jamais eu, les chaussures éculées.

Leçon

66 Dal Parrucchiere

1 — Dove va?
— Vado dal °parrucchiere. Ho l'•appuntamento alle nove. Mi ci vorrà mezz'•ora, circa. Mi farò anche r**a**dere; io non ho il tempo di farlo.

2 — (Signori) — A chi •tocca? Chi è il primo?
— Io.
— Come vuole che le tagli i capelli? Piú •corti sul °collo o no?
— Cosí come sono — né troppo corti né °troppo lunghi.
— Vuole uno sciampo e poi una frizione? Che cosa le •metto?
— Che profumo preferisce?
— La scriminatura è al posto giusto?

3 (Signore) — Des**i**dera uno sciampo per •capelli grassi o •secchi? O •contro la •f**o**rfora?
— Vuole passarmi le forcine, per •favore? — Ecco la sc**a**tola!
— Si °acc**o**modi •sotto il casco. Fra •venti minuti l'apparecchio si fermerà autom**a**ticam**e**nte.
— Per il taglio desidererei una °mezza frangia sulla °destra e i capelli leggermente piú lunghi °dietro.

FARE IL •PELO E IL CONTROPELO

Traduction

Chez le coiffeur

1 — Où allez-vous? — Je vais chez le coiffeur. J'ai rendez-vous à 9 h. Ça me prendra une demi-heure à peu près. Je me ferai raser aussi; je n'ai pas le temps de le faire.

2 (Messieurs). — A qui le tour? Qui est le premier? — Moi. — Comment voulez-vous que je vous coupe les cheveux? Bien dégagé, (mot à mot : plus court sur le cou) ou pas? — Comme ils sont; ni trop courts ni trop longs. — Voulez-vous un shampooing et ensuite une friction? Qu'est-ce que je vous mets? — Quel parfum préférez-vous? — Est-ce que la raie est à sa place?

3 (Dames). — Désirez-vous un shampooing contre les cheveux gras ou secs? Ou contre les pellicules? — Voulez-vous me passer les épingles s'il vous plaît? Voici la boîte. — Placez-vous sous le séchoir. Dans 20 minutes l'appareil s'arrêtera automatiquement. — Pour la coupe je désirerais une demi-frange sur le côté droit et les cheveux légèrement plus longs derrière.

Vocabulaire

Distinguez bien la prononciation : *i capelli,* les cheveux; *i cappelli,* les chapeaux, *la cappella,* la chapelle. Et, à l'occasion, rappelez-vous : *la cappa del camino,* la hotte de la cheminée.

La capigliatura, la chevelure : *bionda,* blonde; *brizzolata,* grisonnante; *grigia,* grise; *bruna,* brune; *ondulata, riccia,* frisée.

Spazzolare, brosser; *pettinare,* peigner; *fare la riga,* faire la raie; *la barba,* la barbe; *radersi,* se raser; *i baffi,* la moustache.

Il parrucchiere est le coiffeur pour hommes ou pour dames. *La parrucca,* la perruque; *i bigodini,* les bigoudis. *La messa in piega* (*piegare,* plier); *la permanente, la tintura,* la teinture; *il casco,* le casque; *asciugare,* sécher; *l'acconciatura,* le style de la coiffure.

Grammaire

■ Verbes.

Ridurre, réduire, *riduco, ridussi, ridotto;* futur : *ridurrò.* (Mémento § 62).

Régler son compte à quelqu'un
(m. à m. : faire le poil et le contre-poil).

■ *A chi tocca?*

Toccare est le verbe toucher. En musique, une *toccata* est une pièce pour instrument à clavier.
C'est mon tour, c'est à moi : *tocca a me.* En variant cette tournure vous affermirez votre connaissance des pronoms personnels compléments : *tocca a me, tocca a te,* c'est à ton tour. *Tocca a lui, (a lei); tocca a noi, tocca a voi, tocca a loro.* Formes polies au singulier : *tocca a lei;* au pluriel : *tocca a loro.*

■ *Ancor meno di me.*

Cette construction rappelle celle du comparatif :
Pietro è ***piú*** *giovane* ***di*** *Carlo,* car l'on compare Pierre à Charles.
Mais :
Pietro è ***piú*** *intelligente* ***che*** *sensibile.* Pierre est plus intelligent que sensible, car l'on compare deux qualités de Pierre. On dirait donc :
Pietro è ancora piú intelligente che sensibile.

■ Rappels.

Da a) *vado dal parrucchiere;* chez...
b) *da giovane,* étant jeune.
da vecchio, étant vieux.
c) *carta da lettere,* papier à lettre.

Mi ci vorrà, il me faudra. On peut dire aussi : ***mi occorrerà.***

Exercices

1. Dois-je attendre beaucoup? 2. Non, une demi-heure à peu près. 3. Alors je reviendrai, je vais faire quelques courses. 4. Pouvez-vous me donner un rendez-vous pour onze heures avec mon coiffeur habituel? 5. Je n'aime pas les cheveux trop longs et je ne les aime pas non plus trop courts. 6. C'est bien comme cela. 7. Voulez-vous que je vous les sèche. 8. Oui, s'il vous plaît, mais brossez-les bien car je les veux lisses. 9. Je vous avertis que le salon sera fermé mardi prochain.

Corrigé :

1. Devo aspettare molto? 2. No press'a poco mezz'ora. 3. Allora tornerò, vado a fare qualche spesa. 4. Può darmi appuntamento

per le undici col mio solito parrucchiere? 5. Non mi piacciono i capelli troppo lunghi e non mi piacciono nemmeno troppo corti. 6. Sta bene cosí. 7. Vuole che glieli asciughi? 8. Sí, per favore, ma li spazzoli bene poiché li voglio lisci. 9. L'avverto che il salone sarà chiuso martedí prossimo.

Lecture

Un barbiere tuttofare.

Era stato, da militare, caporale di sanità, durante la grande guerra, e aveva imparato cosí a fare il m**e**dico. Il suo mestiere ufficiale era il barbiere, ma le barbe e i capelli dei cristiani **e**rano l'**u**ltima delle sue occupazioni. Oltre a tosare le capre, a curare le bestie, a dar la purga agli **a**sini, a visitare i maiali, la sua specialità era quella di cavare i denti. Per due lire « tirava una mola » senza troppo dolore né inconvenienti. Era una vera fortuna che ci fosse lui in paese : perché io non avevo la m**i**nima idea dell'arte del dentista, e i due medici ne sap**e**vano ancor meno di me. Il barbiere faceva le iniezioni, anche quelle endovenose, che i due medici non sap**e**vano neppure che cosa f**o**ssero : sapeva m**e**ttere a posto le articolazioni lussate, ridurre una frattura, cavar sangue, tagliare un ascesso : e per di piú conosceva le erbe, gli empiastri e le pomate : insomma, questo f**i**garo sapeva far tutto, e si rendeva prezioso.

Carlo Levi, *Cristo si è fermato a **E**boli* (Einaudi, Torino).

Un coiffeur à tout faire.

Comme militaire, il avait été caporal dans un service sanitaire pendant la Grande Guerre et il avait ainsi appris un peu de médecine. Son métier officiel était celui de coiffeur, mais les barbes et les cheveux des chrétiens étaient le dernier de ses soucis. Outre qu'il tondait les chèvres, soignait les bêtes, purgeait les ânes, visitait les cochons, sa spécialité était d'arracher les dents. Pour deux lires il enlevait une molaire sans trop de douleur ni d'inconvénient. C'était une véritable chance qu'il soit dans le village, car moi je n'avais pas la moindre idée de l'art dentaire et les deux médecins en savaient encore moins que moi. Le coiffeur faisait les piqûres, même les intraveineuses, dont les deux médecins ignoraient jusqu'à l'existence; il savait remettre en place les articulations démises, réduire une fracture, faire une saignée, percer un abcès; et, en plus, il connaissait les herbes, les emplâtres, les pommades : en un mot, ce figaro savait tout faire et se rendait précieux.

Pulizia

1 (In una Profumeria).
— Vorrei un dentifricio, per •favore.
— Che marca desidera, •signore? Formato piccolo o grande?
— Mi dia anche uno spazzolino da denti, che °però non sia di nailon.
— Ho qualcosa di •molto °buono; duro o extra duro?
— Non l'ha piú °morbido, invece?

2 (In una tintoria).
— Ecco un abito. — Che cosa c'è da fare, •signore?
— Lavarlo a secco e stirarlo, a mano per •favore!
— Ah, vedo delle macchie. Non sono macchie di grasso. Sa di che °cosa •sono?
— °Penso che siano macchie di frutta, ma non le ho toccate, perché temevo che rimanesse un •alone. Le lascio anche un paio di guanti e una sciarpa da smacchiare. Per favore, mi stiri anche questo paio di calzoni; faccia bene attenzione alla °piega e dia loro anche una buona spazzolata.

3 (In un negozio di °generi casalinghi).
— Vorrei uno •smacchiatore. — In crema o liquido?... — Preferisco in crema. Ecco qualcosa di nuovo — credo che sia molto buono. °All'interno, troverà il foglietto con la spiegazione.
— Che prodotti ha per pulire il °cuoio? E per lavare le camicie di nailon? •Sapone a scaglie?

4 — Ho un •bottone da ricucire. Ho l'ago, ma è troppo sottile e non ho filo. Per favore, può prestarmi un ago e del filo nero per ricucire un bottone al vestito? Glielo restituirò tra un quarto d'ora.

UNA MANO LAVA L'ALTRA

Traduction

Propreté

1 (Dans une parfumerie). – Je voudrais de la pâte dentifrice s'il vous plaît. – Quelle marque désirez-vous, Monsieur?... Petite taille ou grande taille? – Donnez-moi également une brosse à dents, qui ne soit cependant pas en nylon. – J'ai quelque chose de très bien. Dure ou extra-dure? – Vous n'avez pas plus douce plutôt?

2 (Dans une teinturerie). – Voici un complet. – Que faut-il faire, Monsieur? – Le nettoyer et le repasser, à la main, s'il vous plaît. – Ah! Je vois des taches. Ce ne sont pas des taches de graisse. Savez-vous de quoi c'est? – Je pense que ce sont des taches de fruit mais je n'y ai pas touché, parce que je craignais qu'il reste une auréole. – Je vous laisse aussi une paire de gants et une écharpe à détacher. S'il vous plaît, repassez-moi aussi ce pantalon; faites bien attention au pli et donnez-lui, aussi, un bon coup de brosse.

3 (Chez le marchand de produits d'entretien). – Je voudrais un détachant. – En crème ou en liquide. – Je préfère en crème. – Voici quelque chose de nouveau. Je crois que c'est très bien. A l'intérieur vous trouverez la notice d'emploi. – Quels produits avez-vous pour nettoyer le cuir? Et pour laver les chemises en nylon? – Du savon en paillettes?

4 – J'ai un bouton à recoudre. J'ai l'aiguille; mais elle est trop fine et je n'ai pas de fil. – Pouvez-vous me prêter, s'il vous plaît, une aiguille et du fil noir pour recoudre un bouton à ma robe? Je vous rendrai cela dans un quart d'heure.

Vocabulaire

Lavare, insaponare, savonner, *strofinare,* frotter; *sciacquare,* rincer; *asciugare,* sécher. *I detersivi,* les détersifs.
La lavanderia, la blanchisserie; *la lavatrice,* la machine à laver.
La tintoria, la teinturerie; *la macchia,* la tache; *macchiarsi,* se tacher; *togliere la macchia,* enlever la tache.
Ferro da stiro, fer à repasser; *stirare,* repasser.
Sporcare, salir; *pulire,* nettoyer.

Un barbier rase l'autre (m. à m. : une main lave l'autre).

Grammaire

■ Verbes.

Apparire, comme *comparire;* se conjugue : comme *parere, paio,* je parais. Ne confondez pas avec *un paio di guanti :* une paire de gants.
Donc : a) Formes régulières : *apparisco, apparii.*
b) Formes irrégulières : *appaio, apparvi, apparso.*
Rappel de notre formule pour conjuguer le passé simple : **1, 3, 3 :** *apparvi, apparve, apparimmo, apparvero* (mémento § 62).

■ Pluriels.

La valigia, le valige (orthographe admise, mais nous avons trouvé précédemment : *valigie*).
Frutto, frutta (les fruits qui se mangent), *frutti* (les fruits d'un labeur).
Paio, paire fait *paia.*

■ Doublement.

Ebbene (e + bene), eh bien!
Addirittura (*diritto,* droit; *il diritto,* le droit).

■ ***Per quanto egli dica,*** quoi qu'il dise.

De même : *per quanto grave sia,* quelque malade qu'il soit... *per quanti sforzi faccia,* quelques efforts que je fasse (ou : qu'il fasse).

Exercices

1. Avez-vous de l'eau de Cologne s'il vous plaît? 2. Je voudrais aussi du savon fin. 3. Enfin donnez-moi une brosse à cheveux. 4. Je ne crois pas que celle-ci soit de bonne qualité. 5. Montrez-m'en une autre si vous en avez. 6. Pouvez-vous m'enlever cette tache s'il vous plaît? 7. Je ne sais pas si je pourrai vous l'enlever. 8. Cela me paraît très difficile. Mais nous verrons. 9. Pour quand voulez-vous votre robe? (trad : le...).

Corrigé :

1. Ha dell'acqua di Colonia per favore? 2. Vorrei anche del sapone fine. 3. Mi dia infine una spazzola per capelli. 4. Non credo che questa sia di buona qualità. 5. Me ne mostri un'altra, se ne ha. 6. Per favore, può togliermi questa macchia? 7. Non so se potrò togliergliela. 8. Mi sembra molto difficile. Ma vedremo. 9. Per quando vuole il vestito?

Lecture

Una precauzione inutile.

Filippo era uno di quelli che si v**a**ntano di sap**e**r fare le valige. Ed era vero. Egli, per esempio, metteva sempre nella valigia due spazzolini per i denti.
— Non si sa mai, diceva; ci potrebb'**e**ssere uno scontro ferroviario; si rompe uno spazzolino, resta l'altro.
Che sciocchezza! In uno scontro ferroviario, se si rompe uno spazzolino, è molto prob**a**bile che si rompa anche l'altro. Capiremmo se nella valigia si mettesse addirittura una dozzina di spazzolini per i denti. Allora, per quanto grave possa **e**ssere lo scontro ferroviario, c'è sempre la speranza di salvarne almeno uno. Ma anche questa è una sciocchezza : se lo scontro ferroviario non avviene? Che se ne fa uno di d**o**dici spazzolini per i denti?
— Conobbi per l'appunto un tale — disse Filippo mentre riempiva la valigia — che non viaggiava mai con meno di trenta spazzolini per i denti in previsione di scontri ferroviari. Ebbene, una volta lo scontro avvenne, e la precauzione apparve assolutamente inutile.
— Non si salvò nemmeno uno degli spazzolini del vostro amico?
— No, disse Filippo, non si salvò nemmeno uno dei suoi denti. Mentre, per colmo di sciagura, gli spazzolini si salv**a**rono tutti.

A. Campanile, *Se la luna mi porta fortuna* (Ed. Rizzoli, Milano).

Une précaution inutile.

Philippe était un de ceux qui se vantent de savoir faire les valises. Et c'était vrai. Par exemple, il mettait toujours dans sa valise deux brosses à dents.
— On ne sait jamais, disait-il; il pourrait y avoir une collision de trains; une brosse se casse, reste l'autre.
Quelle sottise! Dans une collision si une brosse se casse, il est fort probable que l'autre se casse aussi. Nous comprendrions si, dans la valise, on mettait tout bonnement une douzaine de brosses à dents. Alors, quelque grave que puisse être la collision, il y a toujours l'espoir d'en sauver au moins une. Mais cela aussi c'est une niaiserie : si la collision ne se produit pas? Que faire (m. à m. : qu'en fait-on) de douze brosses à dents?
— Justement j'en ai connu un — dit Philippe tandis qu'il faisait sa valise — qui ne voyageait jamais avec moins de trente brosses à dents en prévision de collisions. Eh bien! Une fois le choc se produisit et la précaution apparut absolument inutile.
— Pas même une des brosses de votre ami ne fut sauvée?
— Non, dit Philippe, pas même une de ses dents ne fut sauvée. Alors que, pour comble d'infortune, les brosses le furent toutes.

La casa di campagna

1 Abbiamo comprato in campagna una casa con giardino.

2 È una vecchia fattor**i**a che l'•architetto ha trasformato in °modo •delizioso. Della scuder**i**a abbiamo fatto un' *auto-rimessa. Nel granaio abbiamo sistemato un' °immensa sala da °gioco e di •riunione.
— Abbiamo istallato dappertutto l'elettricità e l'acqua del •pozzo sale per mezzo di un motore nel •serbatoio.

3 La casa è di °pietra, °coperta da un •tetto di •t**e**gole •rosse. La parte piú antica è di •mattoni. °Comprende un pianterreno con la cucina, una sala di •soggiorno e una stanza piú p**i**ccola, che °serve da sala da pranzo. Al primo piano ci sono tre c**a**mere con bagno. In alto si °trova la soffitta. La scala è di •legno.

4 Il giardino è abbastanza grande. Nella parte anteriore abbiamo fatto piantare dei •fiori lungo il viale. Abbiamo messo una panchina e una t**a**vola vicino al prato. In estate possiamo fare colazione all' °aperto, all' •ombra degli **a**lberi.
Dietro la casa c'è un °orto.

A OGNI UCCELLO IL SUO NIDO È BELLO

Traduction

La maison de campagne

1 Nous avons acheté à la campagne une maison avec un jardin.

2 C'est une ancienne ferme que l'architecte a transformée d'une manière délicieuse. De l'écurie nous avons fait le garage. Dans le grenier, nous avons installé une immense salle de jeux et de réunion. Nous avons mis l'électricité partout et l'eau du puits monte dans le réservoir par un moteur.

3 La maison est en pierre couverte d'un toit de tuiles rouges. La partie la plus ancienne est en briques. Elle comporte un rez-de-chaussée avec la cuisine, une salle de séjour et une pièce plus petite qui sert de salle à manger. Au premier étage il y a trois chambres avec salle de bain. Au-dessus, se trouve le grenier. L'escalier est en bois.

4 Le jardin est assez grand. Par devant nous avons fait planter des fleurs le long de l'allée. Nous avons mis un banc et une table auprès de la pelouse. L'été nous pouvons déjeuner en plein air, à l'ombre des arbres.
Derrière la maison, il y a un jardin potager.

Vocabulaire

La villa, il villino, la petite villa. *Il cortile,* la cour intérieure; *la scalinata, le scale,* l'escalier; *i gradini,* les marches.
Il balcone; il cancello, la grille; *la grata,* la grille d'une fenêtre; *il terrazzo,* la terrasse.
La fontana, la fontaine, le jet d'eau. *In molte fontane, l'acqua gocciola sulle foglie verdi,* dans beaucoup de fontaines, l'eau coule goutte à goutte sur les feuilles vertes.
Distinguez bien : *il giardino,* le jardin d'agrément; *l'orto,* le jardin potager (A Florence : *Or' San Michele*). D'où les deux mots pour jardinier : *il giardiniere* et *l'ortolano.*
La fattoria, la ferme; *la bicocca,* le taudis; *il romitaggio,* l'ermitage.
Riparare, réparer; *soggiornare,* séjourner; *coabitare,* cohabiter; *traslocare,* déménager.

Chacun voit midi à sa porte (m. à m. : à chaque oiseau son nid est beau).

Grammaire

■ *All'aperto;* le substantif est masculin et commence par une voyelle; l'article défini est *lo* élidé en *l'*.
All'ombra; le substantif est féminin et commence par une voyelle; l'article défini est *la,* élidé en *l'*.
■ Le pluriel de *pendio* est *pendii.*

■ *Affittasi o vendesi,* à louer ou à vendre; rejet du pronom personnel *si* à sens de « on ». Remarquez que *affittare* s'emploie, ainsi que « louer », en français, pour le locataire comme pour le propriétaire.

■ *Da* et *di.* Observez (page 292 et page 295) les emplois de *di* qui marquent la matière et notez soigneusement les expressions avec *da.*

a) *sala da gioco,* mais *sala di riunione.*
sala da pranzo, mais *sala di soggiorno, sala di prova.*
b) *albero da frutto.*
c) *da una parte, dall'altra.*
d) *dalle pesanti decorazioni,* aux pesantes décorations.
e) *dappertutto,* partout.
Raccordez ces emplois au § 37 du Mémento.

■ *Davanti alla sala, davanti a noi.*
Dietro alla sala, dietro di noi.
Piú che altro, plus qu'autre chose.
È lo stesso, c'est la même chose. *Fa lo stesso,* ça m'est égal.

Exercices

1. Que dites-vous de notre petite maison? 2. N'est-ce pas qu'elle est mignonne? 3. Nous l'aimons beaucoup. 4. Elle a appartenu à nos parents qui l'ont fait construire. 5. Ils ont vécu ici plus de vingt ans. 6. De sorte que vous avez beaucoup de raisons pour l'aimer? 7. Oui et, en outre, elle est très pratique. 8. Elle n'a rien d'inutile. 9. Tout est bien combiné. 10. Nous y restons très volontiers.

Corrigé :

1. Che cosa ne dice della nostra casetta? 2. Non è vero che è carina? 3. Ci piace molto. 4. È appartenuta ai nostri genitori che l'hanno fatta costruire. 5. Son vissuti qui piú di vent'anni. 6. Di modo che ha molte ragioni per amarla? 7. Sí, inoltre è molto pratica. 8. Non ha nulla di inutile. 9. Tutto è ben sistemato. 10. Ci stiamo molto volentieri.

Lecture

La casa di campagna.

La casa che avevamo affittato per l'estate ai margini del paese di *** era in bella posizione, affacciata ad una valletta fra le meno aride della Brianza. Aveva un'ampia terrazza allo stesso livello delle due o tre aiuole che ne guarnivano l'entrata; ed era, si può dire, la sua sola bellezza, ché per il resto l'edificio, in un pretenzioso stile liberty dalle pesanti decorazioni di cemento, si rivelò piuttosto malcomodo, costruito piú che altro per figura. Ma c'era il giardino. Un pezzo di terreno cintato rettangolare, in leggero pendio, che riuniva in breve spazio le qualità del giardino vero e proprio, del parco, e del verziere : prode fiorite e una bella palma davanti alla buia saletta terrena, vialetti di ghiaia fra le minuscole siepi di bosso e di ligustro, un boschetto di lauri e l'immancabile gran cedro del Libano da una parte, un tratto di pergola dall'altra, lungo il muro di cinta, e qualche albero da frutta con una folta ortaglia sul fondo.

Mario Bonfantini, *La svolta* (Feltrinelli, Milano).

La maison de campagne.

La maison que nous avions louée pour l'été à la limite du village de X... était bien située, donnant sur un vallon qui était parmi les moins arides de la Brianza. Elle avait une large terrasse au même niveau que les deux ou trois plates-bandes qui en paraient l'entrée et c'était là, on peut le dire, son seul charme car, pour le reste, l'édifice d'un style liberty prétentieux, aux pesantes décorations de ciment, se révéla plutôt incommode, construit pour l'apparence plus que pour autre chose. Mais il y avait le jardin. Un morceau de terrain rectangulaire, entouré d'un mur, en légère pente qui réunissait dans un espace réduit les avantages du jardin à proprement parler, du parc et du verger : des bordures fleuries et un beau palmier devant le petit salon sombre du rez-de-chaussée, des allées de gravier entre les haies minuscules de buis et de troëne, un bosquet de lauriers et l'inévitable grand cèdre du Liban d'un côté et un bout de tonnelle de l'autre, le long du mur d'enceinte et quelques arbres fruitiers ainsi qu'une quantité d'herbes potagères au fond.

Leçon

L'•appartamento

1 — In città noi viviamo in un appartamentino al quarto piano di una casa moderna. È impossi**b**ile collocarvi un armadio. Abbiamo dovuto m**e**ttere il m**i**nimo indispens**a**bile di m**o**bili. Non si può farvi entrare né un armadio né una ○credenza. Per fortuna nell'entrata abbiamo potuto istallare degli armadi a muro nei quali sistemiamo molte cose.

2 — Nella stanza di soggiorno, se possiamo chiamarla cosí, c'è spazio per una t**a**vola, quattro ○sedie e una poltrona. Il televisore è in un **a**ngolo, su di un min**u**scolo tavolino.
In c**a**mera da ○letto, •oltre al letto e ad uno scaffale •sopra il •radiatore, abbiamo potuto attaccare ai muri qualche n**i**nnolo.

3 — In cucina, evidentemente, abbiamo tutto sottomano! A •condizione di **e**ssere ○snelli, ci si può voltare dall'acquaio verso il frigor**i**fero e dal frigor**i**fero verso il ○fornello a gas.

4 — È una soluzione ○provvisoria, ma noi siamo stati ben contenti di trovare l'○alloggio in un momento in cui è un vero problema. Noi non siamo proprietari; affittiamo con un contratto annuale. Paghiamo quarantamila lire il •mese •compreso il •riscaldamento, i servizi di portineri**a**, ○ecc**e**tera, il che, alla fin fine, non è troppo caro.

CASA MIA, CASA MIA, PER PICCINA CHE TU SIA, TU MI SEMBRI UNA BAD**I**A

Traduction

L'appartement

1 Nous vivons en ville dans un petit appartement au 4e étage d'un immeuble moderne. Il est impossible d'y loger une armoire. Nous avons dû mettre le minimum indispensable de meubles. On ne peut y faire entrer ni une armoire ni un buffet. Heureusement, dans l'entrée, nous avons pu installer des placards dans lesquels nous rangeons beaucoup de choses.

2 Dans la salle de séjour, si nous pouvons l'appeler ainsi, il y a de la place pour une table, quatre chaises et un fauteuil. Le téléviseur est dans un coin sur un guéridon minuscule.
Dans la chambre à coucher, en dehors du lit et d'une étagère au-dessus du radiateur, nous avons pu accrocher au mur quelques bibelots.

3 Dans la cuisine évidemment nous avons tout sous la main! A condition d'être mince, l'on peut se tourner de l'évier vers le frigidaire et du frigidaire vers le fourneau à gaz.

4 C'est une solution d'attente, mais nous avons été bien contents de trouver un logement à une époque où c'est un vrai problème. Nous ne sommes pas propriétaires. Nous louons avec un contrat à l'année. Nous payons 40000 lires par mois, y compris le chauffage et les charges (m. à m. : les services du concierge, etc.) ce qui, après tout, n'est pas trop cher.

Vocabulaire

Distinguez bien : *una casa pulita,* une maison propre; *avere una casa in proprio,* avoir une maison à soi, en propre. La propriété est *la proprietà (la proprietà privata); la pulizia,* la propreté; *la polizia,* la police. *Il proprietario* (plur. *proprietari*), le propriétaire; *l'affittuario,* le locataire. *Subaffittare,* sous-louer.
Sistemare, fixer, aménager : *sistemare la casa. Un sistema,* un système.

Ma maison est mon château, mon Louvre et mon Fontainebleau (m. à m. : ma maison, ma maison, pour petite que tu sois, tu me parais une abbaye).

La credenza, le buffet, la crédence (de *credere,* croire : l'on goûtait les mets sur la crédence devant les convives pour les assurer qu'ils n'étaient pas empoisonnés!)
La poltrona : en italien *il « poltrone »,* le paresseux; en français « le poltron » : l'amollissement physique entraîne l'amollissement moral!
Il contratto (d'affitto) le contrat de location; *l'affitto,* le loyer : *quanto paga di affitto?* combien de loyer payez-vous? *La quietanza,* la quittance.
Voltarsi, girarsi, se tourner. *Il giro del mondo,* le tour du monde.
Girati, voltati, tourne-toi, retourne-toi!
Rigirare, rivoltare la stoffa, retourner l'étoffe.

Grammaire

■ ***Quando si è snelli.*** *Si* veut dire « on », comme vous le savez. Mais *snello* se met au pluriel. *Quando si è snelli, si è svelti,* quand on est mince, on est svelte.
Si vous employez *« uno »* pour traduire on, au lieu de *si,* mettez l'adjectif au singulier : ***quando uno è snello.***

■ Vous rencontrerez souvent *« si »,* pronom réfléchi employé d'une manière explétive, c'est-à-dire sans utilité pour le sens. Ex. : ***noi si stava giocando a carte,*** nous étions en train de jouer aux cartes. Comparez avec le français familier : « nous, on était... »

■ Remarquez bien la tournure italienne avec *« con »* correspondant à la tournure française : il était la tête hors du coussin, les pieds sur la table, les jambes... *con la testa..., coi piedi..., con le gambe...*

■ ***Qualsivoglia :*** Mot à mot « qui on veut » (subjonctif) c'est dire n'importe lequel, n'importe quoi, n'importe qui. (Dans ce dernier cas, vous pouvez employer aussi *chiunque*).
N'importe quand, *in un momento qualunque* = *in qualunque momento* (*qualunque,* quelconque). N'importe comment, *comunque.* N'importe où, *dovunque.*

■ Pluriel.

Il ginocchio fait *i ginocchi, le ginocchia,* comme beaucoup de noms désignant les parties du corps. Voyez les noms qui ont deux pluriels (leçons 61 et 73).

Lecture

Una riunione d'amici.

Ora egli aveva una grande stanza tutta per sé, nella quale poteva dormire in qualsivoglia positura : o steso sul letto, con la testa fuori del cuscino e del materasso, spenzolata nel vuoto, sicché il gatto, scambiandola per un cenno d'invito, le toccava il naso e il mento con la zampetta; o sprofondato in una poltrona bassa, coi piedi sopra un tavolino; e in terra, sul tappeto, con le gambe sopra due cuscini dipinti di leoni; e infine una sedia a d**o**ndolo, riflett**e**ndone lo specchio ora la testa ora la punta dei ginocchi. Qui ven**i**vano gli amici, e anch'essi si butt**a**vano, e, come diceva Muscarà, s'abbi**a**vanu e sdavacc**à**vanu (1), sui paglericci e le ciambelle di cuoio, riempiendo presto la c**a**mera di un tale fumo di sigaretta che, dal balcone socchiuso, i passanti ved**e**vano uscire una sorta di lenzuolo grigio palpitante nell'aria. Fumo, caffè, e liquori.

Vitaliano Brancati, *Don Giovanni in Sicilia*
(Ed. Bompiani, Milano).

(1) Patois sicilien : si avvi**a**vano e si sdrai**a**vano.

Une réunion d'amis.

Maintenant, il avait une grande chambre toute pour lui, dans laquelle il pouvait dormir dans n'importe quelle posture : ou étendu sur le lit, la tête hors de l'oreiller et du matelas, pendue dans le vide, si bien que le chat la prenant pour un signe d'invitation, lui touchait le nez et le menton avec sa petite patte; ou enfoui dans un fauteuil bas, les pieds sur une petite table; et par terre, sur le tapis, les jambes sur deux coussins avec des lions peints; et enfin, sur une chaise à bascule avec le miroir qui reflétait tantôt la tête, tantôt la pointe des genoux.
Ici venaient les amis, et eux aussi se jetaient, ou, comme disait Muscara, s'élançaient et s'allongeaient sur les sommiers et les ronds de cuir, remplissant aussitôt la chambre d'une telle fumée de cigarette que, du balcon entr'ouvert, les passants voyaient sortir une sorte de drap gris palpitant dans l'air. De la fumée, du café et des liqueurs.

Alcuni amici vi prestano il loro appartamento

1 — Sentite, cari amici, •noi non occupiamo il nostro appartamento durante le vacanze. Se •volete, potete venirvi ad abitare.
— Siete molto gentili, ma non vorremmo disturbarvi.
— Nessun disturbo. •Voi lo conoscete; non è °lussuoso, però è °c**o**modo e •piac**e**vole.

2 — Ecco le chiavi. La piú p**i**ccola **a**pre il •portone, la piú grande è •quella della °porta d'entrata. È un po' dura da aprire; bisogna sp**i**ngere °forte. Lasceremo nell'entrata un armadio a muro °vuoto con le grucce per i vestiti. •Potrete m**e**ttere i °vostri indumenti nei •cassetti. Questo vi basta?
— Certamente, in viaggio noi portiamo sempre il m**i**nimo indispens**a**bile.

3 — Naturalmente vi servirete •come vi pare della cucina. Vi raccomandiamo di chi**u**dere bene la chiave del gas e di sb**a**ttere abbastanza forte la porta del frigor**i**fero perché non si chiude molto bene. Nella stanza da bagno c'è una •presa di °corrente •sopra il lavabo; il voltaggio è duecentoventi.

4 — Mi dimenticavo di dirvi anche dove sono le °lenzuola, le °coperte, gli asciugamani. Ascoltate, non vi preoccupate, serv**i**tevi di tutto quello che vi occorre, fate assolutamente come se •foste a casa °vostra.

AI**U**TATI, CHÉ D**I**O T'AIUTA

Traduction

Des amis vous prêtent leur appartement

1 — Écoutez, chers amis, nous n'occupons pas notre appartement pendant les vacances. Si vous voulez, vous pouvez venir l'habiter. — Vous êtes bien aimables, mais nous ne voudrions pas vous déranger. — Il n'y a pas de dérangement. Vous le connaissez; il n'est pas luxueux, cependant il est commode et agréable.

2 — Voici les clefs. La plus petite ouvre la porte sur la rue; la plus grande est celle de la porte d'entrée. Elle est un peu dure à ouvrir. Il faut pousser fort. Nous laisserons dans l'entrée un placard vide avec les cintres pour les vêtements. Vous pourrez mettre vos affaires dans les tiroirs. Est-ce que cela vous suffit? — Certainement, en voyage, nous emportons toujours le minimum indispensable.

3 — Naturellement vous vous servirez comme vous l'entendez de la cuisine. Nous vous recommandons de bien fermer le robinet du gaz et de frapper la porte du réfrigérateur assez fort, parce qu'elle ne ferme pas très bien. Dans la salle de bains, il y a une prise de courant au-dessus du lavabo. C'est du 220 volts.

4 — J'oubliais de vous dire aussi où sont les draps, les couvertures, les serviettes de toilette. Écoutez! Ne vous gênez pas! Servez-vous de tout ce qu'il vous faut. Faites absolument comme si vous étiez chez vous.

Vocabulaire

Il fornello a gas, a elettricità, le fourneau à gaz, électrique.
La chiave, la clef; *il rubinetto,* le robinet (*del gas, dell'acqua*); *il commutatore,* le bouton électrique; *la spina,* la prise de courant.
*È saltata la v**a**lvola;* les plombs sont sautés.
*Aprire la luce, acc**e**ndere la luce,* allumer.
*Sp**e**gnere la luce,* éteindre.
*M**e**ttere la spina,* mettre la prise de courant; *t**o**glierla,* l'enlever.
Prestare; il prestito; dare a prestito, prêter; *col**u**i che presta,* le prêteur; *pr**e**ndere a pr**e**stito,* emprunter; *colui che prende a prestito,* l'emprunteur.
Il portiere, le concierge; *la portiera; la portiner**i**a,* la loge.

Aide-toi, le ciel t'aidera (m. à m. : aide-toi, car Dieu t'aide).

Grammaire

■ *Dimenticare = dimenticarsi,* oublier. La forme pronominale a le même sens que la forme active. ***Mi sono dimenticato = ho dimenticato,*** j'ai oublié. De même *ho sognato = mi sono sognato,* j'ai rêvé (infinitif : *sognare* ou *sognarsi*).

■ *Sentire* veut dire : a) entendre = *l'ho sentito venire,* je l'ai entendu venir. *Sento la campana suonare,* j'entends la cloche sonner.
b) sentir (odorat) : *sento il profumo dei fiori,* je sens le parfum des fleurs.
c) ressentir : *sentire freddo, sentire caldo,* avoir froid, avoir chaud.

■ ***Mezzo :*** adjectif, il s'accorde. Ex. : *una mezza mela,* une demi-pomme. Adverbe, il reste normalement invariable : *i mattoni mezzo rotti* (Voir le texte en page 303); *mezzi rotti* où « mezzo », traité comme adjectif, est un « toscanisme », c'est-à-dire une manière d'expression propre à la Toscane.
Nous avons déjà vu : *sono le due e mezzo,* il est deux heures et demi. « Demi » en français, est un adjectif; en italien, dans ce cas « *mezzo* » ne subit pas l'accord. Dans le texte de la page suivante, l'on a « *una piazza e mezzo* ».

Ad abitare : nous avons déjà signalé que le *d* ajouté à *a, e* ou *o* avait pour dessein d'éviter la rencontre de la voyelle semblable lorsqu'elle commence le mot suivant.

Exercices

1. Expliquez-moi s'il vous plaît comment fonctionne cet appareil. 2. A quoi sert-il? 3. Je n'y connais rien en mécanique ni en électricité. 4. Je vais vous l'expliquer. 5. Il suffit d'appuyer sur le bouton et la lumière s'allume. 6. Puis l'eau bout en dix minutes et le café se fait tout seul. 7. Le café fait de cette façon est exquis. 8. Mais si vous voulez utiliser l'ancienne cafetière, vous pouvez le faire. 9. Tous les ustensiles sont à votre disposition. 10. Faites comme si vous étiez chez vous, je vous l'ai déjà dit.

Corrigé :

1. Mi spieghi per favore, come funziona quest'apparecchio. 2. A che cosa serve? 3. Non ci capisco niente in meccanica né in elettricità. 4. Le spiegherò. È molto semplice. 5. Basta appoggiare sul bottone e la luce si accende. 6. Poi l'acqua bolle in dieci

minuti e il caffè si fa da solo. 7. Il caffè fatto in questa maniera è squisito. 8. Ma se vuole utilizzare la vecchia caffettiera, può farlo. 9. Tutti gli utensili sono a sua disposizione. 10. Faccia come se fosse a casa sua, gliel'ho già detto.

Lecture

Un appartamentaccio.

Il letto era a una piazza e mezzo, sicché sai che bel piacere dormirci in tre. E le f**e**dere dei guanciali av**e**vano una macchia scura nel mezzo, chissà quant'era che non le cambi**a**vano. Ma soprattutto aveva ripugnanza per le persone. La madre di Bube era calva e sdentata, e la sorella pelosa e piena di nei.
Che razza di famiglia! E che razza di casa! Due stanze soltanto, infilate una dentro l'altra : la cucina e la c**a**mera. Il gabinetto era per le scale : un bugig**a**ttolo puzzolente, che serviva anche per la famiglia del piano di sopra. S**i**a in cucina che in c**a**mera, i mattoni degl'impiantiti **e**rano mezzi rotti, le pareti sporche e macchiate d'umidità, i soffitti scrostati. In confronto, pensava Mara con soddisfazione, casa sua era una reggia addirittura.
Mara era stata abituata dalla madre alla pulizi**a** e alla precisione, e perciò aveva notato s**u**bito lo sporco e il dis**o**rdine che c'**e**rano in casa di Bube.

Carlo Cassola, *La ragazza di Bube* (Einaudi, Torino).

Un vilain appartement.

Le lit était à une place et demie, donc tu vois d'ici (m. à m. : tu sais) le plaisir d'y dormir à trois. Et les taies des oreillers avaient une tache sombre au milieu, qui sait depuis combien de temps on ne les changeait pas. Mais surtout elle éprouvait (m. à m. : avait) de la répugnance pour les personnes. La mère de Bube était chauve et édentée, et la sœur était couverte de poils et pleine de grains de beauté.
Quelle drôle de famille! Et quelle drôle de maison! Deux pièces seulement, en enfilade, l'une derrière l'autre : la cuisine et la chambre. Le cabinet était dans l'escalier : un cabinet noir repoussant, qui servait aussi pour la famille du dessus. Que ce soit dans la cuisine ou dans la chambre, les carreaux, par terre, étaient à demi-cassés, les murs salis et tachés d'humidité, les plafonds écaillés. En comparaison, pensait Mara avec satisfaction sa maison était royale, tout simplement.
Mara avait été habituée par sa mère à la propreté et à la précision et à cause de cela elle avait tout de suite remarqué la saleté et le désordre qui régnaient chez Bube.

Leçon

71 La famiglia

1 Ci siamo sposati quando avevamo vent'anni, cioè trentadue anni fa. Abbiamo avuto tre figli. Caterina è la piú grande. Poi ○viene Carlo, quindi Luigi. La figlia •maggiore ha sposato un ○ingegnere. Sono felici. Noi siamo ○nonni. I nostri due nipotini, un bambino e una bambina hanno rispettivamente ○sei e quattro anni. V**i**vono in campagna dai ○su**o**ceri di ○nostra figlia, vicino alla f**a**bbrica dove •lavora nostro ○g**e**nero.

2 Il •secondo dei nostri figli è un ragazzo di ventidue anni. E •ancora ○c**e**libe, ma si sposerà ben ○presto, quando avrà terminato gli studi. È musicista, e anche la nostra futura ○nuora ama molto la m**u**sica. Noi speriamo che riesca un ○matrimonio felice.

3 Da parte di mia moglie come da parte mia, la famiglia è numerosa : z**i**i, z**i**e, cugini. C'è di che perdersi. Io non conosco tutti i miei cugini. Mio zio Giovanni mi invita molto •spesso. Da lui sono come a casa mia. Quando ero ragazzo tutto mi sembrava diverso. Per me era come una casa di sogno. Sono stato dieci anni senza vederla. Quando l'ho rivista mi è sembrata molto piccola.

LA MAMMA È L'**A**NGELO DELLA FAMIGLIA

Traduction

La famille

1 Nous nous sommes mariés quand nous avions vingt ans, c'est-à-dire il y a trente-deux ans. Nous avons eu trois enfants. Catherine est la plus grande. Ensuite vient Charles, puis Louis. La fille aînée a épousé un ingénieur. Ils sont heureux. Nous sommes grands-pères. Nos deux petits-enfants, un garçon et une fille ont respectivement six et quatre ans. Ils vivent à la campagne chez les beaux-parents de notre fille, près de l'usine où travaille notre gendre.

2 Le deuxième de nos enfants est un garçon de 22 ans. Il est encore célibataire mais il va se marier bientôt, dès qu'il aura terminé ses études. Il est musicien et notre future brue aime aussi beaucoup la musique. Nous espérons qu'ils feront un ménage heureux (mot à mot : que le ménage réussisse heureusement).

3 Du côté de ma femme comme du mien, la famille est nombreuse : oncles, tantes, cousins. Il y a de quoi s'y perdre. Je ne connais pas tous mes cousins. Mon oncle Jean m'invite très souvent. Chez lui je suis comme chez moi. Quand j'étais enfant tout m'y paraissait différent. Pour moi c'était comme une maison de rêve. J'ai été dix années sans la voir. Quand je l'ai revue elle m'a semblé très petite.

Vocabulaire

Sposarsi, se marier; synonyme : *accasarsi* qui vient du mot *casa. Gli sposi,* les époux, le ménage. *Ci sposiamo domani,* nous allons nous marier demain.
Lo sposalizio, il matrimonio, le mariage; *le nozze* (pluriel), la noce (*Le Nozze di Figaro*); *le nozze d'oro, d'argento, di platino, di diamante.* Ex. : *andiamo alle nozze di Pietro e Giovanna,* nous allons au mariage de .... *Andiamo a un matrimonio,* nous allons à un mariage.
Il primogenito, l'aîné; *l'ultimogenito,* le cadet. *Sono minorenne,* je suis mineur; *sono maggiorenne,* je suis majeur.
Il celibe, lo scapolo, le célibataire; *uno scapolo inveterato,* ... endurci.
Il padre, la madre; il nonno, la nonna.

La mère est l'ange de la famille.

Grammaire

■ Subjonctif.

Speriamo che riesca, nous espérons qu'il réussira. Le subjonctif dans ce cas ne peut vous étonner; nous disons bien en français : nous espérons que cela soit vrai : dans ce cas il s'agit d'une question actuelle et, dans l'exemple italien cité, d'une action future.
No so se abbia mai saputo di... (page 309) rapprochez du français : « je ne sache pas qu'il ait jamais su... ».

■ Les adjectifs possessifs, en italien sont précédés régulièrement de l'article : *il mio libro, la sua casa.*
Mais lorsqu'il s'agit de membres de la proche famille, n'employez pas l'article et dites *mio padre, mia madre,* etc. (Mémento § 23).

■ Pluriel.

*cl**i**nici, m**e**dici, ir**o**nici.*

Exercices

1. Le frère de ma femme, mon beau-frère, est un homme déjà assez âgé. 2. Il s'est marié beaucoup plus tôt que nous. 3. Il a trois fils qui se sont mariés à leur tour et qui sont déjà pères. 4. J'aime beaucoup les enfants. 5. C'est pour cela que je me suis marié très jeune. 6. Bien sûr que c'est un problème que de les entretenir. 7. Cela coûte beaucoup. 8. Ils tombent malades. Grâce à Dieu nous avons la Sécurité Sociale. 9. Cela nous aide beaucoup. 10. Et quand il y a du soleil ils sortent dehors jouer avec leurs camarades. 11. Leur mère, ma femme, reste tranquille à la maison.

Corrigé :

1. Il fratello di mia moglie, mio cognato, è ormai un nomo di una certa età. 2. Si è sposato molto prima di noi. 3. Ha tre figli che a loro volta si sono sposati e sono già padri. 4. Mi piacciono molto i bambini. 5. Per questo mi sono sposato molto giovane. 6. È certo che sia un problema per mantenerli. 7. Costa molto. 8. Cadono ammalati. Grazie a Dio abbiamo l'Assicurazione sulle malattie. 9. Ci è di molto aiuto. 10. E quando c'è il sole escono fuori a giocare con i loro compagni. 11. La loro madre, mia moglie, resta tranquilla a casa.

Lecture

La famiglia.

Mio padre, quando si sposò, lavorava a Firenze nella clinica di uno zio di mia madre che era soprannominato « il Demente » perché era medico dei matti. Il Demente era, in verità un uomo di grande intelligenza, colto e ironico; e non so se abbia mai saputo di essere chiamato, in famiglia, cosí. Mia madre conobbe, in casa della mia nonna paterna, la varia corte delle Margherite e delle Regine, cugine e zie di mio padre; e anche la famosa Vandea, ancora viva in quegli anni. Quanto al nonno °Parente, era morto da tempo; e cosí pure sua moglie, la nonna Dolcetta, e il loro servitore, che era Bepo Fachin. Della nonna Dolcetta si sapeva che era piccola e grassa come una palla.

Natalia Ginzburg, *Lessico familiare* (Ed. Einaudi).

La famille.

Mon père, quand il se maria, travaillait à Florence dans la clinique d'un oncle de ma mère, qui était surnommé « le Dément » parce qu'il était médecin des fous. Le Dément était, en vérité, un homme de grande intelligence, cultivé et ironique; et je ne sache pas qu'il ait jamais su qu'on l'appelait ainsi, en famille. Ma mère connut, chez ma grand-mère paternelle, la cour variée des Marguerites et des Régines, cousines et tantes de mon père; et aussi la fameuse Vandea, encore vivante ces années-là. Quant au grand-père Parent, il était mort depuis longtemps; et de même sa femme, la grand-mère Dolcetta et leur domestique, qui était Bepo Fachin. De la grand-mère Dolcetta, on savait qu'elle était petite et grosse comme une boule.

Leçon

72 Bambini a °scuola

1 — Nostro figlio Paolo ha •appena compiuto 11 anni. Va a °scuola da sei anni, cioè dall'età di cinque anni; esattamente, dal primo •ottobre 19... A quell'età •aveva già frequentato per un anno la scuola •materna. Gli avevano insegnato canto e •disegno, e passava il •resto della giornata a giocare con i compagni.

2 — Da •allora ha imparato a leggere e a scrivere, gli hanno insegnato la geografia e la °storia. Sa fare le •addizioni, le sottrazioni, le moltiplicazioni e le divisioni. Ha fatto problemi e •componimenti. •Conosce alcuni elementi di •scienze e in particolare di fisica. Ha cominciato a studiare una lingua •straniera. Oltre a ciò che ha imparato a scuola dai °suoi insegnanti, deve studiare a casa di sera; deve imparare le •lezioni e fare i •compiti.

3 — La scuola gli piace. Quando arrivano le vacanze, durante i primi giorni ha nostalgia dei compagni. Ma dopo, •siccome andiamo in riva al mare o in campagna, fa nuove •conoscenze. Gioca, •corre, salta tutto il giorno. Quando °piove legge e tutti i giorni studia il •pianoforte per almeno mezz'ora.

NON SI PUÒ FARE DI UN ASINO UNO SCIENZIATO

Traduction

Enfants à l'école

1 Notre fils Paul vient à peine d'avoir onze ans. Il va à l'école depuis six ans, c'est-à-dire depuis l'âge de cinq ans, exactement depuis le 1er octobre 19...
A cet âge, il avait déjà fréquenté l'école maternelle pendant un an. On lui avait enseigné le chant, le dessin et il passait le reste de la journée à jouer avec ses camarades.

2 Depuis, il a appris à lire, à écrire, on lui a enseigné la géographie, l'histoire. Il sait faire les additions, les soustractions, les multiplications et les divisions. Il a fait des problèmes et des rédactions. Il connaît quelques éléments de sciences et, en particulier, de physique. Il a commencé à étudier une langue vivante étrangère. En plus de tout ce qu'il a appris à l'école de ses maîtres, il doit travailler (mot à mot : étudier) à la maison, le soir. Il doit apprendre ses leçons et faire ses devoirs.

3 Il aime l'école. Quand les vacances arrivent, les premiers jours il s'ennuie de ses camarades. Mais ensuite, comme nous allons au bord de la mer ou à la campagne, il fait de nouvelles connaissances. Il joue, court, saute toute la journée. Lorsqu'il pleut, il lit et tous les jours il étudie son piano pendant une demi-heure au moins.

Vocabulaire

Rappel : *Insegnare,* enseigner; *l'insegnamento. Imparare, appr**e**ndere,* apprendre (en parlant de l'élève seulement).
L'apprendimento, l'apprentissage; *l'apprendista,* l'apprenti; ex. : *l'apprendista indr**a**ulico, elettricista,* l'apprenti plombier, électricien.

*L'**a**ula,* la salle de classe; *l'alunno, lo studente, la studentessa. Il professore, la professoressa. Il maestro,* l'instituteur; *l'istitutore,* le surveillant dans un collège; *la sorvegliante,* la surveillante; *l'istitutrice,* la gouvernante d'enfants.

*La scuola, il lic**e**o cl**a**ssico, il lic**e**o scient**i**fico, l'istituto t**e**cnico per ge**o**metri e ragionieri* (géomètres et comptables), *l'università.*

On ne saurait faire d'une buse un épervier (m. à m. : on ne peut faire d'un âne un savant).

Il collegio, il convitto logent et nourrissent les élèves avec ou sans enseignement. *L'istituto magistrale* est l'école normale; *la scuola elementare* est l'école primaire. Attention : *l'asilo* est l'école maternelle (ou l'asile de fous!).

Le applicazioni tecniche, les travaux pratiques; *gli esercizi,* les exercices; *il compito in classe,* la composition; *l'esame; i voti,* les notes. *Promuovere,* recevoir; *bocciare, respingere,* refuser. Sono promosso; è bocciato, respinto (Mémento § 61, n° 55).

Grammaire

■ Parenté de mots.

1) *Compiuto* vous évoque accompli; vous vous rappelez *bianco, piangere...* dans lesquels le i, après la consonne, représente le *l* français.

2) *Esattamente, ottobre;* - ct - français fait place à - *tt* - (doublement de la deuxième consonne déjà signalé).

3) *Scienza, coscienza, sufficienza, scienziato :* le *i* après le *c* se prononce, ainsi qu'en français, dans science, conscience. Il n'a en effet pas le rôle d'écriture comme dans ciò (où le *i* conserve au *c* le son tch qu'il perdrait s'il était seulement en contact avec le « o ».

■ Remarquez : étudier le soir, le jour, la nuit : *studiare di sera, di giorno, di notte;* ou bien *studiare la sera, il giorno, la notte.*

■ ***Siccome andiamo.***

« Vu que » se dira aussi : *visto che, dacché, giacché.*

Exercices

1. Combien d'enfants avez-vous? Quel âge ont-ils? 2. Que fait votre (le) fils aîné? Où travaille-t-il? 3. Et ses petits frères? 4. Ils vont en classe. 5. L'un s'intéresse beaucoup à la musique. 6. Il prend des leçons de piano et bien qu'il ait seulement six ans, il a déjà plusieurs fois passé des examens avec succès. 7. Un autre ne pense qu'à des choses de mécanique. 8. Le plus petit sera sûrement joueur de football. 9. Ce qu'il peut aimer les parties de football à la télévision!

Corrigé :

1. Quanti figli ha? Quanti anni hanno? 2. Che cosa fa il figlio maggiore? Dove lavora? 3. E i suoi fratellini? 4. Vanno a scuola. 5. Uno s'interessa molto di musica. 6. Prende lezioni di pianoforte e sebbene abbia solo sei anni ha già piú volte superato degli esami con successo. 7. Un altro pensa solo a cose di meccanica. 8. Il piú piccolo sarà certamente giocatore di calcio. 9. Quanto gli possono piacere le partite di calcio alla televisione!

Lecture

Una storiella per ragazzi.

Questa è piú che mai per i ragazzi, che ci sgraneranno gli occhi sopra. Scuola, paroletta che suona per essi lavoro, sudore, pena, sonno perduto, ansie e scapaccioni, significa, all'origine, esattamente il contrario : riposo, ozio, mancanza di lavoro, tempo libero. Proprio cosí. La parola « scholé » significa appunto tutto questo, per il semplice fatto che in antico, quando gli uomini erano dediti in grandissima maggioranza alle dure fatiche delle armi e dei campi, le ore dedicate ai libri e all'esercizio dello spirito erano considerate un riposo piacevole e ristoratore. I Latini chiamavano perfino « otia litterata », ozi dati alle lettere, le ore libere dagli affari in cui ciascuno si dedicava alle conversazioni colte, alle letture, e in genere agli studi.

Aldo Gabrielli, *Avventure nella foresta del vocabolario* (Ed. Ceschina, Milano).

Une historiette pour enfants.

Cette histoire-ci est plus que jamais pour les enfants qui vont en ouvrir tout grands leurs yeux. École, petit mot qui évoque (m. à m. : résonne) pour eux travail, sueur, peine, sommeil perdu, angoisse et gifles, signifie, à l'origine, exactement le contraire : repos, loisir, absence de travail, temps libre. Tout juste. Le mot « Scholé » signifie précisément tout ceci, par le simple fait que, dans l'ancien temps, lorsque les hommes se destinaient en très grande majorité aux dures fatigues des armes et des champs, les heures consacrées aux livres et à l'exercice de l'esprit étaient considérées comme un repos plaisant et réparateur. Les Latins appelaient même « otia litterata », loisirs donnés aux lettres, les heures libres des affaires durant lesquelles chacun se consacrait aux conversations érudites, aux lectures et, en général, aux études.

Leçon

73 Il °corpo umano

1 I miei figli **a**mano il movimento. Non hanno paura né del caldo né del freddo. Non li ho mai visti raffreddarsi per aver giocato o camminato •sotto la °pioggia, o •corso con qualunque tempo a •torso nudo. Le loro membra si fanno •muscolose e il loro corpo si fa fless**i**bile con l'esercizio all'aria l**i**bera, con l'arrampicarsi, il salire, lo sc**e**ndere, il saltare. Si dorme infinitamente meglio a °cielo aperto, e il sonno è piú riposante perché si respira un' atm**o**sfera pura e sana.

2 La sera, rientrando in casa, dopo le irritazioni della giornata, mi °distendo.
Mi allungo sul •tappeto, nella calma, nell'oscurità. Chiudo gli °occhi, non •ascolto niente. °Levo il braccio destro e lo lascio cadere con tutto il suo peso, °molle, come se fosse °morto. Poi giro la °testa a destra, a sinistra. Viene la volta della gamba sinistra, poi della destra : le piego l'una dopo l'altra, e le lascio dist**e**ndersi. Mi metto in piedi; imm**a**gino che la colonna vertebrale sia uno stelo fless**i**bile. La piego in ogni °senso, col °ventre in dentro, le spalle cadenti indietro, e col tronco in avanti. Stiro le dita.

3 L'uomo è un **e**ssere sens**i**bile, °intelligente, coraggioso e appassionato. Solamente l'uomo ride e piange. Ma °soffre e °prova il ben**e**ssere, come gli animali.
Certuni hanno innato e profond**i**ssimo il °senso del ritmo. È forse per questo mezzo che l'uomo raggiunge l'eternità.

MENTE SANA IN CORPO SANO

Traduction

Le corps humain

1 Mes enfants aiment le mouvement. Ils n'ont peur ni de la chaleur, ni du froid. Je ne les ai jamais vu s'enrhumer pour avoir joué ou marché sous la pluie ou courir, par n'importe quel temps, le torse nu. Leurs membres se musclent et leur corps s'assouplit à s'exercer au grand air, à grimper, à monter, à descendre, à sauter.
L'on dort infiniment mieux à la belle étoile (mot à mot : à ciel ouvert) et le sommeil est plus reposant parce que l'on respire un air pur et sain.

2 Le soir, en rentrant à la maison, après l'énervement de la journée, je me relaxe.
Je m'allonge sur le tapis, au calme, dans l'obscurité. Je ferme les yeux, je n'écoute rien. Je lève le bras droit et je le laisse retomber de tout son poids, mou, comme s'il était mort. Puis, je tourne la tête à droite, à gauche; vient le tour de la jambe gauche, puis de la droite : je les plie l'une après l'autre pour les laisser ensuite se détendre (mot à mot : et je les laisse...) Je me mets debout; je m'imagine que ma colonne vertébrale est une tige flexible. Je la ploie dans tous les sens, le ventre rentré, les épaules tombant en arrière et le tronc en avant. J'étire mes doigts.

3 L'homme est un être sensible, intelligent, courageux et passionné. Seul l'homme rit et pleure. Mais il souffre ou ressent le bien-être, tout comme les animaux.
Certains ont un sens inné et très profond du rythme. C'est peut-être par là que l'homme rejoint l'éternité.

Vocabulaire

La carne, la chair est aussi la viande.
Tendere, tendre; *la tensione, la tension* (Mémento § 61 n° 94).
Stendere, étendre; *stirare. Alzarsi per sgranchirsi le gambe,* se lever pour se détendre les jambes.
Piegare il braccio, plier le bras; *la piega,* le pli; *la falsa piega,* le faux pli; *spiegare,* déplier.
Provare a plusieurs sens : 1. goûter; *provi gli spaghetti,* goûtez...

Mens sana in corpore sano.

2. essayer; *ho provato a telefonarle stamattina.* 3. prouver; *provare quello che si dice,* prouver ce qu'on dit. 4. ressentir; *provare il benessere,* ressentir le bien-être.
Dormire all'aperto, a cielo aperto, ...à la belle étoile; ...*all'aria libera,* ...*all'aria aperta,* ...au grand air.

Grammaire

■ Mots à double pluriel.

Certains mots possèdent deux pluriels à sens différents : *il corno,* la corne; *i corni della luna,* le croissant de la lune; *le corna del bue,* les cornes du bœuf.
il filo, le fil; *i fili della luce,* les fils électriques, *i fili d'erba,* les brins d'herbe; *le fila della tela,* les fils de la toile.
il legno, le bois; *le legna,* le bois à brûler; *i legni,* les morceaux de bois (du menuisier, par exemple); autrefois, *« i legni »* désignaient un bateau de bois.
il lenzuolo, le drap; *le lenzuola,* les deux draps d'un lit; *un paio di lenzuola,* une paire de draps; *ho comprato dieci lenzuoli (cinque paia di lenzuola),* j'ai acheté dix draps.
il membro, le membre; *i membri di un' assemblea,* les membres d'une assemblée; *le membra del corpo,* les membres du corps.
l'osso, l'os; *gli ossi,* les os considérés séparément; *le ossa,* l'ossature.
Ajoutons le mot *il riso* qui, au singulier, a deux sens :
1) le rire, pluriel *le risa;* b) le riz, pluriel *i risi,* les grains de riz.

N. B. : *il ginocchio,* le genou; *i ginocchi, le ginocchia;* ces deux pluriels s'emploient au sens propre.

■ Certains verbes sont pronominaux en italien et ne le sont pas en français : *arrampicarsi,* grimper; *ammalarsi,* tomber malade, *vergognarsi,* avoir honte.

■ *A torso nudo,* le torse nu, *a testa alta,* la tête haute.
Voyez leçon 69 : *con la testa, coi piedi, con le gambe.*

Exercices

1. J'ai l'habitude de faire de la gymnastique chaque jour. 2. – Un peu, pas beaucoup, juste ce dont j'ai besoin pour ne pas grossir et me maintenir en bonne forme. 3. J'ai un bon ami qui est un excellent professeur de gymnastique. 4. Je crois que le mouvement, est source de santé et de plaisir. 5. Il n'est pas parvenu à grimper comme ses autres camarades. 6. Il a eu honte de lui. 7. Il semble pourtant fort lorsqu'on le voit le torse nu. 8. Il marche aussi la tête haute. 9. Figurez-vous que cette nuit j'ai rêvé. 10. Un mauvais rêve : j'étais tombé malade.

Corrigé :

1. Ho l'abitudine di fare la ginnastica ogni giorno. 2. Un poco, non molto, giusto quanto ne ho bisogno per non ingrassare e per mantenermi in buona forma. 3. Ho un buon amico che è un eccellente professore di ginnastica. 4. Credo che il movimento sia fonte di salute e di piacere. 5. Non arrivò ad arrampicarsi come gli altri compagni. 6. Si vergognò di lui. 7. Sembra tuttavia forte quando lo si vede a torso nudo. 8. Cammina anche con la testa alta. 9. Si figuri che questa notte ho sognato. 10. Un cattivo sogno : mi ero ammalato.

Lecture

Due tipi umani.

« Un contadinaccio? Non vedi come vien su? Uno scr**i**cciolo ». Lillo era infatti un bimbetto p**a**llido e mingherlino, con due gambettine magre, un testone riccioluto e due grand'occhi : somigliant**i**ssimo in certi tratti al padre, ma lontan**i**ssimo da lui di costruzione e d'espressione, non meno che da quella della madre venuta giú dalla montagna, ancora giovane e bellona, gagliarda di m**u**scoli come il suo uomo e piú di lui avanzata di id**e**e e spregiudicata di modi, che fumava e smoccolava come un giovanottaccio e vangava e zappava come un bracciante a c**o**ttimo, cantando a squarciagola : « E se il Governo non vorrà — rivoluzione si farà... ». Un accidente di f**e**mmina sbagliata, insomma, che davvero c'**e**ran volute le mani nocchiute di Strozzapreti per domarla e farne la brava donna che si nascondeva sotto quelle manieracce b**e**cere.

Guelfo Civinini, *Trattoria di paese* (Ed. Mondadori) Milano.

Deux types humains.

« Un rustaud? Vous ne voyez pas comme il pousse? Un roitelet ». « Lillo » était en fait un tout petit garçon pâle et malingre, avec deux petites jambes maigres, une grosse tête frisée et deux grands yeux; par certains traits, absolument ressemblant à son père, mais très loin de lui par le physique et l'expression, pas moins que de la mère descendue de la montagne, encore jeune et belle, forte en muscles comme son homme et plus que lui avancée en idées et sans préjugés sur les manières, qui fumait et jurait comme un jeune gaillard et qui bêchait et piochait comme un tâcheron à forfait, chantant à gorge déployée : « Et si le gouvernement ne veut pas — révolution l'on fera ».
C'était un diable de femme, un homme manqué, en somme, que seules les mains dures d'étrangle-prêtres avaient pu dompter pour en faire la brave femme qui se cachait sous ces manières triviales.

Leçon

74 Che cosa vi piace leggere?

1 Il mio °mestiere non mi •permette di dedicare tutto il tempo che vorrei alla lettura. Quando ho un minuto, °sfoglio una rivista o un giornale illustrato. Come i bambini, guardo per prima cosa le imm**a**gini. Certi servizi giornal**i**stici sono redatti bene. Certi art**i**coli di quotidiani sono abbastanza obiettivi. Ma la stampa non si °interessa che all'attualità.

2 Quanto ai romanzi e ai •racconti, preferisco lasciarmi guidare dal filo di una storia, anche se i car**a**tteri sono convenzionali o arbitrari. Io credo infatti che l'intrigo e lo •scioglimento immaginati •dall'autore •potr**e**bbero **e**ssere °diversi. Ma mi lascio sedurre dallo stile, perché traduce la vita.

3 Io sono cl**a**ssico piuttosto che rom**a**ntico. Molte °**o**pere piú °recenti e anche °moderne mi •s**e**mbrano sorpassate. Mi accade di cambiare °id**e**a e di bruciare ciò che ho adorato.

4 Invece mi piace sempre piú la Storia. Per l'Antichità e per il °Medio °Evo, gli •avvenimenti sono diff**i**cili da ricostruire. È uno studio appassionante. Gli °**e**roi piú •consider**e**voli ci rim**a**ngono forse sconosciuti. Ho un •d**e**bole per i racconti di viaggi.
Posso °l**e**ggere in parecchie lingue, ma con un dizionario.

ESSERE UN POZZO DI °SCIENZA

Traduction

Qu'aimez-vous lire?

1 Mon métier ne me permet pas de consacrer tout le temps que je voudrais à la lecture. Lorsque j'ai une minute, je feuillète une revue ou un illustré. Comme les enfants, je regarde d'abord les images. Certains reportages sont bien rédigés. Certains articles de journaux sont assez objectifs. Mais la presse ne s'intéresse qu'à l'actualité.

2 Pour ce qui est des romans ou des contes, je préfère me laisser guider par le fil d'une histoire, même si les caractères sont conventionnels ou arbitraires. Je pense, en effet, que l'intrigue et le dénouement imaginés par l'auteur pourraient être différents. Mais je me laisse séduire par le style, car il traduit la vie.

3 Je suis classique plutôt que romantique. Beaucoup d'œuvres plus récentes et même modernes me semblent dépassées. Il m'arrive de changer d'idée, de brûler ce que j'ai adoré.

4 Par contre, j'aime de plus en plus l'histoire. Pour l'Antiquité et pour le Moyen Age, les événements sont difficiles à retracer. C'est là une étude passionnante. Les héros les plus considérables nous restent peut-être inconnus. J'ai un faible pour les récits de voyage.
Je peux lire dans plusieurs langues, mais avec un dictionnaire.

Vocabulaire

Lo scioglimento vient de *sciogliere,* dissoudre *(sciolsi, sciolto).* Ne pas confondre avec *scegliere (scelsi, scelto)* choisir; *la scelta,* le choix (Mémento § 62).
Rappel : *mi accade, mi succede, mi occorre* (rare), il m'arrive.
Il romanzo; il romanzo giallo, le roman policier, série noire; *...rosa,* ...série rose. *I romanzi st**o**rici,* les romans historiques; *le f**a**vole, le fiabe,* les fables, les contes; *i racconti,* les contes.
Leggiucchiare un libro, parcourir un livre; *l**e**ggerlo tutto d'un fiato,* le lire tout d'un trait; *ril**e**ggerlo,* le relire.
Sprofondarsi nella lettura, se plonger dans la lecture.
Alcune lingue straniere, quelques langues étrangères : *il francese, l'inglese, il tedesco, lo spagnuolo, il portoghese, l'olandese, lo svedese, il polacco, il russo, il cinese, il giapponese.*

Être un puits de science.

Grammaire

■ *Aveva con sé romanzi polizieschi.* Cet exemple est tiré du texte page 319 : « sé » représente la même personne que le sujet. *Lui* serait une autre personne.
Ex. : *Pietro parla sempre di Paolo = Parla sempre di lui.* Tandis que si Pierre parle de lui-même : *Pietro parla sempre di sé.* Vous pouvez dire aussi : *...di sé stesso.*
Comparez avec : *fare da sé,* faire par soi-même.

Pluriels : *giornalistici, classici, romantici; intrighi, polizieschi.*

■ *Sempre piú,* de plus en plus; de moins en moins sera donc : *sempre meno.*
Ogni giorno di piú, chaque jour davantage.
Ne confondez pas plutôt, *piuttosto* et plus tôt, *piú presto.*

■ *Parecchie lingue,* plusieurs langues; *molte lingue,* de nombreuses langues; *diverse lingue,* diverses langues; *lingue differenti,* des langues différentes. Remarquez qu'en italien la seule variation de construction est dans la place de l'adjectif, pour le seul dernier cas.

Exercices

1. Pour sûr que j'aime lire! 2. Je le crois bien. 3. La lecture m'enlève le sommeil. 4. Si je ne me dominais pas, j'achèterais toute la librairie de la Rue Nationale et je l'emporterais chez moi. 5. Un livre est un ami; il m'apprend des choses, me console, m'amuse et occupe mon temps. 6. Il n'est jamais de mauvaise humeur; il est toujours à ma disposition. 7. Que lisez-vous d'ordinaire? 8. Les journaux vous intéressent-ils? 9. Non, n'est-ce pas? Ils sont trop superficiels. 10. L'histoire vous passionne. 11. Vous auriez aimé vivre il y a quatre siècles.

Corrigé :

1. Certo che mi piace leggere! 2. Lo credo bene. 3. La lettura mi toglie il sonno. 4. Se non mi controllassi comprerei tutta la libreria di via Nazionale e la porterei a casa mia. 5. Un libro è un amico; mi insegna delle cose, mi consola, mi diverte e occupa il mio tempo. 6. Non è mai di cattivo umore; è sempre a mia disposizione. 7. Che cosa legge normalmente? 8. Le interessano i giornali? 9. No, è vero? Sono troppo superficiali. 10. La storia l'appassiona. 11. Le sarebbe piaciuto vivere quattro secoli fa.

Una lettura appassionante.

Mio padre, la sera, nel suo studio, lavorava : cioè correggeva le bozze dei suoi libri, e vi incollava certe illustrazioni. A volte tuttavia, leggeva romanzi. — È bello quel romanzo, Beppino? — chiedeva mia madre. — Macché! una noia! un sempiezzo! — rispondeva alzando le spalle. Leggeva però con la piú viva attenzione; e intanto fumava la pipa, e spazzava via la cenere dalla pagina. Quando tornava da qualche viaggio, aveva sempre con sé romanzi polizieschi, che comprava sulle bancarelle delle stazioni, e finiva di leggerli là nel suo studio, la sera. Erano, di solito, in inglese e in tedesco : sembrandogli forse meno frivolo leggere quei romanzi in una lingua straniera. — Un sempiezzo, — diceva alzando le spalle, e leggeva tuttavia fino all'ultima riga.

Natalia Ginzburg, *Lessico famigliare* (Einaudi).

Une lecture passionnante.

Mon père le soir, travaillait dans son cabinet de travail : c'est-à-dire qu'il corrigeait les épreuves de ses livres et y collait certaines illustrations. Parfois, encore, il lisait des romans. « Il est beau ce roman, Beppino (Joseph, *Giuseppe;* diminutif : *Beppe*) demandait ma mère. Mais non! c'est ennuyeux, c'est bête! répondait-il, haussant les épaules. Il lisait cependant avec l'attention la plus vive; et pendant ce temps il fumait la pipe et chassait les cendres de la page. Quand il rentrait de quelque voyage, il avait toujours avec lui des romans policiers, qu'il achetait aux éventaires des gares et il achevait de les lire, là, dans son cabinet, le soir. En général ils étaient en anglais et en allemand : il lui semblait, peut-être, moins frivole de lire ces romans dans une langue étrangère. Une bêtise, disait-il en haussant les épaules; et il lisait, cependant, jusqu'à la dernière ligne.

Leçon

Che cosa volete vedere? Che cosa volete sentire?

1 Ammiro l'architettura medievale, sia essa rom**a**nica od ogivale. Non mi stanco di vedere le °chiese e le cattedrali °europ**e**e che ill**u**strano la •grandezza di D**i**o.
Avete visto •Ravenna in una bella giornata? Quei mos**a**ici cosí antichi e •ancora cosí brillanti, quelle sculture d'°avorio nei °musei, quale armon**i**a d'architettura!

2 In pittura ho un •d**e**bole per il Quattroc**e**nto. L'arte primitiva mi seduce per la sua sincerità e la sua •raffinatezza. Ho contemplato a lungo le •scene della •Passione di Cristo in un tr**i**ttico °an**o**nimo che ho visto •recentemente. Mi pi**a**cciono i ritratti purché °**e**vochino un'**a**nima. Capite qualche cosa, voi, dell'arte astratta? Io non ci capisco niente.
— Ma, caro mio, perché volete che il •pittore **i**miti la realtà? Il °fot**o**grafo, con un buon •apparecchio, una buona pell**i**cola e un buon obiettivo è molto piú esatto di un •pittore.

3 — Da quando ho la •televisione non vado piú al c**i**nema né ai concerti. Si °proi**e**ttano °eccellenti films, e sono •trasmessi i programmi delle °orchestre °sinf**o**niche. E poi ho un giradischi per sentire ciò che piace a me.
— Mi pare che non abbiate •ragione. Avete °perso l'**u**ltimo concerto di A. d'Amato. Era magn**i**fico. •Inoltre, cara mia, tutti i vostri •apparecchi non sostitu**i**scono mai il piacere di fare noi stessi della m**u**sica.

È °SEMPRE LA •STESSA M**U**SICA

Traduction

Que voulez-vous voir? que voulez-vous entendre?

1 J'admire l'architecture médiévale, qu'elle soit romane ou ogivale. Je ne me lasse pas de voir les églises et les cathédrales d'Europe qui illustrent la grandeur de Dieu.
Avez-vous vu Ravenne par une belle journée? Ces mosaïques si anciennes et encore si brillantes, ces sculptures sur ivoire dans les musées, et quelle harmonie d'architecture!

2 En peinture j'ai un faible pour le XVe siècle : l'art primitif me séduit par sa sincérité et par son raffinement. J'ai longuement contemplé les scènes de la Passion du Christ dans un triptyque anonyme que j'ai vu récemment. J'aime les portraits pourvu qu'ils évoquent une âme. — Vous comprenez quelque chose, vous, à l'art abstrait? Moi, je n'y comprends rien.
— Mais, mon cher, pourquoi voulez-vous que le peintre imite le réel? Le photographe, avec un bon appareil, une bonne pellicule et un bon objectif est beaucoup plus exact qu'un peintre.

3 Depuis que j'ai la télévision je ne vais plus au cinéma ni aux concerts; on donne d'excellents films et les programmes des orchestres symphoniques sont retransmis. Et puis j'ai un tourne-disques pour entendre ce qui me plaît. Il me semble que vous n'avez pas raison. Vous avez manqué le dernier récital de A...? C'était magnifique. De plus, ma chère, tous vos appareils ne remplacent jamais le plaisir de faire soi-même de la musique.

Vocabulaire

Romano, romain; *romanico,* roman. *L'arte gotica o ogivale, rinascimentale (il Rinascimento) barocca.*
Quelques noms rencontrés à Rome : *il Colosseo,* le Colisée; *il Campidoglio,* le Capitole; *la Basilica; il Tevere,* le Tibre; *Trastevere,* le Transtévère (pas d'article).
Le mot *bellezza* s'emploie fréquemment : *parla italiano che è una bellezza,* il parle italien à ravir; *un giardino che è una bellezza,* ...une merveille; *solo per bellezza,* seulement pour la montre; *questo costa la bellezza di tre milioni,* ...ni plus ni moins que trois millions.

C'est toujours la même chanson (m. à m. : ...musique).

Grammaire

■ *Sia ... o.* Synonymes : *sia ... sia; o ... o.*
Ex. : ***sia*** *gotico* ***o*** *rinascimentale;* ***sia*** *nel Trecento* ***sia*** *nel Quattrocento;* ***o*** *domani mattina* ***o*** *domani sera,* soit demain matin, soit demain soir.

■ *Quattrocento,* c'est-à-dire le XVe siècle (années 1400 et suivantes). Voyez la leçon 52.

■ *L'obiettivo dell'apparecchio,* l'objectif de l'appareil.
Remarquez la correspondance du français à l'italien : le projet, *il progetto;* l'objectif, *l'obiettivo.* Mais l'objet est *l'oggetto.* Objectif et subjectif : *oggettivo e soggettivo.* Ex. : *il mio giudizio è oggettivo* (ou *obiettivo*).

Pluriels : *tr**i**ttici, sinf**o**nici, magn**i**fici; giradischi.*

Allora allora (page 325). Cette répétition donnant plus d'intensité au sens de *allora* est à rapprocher de la répétition de l'adjectif dans la formation des superlatifs. Ex. : *l'Italia è bella bella,* l'Italie est très belle; *questo vino è buono buono,* ce vin est très bon (Mémento § 13).

Exercices

1. Bien que je sois d'ici, je n'ai jamais visité le musée. 2. De sorte qu'on ne peut être plus ignorante. 3. Mais c'est qu'en vérité le travail de la maison, les enfants et tant d'autres choses ne vous permettent pas de faire ce qui vous plaît. 4. Quand j'étais étudiante à Bologne, pour sûr que les choses de l'art m'intéressaient! 5. Connaissez-vous Bologne? 6. Allez-y : c'est de l'art, rien que de l'art. 7. Le sanctuaire de St Luc sur la colline, la tour de Garisenda et celle des Asinelli, les Portiques du Pavaglione, l'Université, St Petronio, le Palais du Podestà...

Corrigé :

1. Benché io sia di qui, non ho mai visitato il museo. 2. Sicché... non si può essere piú ignoranti. 3. Gli è che in verità il lavoro della casa, i bambini e tante altre cose non vi permettono di fare quello che vi piace. 4. Quando ero studentessa a Bologna, è certo che le cose d'arte mi interessavano. 5. Conosce Bologna? 6. Ci vada : è arte, solo arte. 7. Il Santuario di San Luca sulla Collina, la Torre di Garisenda e quella degli Asinelli, i Portici del Pavaglione, l'Università, San Petronio, Il Palazzo del Podestà...

Lecture

La fisarmonica.

È anche incredibile il piacere che noi provammo ad ascoltare quella **u**sica, e lo strano effetto che produsse sopra di noi. Essa ci ubriacò come il vino.
Era un pot pourri di vecchie melod**i**e italiane tutte r**i**ccioli e svolazzi, pezzi d'**o**pera cuciti insieme a capriccio, « di quella pira » e « a te questo rosario », non ricordo esattamente in quale **o**rdine, forse anche « le foreste imbalsamate » e « Parigi o cara » : cose sublimi che in ogni altro luogo e momento ci avr**e**bbero riempito l'**a**nimo di indic**i**bile malincon**i**a, richiamando alla nostra memoria i nonni e i bisnonni morti da tempo e per lo piú dimenticati; ma lí, sotto quel pl**a**tano, con quelle cicale che colm**a**vano del loro str**i**dulo canto ogni pausa, con quei pagli**a**i tutto intorno, e l'odor di concio che il vento portava su dai campi vangati di fresco, e i boschi e le selvagge montagne, ci riemp**i**rono di meraviglia, come se nasc**e**ssero allora allora, e quello strano soffietto a tastiera, pompando la nostra grezza e incolore aria di campagna, la trasformasse in pittoresche melod**i**e.

Umberto Fracchia, *Gente e Scene di Campagna, La fisarm**o**nica,*
(Ed. Mondadori, Milano).

L'accordéon.

Le plaisir que nous éprouvâmes en écoutant cette musique et l'étrange effet qu'elle produisit sur nous, est aussi incroyable. Elle nous enivra comme le vin.
C'était un pot-pourri de vieilles mélodies italiennes, toutes pleines de frisettes et de floritures, des morceaux d'opéra cousus ensemble au petit bonheur, « de ce bûcher » et « à toi ce chapelet », je ne me souviens pas exactement dans quel ordre, peut-être aussi « Les forêts embaumées » et « Paris, ô ma chérie » : choses sublimes qui, dans un tout autre lieu et à un tout autre moment, nous auraient rempli l'âme d'une mélancolie inexprimable en nous rappelant le souvenir de nos aïeux et de nos bisaïeux morts depuis longtemps et pour la plupart oubliés; mais là, sous ce platane, avec ces cigales qui comblaient de leur chant strident chaque intervalle, avec ces meules tout autour et l'odeur du fumier que le vent apportait des champs fraîchement labourés et les bois et les montagnes sauvages, ces choses nous remplirent d'émerveillement, comme si elles venaient de naître et comme si ce bizarre soufflet à clavier aspirant notre air de campagne pur et incolore la transformait en des mélodies pittoresques.

Leçon

75 bis — Contrôle et révisions

A 1. Il me semble que Pierre n'est pas très poli. 2. J'ai conduit Jeanne en voiture chez lui, mardi dernier. 3. A peine entré, Mme Cini m'a dit : « asseyez-vous ». 4. Nous sommes entrés dans le salon. 5. Pierre était assis, les pieds sur la table. 6. Quand nous sommes apparus, il n'a pas même daigné se lever.

B 7. Il n'a pas bougé du tout. 8. Il faisait comme s'il dormait, comme s'il rêvait. 9. Il nous avait certainement entendu venir. 10. Je me suis mis dans l'idée qu'il n'aime pas Jeanne. 11. Non, étant jeune, il était déjà comme cela. 12. Ensuite il est parti. 13. Croyez-vous qu'il ait pris congé de nous? 14. Il se conduit de la même façon avec n'importe qui.

C 15. Je désire changer d'appartement. 16. Je voudrais une maison à la campagne. 17. Désirez-vous une maison à louer ou à acheter? 18. Cela m'est égal, pourvu qu'elle me convienne. 19. Dans quelle partie de la province? 20. N'importe laquelle, pourvu que j'aie la tranquillité. 21. D'une part il me faudra des pièces assez grandes. 22. D'autre part j'aimerais des arbres pour pouvoir m'asseoir à l'ombre.

D *(Trois traductions : si, uno, 1re personne du pluriel).*
23. Quand on est riche, on peut s'offrir du luxe. 24. Quand on est svelte, on peut s'habiller à la dernière mode. 25. Quand on est jeune, on doit songer à son avenir. 26. Une fois cinquante ans passés, peut-on faire ce que l'on veut? 27. Oui, si l'on peut.

E 28. Combien gagne Joseph? 29. Environ cent cinquante mille lires par mois. 30. Avec ceci il doit payer la location de l'appartement et tout le reste. 31. Combien lui coûte l'appartement? 32. Avec combien comptez-vous vivre à Turin? 33. La vie est-elle chère ou pas? 34. Elle a beaucoup augmenté au cours des dernières années. 35. Maintenant, cent cinquante mille lires par mois avec une famille ce n'est rien, vous savez. 36. Bien entendu la meilleure solution c'est d'être propriétaire de l'appartement où vous logez.

Corrigé :

A 1. Mi •sembra che ○Pietro non s**i**a •molto educato. 2. Ho condotto Giovanna in m**a**cchina a casa sua martedí •scorso. 3. •Appena •introdotto, la •signora Cini mi ha •detto : « ○s'acc**o**modi ». 4. Siamo entrati nel ○salotto. 5. Pietro era seduto con i ○piedi sul t**a**volo. 6. Quando siamo apparsi, non si è neanche degnato di alzarsi.

B 7. Non si è ○mosso affatto. 8. Si comportava •come se dormisse, come se sognasse. 9. Ci aveva •certamente sentiti arrivare. 10. Mi sono •messo in •mente che non gli piaccia Giovanna. 11. No, già da giovane era cosí. 12. Poi se n'è andato. 13. •Cr**e**dete che ci abbia salutato? 14. Egli si ○comporta allo •stesso ○modo con chiunque.

C 15. Des**i**dero cambiare •appartamento. 16. ○Vorrei una casa in campagna. 17. Des**i**dera una casa da affittare o da comprare? 18. Mi è indifferente, purché mi ○convenga. 19. In quale parte della •regione? 20. In qualunque parte, purché abbia la tranquillità. 21. Da un lato mi occorreranno delle c**a**mere abbastanza grandi. 22. Dall' altro mi piacer**e**bbero degli **a**lberi per •potermi •sedere all' •ombra.

D 23. Quando si è ricchi, ci si può offrire del lússo. (Quando uno è ricco, si può... Quando siamo ricchi, ci possiamo...). 24. Quando si è magri, ci si può vestire all '**u**ltima moda. (Quando uno è magro, si... Quando siamo magri, ci possiamo...) 25. Quando si è •gi**o**vani, bisogna pensare al ○proprio avvenire. (2. Quando uno è gi**o**vane, deve pensare... 3. Quando siamo gi**o**vani, dobbjamo pensare... al nostro avvenire.) 26. Una ○volta superata la cinquantina, si piò fare quello che si ○vuole? (2. ...uno può fare •quello che vuole? ...possiamo fare quello che vogliamo? 27. Sí, se si può. (2. Sí, se uno può. 3. Sí, se possiamo.)

E 28. Quanto guadagna Giuseppe? 29. Circa centocinquantamila lire al mese. 30. Con questo deve pagare l'affitto dell'appartamento e tutto il resto. 31. Quanto gli costa l'appartamento? 32. Çon quanto conta vivere a Torino? 33. La vita è cara o non? 34. È aumentata molto durante gli ultimi anni. 35. Ora, centocinquantamila lire al mese con una famiglia non è niente, sa. 36. Beninteso la migliore soluzione è d'essere proprietario dell'appartamento dove abitate.

Leçon

76 Il Pian

Dopo il Manuel venne il Pian. L'Olimpo fu per qualche millennio servito da un dio che aveva le ali ai piedi, e persino sul cappello; il nostro paese, per lunghi anni, da un carrettiere soprannominato il Pian. Credo[1] che egli fosse figlio del Pian, nipote del Pian, pronipote del Pian, il discendente insomma di tutta una dinastia di Pian, e che quella di andare adagio, di prendere con calma le cose della vita, di spendere il tempo senza avarizia, fosse una virtú ereditaria, passata col soprannome di padre in figlio. Il primo cavallo che egli comprò alla fiera era un puledro. Legato in cima ad una lunga corda che il mercante reggeva per il capo opposto, lo vide fare non so quanti giri al trotto e al galoppo, e pareva che volasse con tutti e quattro gli zoccoli sollevati da terra, come i cavallucci del carosello. Al minimo schiocco di frusta partiva annitrendo, piú ratto del fulmine, con un bellissimo crollar di criniera, un piglio da corridore nato. Ricondotto al passo, aveva l'ambio lungo e rapido. Fermo, scalpitava impaziente di riprendere la corsa. Il Pian lo guardava con i suoi occhi mezzo[2] addormentati, meditava e taceva. Il contratto fu concluso verso sera, e non passò una settimana che, attaccato al carro del Pian, il bell'animale aveva perduto tutto il suo brio. Era diventato il cavallo del Pian, il suo passo, quello lento e pensieroso del padrone, della frusta aveva dimenticato anche il suono, e non andò molto che imparò a fermarsi ogni tanto lungo la strada a pizzicar l'erba della proda e, di notte, a schiacciare un sonnellino.
Il Pian non era giovane, e non era vecchio. Aveva la media età della vera saggezza. Chi picchiava alla sua porta, sapeva di dover aspettare un poco, prima che una voce gli rispondesse fioca attraverso i muri. Poi si udiva uno scalpiccio strascicato, e finalmente il Pian incominciava a scendere lemme lemme la scala. Anche a non volerne contare i gradini, bisognava sapere che erano dodici, tanto il Pian li scendeva adagio. Era come contare i rintocchi del campanile, quando il grosso orologio suonava il mezzodí. Egli ascoltava in silenzio, meditava assai prima di rispondere, e fra le sue parole non ce n'era mai una di troppo.

1. *Credo* (de *credere*), *fosse* (de *essere*) : notez la différence de temps et de mode. De temps, car le fait de croire est présent, celui d'être... est passé. De mode, cf. : *credo che sia.*
2. *Mezzo* est adverbe donc invariable.

Le lambin

Après Manuel vint le lambin. L'Olympe fut durant quelques millénaires servie par un Dieu qui avait des ailes aux pieds et même sur son casque; notre pays, pendant de longues années, fut servi par un charretier surnommé le Lambin. Je crois qu'il était le fils du Lambin, petit-fils du Lambin, arrière petit-fils du Lambin, le descendant, en somme, de toute une dynastie de Lambins, et que le fait d'aller doucement, de prendre avec calme les choses de la vie, de dépenser le temps sans avarice, était une vertu héréditaire, passée avec le surnom de père en fils. Le premier cheval qu'il acheta à la foire était un poulain. Attaché au bout d'une longue corde que le marchand tenait par le bout opposé, je le vis faire je ne sais combien de tours au trot et au galop, et il semblait voler avec ses quatre sabots, soulevés de terre comme les petits chevaux du Carrousel. Au moindre claquement de fouet, il partait en hennissant, plus rapide que la foudre, avec un magnifique déploiement de crinière, un air de coureur né. Ramené au pas, il avait l'amble long et rapide. Arrêté, il piaffait impatient de reprendre la course. Le Lambin le regardait avec des yeux à moitié endormis, méditait et se taisait. Le contrat fut conclu vers la soirée, et il ne se passa pas une semaine que, attaché au char du Lambin, le bel animal avait perdu toute sa fougue. Il était devenu le cheval du Lambin, son pas, celui lent et pensif du maître; du fouet, il en avait oublié même le son, et peu de temps s'écoula, qu'il apprit à s'arrêter de temps à autre le long de la route, à pincer l'herbe du bord et, la nuit, à faire un petit somme. Le Lambin n'était pas jeune, et il n'était pas vieux. Il avait l'âge moyen de la vraie sagesse. Celui qui frappait à sa porte, savait qu'il devait attendre un peu, avant qu'une voix lui réponde faiblement à travers les murs. Puis on entendait un piétinement traînant et finalement le Lambin commençait à descendre l'escalier tout doucement. Même si l'on ne voulait pas compter les marches, il fallait savoir qu'il y en avait douze, tellement le Lambin les descendait lentement. C'était comme compter les tintements du clocher, quand la grosse horloge sonnait midi. Il écoutait en silence, méditait beaucoup avant de répondre, et parmi ses paroles, il n'y en avait jamais

In paese la sua reputazione crebbe[3] con gli anni. Andavano da lui per consiglio. Sedevano i due compari ad una tavola con un fiasco nel mezzo. Un ragazzo veniva a dire che il cavallo era attaccato. Il Pian raccomandava di tenerlo all'ombra. Passava qualche ora, le nuvole scavalcavano le cime delle montagne, oscuravano il sole, da bianche si facevano nere, e incominciava a piovere. Correva il ragazzo a dire che il cavallo si bagnava. Il Pian dava ordine di coprirlo con l'incerata. Il compare aveva vuotato il fiasco, ma il Pian era ancora al suo primo bicchiere. Già quello, dimenticato[4] il perché della visita, faceva discorsi strambi, picchiava il pugno sulla tavola e accennava a voler cantare. Ma il Pian, taciturno, era tutto intento al consiglio che lentamente gli cuoceva nella coscienza. L'altro ruzzolava sotto la panca e incominciava a russare; e allora il Pian, appena appena offuscato da una nebbiolina, si alzava in piedi e si affacciava alla porta. Il giorno s'era cambiato in notte e il cielo stellato prometteva una quiete dolce e serena. Dormire in un letto o in un carro non è forse la stessa cosa? All'alba si sarebbe svegliato alle porte della città, senza neppure accorgersi della strada. Anche il cavallo si era addormentato alle stanghe, ma all'avvicinarsi del padrone si risvegliava con un pigro nitrito.
Straordinaria fu la morte del Pian. Una notte, non si sa come, dato[4] un uomo di tanta prudenza, egli ruzzolò giú per quella scala che durante tutta la sua vita non aveva mai voluto né salire né scendere a due scalini per volta, batté il capo contro la porta, e chiuse gli occhi per sempre. Il suo spirito non abbandonò per questo subito il suo corpo, ma se ne andò senza fretta ventisei giorni dopo. Era lo spirito del Pian, e adagio, ponderatamente, con tutta calma uscí di questa vita.

UMBERTO FRACCHIA,
Gente e scene di campagna (Mondadori, Milano)

3. *Crescere,* croître, *crebbi, cresciuto* (§ 61, n° 21).
4. *Dimenticato, dato.* Cet emploi du participe passé seul ne se fait pas en français.

une de trop. Au pays sa réputation s'était accrue avec les années. On allait chez lui pour lui demander conseil. Les deux compères s'asseyaient à une table, avec une bouteille au milieu. Un enfant venait dire que le cheval était attaché. Le Lambin recommandait de le tenir à l'ombre. Quelques heures passaient, les nuages enjambaient les sommets des montagnes, obscurcissaient le soleil, de blancs devenaient noirs et il commençait à pleuvoir. L'enfant courait dire que le cheval se mouillait. Le Lambin donnait l'ordre de le couvrir d'une toile cirée. Le compère avait vidé la bouteille, mais le Lambin en était encore à son premier verre. Déjà celui-là, ayant oublié le but de sa visite faisait des discours bizarres, frappait du poing sur la table et montrait qu'il voulait chanter. Mais le Lambin, taciturne, était tout attentif au conseil qui lentement bouillonnait dans sa conscience. L'autre dégringolait sous la banquette et commençait à ronfler; et alors le Lambin tout juste offusqué par un petit brouillard se levait et mettait le nez à la porte. Le jour s'était changé en nuit et le ciel promettait une quiétude, douce et sereine. Dormir dans un lit ou dans une charrette, n'est-ce pas, peut-être, la même chose? A l'aube, il se serait réveillé aux portes de la ville sans même s'apercevoir de la route. Même le cheval s'était endormi aux timons, mais à l'approche du patron, il se réveillait avec un hennissement paresseux.
La mort du Lambin fut extraordinaire. Une nuit, on ne sait comment, pour un homme d'une grande prudence, il dégringola dans cet escalier que pendant toute sa vie il n'avait jamais voulu ni monter ni descendre deux marches à la fois, se cogna la tête contre la porte et ferma les yeux pour toujours. Son esprit ne quitta pas pour autant son corps tout de suite, mais s'en alla sans hâte vingt-six jours après. C'était l'âme du Lambin et, lentement, après mûre réflexion, avec un grand calme, elle sortit de cette vie.

Vecchia città

Noi ragazzi dovevamo ormai rassegnarci a vivere in quella vecchia[1] città nella quale eravamo nati, ma che avevamo abbandonato da anni. Città fitta di case, quasi accastellate le une sulle altre, case alte e cupe, dai muri umidi, dai loggiati[2] tetri; e tutta segnata da vie strette e tortuose, le quali ben di rado si allargano nel calmo respiro di una piazza.
Piú vivo in noi il ricordo della Maremma[3], selvatica e avara specie in quei tempi, ma a suo modo accogliente con le larghe e ariose pianure percorse dalle mandrie dei bufali e con lontano, sulla linea dell'orizzonte una chiara cavalcata di monti. Né potevamo dimenticare le nostre città marine : strade ampie ravvivate dall'odore acre della salsedine, belle anche d'inverno per la luce piú aperta e il mugghio rabbioso del libeccio[4]. La vecchia città faceva pena, invéce : vie anguste e intricate, predilette dall'ombra, dove bisognava darsi da fare per non urtare nei passanti.
Proprio non riuscivamo a capacitarci di quella nuova dimora. Prima dell' alba tra veglia e sonno, qualche acuto canto di gallo rievocava una campagna invano desiderata, di là dalle mura[5] cittadine. Di sotto le coltri ascoltavamo quel canto remoto e la vita destarsi a quel segnale : il sole — lo si capiva — sfiorava le cime delle torri, dei campanili, le sommità delle chiese, e, sul cumulo disuguale dei tetti, gli abbaini piú alti : un sole tenero, roseo e appena tiepido. Si udivano le prime lattaie che davano la sveglia ai clienti e le erbivendole con i loro carretti rumorosi sul selciato che gli spazzini andavano ripulendo con automatica lentezza.
Si odono, a quell'ora, i richiami e il cozzare metallico delle bombole appese ai manubri delle biciclette. Qualcuno risponde, impastato nel sonno, dall'alto di un terzo o un quarto piano. E quei rumori gradevoli crescono col crescere della luce : gli operai e gli impiegati vanno al lavoro mentre le saracinesche dei negozi vengono sollevate con fracasso.

1. Il s'agit de la ville de Lucques.
2. *Loggia* ou *loggiato :* à Lucques, c'est l'entrée principale d'une maison.
3. *Maremma :* zone du littoral plate, marécageuse et malsaine.
4. *Libeccio* vent du Sud-Ouest.
5. Lucques est une ville fortifiée; *mura,* ici = remparts.

Vieille ville

Nous, jeunes garçons, nous devions désormais nous résigner à vivre dans cette vieille ville dans laquelle nous étions nés, mais que nous avions abandonnée depuis des années. Ville aux maisons serrées, presqu'empilées les unes sur les autres, maisons hautes et sombres, aux murs humides, aux entrées-porches obscures; ville toute sillonnée de rues étroites et tortueuses, lesquelles s'élargissent bien rarement dans la calme respiration d'une place.
Plus vif en nous était le souvenir de la Maremma sauvage et avare, en particulier à cette époque, mais accueillante à sa manière avec ses plaines larges et aérées, parcourues par les troupeaux de buffles et avec, au loin, sur la ligne de l'horizon, une claire chevauchée de montagnes. Nous ne pouvions pas oublier non plus nos villes maritimes; rues amples vivifiées par l'odeur âcre de l'air salin, belles même en hiver à cause de la lumière plus ouverte et du mugissement rageur du libeccio. La vieille ville faisait peine au contraire : rues étroites et embrouillées, chéries par l'ombre où il fallait prendre garde pour ne pas bousculer les passants.
Vraiment nous ne réussissions pas à comprendre cette nouvelle demeure. Avant l'aube, entre la veille et le sommeil, des chants aigus de coq évoquaient à nouveau une campagne désirée en vain, au-delà des remparts de la ville. Sous les couvertures, nous écoutions ce chant lointain et la vie qui se réveillait (m. à m. : se réveiller) à ce signal. Le soleil — on le comprenait — effleurait les cimes des tours, des clochers, le faîte des églises et sur l'accumulation inégale des toits, les lucarnes les plus élevées : un soleil tendre, rose et à peine tiède. On entendait les premières laitières qui donnaient l'éveil aux clients et les marchandes de quatre-saisons avec leurs charrettes bruyantes sur le pavé que les balayeurs nettoyaient (m. à m. : allaient nettoyant) d'une lenteur automatique.
On entend, à cette heure, les appels et le choc métallique des bombones suspendues aux guidons des bicyclettes. Quelqu'un répond, enveloppé (m. à m. : pétri) dans le sommeil, du haut d'un troisième ou d'un quatrième étage. Et ces rumeurs agréables croissent en même temps que (m. à m. : l'augmentation de) la lumière : les ouvriers et les employés vont au travail tandis que les fermetures métalliques des magasins sont relevées avec fracas.

La vecchia città, cosí quieta e in pace con se stessa durante la notte riprende man mano[6] a vivere, a farsi chiassosa, a ritrovare un po' della sua fanciullezza, essa cosí arcigna e poco propensa al sorriso.
Ma per noi ragazzi era sempre una pena, una tristezza che durò a lungo. Finché un giorno ci riconciliammo con quelle antiche case umidicce, con quelle vie anguste, con quella musoneria che d'inverno par che non voglia finir mai. Fu come risalire al tempo della nostra prima infanzia. Era — mi ricordo — di primavera, allorché principiammo a scoprire il sorriso degli orti e dei giardini interni, cosí restii a farsi conoscere : una folta vegetazione, e delle piú varie, vi cresce, e vi sbocciano fiori vivaci. Talvolta si tratta di un movimentato intrico di fusti, di rami, di foglie uno slancio vigoroso verso l'alto, verso quel cielo cosí difficile ad essere avvicinato.
Ci riconciliammo con la vecchia città nelle ore dei pomeriggi primaverili, quando piú forte giunge il richiamo della campagna circostante, lungo le cortine delle mura, tra il folto stormire degli alberi secolari, animati dagli uccelli già tutti in faccende.
Le vie della città sembrano assumere un carattere nuovo. Il sole scende piú in basso; talvolta mette in fuga l'ombra anche dai vicoli appartati. I vecchi escono a piccoli passi sui viali delle mura, cercano la panchina preferita e vi si trattengono ore ed ore, in quella dolce comprensione della vita che si rinnova.
Che bellezza destarsi, di prima mattina, in una stagione cosí tanto propizia, al canto del gallo dagli orti!
Non importava la voce della mamma di sulla porta della camera per avvertirci che era tempo di saltare dal letto.
Il sole, dalle imposte socchiuse, veniva a darci l'avviso. Le sue esili dita di luce si appuntavano sul tavolinetto presso la finestra, frugavano tra i nostri libri in disordine, ammiccavano con insistenza, come a dirci che era l'ora di tornare su quelle pagine, a darvi in fretta un ultimo sguardo prima di correre per le vie, verso la scuola.

FELICE DEL BECCARO

6. *Man mano;* on peut dire aussi : *a mano a mano.* (avec doublement de l'*m,* en prononçant). Peu à peu se dit : *a poco a poco* ou aussi : *via via.*

La vieille ville si tranquille et en paix avec elle-même durant la nuit se remet à vivre petit à petit, elle devient (m. à m. : devenir) bruyante, elle retrouve un peu de son enfance, elle, si hargneuse et si peu disposée au sourire.
Mais pour nous, jeunes garçons, c'était toujours une peine, une tristesse qui dura longtemps. Vint un jour où (m. à m. : jusqu'à ce qu'un jour) nous nous sommes réconciliés avec ces vieilles maisons un peu humides, avec ces rues étroites, avec cette humeur maussade qui, en hiver, paraît ne vouloir jamais s'achever. Ce fut comme si nous remontions au temps de notre première enfance. C'était, il m'en souvient, au printemps, alors que nous commençâmes à découvrir le sourire des potagers et des jardins intérieurs, si rétifs à se faire connaître; une végétation serrée (et des plus variées) y pousse et des fleurs vivaces y éclosent. Parfois, il s'agit d'un enchevêtrement mouvementé de troncs, de branches, de feuilles, d'un élan vigoureux vers le haut, vers ce ciel, d'approche si difficile.
Nous nous réconciliâmes avec la vieille ville pendant les heures des après-midi de printemps lorsque parvient plus fort l'appel de la campagne environnante, le long des rideaux des murs, entre le frémissement dense des arbres séculaires animés par les oiseaux déjà tout affairés.
Les rues de la ville semblent assumer un caractère nouveau. Le soleil descend plus bas; parfois il fait fuir l'ombre même des ruelles les plus écartées. Les vieillards sortent à petit pas sur les allées des remparts, recherchant leur banc préféré et là s'entretiennent des heures et des heures, dans cette douce compréhension de la vie qui se renouvelle.
Que c'est beau de se réveiller au premier matin, en une saison à ce point propice, au chant du coq venu des jardins potagers! Nous n'avions pas besoin d'entendre la voix maternelle au seuil de notre chambre pour nous avertir qu'il était temps de sauter du lit.
Le soleil, à travers les volets entr'ouverts, venait nous donner le signal. Ses fins doigts de lumière se posaient sur la petite table près de la fenêtre, fouillaient parmi nos livres en désordre, clignaient avec insistance, comme pour nous dire que c'était l'heure de revenir sur ces pages, pour y donner en hâte un dernier coup d'œil avant de courir à travers les rues, vers l'école.

Leçon

78 Tu ed io

Passati gli anni non vi era nulla di mutato, se non che tu ed io eravamo cresciuti. Gli altri restavano gli stessi : la nonna nella sua umiliata condizione, il tuo protettore col suo tono paterno e severo, il velato sarcasmo della signora. Dida si era fatta piú grassa e sapeva ridere senza incrinare il silenzio : preparava un'uguale merenda per te e per me. Anche i crostini erano gli stessi, di pane, burro e marmellata d'arancio[1]. Poi tu ed io uscivamo per recarci in[2] giardino.
Un giorno il babbo, stretto dal bisogno, si era rivolto al tuo protettore per avere trecento lire. Erano molte[3] trecento lire, allora. Al babbo servivano per comperarsi una marsina usata da un rigattiere, siccome aveva trovato lavoro al « Gambrinus » dove i camerieri portavano le falde. Il babbo faceva il cameriere nei caffè. Con le poche decine di lire che rimasero, la famiglia si concesse una scampagnata. Furono i trenta denari. Da quel giorno il babbo non rimise piede a Villa Rossa. Ora il tuo protettore era sicuro di averti conquistato definitivamente; all'ironia di sua moglie si aggiunse un argomento di piú. La nonna[4] si mordeva le labbra ogni volta che l'episodio le veniva rinfacciato, si riprometteva di pagare il debito del babbo con i suoi risparmi : guadagnava una lira l'ora nei suoi mezzo-servizio[5]. Io giocavo con i miei amici, per la strada, di soldi e diecioni : trecento lire era una somma che veniva da ridere a pensarci, tanto mi pareva enorme. Cenavamo, la nonna ed io, a caffè e latte; spendevamo, tutti e due, una lira.
Fu dopo l'episodio del prestito che il tuo protettore proibí di parlare della mamma in tua presenza.
Tu ed io andavamo dunque in giardino. Mi[6] camminavi al fianco

1. *Arancio* est l'arbre, *arancia,* le fruit; on dirait plutôt : *marmellata d'arancia.*
2. Notez l'absence d'article; *nel giardino* introduirait une nuance : on penserait à tel jardin, pas seulement au fait de sortir.
3. *Molte* est ici adjectif.
4. *La nonna;* plus loin : *il babbo.* L'article confère une note de familiarité.
5. *Mezzo-servizio* désigne le travail à l'heure, en particulier celui d'une femme de ménage qui ne reste pas en service toute la journée.
6. La possession est marquée par le pronom *mi.* On pourrait dire : *Camminavi al mio fianco.*

Toi et moi

Les années avaient passé, il n'y avait rien de changé, sinon que toi et moi, nous avions grandi. Les autres restaient les mêmes : grand-mère dans sa condition humiliée, ton protecteur avec son ton paternel et sévère, le sarcasme voilé de la dame. Dida avait grossi et savait rire sans fêler le silence. Elle préparait un goûter pareil, pour toi et pour moi. Même les toasts étaient semblables, de pain, de beurre et de confiture d'orange. Puis toi et moi, nous sortions pour nous rendre au jardin.
Un jour, papa contraint par la nécessité, s'était adressé à ton protecteur pour avoir trois cents lires. C'était beaucoup à cette époque, trois cents lires. Papa en avait besoin pour s'acheter chez un fripier un habit d'occasion puisqu'il venait de trouver du travail au « Gambrinus » où les garçons portaient la queue de pie. Papa était garçon de café. Avec les quelque dizaines de lires qui restèrent, la famille s'offrit une partie de campagne. Ce furent là les trente deniers. Depuis ce jour, papa n'a pas remis les pieds à la Villa Rouge. Désormais, ton protecteur était sûr de t'avoir conquis définitivement; à l'ironie de sa femme s'ajouta un argument de plus. Grand-mère se mordait les lèvres chaque fois que lui était reproché l'épisode. Elle se promettait de solder la dette de papa avec ses économies : elle gagnait une lire l'heure dans ses ménages. Moi, je jouais avec mes amis dans la rue par pièces d'un sou et de deux sous; trois cents lires étaient une somme qui faisait rire, rien que d'y penser, tant elle me semblait énorme. Nous dînions, grand-mère et moi, d'un café au lait, nous dépensions tous les deux, une lire. Ce fut après l'épisode de l'emprunt que ton protecteur interdit de parler de maman en ta présence.
Toi et moi, nous allions donc au jardin. Tu marchais à côté de

sempre un po' discosto, mi trattavi con una degnazione ostentata, di bambino; eri sempre accigliato, come se mi considerassi un nemico. Mi facevi osservare le piante, i fiori, i pesci della vasca col sussiego di un fanciullo che fa ammirare al coetaneo i suoi giocattoli per stupirlo e muovergli invidia, ma non gli permetterà mai di toccarli. Mi conducevi spesso e volentieri fino alla serra per vedere le tartarughe. Il giorno che ne voltai una sul dorso col piede, ti mettesti a piangere. Nemmeno il giardiniere riuscí a calmarti; mi insultavi fra i singhiozzi. La tartaruga si chiamava Beatrice.
Rientrasti in casa quasi correndo, il tuo protettore mi misurò uno schiaffo, la nonna prese le mie difese. « Roba da forca », esclamò la signora. « Stanotte avrà la febbre », disse il tuo protettore; mi guardava con occhi cattivi. Io non lo temevo piú. Le visite a Villa Rossa mi sembravano ormai una commedia. Vivevo una vita diversa, trascorrevo molte ore del giorno sulla strada, venire a Villa Rossa era per me un'avventura, una doppia esistenza che ai miei amici mantenevo segreta.
Avevo dieci anni e la nonna non poteva piú tenermi per[7] mano. Quando uscivamo dalla Villa staccavo la corsa per via San Leonardo, entravo nei cortili dei contadini, e lanciavo un urlo, suonavo i campanelli delle ville, raccoglievo le ulive cadute dagli alberi. Le volte che la signora ci accompagnava mi sfrenavo apposta, lei mi minacciava col bastone. Al momento di salutarla la nonna la scongiurava di non riferire al marito le mie prodezze. Era una strana donna, la signora; non di rado, per tutto rimprovero, mi faceva una carezza.

VASCO PRATOLINI,
Cronaca Familiare (Mondadori)

7. *Per mano,* absence d'article. Cf. note 2, ci-dessus.

moi, toujours un peu à l'écart; tu me traitais d'enfant avec une complaisance affectée; tu avais toujours le sourcil froncé : comme si tu me prenais pour un ennemi. Tu me faisais remarquer les plantes, les fleurs, les poissons du bassin avec l'autorité d'un enfant qui fait admirer ses jouets à un autre enfant du même âge pour l'émerveiller et le rendre jaloux mais qui ne lui permettra jamais d'y toucher. Tu m'emmenais souvent et volontiers jusqu'à la serre voir les tortues. Le jour où j'en retournai une sur le dos avec le pied, tu te mis à pleurer. Le jardinier lui-même ne réussit pas à te calmer : tu m'insultais au milieu de tes sanglots. La tortue s'appelait Béatrice.
Tu rentras à la maison, presque en courant; ton protecteur me gratifia d'une gifle, grand-mère prit ma défense. « Gibier de potence! » s'exclama la dame. — « Cette nuit il aura la fièvre », dit ton protecteur; il me regardait avec des yeux méchants. Moi, je ne le craignais plus. Les visites à la Villa Rouge me semblaient désormais une comédie. Je vivais une vie différente. Je passais de nombreuses heures de la journée dans la rue; venir à la Villa Rouge était pour moi une aventure, une double existence que devant mes amis je gardais secrète.
J'avais dix ans et ma grand-mère ne pouvait plus me donner la main. Quand nous sortions de la Villa Rouge, je me mettais à courir dans la rue San Leonardo, j'entrais dans les cours des paysans et je poussais un grand cri, je tirais les sonnettes des villas, je ramassais les olives tombées des arbres. Les fois où la dame nous accompagnait, je faisais exprès de me déchaîner, elle, elle me menaçait de sa canne. Au moment de la saluer, grand-mère la conjurait de ne pas raconter mes prouesses à son mari. C'était une femme étrange que la dame; fréquemment, pour tout reproche, elle me faisait une caresse.

Leçon

Caso, padrone mio!

Era stato un amore fulminante. Conosciuta in un dancing di via Meravigli, no domani tu smetti di lavorare, nozze a sessanta giorni bella mia, e cosí fu. Ero matto, matto, se ne accorsero i portafogli di mezza città. Ah come lavoravo in quel periodo, fra via Silvio Pellico e via Berchet nelle mattine di mercato. Affittammo quattro locali in via S. Gregorio e ce li godemmo come i pulcini godono l'ovatta. La famosa luna di miele è certo un'occupazione di adulti, ma comportandovisi ingenuamente, come bambini, la si gusta di piú. Bronci, riconciliazioni, gelosie delle ombre, diminutivi assurdi, è buona la pappa?, fatta la nanna?, di chi è il Momo della Moma sua?, eccetera. Forse quegli abbandoni mi perdettero, o Silvia era Lucifero travestito da angioletto, chi lo sa. Un pomeriggio, tornavo dal Verziere, la colgo mentre ficca la sua roba nelle valigie. Ci guardiamo per cinque minuti, zitti, coi nervi incordati. Pareva che ognuno dicesse all'altro : « Ma chi sei? Ti ho visto mai? » Infine lei gridò[1].
« Canaglia. Vai[2] rubando portafogli, eh? »
Mi ha seguito, o debbo aver parlato nel sonno, ah quanto è brutta e volgare, pensai. Non tollero che si adoperi quel tono per nominare l'arte mia.
« E con ciò? Mi hai sposato per il meglio come per il peggio. Siediti, ora ti spiego[3] », dissi freddamente.
E lei :
« Scegli : o me ne vado per i fatti miei[4], subito adesso, o appena volti le spalle ti denunzio ».
Figuriamoci : le chiamai un taxi per telefono e le portai giú il bagaglio.
« Addio, Silvia ». « Addio, ladro ». E chi s'è visto s'è visto.
L'amavo, accidenti[5] a lei. Per non avere nell'orecchio, sempre, quei teneri « Di chi è il Momo della Moma sua? » cambiai allog-

1. *Gridare* s'écrier; de même *esclamare,* s'exclamer.
2. *Andare* suivi du gérondif indique l'action répétée.
3. Le futur proche, en italien, s'exprime par le présent ou par le futur.
4. *Fatti i fatti tuoi,* occupe-toi de tes affaires, débrouille-toi tout seul.
5. *Accidenti!* employé seul, est une exclamation familière. Par exemple, si vous apercevez que vous avez oublié votre portefeuille : *Accidenti! Ho dimenticato il portafogli.*

Hasard, mon patron!

Ç'avait été un amour foudroyant. Connue dans un dancing de la rue Meravigli; non, demain tu t'arrêtes de travailler; mariage dans 60 jours, ma belle; et ce fut ainsi. J'étais fou, fou, les portefeuilles de la moitié de la ville s'en aperçurent! Ah! comme je travaillais pendant cette période entre la rue Silvio Pellico et la rue Berchet les matins de marché. Nous louâmes quatre pièces dans la rue Saint-Grégoire et nous y trouvâmes notre plaisir comme des poussins dans l'ouate. La fameuse lune de miel est certainement une occupation d'adultes, mais on l'apprécie davantage si l'on s'y comporte, naïvement, comme des enfants. Différends, réconciliations, accès de jalousie pour des ombres, diminutifs absurdes; la sou-soupe est bonne? Tu as fait ton dodo? A qui est le bébé de son amour? etc... Peut-être ces abandons firent-ils ma perte, ou bien Silvia était un Lucifer travesti en petit ange, qui sait? Un après-midi, je revenais de Verziere, je la surprends en train de mettre ses affaires dans ses valises. Nous nous regardons pendant cinq minutes, en silence, les nerfs tendus. Chacun de nous semblait dire à l'autre : « mais qui es-tu? Est-ce que je ne t'ai jamais vu? » Enfin elle s'écria : « canaille, tu voles des portefeuilles, hein? » Elle m'a suivi, ou bien j'ai parlé en dormant. Ah! Quelle est laide et vulgaire pensai-je. Je ne tolère pas que l'on prenne ce ton pour parler de mon art.
« Et avec ça? tu m'as épousée pour le meilleur comme pour le pire. Assieds-toi, je vais t'expliquer », dis-je froidement :
Et elle :
« Choisis; ou je m'en vais de mon côté immédiatement, ou dès que tu tournes le dos, je te dénonce ».
Pensez donc : je lui demande un taxi par téléphone et lui descends ses bagages.
« Adieu Sylvie ».
« Adieu voleur ».
Fini à jamais.
Je l'aimais, le diable soit d'elle. Pour ne pas avoir dans l'oreille constamment, ces tendres « à qui est le bébé de son amour? » je

gio; ma nell'abbaino di via Rovello, per mesi, la notte, azzannavo i guanciali. È inutile, chiunque può riavere sua moglie, per legge; senonché l'anticamera della legge è la polizia, è terreno minato per un ladro di portafogli. Dovevo rassegnarmi, e adagio ci riuscii; fu quasi un divertimento, per me, nel '51, scrivere sul modulo Vanoni[6] : « Silvia Zaffi, moglie, detrazione L. 50 000 ». Non ci eravamo piú incontrati. Un silenzio di tomba, fino al giugno scorso. Riapparve d'improvviso in quella fotografia : i portafogli me l'avevano tolta, ecco, e i portafogli me la restituivano. Come non voler bene al genio mio? E come non cedere alla tentazione di rivederla? Sul tardi, il giorno dopo, ero a Busto Arsizio.

Binari, capannoni, fabbriche, una selva di ciminiere, d'inferriate, di gru, di cavi; un'aria pesante che rifiutava le stelle e corrompeva l'alito della primavera. I biglietti da visita del ragioniere mi guidarono fin sul ballatoio del quinto piano di un palazzaccio[7] alla periferia; le vibrazioni del motore acceso di un autocarro, dal sottostante cortile, grattavano scaglie di ruggine dalla ringhiera, pareva che la spulciassero. Davanti all'uscio socchiuso, mi fermai, anche per gli strilli e i pianti che udii. C'era una lite in corso, fra l'uomo e la donna; tre bambini, ammucchiati in un angolo della stanza (un logoro tinello) singhiozzavano impauriti. Dio santo, vidi mia moglie. Affranta, sudicia, giallognola : non aveva trent'anni ed era già una vecchia, piena di ansie e di rancore... la nonna della Silvia che avevo amata io, la nonna, un volto e una figura di mendicante. Il ragioniere e lei si azzuffavano, indovinai, a causa del portafogli mancante. Egli gridò :

« Ma ragiona... che posso farci? Debiti ne abbiamo con tutti... a chi mi rivolgo? » e Silvia, disperata, fuori di sé, lanciandogli un piatto che lui evitò a stento, ribatté :

« Ma che vuoi che ti dica... va' a rubare! va' a rubare! »

GIUSEPPE MAROTTA,
Mal di Galleria (Ed. Bompiani, Milano)

6. Ministre qui a donné son nom à un formulaire de déclaration d'impôts : les hommes mariés déduisent de leurs revenus une certaine somme (ici : 50 000 lires).
7. Le suffixe *-accio* est péjoratif.

changeai de logis; mais dans la mansarde de la rue Rovello, pendant des mois, la nuit, je mordais les oreillers. C'est inutile, n'importe qui peut reprendre sa femme de par la loi. Mais l'antichambre de la loi est la police; c'est un terrain miné pour un voleur de portefeuilles. Je devais me résigner; et très lentement, j'y parvins : ce fut presque un divertissement, pour moi, au cours de l'année 51, que d'écrire sur la formule Vanoni : « marié avec Sylvie Zaffi, base déduite 50 000 lires ». Nous ne nous étions plus rencontrés. Silence de mort, jusqu'à juin dernier. Elle reparut à l'improviste sur cette photo. C'étaient les portefeuilles qui me l'avaient enlevée, et les portefeuilles me la rendaient. Comment ne pas vouloir de bien à mon génie? Et comment ne pas céder à la tentation de la revoir? Sur le tard, le jour suivant, j'étais à Busto Arsizio.
Des rails, des hangars, des usines, une forêt de cheminées, de grilles, de grues, de câbles; un air lourd qui repoussait les étoiles et corrompait le souffle du printemps. Les cartes de visite du comptable me guidèrent jusqu'au palier du 5e étage d'un vilain immeuble de banlieue; les vibrations du moteur en marche d'un car venant de la cour située au-dessous, détachaient des écailles de rouille de la rampe; on aurait dit qu'elles l'épluchaient. Devant la porte entrebâillée, je m'arrêtai en raison, aussi, des cris et des pleurs que j'entendis. Il y avait une dispute en cours, entre l'homme et la femme; trois enfants, entassés dans un coin de la pièce (une vieille salle à manger) sanglotaient apeurés. Mon Dieu, je vis ma femme. Accablée, sale, le teint jaunâtre : elle n'avait pas trente ans et c'était déjà une vieille; remplie d'angoisses et de rancœurs... La grand-mère de la Sylvie que j'avais aimée, moi, la grand-mère, un visage et une allure de mendiante. Le comptable et elle se disputaient, je devinai que c'était à cause du portefeuille absent. Il s'écria : « mais, raisonne un peu, que puis-je y faire? Nous avons des dettes avec tout le monde. A qui est-ce que je peux m'adresser? » Et Sylvie, désespérée, hors d'elle, lui lançant une assiette qu'il évita de justesse, riposta :
« Que veux-tu que je te dise... va voler!... va voler! »

80 Charles Moulin, amico dell'Italia

« Nella mia vita non ho fatto altro che studiare » mi disse un giorno Charles Moulin mentre dipingeva un effetto di luce che passava fugace sui monti lontani, tra i verdi alberi e le ginestre fiorite. Per questa dedizione esclusiva alla pittura, la sua vita è semplice, lineare, non contrassegnata da grandi avventure; tuttavia è originale e, come ha scritto un giornalista, sembra nata dalla fantasia di un romanziere. Pertanto, anche se è vero che « la migliore biografia degli artisti sono le loro opere », è opportuno accennare alle tappe essenziali di questa sua esistenza dedicata, con sacrifici e convinzione, alla affermazione di un ideale e alla ricerca continua della Verità.
L'artista iniziò gli studi di disegno all'età di nove anni in una scuola facoltativa di Lilla, dove era nato il 6 gennaio 1869, li continuò nell'Accademia di Belle Arti della stessa città natale e li perfezionò poi in quella di Parigi. Nella capitale francese il giovane professore di disegno fu apertamente in polemica con le stranezze di moda a Montmartre. Incline alla meditazione e alla solitudine, preferiva invece passeggiare solo lungo la Senna, osservare gli effetti di colore che il sole ricreava sul fiume al tramonto e domandarsi sempre il perché di quello che vedeva e di quello che sentiva. Nel 1896 conseguí l'ambitissimo « Prix de Rome » che lo consacrava il migliore pittore francese di quell'anno e che lo portò per lungo tempo a Villa Medici, dove visse con i piú grandi artisti dell'epoca. La venuta in Italia determinò una svolta[1] decisiva nello sviluppo della sua arte : essa segnò la liberazione dalla maniera accademica e l'inizio, contro tutti e tutto, degli studi all'aria aperta[2] che erano il sogno della sua vita, come egli stesso diceva. L'intensità del sole italiano lo attrasse a tal punto che, al termine della pensione di Villa Medici, non ritornò a Parigi ma, con un gruppo di altri pittori, si stabilí ad Anticoli Corrado dove, per dieci anni, potette dipingere belle modelle in mezzo al verde della natura.
Nel 1911 andò per la prima volta a Castelnuovo al Volturno per salutare un amico, modello dell'Accademia, che piú volte lo aveva invitato. Trovò la natura molisana delicata, luminosa, selvaggia, adatta ad un artista come lui che cercava cose belle di cui circon-

1. *Svolta,* détour; *sviluppo,* développement (voyez page 50).
2. *Dormire a cielo aperto,* dormir à la belle étoile; *studiare all'aria aperta,* étudier en plein air.

Charles Moulin, ami de l'Italie

« Dans ma vie je n'ai fait qu'étudier » me dit un jour Charles Moulin pendant qu'il peignait un effet de lumière qui passait fugitif sur les montagnes lointaines, parmi les arbres verts et les genêts fleuris. C'est pour cette consécration exclusive à la peinture que sa vie est simple, linéaire, non marquée de grandes aventures; tout de même elle est originale et comme l'a écrit un journaliste, semble être sortie de l'imagination d'un romancier. Pour cela, même s'il est vrai que « la meilleure biographie des artistes ce sont leurs œuvres », il convient d'évoquer les étapes essentielles de cette existence dédiée, avec sacrifice et conviction, à l'affirmation d'un idéal et à la recherche continue de la vérité.
L'artiste commença l'étude du dessin à l'âge de neuf ans dans une école libre de Lille où il était né le 6 janvier 1869; il la poursuivit à l'Académie des Beaux Arts de cette ville et la perfectionna ensuite à celle de Paris. Dans la capitale française le jeune professeur de dessin fut ouvertement en opposition avec les excentricités de mode à Montmartre. Enclin à la méditation et à la solitude, il préférait au contraire se promener seul le long de la Seine, observer les effets de couleur que le soleil recréait sur le fleuve au couchant, et se demander toujours le pourquoi de ce qu'il voyait et de ce qu'il sentait.
En 1896, il reçut le très convoité Prix de Rome qui le consacrait meilleur peintre français de cette année-là et qui le conduisit pour longtemps à la Villa Médicis, où il vécut avec les plus grands artistes de l'époque. Sa venue en Italie déterminera un tournant décisif dans le développement de son art : elle marqua sa libération de l'académisme et le commencement, contre tous et tout, de ses études de plein air qui étaient le rêve de sa vie, comme il le disait lui-même. L'intensité du soleil italien l'attira à tel point qu'à la fin de son séjour à la Villa Médicis, il ne revint pas à Paris mais, avec un groupe d'autres peintres, s'établit à Anticoli Corrado où, pendant dix ans, il put peindre de beaux modèles dans la verdure de la nature.
En 1911, il alla pour la première fois à Castelnuovo al Volturno pour saluer un ami, modèle de l'Académie, qui à maintes reprises l'avait invité. Il trouva la nature molisienne délicate, lumineuse, sauvage, convenant parfaitement à un artiste comme lui qui

darsi e tra cui poter dipingere e sognare. Cosí, dopo numerosi viaggi in Francia, dove a Parigi ormai esponeva al Salon fuori concorso e senza passare sotto il giudizio della giuria e dove i musei di Lilla e di Saint Amand les Eaux si onoravano dei suoi dipinti, malgrado le preghiere dei parenti e le insistenze dei critici che gli prospettavano benessere, gloria e onori, alla fine della Prima Guerra Mondiale ritornò definitivamente in quel paesetto sperduto tra i monti dell'Appennino Centrale. Si costruí una capanna in cima alle Mainarde e vi rimase per quattro anni a dipingere, come i contadini del luogo ancora dicono, in compagnia degli orsi e delle streghe. Successivamente si stabilí a qualche chilometro da Castelnuovo su un colle regalatogli dal Comune, che egli aveva trasformato in un vero angolo di Paradiso. Qui, la sua pittura si spiritualizza e nello stesso tempo diviene piú aderente alla realtà sia riguardo alla forma che al contenuto. Riguardo alla prima perché oltre al colore, alla costruzione, alla composizione e all'aria, egli ricerca l'ora conveniente, l'ampiezza e l'armonia « con l'interpretazione della stessa realtà piú che con la copia assoluta », riguardo al contenuto, perché egli abbandona i soggetti della mitologia pagana e della Sacra Scrittura, e torna a dipingere la vita quotidiana nei suoi aspetti immutevoli, resa pertanto con una bellezza ideale ed espressa in concetti universali.
Il suo merito piú grande è quello di chiarire e di risolvere tutti i problemi dell'arte moderna nello studio della Natura e quindi nel perfezionamento della visione dell'artista stesso nel suo eterno desiderio di Bellezza, d'Amore e di Assoluto. Con questo credo e con la fiducia di un sano rinnovamento della sensibilità contemporanea, il pittore della luce e della purezza si spegneva nella Clinica Pansini di Isernia il primo giorno di primavera del 1960.

ROBERTO FIOCCA

cherchait à s'entourer de belles choses parmi lesquelles il pourrait peindre et rêver. Ainsi, après de nombreux voyages en France, où désormais il exposait à Paris au Salon hors concours et sans se soumettre au jugement du jury, et où les Musées de Lille et de Saint-Amand-les-Eaux s'honoraient de ses œuvres, malgré les prières de ses parents et l'insistance des critiques qui lui faisaient miroiter bien-être, gloire et honneurs, à la fin de la première guerre mondiale, il revint définitivement dans ce petit pays perdu, au milieu des montagnes de l'Apennin Central. Il se construisit une cabane au sommet des Mainarde et il y resta quatre ans à peindre, comme le racontent encore les paysans de l'endroit, en compagnie des ours et des sorcières. Ensuite, il s'établit à quelques kilomètres de Castelnuovo sur une colline que la municipalité lui avait donnée, qu'il avait transformée en un véritable coin de paradis. Ici, sa peinture se spiritualise et en même temps adhère plus étroitement à la réalité, tant par la forme que par le contenu. Par la première, car outre la couleur, la construction, la composition et l'air, il recherche l'heure la plus favorable, les dimensions et l'harmonie « avec l'interprétation de la réalité plutôt qu'une copie fidèle ». Par le contenu, car il abandonne les sujets de la mythologie païenne et de la Sainte Écriture et il se remet à peindre la vie quotidienne dans ses aspects immuables, rendus, par conséquent, avec une beauté idéale et exprimés en concepts universels.
Son mérite le plus grand est d'éclairer et de résoudre tous les problèmes de l'art moderne dans l'étude de la nature et donc dans le perfectionnement de la vision de l'artiste lui-même, dans son éternel désir de Beauté, d'Amour et d'Absolu. Avec ce crédo et avec la confiance d'un sain renouvellement de la sensibilité contemporaine, le peintre de la lumière et de la pureté s'éteignait dans la clinique Pansini d'Isernia le premier jour du printemps 1960.

Leçon

81 Quando mi chiamerai?

Riprendo a camminare. Fa caldo. I piedi cominciano a dolermi. Mi tolgo la giacca, la porto sul braccio. Sento, contro l'avambraccio, nella tasca interna della giacca, il pacchetto delle lettere di Jane, che porto sempre con me, anche se non le rileggerò mai. Cammino, è notte ormai. Già qualche casa, nel verde, è buia e silenziosa. Avanti, avanti. La mia casa è ancora lontana. A un crocicchio deserto, mi fermo e mi riposo dieci minuti. Mi siedo sullo scalino del marciapiedi. Fumo una sigaretta. Guardo quello che vedo, davanti a me. La notte, tre quattro strade che si perdono nella notte, con le loro prospettive di fanali bluastri. Case qua e là, tra gli alberi. Gli asfalti puliti e ruvidi, con i loro chiodi, con le loro righe bianche. Qualche cartello pubblicitario. I nomi delle strade, in altri cartelli, rettangolari, chiari, ciascuno al suo posto. Frecce direzionali, su altri appositi cartelli gialli, di località vicine. In mezzo al crocicchio ondeggia, al vento di mare che si è levato, un grande fanale azzurro. Le luci del traffico, rosse, verdi, si alternano ad intervalli regolari. Passano rare macchine, molto rapide. Se le luci sono rosse, arrivano, si fermano, aspettano, ripartono. Guardo quel fanale azzurro che ondeggia contro il cielo nero, ondeggia al vento disperatamente. Mio Dio, che io debba finire la vita qui?
Eppure, queste visioni dovrebbero essermi familiari. Il paesaggio della mia infanzia è questo, o uno molto simile a questo. Perché penso a Roma?
Infine mi alzo, riprendo la marcia.
Due ore fa, verso l'una di notte, sono giunto in vista della mia casa. La *mia* casa. La casa dove dorme Dorothea e i miei bambini. Sono stanco, ho voglia di un bicchiere di whisky che lí, in casa, troverò. E di fumare una pipa. E di finire di scrivere. Ma mi fermo, guardando la casa, a cento passi di distanza. Le finestre sono buie. Il cuore mi si stringe, a tornare lí dentro. Se fuggissi? Cosí, senza dir nulla, sparire nel mondo. Dove, nel West, nel Messico?
No, no, io voglio tornare a Roma.
Mi siedo di nuovo sullo scalino del marciapiede. Cavo dalla tasca della giacca il pacchetto delle lettere da Capri. È da tanto che lo voglio fare : decido di bruciarle adesso. Le tolgo, a una a una, dalle loro buste. Tengo gli occhi semichiusi per evitare di leggere, anche senza volerlo, una frase, una parola. Adagio ada-

Quand m'appelleras-tu?

Je reprends ma marche. Il fait chaud. Mes pieds commencent à me faire mal. J'enlève mon veston, je le porte sur le bras. Je sens contre l'avant-bras dans la poche intérieure de mon veston, le paquet de lettres de Jane, que je porte toujours sur moi, même si je ne dois jamais le relire (m. à m. : relirai).
Je marche, il fait désormais nuit. Déjà quelques maisons dans la verdure sont obscures et silencieuses. En avant, en avant. Ma maison est encore loin. A un carrefour désert, je m'arrête et me repose dix minutes. Je m'assieds sur le bord du trottoir. Je fume une cigarette. Je regarde ce que je vois devant moi. La nuit, trois, quatre rues qui se perdent dans la nuit, avec leur perspective de feux bleuâtres. Maisons çà et là, à travers les arbres. L'asphalte propre et rugueux avec ses passages cloutés, avec ses lignes blanches. Quelques pancartes publicitaires. Les noms des rues sur d'autres pancartes rectangulaires claires, chacune à sa place. Des flèches apposées sur d'autres pancartes jaunes, indiquant les directions des localités voisines.
Au milieu du carrefour oscille, au vent de mer qui s'est levé, un grand lampadaire bleu. Les feux de signalisation, rouges et verts, alternent à intervalles réguliers. De rares voitures passent, très rapidement. Si le feu est rouge elles arrivent, s'arrêtent, attendent, repartent.
Je regarde ce fanal bleu qui oscille contre le ciel noir, oscille au vent, désespérément. Mon Dieu, devrais-je donc finir ma vie ici?
Pourtant ces visions devraient m'être familières. Le paysage de mon enfance est celui-ci, ou un très semblable à celui-ci. Pourquoi pensé-je à Rome?
Je me lève enfin et je reprends ma marche.
Il y a deux heures, vers une heure du matin, je suis arrivé en vue de ma maison. *Ma* maison. La maison où dorment Dorothée et mes enfants. Je suis fatigué, j'ai envie d'un verre de whisky que là, chez moi, je trouverai. Et de fumer une pipe. Et de finir d'écrire. Mais je m'arrête, regardant la maison à cent pas de distance. Les fenêtres sont noires. Mon cœur se serre à la pensée de rentrer là-dedans. Si je fuyais? Comme ça, sans rien dire, disparaître dans le monde. Où, dans l'Ouest, au Mexique?
Non, non, je veux retourner à Rome.
De nouveau, je m'assieds au bord du trottoir. Je tire de la poche de mon veston le paquet de lettres de Capri. Il y a si longtemps que je veux le faire : je décide de les brûler maintenant. Je les sors une à une de leur enveloppe. Je ferme à demi les yeux pour éviter de lire, même sans le vouloir, une phrase, un mot. Len-

gio, ogni busta, ogni foglio, strappo tutto : poi cerco, e trovo lí vicino, nel prato, un rametto secco. Lo spezzo. Faccio una piccola armatura, come un'impalcatura, appoggiando i legnetti allo scalino del marciapiede. Poi, sempre tenendo gli occhi semichiusi, vi dispongo sopra le lettere e le buste lacerate. C'è vento. Due pezzi volano via. Devo cacciarmi tutti gli altri in tasca e correre a riprendere quei due. Poi rimetto ogni cosa sui rametti, e studio la direzione del vento, m'inginocchio in modo da far riparo col mio corpo. E accendo. Le lettere bruciano rapidamente. Sono bruciate. Mi rialzo.
Un uomo si avvicina, un uomo di mezza età, con la barba lunga, vestito di tela, un tipo di irlandese o di tedesco. Mi guarda con lo sguardo cattivo. Penso che si fermi e mi chieda l'elemosina. Ma no, niente. Mi guarda con quello sguardo[1] cattivo, di odio, di disprezzo, forse d'indifferenza, e si allontana nella notte.
Ora sono fermo, davanti alla mia casa. Bisogna che mi decida a entrare. L'uomo che è passato... Mi sembra di aver già vissuto questo momento. Forse una notte a Princeton, quando ero con Jane.
Ora devo entrare. Ecco, mi avvio. Devo soltanto attraversare la strada. Tiro fuori la chiave di casa.
Mi chiedo se riuscirò a fuggire un'altra volta.
Ma quando?
Quando mi chiamerai?

MARIO SOLDATI,
Le lettere da Capri (Mondadori, Milano).

1. *Guardare,* regarder; *lo sguardo,* le regard; garder, *custodire.*

tement, très lentement, chaque enveloppe, chaque feuille, je déchire tout; puis je cherche et je trouve là tout près, dans le pré un petit rameau sec. Je le brise en morceaux. Je dresse une petite charpente, comme un échafaudage, en appuyant les petits bouts de bois contre le bord du trottoir. Puis les yeux toujours à demi clos, je dispose dessus les lettres et les enveloppes déchirées. Il y a du vent. Deux morceaux de papier s'envolent. Je dois remettre les autres dans ma poche et courir pour reprendre ces deux-là. Puis, je remets chaque chose sur les rameaux, j'observe la direction du vent et je m'agenouille pour faire un rempart de mon corps. J'allume. Les lettres brûlent rapidement.
Les voilà brûlées. Je me relève.
Un homme s'approche, un homme d'âge moyen à la barbe longue, vêtu de toile. Un type d'Irlandais, ou d'Allemand. Il me lance un regard mauvais. Je pense qu'il va s'arrêter pour me demander l'aumône. Mais non, rien. Il me regarde de ce mauvais regard, de haine, de mépris, d'indifférence peut-être, et il s'éloigne dans la nuit.
Je suis immobile maintenant devant ma maison. Il faut que je me décide à rentrer. L'homme qui est passé... Il me semble avoir déjà vécu cet instant. Peut-être une nuit, à Princeton, quand j'étais avec Jane.
Maintenant il faut rentrer. Voilà, je m'avance. Je dois seulement traverser la rue. Je tire la clef de la maison.
Je me demande si je réussirai à fuir une autre fois.
Mais quand?
Quand m'appelleras-tu?

Ho detto che non voglio...

Fu il 15 di giugno del 1767 che Cosimo Piovasco di Rondò, mio fratello, sedette per l'ultima volta in mezzo a noi. Ricordo come fosse oggi. Eravamo nella sala da pranzo della nostra villa d'Ombrosa, le finestre inquadravano i folti rami del grande elce del parco. Era mezzogiorno, e la nostra famiglia per vecchia tradizione sedeva a tavola a quell'ora, nonostante fosse già invalsa tra i nobili la moda, venuta dalla poco mattiniera Corte di Francia, d'andare a desinare[1] a metà del pomeriggio. Tirava vento dal mare, ricordo, e si muovevano le foglie. Cosimo disse : — Ho detto che non voglio e non voglio! — e respinse il piatto di lumache. Mai s'era vista[2] disubbidienza piú grave.
A capotavola era il Barone Arminio Piovasco di Rondò, nostro padre, con la parrucca lunga sulle orecchie alla Luigi XIV, fuori tempo come tante cose sue. Tra me e mio fratello sedeva l'Abate Fauchelafleur, elemosiniere della nostra famiglia ed aio di noi ragazzi. Di fronte avevamo la Generalessa Corradina di Rondò, nostra madre, e nostra sorella Battista, monaca di casa. All'altro capo della tavola, rimpetto a nostro padre, sedeva, vestito alla turca, il Cavalier Avvocato Enea Silvio Carrega, amministratore e idraulico dei nostri poderi, e nostro zio naturale, in quanto fratello illegittimo di nostro padre.
Da pochi mesi, Cosimo avendo compiuto i dodici anni ed io gli otto, eravamo stati ammessi allo stesso desco dei nostri genitori; ossia, io avevo beneficiato della stessa promozione di mio fratello prima del tempo, perché non vollero lasciarmi di là a mangiare da solo. Dico beneficiato cosí per dire : in realtà sia per Cosimo che per me era finita la cuccagna, e rimpiangevamo i desinari nella nostra stanzetta, noi due soli con l'Abate Fauchelafleur. L'Abate era un vecchietto secco e grinzoso, che aveva fama di giansenista, ed era difatti fuggito dal Delfinato, sua terra natale, per scampare a un processo dell'Inquisizione. Ma il carattere rigoroso che di lui solitamente tutti lodavano, la severità interiore che imponeva a sé e agli altri, cedevano continuamente a una sua fondamentale vocazione per l'indifferenza e il lasciar correre, come se le sue lunghe meditazioni a occhi fissi nel vuoto non avessero approdato che a una gran noia e svogliatezza, e in ogni difficoltà anche minima vedesse il segno d'una fatalità cui non valeva opporsi. I nostri pasti in compagnia dell'Abate comin-

1. *Desinare* est peu fréquent; *il desinare,* le déjeuner.
2. On peut dire aussi : *non s'era mai vista...*

J'ai dit que je ne veux pas...

Ce fut le 15 juin 1767 que Côme Piovasco di Rondò, mon frère, s'assit parmi nous pour la dernière fois. Je m'en souviens comme si c'était aujourd'hui. Nous étions dans la salle à manger de notre villa d'Ombrosa; les fenêtres encadraient les branches touffues de la grande yeuse du parc. Il était midi; et notre famille, obéissant à une vieille tradition, se mettait à table à cette heure-là, bien que fût déjà établie, parmi les nobles, la mode venue de la peu matinale cour de France de se mettre à déjeuner au milieu de l'après-midi. Je me rappelle que le vent soufflait de la mer et que les feuilles bougeaient. Côme dit :
– J'ai dit que je n'en veux pas et je n'en veux pas, et il repoussa le plat d'escargots. On n'avait jamais vu désobéissance plus grave.
Le Baron Arminius Laverse du Rondeau, notre père, coiffé d'une perruque à la Louis XIV descendant jusqu'aux oreilles et démodée comme tant de ses affaires, occupait la place d'honneur. Entre mon frère et moi se trouvait l'abbé Fauchelafleur, aumônier de notre famille et notre précepteur (m. à m. : précepteur de nous, les enfants). En face nous avions la Générale Conradine du Rondeau, notre mère, et notre sœur Baptiste, la nonne de la maison. A l'autre extrémité de la table, en face de notre père, était assis, vêtu à la turque, le chevalier-avocat Enée Silvio Carrega, administrateur et hydraulicien de nos propriétés et notre oncle naturel, puisqu'il était frère illégitime de notre père. Depuis quelques mois, Côme ayant atteint douze ans et moi huit, nous avions été admis à la même table que nos parents; ou bien j'avais bénéficié de la même promotion que mon frère, avant le temps, car ils ne voulurent pas me laisser de l'autre côté manger seul. Je dis bénéficié, c'est une façon de parler : en réalité tant pour Côme que pour moi, c'en était fini de la vie de cocagne et nous regrettions nos repas dans notre petite pièce, nous deux seuls avec l'abbé Fauchelafleur. L'abbé était un petit vieillard sec et ridé, qui avait réputation de janséniste; et de fait, il avait fui le Dauphiné, sa terre natale, pour échapper à un procès de l'Inquisition. Mais le caractère rigoureux que tous louaient habituellement en lui, la sévérité intérieure qu'il s'imposait et imposait aux autres cédaient continuellement à une vocation fondamentale qu'il avait pour l'indifférence et le laisser aller, comme si ses longues méditations, les yeux dans le vide, n'eussent abouti qu'à un grand ennui et à un dégoût, et que, dans chaque difficulté même minime, il eût vu le signe d'une fatalité à laquelle il n'était pas utile de s'opposer. Nos repas en compagnie de l'abbé commençaient après de longues

ciavano dopo lunghe orazioni, con movimenti di cucchiai composti, rituali, silenziosi, e guai[3] a chi alzava gli occhi dal piatto o faceva anche il piú lieve succhio sorbendo il brodo; ma alla fine della minestra l'Abate era già stanco, annoiato, guardava nel vuoto, schioccava la lingua a ogni sorso di vino, come se soltanto le sensazioni piú superficiali e caduche riuscissero a raggiungerlo; alla pietanza noi già ci potevamo mettere a mangiare con le mani, e finivamo il pasto tirandoci torsoli di pera, mentre l'Abate faceva cadere ogni tanto uno dei suoi pigri : — ...*Ooo bien! ...Ooo alors!*

Adesso, invece, stando a tavola con la famiglia, prendevano corpo i rancori familiari, capitolo triste dell'infanzia. Nostro padre, nostra madre sempre lí davanti, l'uso delle posate per il pollo, e sta' dritto, e via i gomiti dalla tavola, un continuo! e per di piú quell'antipatica di nostra sorella Battista. Cominciò una serie di sgridate, di ripicchi, di castighi, d'impuntature, fino al giorno in cui Cosimo rifiutò le lumache e decise di separare la sua sorte dalla nostra.

ITALO CALVINO
Il barone rampante (Einaudi)

3. *Un guaio,* un désastre, un malheur : *è un guaio,* c'est tout de même malheureux. *Essere in un mar di guai,* être assailli (m. à m. : dans une mer) d'ennuis.

oraisons, avec des mouvements de cuiller posés, rituels, silencieux, et malheur à celui qui levait les yeux de son assiette ou faisait même la plus légère aspiration en absorbant son bouillon. Mais le potage fini, l'abbé était déjà fatigué, ennuyé; il regardait dans le vide, faisant claquer sa langue à chaque gorgée de vin, comme si seulement les sensations les plus superficielles et éphémères réussissaient à le toucher. Au plat de résistance, nous pouvions déjà nous mettre à manger avec les mains, et nous finissions le repas en nous lançant des trognons de poire, tandis que l'abbé laissait choir de temps à autre un de ses nonchalants :

— *...Ôôô bien! Ôôô alors!*

Maintenant, au contraire, que nous avions pris place à la table avec la famille, les griefs familiaux prenaient corps, triste chapitre de l'enfance. Notre père et notre mère toujours devant nous, l'usage des couverts pour le poulet, et tiens-toi droit, et ôte tes coudes de la table, cela n'arrêtait pas! Et sans compter cette antipathique qu'était notre sœur Baptiste. Commença une série de gronderies, de piques d'amour-propre, de punitions, de bouderies, jusqu'au jour où Côme refusa les escargots et décida de séparer son destin du nôtre.

Leçon

Il canto del cigno

Piove. Fredde raffiche di vento sferzano il volto pallido di Elsa. A scatti, in cerca del riparo di una grondaia, ella avanza per l'erta viuzza che la conduce alla sua vecchia casa, casa che sa di solitudine e di tristi ricordi. Avanza : ancora pochi passi e troverà la faccia sorniona e rubiconda della zia Betta, un bel braciere acceso e la minestra calda e saporosa. Avanza : la pioggia, ora, ha un momento di tregua; nel cielo plumbeo sembra aprirsi una speranza di azzurro.
Rapido, strisciante, sente che qualcuno sta per raggiungerla : lo ha sentito, questo « qualcuno », per tutta la strada ed ha provato un'impressione nuova, qualcosa che non ha mai provato nei suoi trent'anni di squallida esistenza : il desiderio di sentire finalmente un uomo che le parli d'amore ed, insieme, un brivido di paura che tormentoso le penetra l'anima. Il passo che la insegue si è fatto quasi aggressivo, sembra accompagnare il ritmo vertiginoso del suo cuore. Ancora un attimo, poi la figura rude e massiccia di un uomo le è accanto[1] : sente poche parole confuse, forse commosse, poi alcune espressioni suggestive e tentatrici che le fanno tremare l'anima.
Non risponde : soltanto abbandona la sua mano fragile in quella dell'uomo, sente un'insistenza insinuante e ne è quasi sgomenta : il fuoco che le brucia le vene le accende il volto pallido. Fugge : tra le mani stringe una povera rosa di serra, primo pegno d'amore.
La tavola rotonda, un po' vacillante sull'unico sostegno (un leone trifronte, stremato dai tarli) ostenta il nitore della tovaglia. Dinanzi al braciere vivo la vecchia poltrona di velluto rosso, su cui la mano del tempo ha infierito sino a mostrarne qua e là le nascoste orditure, attende che Elsa si abbandoni stanca. Zia Betta, arzilla e loquace, fa la spola tra il salotto da pranzo e la cucina, illustrando le sue virtú di cuoca geniale. — Sentirai, sentirai che squisita minestra di magro! Ma come? ! mi fai quella boccuccia[2]? — ella sbotta indignata, nello scorgere in Elsa un atto di disgusto. — No, questo non lo posso permettere! Ma che hai, oggi? Forse non ti senti bene? ! — aggiunge preoccupata perché si è accorta finalmente del volto acceso della ragazza. — Ah! quella benedetta scuola.

1. *Le è accanto* = *è accanto a lei.*
2. *Boccuccia* (de *bocca*) : le suffixe *-uccia* est normalement diminutif. Ici, il a un sens péjoratif. De même : *medicuccio,* petit médecin, *poetuccio,* petit poète.

Le chant du cygne

Il pleut. De froides rafales de vent cinglent le visage pâle d'Elsa. Elle avance par bonds, recherchant la protection d'une gouttière, dans la ruelle escarpée qui la conduit vers sa vieille maison parfumée de solitude et de souvenirs tristes. Elle avance : encore quelques pas et elle trouvera le visage sournois et rubicond de sa tante Betta, un beau brasero allumé et une soupe chaude et savoureuse. Elle avance, la pluie maintenant connaît un moment de trêve dans le ciel de plomb; on dirait que s'ouvre un espoir d'azur. Elle sent que quelqu'un de rapide et rampant est sur le point de la rejoindre : elle l'a senti ce quelqu'un tout au long de son chemin et elle a éprouvé une impression nouvelle, quelque chose qu'elle n'a jamais éprouvé au cours des trente années de sa pâle existence : le désir d'entendre enfin un homme lui parler d'amour et, en même temps, un frisson de peur qui pénètre en son âme et la torture. Le pas qui la suit s'est fait presque agressif, il semble accompagner le rythme vertigineux de son cœur. Encore un instant puis la silhouette rude et massive d'un homme est à côté d'elle : elle entend quelques mots confus, émus peut-être puis quelques expressions suggestives et tentatrices qui lui font trembler l'âme. Elle ne répond pas : elle abandonne seulement sa main fragile dans celle de l'homme, elle perçoit une insistance insinuante et elle en est presque envoûtée : le feu qui lui brûle les veines illumine son visage pâle. Elle fuit : entre ses mains elle presse une pauvre rose de serre, premier gage d'amour.
La table ronde, un peu vacillante sur son unique soutien (un lion tricéphale rongé par les vers) exhibe une nappe d'un blanc éblouissant. Devant le brasero ardent, le vieux fauteuil de velours rouge, sur lequel la main du temps s'est acharnée au point d'en faire apparaître la trame cachée, çà et là, attend qu'Elsa fatiguée, s'abandonne. La tante Betta, alerte et loquace, fait la navette entre la salle à manger et la cuisine, en vantant ses qualités de cuisinière géniale. Tu vas goûter, tu vas goûter cet exquis potage maigre! Comment? Tu fais la fine bouche? Elle éclate indignée quand elle perçoit chez Elsa une expression de dégoût. — Non, cela je ne peux pas le permettre! Mais qu'as-tu aujourd'hui? Peut-être ne te sens-tu pas bien? ! — ajoute-t-elle préoccupée parce qu'elle s'est aperçue enfin que la jeune fille avait le visage cramoisi. — Ah! cette maudite école. Il y a pourtant longtemps que

Eppure, è tanto che ti do dei santi consigli : troppa, troppa fatica, e con quale scopo, benedetta Vergine! per insegnare pedagogia a della figliole che ne farebbero volentieri a meno[3]. Felici i miei tempi : allora, certe stramberie erano rare! —
Ma oggi Elsa non protesta : altre volte ha tentato una debole difesa della sua materia preferita, poi ha finito col sorridere alle sfuriate antiscolastiche della zia. Oggi né protesta né sorride : un rossore inconsueto rende quasi bello il suo volto sfiorito. Zia Betta vede tra le sue mani la povera rosa bruciata dalle lacrime : allora, da donna navigata, intuisce perché Elsa non apprezza la minestra saporosa e non difende la pedagogia....e tace.
Fu per tutta l'invernata durissima che Elsa conobbe anche la sofferenza che la vita le aveva sino allora[4] risparmiata : amò con trepida violenza, non osando guardare al domani, riconoscente a Dio che a lei, fragile creatura senza bellezza, avesse concesso un po' d'amore. Zia Betta aveva appena portato il caffè latte in tavola, che un breve squillo di campanello annunziava che « lui » era giunto : era l'ora piú bella della sua giornata : l'emozione le faceva tremare le mani, larghe chiazze di caffè latte contaminavano la tovaglia candida, mentre zia Betta protestava energicamente, imprecando alle follie delle ragazze moderne. In fondo alle scale, nell'atrio umido e oscuro egli l'attendeva : lo sguardo di « lui » fiero ed ironico, la sua figura quadrata le procuravano un vago senso di sgomento; tuttavia, quando si abbandonava al suo braccio si sentiva sicura e protetta. Usciva con lui, per avviarsi alla scuola. Per la strada non vedeva niente, non udiva niente : si appoggiava a quel braccio robusto come una povera creatura a cui le vie della vita sono troppo dure e difficili. La baldoria degli alunni, che attendevano davanti alla scuola, la risvegliava da quella sorta di torpore : qualche ragazzo vivace ammiccava con gesti grotteschi verso quella coppia male assortita, mentre tra i bisbigli si alzava qua e là la risata incontenuta di una fanciulla. Elsa perdonava. Nell'aula, per un attimo, non osava guardare negli occhi le alunne, testimoni della sua quotidiana debolezza; poi, con palese sforzo della volontà stanca, alzava gli occhi dal registro e con il tono monotono di sempre incominciava la lezione.

(Continua)

3. *Fare a memo,* s'en passer.
4. *Sino allora* on peut dire aussi *fino allora.*

je te donne de bons conseils; c'est beaucoup trop de fatigue et dans quel but, Sainte Vierge! Pour enseigner la pédagogie à des filles qui s'en passeraient volontiers. C'était mieux de mon temps; alors, des extravagances de cet espèce étaient rares!
Mais aujourd'hui, Elsa ne proteste pas : en d'autres occasions elle a tenté une faible défense de sa matière préférée puis elle a fini par sourire des explosions anti-scolaires de sa tante. Aujourd'hui elle ne proteste ni ne sourit : une rougeur inhabituelle rend presque beau son visage fané. La tante Betta voit entre ses mains la pauvre rose brûlée par les larmes : alors, en femme avisée, elle comprend pourquoi Elsa n'apprécie pas le potage savoureux, pourquoi elle ne prend pas la défense de la pédagogie ... et elle se tait.
Ce fut pendant l'hiver très rude qu'Elsa connut même la souffrance que la vie lui avait épargnée jusqu'alors : elle aima avec une violence frémissante, sans oser envisager le lendemain, reconnaissante à Dieu de lui avoir concédé un peu d'amour, à elle, fragile créature sans beauté. La tante Betta venait à peine d'apporter le café au lait sur la table, qu'un bref tintement de la sonnette annonçait qu' « il » était arrivé. C'était l'heure la plus belle de sa journée; l'émotion lui faisait trembler les mains, de larges taches de café au lait s'agrandissaient sur la nappe éblouissante, tandis que tante Betta protestait énergiquement et maudissait les folies des jeunes filles modernes. Au bas de l'escalier sous le porche humide et sombre il l'attendait : son regard, à « lui », fier et ironique, sa silhouette carrée lui donnaient un vague sentiment de désarroi; cependant, quand elle s'abandonnait à son bras, elle se sentait sûre et protégée. Elle sortait avec lui, pour aller à l'école. Dans la rue elle ne voyait rien, elle n'entendait rien; elle s'appuyait à ce bras robuste comme une pauvre créature pour qui les chemins de la vie sont trop arides et trop difficiles. L'animation bruyante des élèves qui attendaient devant l'école, la réveillait de cette sorte de torpeur; des garçons vifs clignaient de l'œil avec des gestes grotesques devant ce couple mal assorti, tandis que parmi les chuchotements s'élevait çà et là le rire irrésistible d'une fillette. Elsa pardonnait. Dans la classe, pendant un instant, elle n'osait pas regarder dans les yeux ses élèves témoins de sa faiblesse quotidienne; puis avec un visible effort de sa volonté fatiguée, elle levait les yeux du registre de classe et du ton monotone de toujours elle commençait sa leçon.

(A suivre)

Il canto del cigno
(continuazione)

Ma una mattina il breve squillo del campanello non si fece udire. Elsa, attese a lungo nell'atrio umido e oscuro dove la primavera ormai tripudiante non riusciva a penetrare. Sconsolata si mise in cammino, faticosamente, per la stessa via, sola. Ad un tratto sentí nel cuore il ghiaccio della morte : « lui », quasi avvinghiato ad una donna, di una bellezza fresca e provocante, sghignazzava.

Le sirene hanno da un pezzo annunziato il mezzogiorno; ancora la voce monotona di Elsa si distende pigra nell'aula sonora; qualche alunna guarda sospirando alla finestra aperta, da dove giungono folate di vento profumato di glicine. Elsa parla :
— Riflettendo sul « CANTO DEL CIGNO » di Pestalozzi, noi vi troviamo gli elementi essenziali della sua dottrina; ma è un Pestalozzi ancora piú appassionato al bene dell'umanità, che egli contempla e giudica serenamente, sul limitare della sua vita terrena. È veramente il canto del cigno. Lungi dalla vita, che ormai gli è indifferente, la sua passione per il problema educativo supera il dolore dei lunghi sacrifici e delle immeritate sconoscenze. — Chiude il libro. Un brusio allegro di fresche voci saluta lo squillo della campana che annunzia la fine della lezione.
Elsa fugge timida attraverso lo sciame di gioventú in festa; appena lontana, la sua andatura si fa stanca e si avvia, come sempre, alla vecchia casa dove zia Betta l'attende. Il vento di maggio scherza tra i suoi capelli, in cui brillano i primi fili d'argento.

MARIO VILLORESI
(Il Telegrafo di Livorno)

Le chant du cygne *(suite)*

Mais un matin le bref tintement de la sonnette ne se fit pas entendre. Elsa, attendit longuement sous le porche humide et sombre où le printemps désormais triomphant ne parvenait pas à pénétrer. Désolée, elle se mit en marche, péniblement, sur le même chemin, seule. Tout d'un coup elle ressentit dans son cœur le froid de la mort : « lui », presque enlacé à une femme, d'une beauté fraîche et provocante; il ricanait.
Les sirènes ont sonné midi depuis un moment : la voix monotone d'Elsa se répand encore paresseuse dans la classe sonore; une élève regarde avec un soupir la fenêtre ouverte, d'où viennent des rafales de vent, parfumées de glycine. Elsa parle :
— Si nous réfléchissons au « Chant du cygne » de Pestalozzi, nous y trouvons les éléments essentiels de sa doctrine; mais c'est un Pestalozzi encore plus passionné pour le bien de l'humanité, qu'il contemple et qu'il juge sereinement, sur la fin de sa vie terrestre. C'est vraiment le « chant du Cygne ». Loin de la vie, qui désormais lui est indifférente, sa passion pour le problème de l'éducation surmonte la douleur des longs sacrifices et des ingratitudes imméritées. Elle ferme le livre. Un murmure joyeux de voix fraîches salue le tintement de la cloche qui annonce la fin du cours.
Elsa fuit timidement à travers l'essaim de jeunesse en liesse; dès qu'elle est loin, son allure devient lasse et elle se dirige, comme toujours, vers la vieille maison où tante Betta s'occupe d'elle. Le vent de mai joue parmi ses cheveux où brillent les premiers fils d'argent.

MARIO VILLORESI

Come si faceva un film

Agli albori della cinematografia italiana, un produttore mi disse : « Mi scriva un soggetto nel quale ci sia una donna cattiva ». « Niente di piú facile », risposi, e dopo due giorni lo misi al corrente delle mie meditazioni, riservandomi di esporgli piú tardi le ulteriori scelleratezze della donna cattiva. « Benissimo », mi incoraggiò il produttore, continui cosí. Però vorrei che nella storia ci fosse un fachiro ». « Ci metterò il fachiro » promisi, e dando alla perfida protagonista un itinerario che non avevo in programma, la mandai a fare il viaggio di nozze sulle rive sacre del Gange, dove qualche male informato crede ancora che esistano i fachiri. « Stupendamente risolto! », approvò, prendendo dalle mani della moglie la tazza di tè, e porgendomela con un largo gesto di mecenate. E mi fece la rivelazione : « L'idea del fachiro è venuta a mia moglie. » « Mi compiaccio con la signora », risposi ipocritamente, e questa, incoraggiata dal mio consenso, prese la parola : « In questi giorni ho comprato uno stock di costumi veneziani del ' 700. Non si potrebbe rievocare, in una bella festa carnevalesca, la Venezia di Giacomo Casanova? » « Niente di piú semplice » risposi, « la scena del tradimento, invece di avvenire alla trattoria della « Bersagliera », a Santa Lucia, si svolgerà sotto i lampadari dell' Hôtel Danieli ». Il mattino dopo il marito mi telefonò che ammirava la mia prodigiosa elasticità mentale, e che sua moglie aveva comprato un cannone dell'esercito napoleonico, una meraviglia di fusione e di cesello. « Ebbene? » domandai, sapendo che la mia domanda era pleonastica. « Non si potrebbe utilizzare il cannone? » domandò il marito. « Se spara, sí », riposi. « Spara », dichiarò lui. Ha anche il proiettile? » domandai. « Un proiettile dell'epoca, mi assicurò, dopo una pausa evidentemente impiegata per consultare la signora. « Allora, faccia cosí — conclusi — : da una parte del cannone infili la palla, dall'altra ci metta la testa della sua signora e spari. Sua moglie andrà a esercitare la sua fantasia altrove, lei andrà all'ergastolo, io ai bagni di mare, e avremo un movimentatissimo finale di film ».

PITIGRILLI
da « Peperoni dolci » (Editrice Sonzogno, Milano)

Comment on faisait un film

A l'aube de la cinématographie italienne, un producteur me dit : « Écrivez-moi un scénario dans lequel il y ait une femme méchante ». « Rien de plus facile », répondis-je et deux jours après je le mis au courant de mes méditations, me réservant de lui exposer plus tard les scélératesses ultérieures de la femme méchante. « Très bien », me dit le producteur pour m'encourager, « continuez ainsi. Cependant, je voudrais que dans l'histoire il y ait un fakir ». Et moi de promettre (m. à m. : promis-je) : « j'y mettrai un fakir », et, donnant à la perfide protagoniste un itinéraire que je n'avais pas au programme, je l'envoyai faire son voyage de noce sur les rives sacrées du Gange, où les gens mal informés croient encore qu'il existe des fakirs. « Magnifiquement résolu », approuva-t-il, prenant des mains de sa femme une tasse de thé, et me la tendant avec un large geste de mécène. Et il me fit cette révélation : « l'idée du fakir est venue à ma femme ». « Je vous félicite Madame » répondis-je hypocritement, et celle-ci, encouragée par mon assentiment, prit la parole. « Ces jours-ci, j'ai acheté un stock de costumes vénitiens du XVIIIe siècle. Ne pourrait-on pas évoquer, dans une belle fête de carnaval, la Venise de Jacques Casanova? « Rien de plus simple » répliquai-je, « la scène de la trahison, au lieu d'avoir lieu au restaurant de la « Bersagliera » à Sainte Lucie, se déroulera sous les lampadaires de l'Hôtel Danieli ». Le lendemain matin, le mari me téléphona qu'il admirait ma prodigieuse souplesse mentale, et que sa femme avait acheté un canon de l'armée napoléonienne, une merveille de fonderie et de ciselure. « Eh bien? » demandai-je, sachant que ma question était de trop. « Ne pourrait-on pas utiliser le canon? » demanda le mari. « S'il tire, oui », répondis-je. Lui de déclarer : « il tire ». Et moi de demander : « Il a des boulets? ». « Un projectile de l'époque » m'assura-t-il, après une pause évidemment employée à consulter la dame. Je conclus : « Alors, faites comme cela, d'un côté du canon enfilez l'obus, de l'autre mettez la tête de votre femme et tirez. Votre femme ira exercer sa fantaisie ailleurs, vous partirez pour le bagne, moi j'irai aux bains de mer et nous aurons une fin de film très mouvementée.

Leçon

L'accampamento

Il vociare nell'attendamento divenne sempre piú attutito e il frinire delle cicale piú intenso.
Una grande quiete attorno : dalla terra riarsa saliva odore di polvere. Nicola sedeva stanco, appoggiando la schiena a un tronco. Davanti a lui l'uliveto finiva : c'era uno spiazzo basso e poi la scarpata della ferrovia. Le rotaie luccicavano per la luna piena, solitaria, nel cielo sbiancato.
Forse veramente non c'era piú nulla[1] da fare. Lo prese una grande tristezza, come se l'armistizio per lui significasse morte. Si staccò una dopo l'altra le stellette[2] d'alluminio, le palleggiò nella mano, le guardò luccicare sul palmo, poi con rabbia le scagliò lontano.
Sembrava una delle tante notti passate all'accampamento dove[3] il silenzio era incrinato soltanto dalle cicale e dall'abbaiare lontano d'un cane. Senza piú stellette, gli parve di sentirsi piú libero all'avvicinarsi del treno. Il convoglio nero, coi finestrini appena illuminati, si snodava sulla curva avanzando piano come se temesse un agguato. Il treno fischiò e l'eco si sperse nella campagna piatta. Quando i vagoni lentamente gli passarono davanti li vide stipati di ombre : sui predellini, aggrappate ad ogni sostegno, a cavallo degli sportelli aperti, sdraiate o sedute sui tetti delle carrozze. Parecchi allievi, sbucati da vari punti correvano per prendere quel treno, chiamandosi, gridando. Poi arrampicatisi[4], si confusero con le altre ombre del convoglio.
Anche lui poteva, con una breve corsa attaccarsi, tanto il treno procedeva a passo d'uomo. Ma salire significava arrendersi alla realtà, invece qualcosa poteva forse ancora accadere. Le mani affondate nelle tasche, si diresse verso l'accampamento. Non gli pareva possibile accettare quanto stava accadendo, che lí, dove si trovava, per quelle campagne, domani, dopo domani, dovessero arrivare gli inglesi. Si fermò in ascolto d'un brontolio lontano : un rotolio sordo, prolungato di potenti canne da fuoco e di bombe d'aereo.
Avrebbe voluto essere là, in quel luogo imprecisabile, dove qualcosa stava accadendo, dove la guerra ancora continuava e

1. On peut dire aussi : *non c'era piú niente...*
2. *Stellette,* petites étoiles (de métal) sont un insigne militaire.
3. « Où » français se traduit par *in cui* lorsqu'il s'agit du temps : *la notte in cui nacque Maria,* la nuit où Marie est née.
4. L'infinitif est *arrampicarsi.*

Le campement

Le bruit des voix dans le campement s'assourdit de plus en plus et le chant des cigales devint plus intense.
Une grande tranquillité alentour : de la terre brûlée montait une odeur de poussière. Nicolas était assis, fatigué, le dos appuyé à un tronc. Devant lui l'oliveraie finissait : il y avait un emplacement bas et ensuite le talus du chemin de fer. Sous la pleine lune, solitaire, dans le ciel pâli, les rails luisaient.
Peut-être vraiment, n'y avait-il plus rien à faire. Une grande tristesse s'empara de lui, comme si l'armistice pour lui signifiait la mort. Il détacha l'une après l'autre ses petites étoiles d'aluminium, il les secoua dans sa main, les regarda briller dans sa paume puis avec rage les lança loin de lui.
Cette nuit-là ressemblait à tant d'autres passées au campement où le silence n'était fêlé que par les cigales et l'aboiement lointain d'un chien. N'ayant plus ses petites étoiles, il lui sembla se sentir plus libre, au fur et à mesure que le train s'approchait. Le train noir, aux fenêtres à peine éclairées, serpentait en suivant la courbe, avançant doucement comme s'il craignait un guet-apens. Le train siffla et l'écho se répandit dans la campagne plate. Quand les wagons passèrent lentement devant lui, il les vit chargés d'ombres : sur les marche-pieds, accrochées à toutes les saillies, à califourchon sur les portières ouvertes, allongées ou assises sur les toits des voitures. Un bon nombre de recrues, débouchant de différents points, couraient pour prendre ce train, s'appelant et criant. Puis, une fois grimpés ils se confondirent avec les autres ombres du train.
Lui aussi il pouvait, après une brève course, s'accrocher, tellement le train allait au pas. Mais monter signifiait se soumettre à la réalité, alors que quelque chose pouvait peut-être encore survenir. Les mains enfoncées dans ses poches, il se dirigea vers le campement. Il ne lui semblait pas possible d'accepter ce qui était en train de se produire, que là où il se trouvait, dans ces campagnes, demain, après-demain, les Anglais devaient arriver. Il s'arrêta, écoutant un bruit lointain : un grondement sourd, prolongé de puissants canons et de bombes.
Il aurait voulu être là, dans ce lieu impossible à préciser, où quelque chose était en train d'arriver, où la guerre continuait

non era perduta. Fra i tronchi, tre ombre in fila indiana camminavano verso di lui, con gli zaini sulle spalle. Altri due soldati, sulla sinistra, questi piú spediti e un fagotto in mano, avanzavano di traverso. Disertavano, tornavano a casa, sapevano quel che volevano. Si addossò ad un albero perché non lo vedessero, come fosse lui vigliacco, fuggitivo.
Giunse all'accampamento a notte alta e si ficcò vestito nella tenda. Quando s'abituò al buio s'accorse che due posti erano vuoti : il frattese e il romano. All'alba la tromba suonò e fu dato ordine di disfare le tende. Il battaglione, decimato dalle defezioni, partí quando il sole si levava tra gli ulivi. Nessuno sapeva dove si andava, con quella marcia piú svogliata del solito, senza canti, in un mutismo collettivo.
Verso le dieci giunsero ad un paese calcinato di cui conobbero il nome leggendolo sui cartelli. E ora che si fa? — chiedevano. Fu ordinato il bilanc' arm[5] : la gente lungo la strada, alle finestre, assisteva silenziosa. Anche le ragazze erano serie. Parecchi anziani, le mani nelle tasche, avevano all'occhiello il distintivo dell'altra guerra.
Nel pomeriggio, con altri due allievi, Nicola fu scaglionato di guardia sulla strada nazionale. E al tramonto, lungo quella via asfaltata, alberata di platani e pini, vide sfilare la prima colonna di negri, che sui camion ridevano, facevano il segno V con la mano, gesti sconci e poi gettavano anche sigarette. Masotti, triestino, si curvò per raccorglierne una : nel momento che la mano di lui stava per prenderla, Nicola col piede, gliela spiaccicò. Con l'inutile moschetto a tracolla continuarono per piú d'un'ora ad assistere all'invasione : un camion dopo l'altro, risate, chewing-gum, gesti osceni.

GINO MONTESANTO,
« Cielo chiuso » (Editrice Massimo. Milano).

5. *Bilanc'arm! La bilancia* désigne l'équilibre. La main tient le fusil vers le centre, ce qui équilibre l'arme comme une balance.

encore et n'était pas perdue. Entre les troncs, trois ombres en file indienne cheminaient vers lui, sac au dos. Deux autres soldats à gauche, ceux-là plus vifs et un baluchon à la main avançaient obliquement. Ils désertaient, ils rentraient chez eux, ils savaient ce qu'ils voulaient. Il s'adossa à un arbre afin qu'ils ne le vissent pas, combien il était lâche, fuyard.
Il arriva au camp tard dans la nuit et se glissa tout habillé sous la tente. Quand il fut habitué à l'obscurité il s'aperçut que deux places étaient vides : celle du natif de Fratta et celle du romain. A l'aube la trompette sonna et l'ordre fut donné de démonter les tentes. Le bataillon, décimé par les défections, partit tandis que le soleil se levait entre les oliviers. Personne ne savait où l'on allait, avec cette cadence plus molle que d'habitude, sans chants, dans un mutisme collectif.
Vers dix heures, ils arrivèrent à un pays calciné dont ils apprirent le nom en le lisant sur des pancartes. Et maintenant qu'est-ce qu'on fait? demandaient-ils. Le « balancez-arme » fut ordonné : le long de la route, aux fenêtres les gens assistaient en silence. Même les filles étaient sérieuses. Plusieurs vieillards, les mains dans les poches, portaient à la boutonnière la décoration de l'autre guerre.
L'après-midi, avec deux autres recrues, Nicolas monta la garde sur la route nationale. Et au coucher du soleil le long de cette route goudronnée, plantée de platanes et de pins, il vit défiler la première colonne de noirs, qui riaient sur les camions, faisaient de la main le signe V et des gestes indécents et ensuite jetaient aussi des cigarettes. Masotti, de Trieste, se baissa pour en ramasser une : au moment où sa main allait la prendre, Nicolas du pied, la lui écrasa.
Leur inutile fusil en bandoulière, ils continuèrent pendant plus d'une heure à assister à l'invasion : un camion après l'autre, des rires, du chewing-gum, des gestes obscènes.

Leçon

86 L'isola malinconica

Nelle chiare notti di luna, da un'alta cima del Gennargentu, si percepisce lontanissimo il riverbero dei quattro mari che chiudono la Sardegna. L'isola antica si stende come un enorme plastico roccioso. Le asperità delle sue montagne tormentate si addolciscono e si placano nei vasti orizzonti tabulari, in prossimità delle azzurre pianure e degli altipiani. È difficile trovare un paesaggio, che esprima con tanta immediatezza e intensità la vecchiaia della terra.
È una vecchiaia, questa della Sardegna, che non ha storia, perché qui il tempo umano si misura non con i secoli, ma con i millenni e con le ère. La suggestione segreta di questo paese è nella misteriosa risoluzione della storia nella preistoria, e della preistoria nella geologia. Si ha l'impressione che il turbinoso svolgersi e sovrapporsi degli eventi, dall'epoca dei nuraghi[1] in poi, abbia appena sfiorato l'isola, senza lasciarvi traccia. Tale impressione si avverte in Gallura, in Barbagia, nella Marmilla, nell'Iglesiente[2] ed anche in altre contrade, come il Sassarese e il Campidano, ove piú sensibile è l'opera dell'uomo, e dove il paesaggio ha da secoli assunto quella melodiosa uniformità di orizzonti propria del mondo contadino, cosí contrastante con le drammatiche asperità delle regioni pastorali.
La Sardegna è un angolo d'Europa profondamente malinconico, perché vi spira un'atmosfera d'infanzia. Quando l'uomo raggiunge la piena maturità, è portato a rivivere, sul piano della riflessione, le esperienze importanti della fanciullezza; è questa, per ogni essere umano, l'epoca della « coscienza storica », alla cui luce i primi anni dell'esistenza acquistano un significato premonitore, quasi simbolico. L'atmosfera della Sardegna dispone il viaggiatore a tale benefico ripiegamento, lo restituisce alla sua infanzia, all'infanzia del mondo. Perciò la malinconia delle campagne e dei villaggi sardi, lungi dal deprimere, apre lo spirito alla semplificazione, all'appagamento interiore.
La solitudine di quest'isola è un fatto storicamente documentato, ma del tutto esterno, obbiettivo. Spiritualmente le sue popolazioni non ne hanno sofferto; altrimenti la loro storia sarebbe

1. *I nuraghi* (singulier : *nuraghe*) sont les tours, fréquentes dans la montagne et la campagne sarde, et qui furent les constructions des premiers habitants de l'île.
2. Noms de provinces sardes.

L'île mélancolique

Au cours des claires nuits de lune, d'une cime élevée du Gennargentu, on perçoit très loin la réverbération des quatre mers qui enserrent la Sardaigne. L'île antique s'étend comme une énorme masse rocheuse. Les aspérités de ses montagnes tourmentées s'adoucissent et s'apaisent dans les vastes horizons tabulaires, à proximité des plaines bleues et des hauts plateaux. Il est difficile de trouver un paysage qui exprime d'une manière aussi directe et aussi intense la vieillesse de la terre.
C'est une vieillesse, celle de la Sardaigne, qui n'a pas d'histoire, parce qu'ici le temps humain se mesure non par siècles mais par millénaires et par ères. La suggestion secrète de ce pays réside dans la mystérieuse résolution de l'histoire dans la préhistoire et de la préhistoire dans la géologie. On a l'impression que le développement tourmenté et la superposition des événements, depuis l'époque des nuraghi, n'a qu'effleuré l'île sans y laisser de traces. On éprouve une impression de ce genre en Gallura, en Barbagia, dans la Marmilla, dans la province de l'Iglesiente et aussi dans d'autres régions comme celles de Sassari et dans le Campidano, où l'œuvre de l'homme est plus sensible et où le paysage a, depuis des siècles, assumé la mélodieuse uniformité d'horizons propre au monde paysan, en contraste si frappant avec l'âpreté dramatique des régions pastorales.
La Sardaigne est un coin de l'Europe profondément mélancolique parce qu'il y souffle une atmosphère d'enfance. Quand l'homme atteint sa pleine maturité, il est porté à revivre, sur le plan de la réflexion, des expériences importantes de son enfance; cette époque, pour chaque être humain, est celle de la « conscience historique », à la lumière de laquelle les premières années de l'existence acquièrent une signification prémonitoire, presque symbolique. L'atmosphère de la Sardaigne incite le voyageur à ce repli bienfaisant, il le restitue à son enfance, à l'enfance du monde. Pour cette raison la mélancolie des campagnes et des villages sardes loin de le déprimer, ouvre l'esprit à la simplification, à l'apaisement intérieur.
La solitude de cette île est un fait historiquement prouvé mais tout à fait extérieur, objectif. Spirituellement ses populations n'en ont pas souffert; autrement leur histoire aurait été bien

stata ben diversa. Perché i sardi avvertano la solitudine, è necessario che il loro orizzonte culturale e psicologico vada al di là dei confini della loro terra; in tal modo riescono a liberarsi dal pericoloso complesso della insularità, e portano nelle manifestazioni della loro intelligenza tutta la serietà e la freschezza di una razza moralmente giovane e sana. In questo caso il loro ineliminabile sottofondo di regionalismo non guasta, perchè si tratta, infine, di temperamento, di carattere.
Già da diversi anni gli europei si interessano alla Sardegna, la visitano in numero sempre crescente. I giornalisti e gli scrittori, che si avventurano, colmi di stupore, nella terra dei nuraghi, esortano i loro connazionali a non perdere tempo, a recarvisi, subito, prima che la speculazione turistica ne faccia un luogo di ritrovo mondano, al pari della Sicilia, delle Baleari, della Corsica, dell'isola d'Elba, di Capri. Ma è una preoccupazione fuori luogo. Questo paese possiede la straordinaria virtú di neutralizzare ogni attivismo superficiale e rumoroso. Nel corso dei prossimi decenni, la tecnica rivoluzionaria potrà modificare radicalmente l'economia e le strutture sociali del suo popolo, surrogare con lo standard l'artigianato e il folklore, creare città piú moderne; ma non potrà mai distruggere il fascino di una presenza invisibile, che avvolge uomini e cose, segregandoli in un remoto clima.
V'è qualcosa di protettivo, di materno, nell'atmosfera sarda; qualcosa che assopisce il fecondo sentimento del limite, che satura lo spirito e ne riduce lo slancio. Come esiste un « mal d'Africa », esiste anche un « mal di Sardegna ». Chi ha vissuto in questo paese, sia pure per poco tempo[3], reprime difficilmente l'acuta nostalgia, il rimpianto di una plenitudine intima, fatta di armonia e di saggezza rassegnata. Quando i sardi parlano della « Sardegna madre », in fondo, non fanno retorica. L'isola avviluppa la loro anima, senza possibilità di scampo, e la riempie di una dolcezza che non conosce profonde inquietudini.

ANTONIO BORIO, *La Sardegna.*

3. Tournures synonymes : *anche se per poco tempo, seppure per poco tempo.*

différente. Pour que les Sardes perçoivent la solitude, il est nécessaire que leur horizon culturel et psychologique aille au-delà des confins de leur terre; ils réussissent ainsi à se libérer du dangereux complexe de l'insularité, et ils apportent dans les manifestations de leur intelligence tout le sérieux et toute la fraîcheur d'une race moralement jeune et saine. Dans ce cas leur inéluctable tréfond de régionalisme n'est pas nuisible, car il s'agit, somme toute, de tempérament, de caractère.
Déjà depuis plusieurs années les Européens s'intéressent à la Sardaigne, la visitent en nombre toujours croissant. Les journalistes et les écrivains qui s'aventurent pleins de stupeur, dans la terre des nuraghi, exhortent leurs compatriotes à ne pas perdre de temps, pour s'y rendre tout de suite, avant que la spéculation touristique n'en fasse un lieu de rencontre mondaine, comme la Sicile, les Baléares, la Corse, l'Ile d'Elbe, Capri. Mais c'est là une préoccupation hors de propos. Ce pays possède l'extraordinaire vertu de neutraliser toute action sociale superficielle et bruyante. Au cours des prochaines décennies, la technique révolutionnaire pourra modifier radicalement l'économie et les structures sociales de son peuple, remplacer l'artisanat et le folklore par les productions standard, créer des villes plus modernes; mais il ne pourra jamais détruire le charme d'une présence invisible qui enveloppe les hommes et les choses, en les reléguant dans un climat lointain.
Il y a quelque chose de protecteur, de maternel, dans l'atmosphère sarde; quelque chose qui assoupit le sentiment fécond de la limite, qui sature l'esprit et réduit son élan. Comme il existe un « mal d'Afrique », il existe aussi un « mal de Sardaigne ». Celui qui a vécu dans ce pays, ne serait-ce que pendant peu de temps, réprime difficilement la nostalgie aiguë, le regret d'une plénitude intime, faite d'harmonie et de sagesse résignée. Quand les Sardes parlent de leur « mère la Sardaigne », au fond ils ne font pas de rhétorique. L'île enveloppe leur âme, sans possibilité de fuite, et la remplit d'une douceur qui ne connaît pas d'inquiétudes profondes.

Leçon

Mi dispiace, non posso

« Io devo! La prego, la prego, dica di sí : io devo assentarmi ». Piú che di quella stretta che pareva famelica, cosí le unghie cercavano sotto la stoffa la pelle, la direttrice ebbe paura della voce e degli occhi, della sua insegnante : degli occhi d'un tratto crudeli e come spiritati, e quasi non si sentiva sicura, di quella presenza nella sua stanza : la Blasi non era per caso impazzita? Con uno strattone violento la direttrice si svincolò e arretrando d'un passo s'assestò la giacca sulle anche. Disse calma, con uno sforzo supremo, e gelida da parere sprezzante :
« Mi dispiace, non posso ».
Sandra Blasi si guardò le mani restate vuote a mezz'aria[1], le parvero artigliate e le fissò come se solamente ora le riconoscesse; o forse non le appartenevano, appartenevano già a quell'altra che covava dentro di sé, ed ebbe paura, lei per prima, di portarsele al volto per nascondervi il viso sfigurato dalla sofferenza; poté chiudere solo gli occhi, che si colmavano di lacrime, per sottrarli alla vista di quell'altro sguardo ch'era insieme severo diffidente e pettegolo. A occhi chiusi cercò la porta sul corridoio, movendosi a tentoni, come un uccello prigioniero, sin quando[2] le mani urtarono contro il legno freddo e un po' umido dello stipite. Allora aprí gli occhi, ormai aridi, e scappò nel corridoio verso la sua classe.
I bambini, nell'attesa, avevano inevitabilmente rumoreggiato nonostante i richiami del bidello : adesso che la signora maestra era in cattedra, sedevano tutti ai loro posti, calmi, quieti, obbedienti. Lei si sentí addosso gli sguardi della classe, capí di avere un aspetto inconsueto, i capelli disordinati : aprí fiaccamente il registro e con una mano malferma rimise a posto una ciocca dei suoi capelli neri. Ma pensava atterrita : sarò costretta a venire a scuola anche in quei giorni : se mi capiterà in classe, davanti a loro?
Fu torturata da un tale incubo durante tutto il tempo della lezione : i bambini capirono che l'insegnante era distratta e stranamente non ne approfittarono : forse per essi era già stato un atto di indisciplina il chiasso fatto precedentemente durante l'assenza della signora, e aspettavano che da un momento all'altro lei potesse come scuotersi e, finalmente, castigarli. Cosí se ne stavano cheti. Invece Sandra Blasi non pensava a loro,

1. *A mezz'aria,* (m. à m. : à mi-air); donc à mi-hauteur. Dans l'air se dit : *in aria.*
2. *Sin quando* = *fin quando.*

Je regrette, je ne peux pas.

« Je dois, je vous prie, je vous prie, dites-moi oui : je dois m'absenter ».
Plus que de cette étreinte qui paraissait famélique — ainsi les ongles cherchaient sous l'étoffe la peau —, la directrice eut peur de la voix et des yeux de son institutrice : des yeux tout à coup cruels, et comme hagards, et pour un peu elle ne se sentait pas sûre de cette présence dans sa chambre : Blasi n'était-elle pas devenue folle par hasard? D'une violente saccade, la directrice se dégagea et, reculant d'un pas, elle arrangea sa veste sur ses hanches. Elle dit calmement, avec un effort suprême, et glacée au point de paraître méprisante :
« Je regrette, je ne peux pas ».
Sandra Blasi regarda ses mains demeurées vides en l'air, elles lui parurent comme griffues, les fixa comme si seulement maintenant elle les reconnaissait; ou peut-être ne lui appartenaient-elles pas, elles appartenaient déjà à cette autre qu'elle couvait en elle-même, et elle eut peur, elle la première, de les porter à son visage pour le cacher, rendu méconnaissable par la souffrance; elle put seulement fermer ses yeux qui se remplissaient de larmes, pour les soustraire à la vue de cet autre regard qui était à la fois sévère, méfiant et méprisant. Les yeux fermés, elle chercha la porte sur le couloir, tâtonnant comme un oiseau prisonnier jusqu'à ce que ses mains heurtèrent le bois froid et un peu humide du montant. Alors, elle ouvrit les yeux, secs désormais et se sauva dans le couloir vers sa classe. Les enfants en l'attendant avaient fait, inévitablement du bruit malgré les rappels à l'ordre de l'appariteur : maintenant que Madame l'institutrice était en chaire, ils restaient tous assis à leurs places, calmes, sages, obéissants. Elle sentit sur elle les regards de la classe, comprit qu'elle avait une mine inhabituelle, les cheveux en désordre : elle ouvrit mollement son journal de classe et d'une main tremblante, rajusta une mèche de ses cheveux noirs. Mais elle pensait terrifiée : « serai-je obligée de venir en classe même ces jours-là? Et si cela devait m'arriver en classe, devant eux? »
Elle fut torturée par ce cauchemar pendant toute la durée de la leçon : les enfants comprirent que l'institutrice était distraite et, chose étrange, ils n'en abusèrent pas : peut-être considéraient-ils comme un acte d'indiscipline le vacarme fait auparavant, pendant l'absence de Madame et ils s'attendaient à ce que d'un moment à l'autre, elle pût pour ainsi dire se secouer et finalement les punir. Ainsi demeuraient-ils sages. Mais Sandra Blasi ne pensait pas à

pensava solo come avrebbe potuto trovare un rimedio, in quei quattro giorni, dal momento che la direttrice le aveva negato il permesso.
Sandra Blasi non aveva fatto molte amicizie, in paese, e nemmeno tra le colleghe : del resto insegnava lí a Trecase appena da quindici giorni, per il primo anno. All'uscita, non si accompagnava di solito a nessuna; quella mattina, poi, sgusciò dalla scuola quasi furtivamente, e prese la strada della stazione, invece di recarsi a casa. Stette tutto il pomeriggio seduta sopra una panca ad aspettare l'arrivo del marito impiegato : ad ogni treno che giungeva in stazione, pensava con una specie d'amaro distacco : perché non mi butto sotto le ruote? Ma restava inerme, indifferente e come svogliata sulla panchina, poggiata allo schienale, con lo sguardo soltanto ancora fosco che ricordava le agitazioni della mattinata e la lotta di quei pensieri contraddittori che si scontravano cosí violentemente nella sua testa.
Adesso imbruniva[3] e, volgendo lo sguardo verso le pinete di Leopardi, si vedeva l'aria diventare azzurra e leggera : le ombrelle dei pini, piú dense nell'ora e a tanta distanza, sembravano gonfie, dei parrucchini infilzati sopra dei pali. Sandra Blasi sorrise a questo curioso paragone che le passò per la mente e rigirò il capo verso la stazioncina : lesse automaticamente il nome scritto in rilievo sulla facciata del piccolo edificio : Trecase-Torre Annunziata Lido, fissò senza vederla la fila delle piantine grasse che si scorgevano dietro i vetri della finestra, nella casa del capostazione, poggiate sul davanzale.

MICHELE PRISCO, *Fuochi a mare*
(Rizzoli, Milano).

3. *Imbruna,* la nuit tombe; le jour se lève : *albeggia.*

eux, elle songeait seulement comme elle aurait pu trouver un remède pendant ces quatre jours, puisque la directrice lui avait refusé la permission.
Sandra Blasi n'avait pas beaucoup d'amis dans le village et même parmi ses collègues; d'autre part, elle enseignait là, à Trecase, depuis seulement quinze jours pour la première année. A la sortie de l'école habituellement elle ne s'en allait accompagnée de personne; ce matin-là, ensuite, elle s'esquiva presque furtivement de l'école et prit le chemin de la gare, au lieu de se rendre à la maison. Elle demeura tout l'après-midi assise sur une banquette en attendant l'arrivée de son mari employé : chaque fois qu'un train arrivait en gare, elle pensait avec une sorte d'amer détachement : pourquoi je ne me jette pas sous les roues? Mais elle demeurait désarmée, indifférente et comme nonchalante sur la banquette, appuyée au dossier, avec son regard seulement sombre encore qui rappelait les agitations de la matinée et la lutte de ces pensées contradictoires se heurtant si violemment dans sa tête. Maintenant la nuit tombait et, tournant le regard vers les pinèdes de Léopardi, on voyait l'air devenir bleu et léger : les ombrelles des pins plus denses à cause de l'heure et de la distance paraissaient enflées, ressemblaient à de faux toupets enfilés sur des poteaux. Sandra Blasi sourit à cette curieuse comparaison qui lui passa par l'esprit et retourna sa tête vers la petite gare : elle lut automatiquement le nom écrit en relief sur la façade du petit édifice : Trecase-Torre Annunziata Lido, fixa sans la regarder la file des petites plantes grasses que l'on apercevait derrière les carreaux de la fenêtre dans la maison du chef de gare disposées sur l'appui de la fenêtre.

Leçon

Non è terra per voi

Non posso dimenticare quei primi giorni alla Murgia che mi svegliavo col sole, quasi trasalendo al fermo vigore della luce. Il nonno aveva dovuto lasciarci per piú di una settimana. Zio Martire, Dio sa come scampato ai tedeschi, ormai padroni di Roma, aveva potuto far ritorno al paese, ma ci aveva descritto in una lettera il panico dei fuggiaschi persi e in affanno sulle strade, lungo i binari, in piena campagna, sotto l'incessante minaccia degli aerei e delle oscure imboscate. « Mi vergogno di essergli padre — mi aveva confidato stranamente il nonno lasciandomi — Devi stargli lontano! ». La lettera catastrofica di Zio Martire riempí la nostra piccola comunità di spavento, specie che[1] nonna Amalia, già incupita e stremata dall'isolamento, si era barricata dietro un silenzio maligno, braccata da chissà che fantasmi e, come veniva sera che un po' di vento s'alzava dal Castello, perdendo l'urlo smanioso dei cani, essa gettava dei grandi urli inquietandoci. Quel tempo che restai quasi solo senza il nonno, mi sembrò di soffocare : ero già pieno di lui, della sua voce calda, mi aveva messo addosso la febbre delle idee, di un troppo vasto amore e, senza vederlo né udirlo, lassú dove non c'era che il cielo nudo dell'ultima estate, stavo sempre in affanno, qua e là se potevo sfuggire l'oppressione del silenzio. Sentivo dentro di me che la Murgia mi respingeva, schiacciandomi con la sua antica indifferenza, quanto piú l'esploravo di tenuta in tenuta. Volli allora conoscere i nostri vicini, ma il massaro certo non si sbagliò dicendomi che i Landolfo, distanti da noi piú di un miglio e segregati in casa per il terrore delle spie, erano una famiglia di anime in pena. Quando il vecchio don Ettore mi vide nel sentiero, mi venne incontro con lo schioppo spianato. Non tornai piú a Megenzano dove i Landolfo hanno sparso il terrore e tengono i mastini slegati; gli uomini che lavorano nelle loro terre mi dissero che don Ettore, subito dopo il tramonto, ispeziona i suoi campi con i cani affamati e spara all'impazzata contro le ombre ed il vento. Bastò perché mi chiudessi in casa, cominciai a frugare nei cassetti, negli armadi, tra i cassoni dei vecchi libri, mi aggiravo in fastidio per le stanze allagate dal sole se potevo a quel modo legarmi a un oggetto, a un non so che ricordo. Oppure era la nonna che cercavo in salotto. Essa levava afflitta

1. *Specie che,* surtout que; tournures synonymes : *soprattutto che, tanto piú che.*

Ce n'est pas une terre pour vous.

Je ne puis oublier ces premiers jours à la Murgia (Pouilles) où je me réveillais avec le soleil, tressaillant presque à la ferme vigueur de la lumière. Mon grand-père avait dû nous quitter pendant plus d'une semaine. L'oncle Martire, échappé Dieu sait comment aux Allemands désormais maîtres de Rome, avait pu retourner au pays, mais il nous avait décrit dans une lettre la panique des fugitifs égarés et inquiets sur les routes, le long des voies de chemin de fer, en pleine campagne, sous l'incessante menace des avions et des embuscades obscures. « J'ai honte d'être son père — m'avait confié étrangement grand-père en me quittant —. Tu dois rester loin de lui ! » La lettre catastrophique de l'oncle Martire remplit notre petite communauté d'épouvante, d'autant plus que grand-mère Amélie, déjà assombrie et déprimée par son isolement, s'était retranchée derrière son silence méchant, poursuivie par qui sait quels fantômes quand le soir venait et qu'un peu de vent se levait du château, dissipant l'aboiement furieux des chiens, elle poussait de grands cris qui nous inquiétaient. Tout le temps où je restai presque seul sans grand-père il me sembla que j'étouffais : j'étais déjà plein de lui, de sa voix chaude, il avait mis en moi la fièvre des idées, d'un amour trop vaste et, sans le voir ni l'entendre, là-haut où il n'y avait que le ciel nu de cette fin d'été, j'étais toujours à me demander, çà et là, si je pouvais échapper à l'oppression du silence. Je sentais en moi que la Murgia me repoussait, m'écrasant de son antique indifférence, d'autant plus que je l'explorais de domaine en domaine. Je voulus alors connaître nos voisins, mais, certes, le fermier ne se trompa pas lorsqu'il me dit que les Landolfo, éloignés de nous de plus d'un mille, et cloîtrés chez eux de peur des espions, étaient une famille d'âmes en peine. Quand le vieux Don Hector me vit sur le sentier, il vint à ma rencontre son fusil braqué. Je ne retournai plus à Megenzano où les Landolfo ont semé la terreur et ont lâché leurs chiens; les hommes qui travaillent sur leur terre me dirent que Don Hector, tout de suite après le coucher du soleil, inspecte ses champs avec ses chiens affamés et tire à tort et à travers sur les ombres et contre le vent. Cela suffit pour que je m'enferme chez moi. Je commençai à fouiller dans mes tiroirs, dans les armoires, parmi les énormes caisses des vieux livres. Je promenai mon ennui à travers les pièces inondées de soleil, espérant de cette façon me lier à un objet, à je ne sais quel souvenir. Quelquefois c'était grand-mère que je cherchais dans le salon. Elle levait, affligée, les yeux de son

gli occhi dal rammendo : « È la Murgia, — diceva. — Non ci si abitua mai ». Se poi correvo giú in cortile alla stalla, era piú duro, piú spietato il silenzio degli animali. « Dovreste andare a caccia, — consigliava il massaro. — Quassú senza il nonno si muore ». E pensavo tra me come poteva aver vissuto quell'uomo ardente e innamorato della vita senza mai togliersi al paese, senza lasciarsi insozzare dalla noia. Il nonno in quei lunghissimi giorni che fui costretto a vivere di me stesso era dentro tutti i miei pensieri; feci anche di distruggerlo dicendomi che era un vecchio maniaco, un visionario, ma poi ricordavo quegli occhi, quella voce vibrante e ogni altra cosa perdeva al confronto. La stessa Murgia, immobile e segreta, era una terra morta. « Eh già, — ripeteva il massaro che governava le bestie. — Non è terra per voi la Murgia ».
Finii per interessarmi alle vicende di campagna, volli che il massaro mi dicesse dei raccolti, di come si innestano le viti e quali gli insetti che nuocciono alle semine, delle grotte dirupate che avevo visto giú nella valle. Dapprima egli mi saziava di fatti a vedermi avidissimo, poi tornava a scuotere il capo : « Siete venuto a penare : bisogna nascere qui come il nonno ». E se gli chiedevo degli uomini sperduti nelle tenute : « Come va il sole andiamo noi » ribatteva. Fu che mi vergognai di essere diverso da loro, di pelle dolce; m'entrò in animo la rabbia per tutto ciò che avesse il sapore della terra. E distruggevo i cespugli del sentiero a colpi di sasso, ferivo col coltello le pale estatiche dei fichidindia, di nascosto al massaro tormentavo senza coscienza le bestie, i tacchini, mi accanivo contro le foglie dell'ulivo impassibile e sereno. Era la Murgia che mi uccideva, il sole alto sopra le pietre, la solitudine dei sassi.

ENRICO PANUNZIO,
L'ultima Villeggiatura (Pironti e Figli, Napoli)

ouvrage. « C'est la Murgia », disait-elle. « On ne s'y habitue jamais ». Si, ensuite, je courais en bas dans la cour pour aller dans l'étable, le silence des animaux était plus dur, plus impitoyable. « Tu devrais aller à la chasse », — conseillait le fermier. « Ici sans le grand-père, on meurt » (d'ennui). Et je me demandais à part moi comment cet homme ardent et amoureux de la vie avait pu vivre sans jamais s'arracher de son pays, sans se laisser souiller par l'ennui. Mon grand-père, au cours de très longues journées où je fus obligé de vivre par moi-même, était présent à toutes mes pensées; je fis même en sorte de détruire sa présence, me disant que c'était un vieux maniaque, un visionnaire, mais ensuite je me rappelais ces yeux, cette voix vibrante et tout autre chose perdait à cette comparaison. La Murgia elle-même, immobile et secrète, était une terre morte. « Eh oui! répétait le fermier qui s'occupait des bêtes. Ce n'est pas une terre pour vous, la Murgia ».
Je finis par m'intéresser aux choses de la campagne, je voulus que le fermier me parla des récoltes, me dit comment on greffe les vignobles et quels sont les insectes qui nuisent aux semences, et qu'il me parle des grottes éboulées que j'avais vues en bas dans la vallée. D'abord, il me gavait de faits, me voyant avide à ce point, puis il hochait la tête à nouveau. « Vous êtes venu pour souffrir; il faut naître ici, comme votre grand-père ». Et si je lui demandais de me parler des hommes dispersés dans les terres : « Comme va le soleil, nous allons, nous », répliquait-il. Ce fut ce qui me fit honte d'être différent d'eux, d'avoir la peau douce; mon âme fut prise de rage pour tout ce qui avait un goût de terre. Et je détruisais les buissons du sentier à coup de pierre, je blessais de mon couteau les raquettes extatiques des figuiers de barbarie, à l'insu du fermier je tourmentais les bêtes sans scrupule, les dindons, je m'acharnais contre les feuilles de l'olivier impassible et serein. C'était la Murgia qui me tuait, le soleil haut sur les pierres, la solitude des cailloux.

Leçon

Livorno, capitale della Toscana?

Dalla descrizione che i volontari livornesi mi facevano della loro città, ero venuto nel sospetto, per me doloroso, che Firenze non fosse piú la capitale della Toscana, che Livorno le avesse rubato il posto. « O dove le trovi, mi dicevano, dove le trovi a Firenze quelle piazze, quelle strade, quei palazzi? O i Quattro Mori? O dove lo trovi il mare? E il porto? Il porto dove lo trovi? » Piú che il mare, m'ero persuaso che i livornesi amano il porto. Ma ne parlavano come di un luogo di delizia, come di un teatro dove si svolgono scene meravigliose, e avvengono straordinari incontri, dove le piú varie e strane genti del mondo si ritrovano come a casa loro, e si raccolgono le mercanzie piú preziose della terra e del mare. Pirati, mercanti, marinai dal viso bruciato dal salmastro, negri, arabi, inglesi, greci, ebrei, cinesi dallo sguardo laccato di rosa, brasiliani dagli occhi neri come chicchi di caffè, russi pelosi e malinconici, donne di tutti i climi, odalische coperte di veli, indiane col puntino rosso in mezzo alla fronte, e botti di vino profumato, montagne di stoffe, di droghe, di tabacco biondo, e navi, navi, navi, che vanno e vengono riempiendo il cielo di nubi di fumo e di bagliori bianchi di vele.
Parlavano della loro città come un giovane di vent'anni parla dell'innamorata, me ne descrivevano le bellezze e le grazie con pudica gelosia. Il piú ingenuo, il piú innamorato, era un ragazzo sui diciott'anni, maggiore di me di un anno, ed eravamo i piú giovani di tutta la Brigata. Si chiamava Antenore, e faceva non so che mestiere nobile e rozzo nel porto. « Tu vedessi Livolno! » esclamava con quel suo accento largo e sonoro, e non finiva di decantarmi le magnificenze e le delizie della sua città, il cacciucco, le torpedini, che son bicchieroni di rhum con uno schizzo di caffè, le passeggiate all'Ardenza nei tramonti d'estate, e quell'odore di catrame, di salmastro, di pesce secco, quell'odore di cambusa e di scoglio.

CURZIO MALAPARTE, *Sangue* (Vallecchi).

Livourne, capitale de la Toscane?

De la description que les volontaires livournais me faisaient de leur ville, le soupçon, pour moi douloureux, m'était venu que Florence ne fût plus la capitale de la Toscane, que Livourne lui eût dérobé la place. « Où donc lui trouves-tu, me disaient-ils, où trouves-tu à Florence ces places, ces rues, ces palais? Où donc les Quatre Maures? Où donc la trouves-tu la mer? Et le port? Le port où le trouves-tu? »
« Plus que la mer, je m'étais persuadé que les Livournais aimaient le port. Mais ils en parlaient comme d'un lieu de délices, comme d'un théâtre où se situent des scènes merveilleuses et surviennent des rencontres extraordinaires, où les gens du monde les plus différents et les plus étranges se retrouvent comme chez eux, et où les marchandises les plus précieuses de la terre et de la mer se rassemblent. Des pirates, des marchands, des matelots au visage brûlé par la saumure, des nègres, des Arabes, des Anglais, des Grecs, des Hébreux, des Chinois au regard laqué de rose, des Brésiliens aux yeux noirs comme des grains de café, des Russes velus et mélancoliques, des femmes de tous les climats, des odalisques couvertes de voiles, des Indoues avec leur petit point rouge au milieu du front, et des tonneaux de vin parfumés, des montagnes d'étoffes, de drogues, de tabac blond, et des navires, des navires, des navires qui vont et viennent, remplissant le ciel de nuages de fumée et de blancs éclairs de voiles.
Ils parlaient de leur ville comme un jeune homme de vingt ans parle de son amoureuse, m'en décrivant les beautés et les grâces avec une jalousie pudique. Le plus ingénu, le plus amoureux était un garçon dans les dix-huit ans, plus grand que moi d'un an et nous étions les plus jeunes de toute la Brigade. Il s'appelait Anténor et faisait je ne sais quel métier noble et grossier dans le port. « Si tu voyais Livoulne! » s'exclamait-il avec son accent large et sonore et il n'en finissait pas de me vanter les magnificences et les délices de sa ville, le cacciucco, les torpilles qui sont de grands verres de rhum avec une goutte de café, les promenades jusqu'à Ardenza, au coucher du soleil, en été, et cette odeur de goudron, de saumure, de poisson séché, cette odeur de cambuse et d'écueil.

Alcuni piatti italiani

Cacciucco (specialità livornese).
Dose per sei persone : un chilo di pesce, grammi trecento di olio, mezzo chilo di pomodori maturi, un peperoncino rosso, aglio, prezzemolo, un bicchiere di vino rosso o mezzo bicchiere di aceto. Occorrono molte qualità di pesce e alcuni frutti del mare Mediterraneo.
Fate soffriggere una grossa cipolla, tagliata sottilissima, con l'olio e il peperone rosso, poi aggiungete i pomodori pelati, l'odore di aglio e prezzemolo e il bicchiere di vino rosso o il mezzo bicchiere di aceto; aggiungete il pesce lavato e tagliato e lasciate bollire adagio.
Servite con fette di pane abbrustolito.

Melanzane alla Parmigiana.
Dose per sei persone : sei melanzane, grammi cinquanta di olio, e grammi cinquanta di burro, salsa di pomodoro, grammi cinquanta di parmigiano grattugiato, basilico, una mozzarella.
Scegliere melanzane di buona qualità, preferibilmente napoletane. Lavarle e asciugarle, privarle del gambo, sbucciarle, tagliarle nel verso della lunghezza e friggerle subito nell'olio, leggermente infarinate perché assorbano meno unto. Ungere di burro una teglia e cominciare a disporre sul fondo uno strato di melanzane, che verrà condito con salsa di pomodoro o pomodori pelati tagliati a pezzi, parmigiano grattato misto a pane grattugiato, al quale sarà stato unito un po' di basilico tagliuzzato e qualche fettina di mozzarella. Continuare a disporre le melanzane a strati finché non saranno ultimate. L'ultimo strato sarà formato da sugo di pomodoro, parmigiano e mozzarella. Metterle nel forno per venticinque minuti circa affinché possano amalgamarsi e dorarsi.

Cuciniamo all'italiana, a cura di Veronica
(Malipiero, Bologna).

Quelques plats italiens

Le cacciucco (spécialité livournaise).
Quantité pour six personnes : un kilo de poisson, 300 g d'huile, un demi-kilo de tomates mûres, un piment rouge, de l'ail, du persil, un verre de vin rouge et un demi-verre de vinaigre. Il faut de nombreuses sortes de poissons et quelques fruits de mer de la Méditerranée.
Faites revenir un gros oignon, coupé très fin, avec l'huile et le poivron rouge, puis ajoutez les tomates épluchées, un soupçon (m. à m. : l'odeur) d'ail et de persil et le verre de vin rouge et le demi-verre de vinaigre; ajoutez le poisson lavé et coupé et laissez bouillir lentement.
Servez avec des tranches de pain grillé.

Aubergines à la parmesane.
Quantité pour six personnes : six aubergines, 50 g d'huile et 50 de beurre, de la sauce tomate, 50 g de parmesan râpé, du basilic, une mozzarella.
Choisir des aubergines de bonne qualité, napolitaines de préférence. Les laver et les essuyer, leur enlever le pédoncule, les éplucher, les couper dans le sens de la longueur et les frire tout de suite dans l'huile, légèrement passées dans la farine, afin qu'elles absorbent moins de graisse. Beurrer une tourtière (m. à m. : oindre de beurre) et commencer à disposer dans le fond une couche d'aubergines qui sera accommodée de sauce tomate ou de tomates épluchées coupées en morceaux, du parmesan râpé mélangé à du pain finement émietté, auquel on aura ajouté un peu de basilic coupé fin et quelques tranches de mozzarella. Continuer à disposer les aubergines en couches jusqu'à la dernière. La dernière couche sera formée de jus de tomate, de parmesan et de mozzarella. Les mettre au four pendant 25 minutes environ afin qu'elles puissent s'amalgamer et se dorer.

Alcuni piatti italiani

Ossobuco (Lombardia).
Dose per sei persone : sei ossibuchi, odori, mezzo litro di brodo, cento grammi di burro, quindici grammi di conserva, un cucchiaio di farina.
Gli ossibuchi vanno cotti lentamente in una salsa che i Lombardi chiamano « gremolada », composta di un pesto di aglio, rosmarino, salvia, prezzemolo, buccia di limone e burro e portando il tutto a cottura mediante aggiunta di brodo e, verso la fine, si aggiunge il concentrato di pomodoro stemperato con un pizzico di farina, per ottenere che il sugo risulti denso e cremoso. Si serve con risotto o con abbondante purea di patate.

Maccheroni alla chitarra.
La « chitarra » su cui vengono modellati i maccheroni è un telaio di legno quadrato o rettangolare sul quale sono tirati dei sottili fili d'acciaio, proprio come nello strumento musicale da cui prende il nome.
La sfoglia ottenuta con uova o anche senza uova, impastata solo con acqua e sale, si taglia a strisce larghe quanto le corde della « chitarra » premendola con uno speciale matterello contro i fili in modo che cade tagliata in sottilissimi taglierini che risultano di forma quadrangolare sodi e compatti la cui speciale conformazione determina un gusto speciale che si differenzia dalla pasta ottenuta con altri sistemi. La cottura è rapida. Vanno conditi in vario modo.

Salsa abruzzese
Dose per sei persone : gr. 150 polpa di maiale tritata, odori, gr. 50 strutto, 1 cucchiaio di conserva, mezzo bicchiere vino bianco.
La carne suina pestata va messa in un condimento di cipolla, aglio, sedano, carota e un peperone rosso, il tutto molto tritato e va rosolata in un po' di strutto, a cui si aggiunge un cucchiaio di conserva diluito in un mezzo bicchiere di vino bianco, lasciando sul fuoco fino a cottura degli ingredienti.

Risotto alla milanese.
Dose per sei persone : centosessanta grammi di burro, mezza cipolla, centodieci grammi di midollo di bue, un bicchiere di vino bianco, un bustina zafferano, un litro di brodo, cento grammi di parmigiano.

Quelques plats italiens :

Os à moelle.
Dose pour six personnes : 6 os à moelle, herbes, un demi-litre de bouillon, 100 g de beurre, 15 g de concentré de tomate, une cuillerée de farine.
Les os à moelle doivent être cuits lentement dans une sauce que les Lombards appellent « gremolada », composée d'un mélange pilé d'ail, de romarin, de sauge, de persil, de zeste de citron et de beurre; on fait cuire le tout en ajoutant (m. à m. : moyennant adjonction) du bouillon et, vers la fin, on ajoute le concentré de tomate délayé avec une pincée de farine, pour faire que la sauce soit dense et crémeuse. On le sert avec du riz ou avec une abondante purée de pommes de terre.

Macaroni « à la guitare ».
La « guitare » sur laquelle sont montés les macaronis est un châssis de bois carré ou rectangulaire sur lequel sont tendus de minces fils d'acier exactement comme sur l'instrument de musique dont elle tire son nom. La pâte obtenue avec des œufs ou même sans œufs, pétrie seulement avec de l'eau et du sel, est coupée en bandes aussi larges que les cordes de la « guitare » en la pressant avec un rouleau spécial contre les fils de façon qu'elle tombe coupée en de très fins taglierini qui sortent en forme quadrangulaire durs et compacts. Cette conformation donne une saveur spéciale qui est différente de celle de la pâte obtenue par d'autres procédés. La cuisson est rapide. On les assaisonne de différentes façons.

Sauce des Abruzzes.
Dose pour six personnes : 150 g de viande de porc hachée, des herbes, 50 g de saindoux, une cuillerée de concentré de tomate, un demi-verre de vin blanc.
La viande de porc est mise dans un assaisonnement d'oignon, d'ail, de céleri, de carotte et d'un poivron rouge, le tout bien haché; on le fait revenir dans un peu de saindoux, auquel on ajoute une cuillerée de tomate diluée dans un demi-verre de vin blanc; laisser sur le feu jusqu'à cuisson des ingrédients.

Risotto à la Milanaise.
Dose pour six personnes : 160 g de beurre, un demi-oignon, 110 g de moelle de bœuf, un verre de vin blanc, un petit sachet de safran, un litre de bouillon, 100 g de parmesan.

Narra la leggenda che il classico risotto alla milanese sia nato in Duomo ed abbia avuto per autore un modesto garzone di pittore che a furia di mettere zafferano nei colori, finí col versarne un pizzico nella minestra, restando incantato per l'insospettato colore e sapore che il riso aveva assunto. Lo zafferano è l'ingrediente caratteristico del risotto alla milanese, e si prepara cosí :
Si mette in casseruola il burro, mezza cipolla tritata, il midollo di bue e si fa rosolare il tutto, poi si aggiunge il riso, mescolando di continuo, e il bicchiere di vino bianco. Quando il vino è assorbito si unisce lo zafferano e si tira a cottura con il brodo di carne. Cotto, si unisce il parmigiano grattato e si serve bollente. Si accompagna benissimo agli ossibuchi.

Pesto alla genovese.
Il pesto alla genovese si prepara cosí : si prende abbondante basilico (circa grammi trecento), si lava e si asciuga in un tovagliuolo, si taglia finemente e vi si aggiungono due o tre spicchi di aglio, grammi cinquanta di pinoli, una mezza dozzina di noci tritate, formaggio grana in misura notevole misto con pecorino o sardo e grammi cinquanta di olio di oliva e si pone il tutto in un mortaio in modo da ottenere una pasta omogenea.
Con queste proporzioni se ne può preparare una quantità discreta, poiché conservato in vetro e coperto da uno strato d'olio, si mantiene a lungo fresco e profumato.

Cuciniamo all'italiana, a cura di Veronica,
(Giuseppe Malipiero, Bologna).

Modo di cuocere gli spaghetti.
Gettate gli spaghetti in acqua bollente e salata (cinque litri per cinquecento grammi). Agitate con una forchetta gli spaghetti perché non s'incollino e lasciate cuocere a fuoco lento per circa otto minuti. Tale tempo non è valido per tutti i tipi di spaghetti che dovranno essere tolti dall'acqua e scolati quando, alla prova, risultino ancora un po' duri sotto i denti. Servite in piatti fondi, versate la salsa sugli spaghetti e cospargete il tutto di formaggio grattugiato.

La légende rapporte que le traditionnel risotto à la Milanaise est né dans la Cathédrale et qu'il a eu pour auteur un modeste apprenti peintre qui, à force de mettre du safran dans ses couleurs, finit par en répandre une pincée dans son potage. Il fut enchanté de la couleur et de la saveur insoupçonnées que le riz avait prises. Le safran est l'ingrédient caractéristique du risotto à la milanaise et il se prépare ainsi : on met dans une casserole le beurre, un demi-oignon haché, la moelle de bœuf et l'on fait rissoler le tout; ensuite on ajoute le riz, en le tournant continuellement, et le verre de vin blanc. Quand le vin est absorbé on ajoute le safran et l'on porte à cuisson avec le bouillon de viande. Une fois cuit, on ajoute le parmesan râpé et l'on sert bouillant. Il s'accommode très bien de l'ossobuco.

Pistou à la Génoise.
On prépare le pistou à la génoise comme suit : on prend une bonne quantité de basilic (environ 300 g), on le lave et on le sèche dans un torchon, on le coupe finement et on y ajoute deux ou trois têtes d'ail, 50 g de pignons, une demi-douzaine de noix broyées, du parmesan en bonne quantité mélangé avec du fromage de brebis ou sarde et 50 g d'huile d'olive et on met le tout dans un mortier de façon à obtenir une pâte homogène.
Avec ces proportions on peut en préparer une quantité raisonnable, car conservé dans un bocal de verre et recouvert d'une couche d'huile, il conserve longtemps sa fraîcheur et son parfum.

Manière de faire cuire les spaghettis.
Jetez les spaghettis dans l'eau bouillante et salée (5 litres pour 500 grammes). Remuez les spaghettis avec une fourchette afin qu'ils ne collent pas et laissez cuire à feu lent pendant près de 8 minutes. Ce temps n'est pas valable pour tous les types de spaghettis qui devront être sortis de l'eau et égouttés lorsque, à l'essai, ils seront encore un peu durs sous les dents. Servez dans des assiettes creuses; versez la sauce sur les spaghettis et saupoudrez le tout de fromage râpé.

MÉMENTO

LA PRONONCIATION

1. L'accent tonique

Tout comme la musique ou la danse, la langue parlée suit un rythme. Ce rythme de la phrase tantôt lent, tantôt précipité est lié à l'idée exprimée et à l'intention de celui qui parle. Mais il dépend aussi d'une caractéristique physique sonore : l'accent tonique.

Prenons un exemple : le mot *It**a**lia.* Ce mot a trois syllabes : I-ta-lia. Mais ces trois syllabes ne sont point égales : la plus importante, celle à laquelle vous devez communiquer le plus de vie et d'intensité c'est *-t**a***. Elle constitue le cœur du mot. Par analogie avec les nuances de la musique, disons que la première syllabe du mot *Italia* : « I »- est « mezzof**o**rte », la deuxième -t**a**- « f**o**rte » ou « fort**i**ssimo » et la troisième -lia seulement « piano ».

Prenons le mot *Forlí,* nom d'une ville où nacquit le peintre Melozzo da Forlí. La dernière syllabe porte l'accent tonique, c'est sur cette syllabe que vous devez faire porter toute l'impulsion.

Prenons le cas de *N**a**poli. **Na*** est fortissimo tandis que les deux dernières syllabes du mot *-poli* sont dans la nuance piano. Le mot semble rebondir.

La syllabe « forte » ou « fortissimo » est qualifiée de tonique ou d'accentuée, de même que la voyelle qui supporte plus particulièrement cette nuance, dans le cas d'une diphtongue : *Ti**e**polo,* par exemple, le *-e* est tonique, le *-i* atone.

Dans la méthode, la voyelle en caractère gras est la voyelle tonique.

Il n'y a que trois sortes de mots possibles en italien, relativement à la place de l'accent tonique : *parola tronca, parola piana, parola sdr**u**cciola.*

- Les mots accentués sur la finale s'appellent ***parole tronche.***

  Ex. : *parlerò.*

- Les mots accentués sur l'avant-dernière syllabe s'appellent ***parole piane.*** Ce sont les mots les plus nombreux de la langue italienne : *R**o**ma, v**i**a, p**a**pa, mus**e**o.*

- Les mots accentués sur la troisième syllabe avant la fin s'appellent ***sdrucciole.*** *N**a**poli, G**e**nova, p**a**rlano, s'acc**o**modi,* etc.

- Apparentés aux « sdr**u**cciole » sont les ***bisdrucciole.*** Ce sont les mots les moins fréquents; ce sont toujours des formes verbales.

Ex : *recitano :* ils récitent; *dandoglielo :* en le lui donnant (les pronoms sont rejetés après le verbe et soudés à lui, ce qui allonge le mot, mais ne déplace pas l'accent tonique.

Il est important de s'entraîner à respecter la place de l'accent tonique. C'est une condition essentielle pour être compris et maintenir la phrase dans son équilibre musical.

2. Les sons

● Les sons du français qui n'existent pas en italien.

a) Le *r* tel qu'on le prononce à Paris, par exemple, n'est pas italien.

b) Le *j* de « Jean », le *g* de « gens ».

c) Le *x* ne se trouve que dans les mots étrangers.

d) Le *e* de « ce », le *u* de « tu », les voyelles nasales « an », « in », « on », « un », « ien », « oin », « uin ». La lettre *e* se prononce é ou è (voyez ci-après) le *u* toujours « ou »; *an, en, in, on,* se prononcent en séparant la voyelle; ***avanti*** [a-n]; ***ente*** [e-n], ***interno*** [i-n], *con* [o-n].

e) Le *eu* de « œuf » ou de « veuf ». ***Europa*** se prononce [e-ou].

● Les sons italiens nouveaux pour un francophone :

a) Le *r* : ***Roma, Cremona, Varese,*** etc... Le *r* se prononce en roulant la partie avant de la langue (Voyez le Bourgeois gentilhomme, Acte II, scène 6). Contrairement à la grande majorité des Français d'aujourd'hui, Monsieur Jourdain savait le prononcer. Nous vous enseignons à notre façon comment l'acquérir : il est très voisin du *l* puisque, comme le *l,* le *r* de Monsieur Jourdain ou le *r* italien se prononcent avec l'extrémité de la langue. La prononciation figurée [l] vous rappellera : « pensez l ».

b) Le son [dj] ***argento,*** argent, ***Girolamo,*** Jérôme. De même ***Giorgio,*** Georges, ***giusto,*** juste (ne prononcez presque pas le *i*). Il suffit, de même, d'un léger « d » devant le « j » de Jean. Le *i* placé après le « g » devant « o » et « u » empêche de prononcer [go], [gou], comme dans *gomma, gubbio.*

c) Le son [tch], *città,* ville, ***certo,*** certes, le peintre *Cimabue.* Devant un *o,* un *a,* un *u,* le *i* évitera le son [co], [ca], [cou]. Comparez le rôle de cet *i* avec celui de la cédille, en français (exemple : « ça »).

d) Le son [ts], [dz]. ***Firenze*** [tc], ***Venezia*** [tc], ***pranzo*** [dz], dîner.

e) Le son [ly] du français : « lier », « liasse » : *meglio, migliore.* Ce son n'est délicat pour un francophone à prononcer, que dans le cas de l'article ou du pronom *gli* [*lyi*].

● Le français n'ignore pas les consonnes doubles. Par exemple : grammaire [m-m]. Mais il n'impose pas de les prononcer en toute occasion. En italien il faut faire entendre très clairement et prononcer très soigneusement toute consonne double, comme si l'on s'y attardait à plaisir afin de mieux chanter le mot. Mais il ne faut pas allonger la voyelle qui précède ni celle qui suit. Étudions l'exemple suivant : *Non c'è dubbio,* il n'y a pas de doute. Après un *u* [ou] très court, il convient de cesser le mot dès que la syllabe *io* est entendue.

● On s'exercera utilement, dans chaque leçon, aux exercices proposés à cet effet. Il conviendra, par exemple, de bien distinguer *mese* [mece], de *messa* [mes-sa]; *Firenze* [ts] de *piazza* [ttz]; et bien distinguer [d-dz] puis [ts] dans le mot *civilizzazione*[tchiviliddzatsioné].

L'ORTHOGRAPHE

3. Conventions orthographiques

En italien, on écrit tout ce que l'on prononce, et, vice-versa, l'on prononce tout ce qui est écrit.

■ Conventions concernant l'écriture des sons. Les lettres « y » et « x » n'existent pas.

Ex : *idraulico,* hydraulique; *eccellente,* excellent; *lessico,* lexique.

Pour la lecture (et donc l'écriture) les différences avec le français sont les suivantes :

a) *Ciascuno* se lit [tchascouno] et *Giovanni* se lit [djovanni].

b) Le son [ch] du mot français « chose » s'écrit, en italien, *sc* : *scendere* [ch] descendre, *uscita* [ch], sortie. Devant un *a,* un *o,* ou un *u,* pour éviter la prononciation [ca], [co], [cou], l'on écrira un *i.*

Ex : *Brescia* [cha].

c) Le son [c] du mot français « cas » s'écrit *c* devant un *a,* un *o,* ou un *u* : *cassa, cosí.* En cela pas de différence avec le français.

Mais il s'écrit *ch* devant *i* ou *e* car *ci* et *ce* se prononceraient [tchi], [tche].

*Chi vi**e**ne?* [ki], qui vient? *Che fa?* [ke], que fait-il?

d) Le son [g] du mot français « gare » s'écrit *g* devant un *a*, un *o* ou un *u* [ou]. En cela pas de différence avec le français.

*G**a**tto,* chat; *g**o**mma,* gomme; *G**u**bbio* (ville de l'Ombrie).

Mais il s'écrit *gh* devant un *e* ou un *i*.

*Gh**e**tto; ghi**a**ccio,* glace.

N.B. : Le « u » se prononce toujours après un « q » ou un « g ».

Quanto [cou**a**-nto], *guerra* [gou**e**rra].

e) *gl* se lit comme le « l » de « mouillé », de « million », « lier », etc., entre deux voyelles (voyez ci-dessus §2 : *m**e**glio, miglio**r**e* et § 1 : *d**a**ndoglielo*).

***A**glio,* ail. Exception : *glicer**i**na, glycérine; prononcez* [gli] comme en français.

■ Convention concernant l'écriture de l'accent tonique.

En italien l'accent tonique s'écrit sur la voyelle tonique des mots « tronchi » (qui est donc la voyelle finale) sous la forme de l'accent grave français ou de l'accent aigu. La règle est la suivante :

a) L'accent grave sur « o » ouvert ou « e » ouvert, sur le « a ».

Ex : *partirò,* je partirai, *però,* cependant, *perciò,* pour cela, *caffè, tè; città,* ville, *unità*.

N.B. 1. Le « o » tonique final est toujours ouvert. — 2. Dans *po'* l'apostrophe représente la voyelle finale de *poco*. (Voyez le phénomène de l'élision au § 4).

b) L'accent aigu sur « e » fermé, sur « i » final ou « u » final.

Ex : *perché,* parce que, *cosí,* ainsi, *virtú*.

4. Difficultés de prononciation en lisant

● L'on n'écrit jamais l'accent tonique sur les mots *piani* ou sur les mots *sdruccioli*. Donc, si vous n'avez jamais entendu prononcer *Brindisi, Ancona,* vous serez incapable, en lisant, de savoir que le premier est sdrucciolo [br**i**ndisi], le second piano [anc**o**na].

Dans nos leçons, nous avons obéi au parti suivant : **jusqu'à la leçon 10,** nous marquons par un caractère gras la voyelle accentuée de tous les mots piani et sdruccioli; les mots tronchi ayant toujours le repère écrit, ainsi qu'il vient d'être exposé, ne présenteront pas de caractère gras. **De la leçon 11 à la leçon 25,** nous n'employons plus le caractère gras que pour les mots sdruccioli. **A partir de la leçon 26,** nous n'employons plus le caractère gras que pour les mots sdruccioli nouveaux, en principe. Nous avons estimé qu'il n'était pas inutile de signaler, à plusieurs reprises, certains accents sdruccioli et même piani (par exemple : ceux du type *galler**i**a,* afin que vous détachiez bien le « **i** » du « a »). Pour les textes de la leçon 76 à la leçon 90, n'hésitez pas à recourir au dictionnaire, lorsque vous avez un doute.

Dans le Mémento : caractère gras pour les sdruccioli.

● Distinction des homonymes : *dà,* il donne; *da,* chez, à; de; *né,* ni, *ne,* en; *è,* il est, *e,* et; *tè,* thé, *te,* toi; *sí,* oui, *si,* on; etc.

● [ç] ou [z]?

Nous avons vu que *cassa* se prononçait en doublant nettement l's du mot français « caisse ». Il en sera de même chaque fois que vous lirez « ss ». Mais comment prononcerez-vous les mots : *casa, mese?* — [caça], [mece]. L'orthographe italienne, dans des cas de ce genre, déroute le Français.
Ainsi : *caso,* cas, *esame,* examen, se prononcent :

à Rome : [ç].
à Florence : [z].

Nous vous laisserons le plaisir de passer pour un Romain à Florence ou pour un Florentin à Rome!

● [tç] ou [dz]?

La même différence, qui vient d'être signalée, existe pour les sons représentés par la lettre *z,* laquelle tantôt se prononce [tç], tantôt [dz]. La prononciation figurée indiquée entre crochets dans chacune de nos leçons vous tirera d'embarras.
N'oubliez pas de prononcer le doublement marqué par les deux z (-zz-). Sachez que les terminaisons *-zione, -zia, -enze* sont toujours prononcées [tç].

■ Les *e* et les *o* : ouverts ou fermés?
Rappelons que les sons ouverts sont ceux, par exemple, du français « grès » « grotte » et les sons fermés avec ceux du français « gré », « gros ».
Il y a, en français, une règle : tout *e* ou tout *o* suivi de deux consonnes est ouvert : « belle, reste, je jette, sotte, molle, borde »... En Italien cette règle ne règne pas aussi généralement qu'en français. Vous n'aurez pas de doute, en lisant un texte, dans les cas suivants.

a) Pour les *e* et les *o*, s'ils sont à la fin des mots et toniques; car, dans ce cas, l'accent écrit grave marque l'ouverture de l'*o* ou de l'*e* (comme en français : cède) et l'accent écrit aigu marque la fermeture de l'*e* (comme en français : « été »).

b) Pour les *e* et les *o* qui ne sont pas sous l'accent tonique; car, ce cas, les *e* sont plutôt fermés, et les *o* plutôt ouverts et d'une nuance mezzoforte ou piano (voyez le § 1 ci-dessus).

Vous hésiterez en lisant un texte dans le cas des mots *sdruccioli* et *piani* où ces voyelles *e* ou *o* sont toniques. Vous voudrez bien vous reporter à notre prononciation figurée. Le signe ○ indique l'ouverture; le signe • la fermeture.

Ex : ○*moda* [ò]; •*Roma* [ó].
○*ti**e**pido* [è]; •*selva* [é], tiède; la forêt.

L'ARTICLE

5. L'article défini

■ Masculin

a) *Il libro,* le livre; *i libri,* les livres.

b) Devant une voyelle (élision).
L'amico, l'ami; *gli amici,* les amis.

c) Devant un s + consonne (appelé *s* impur), un *z* ou *x, gn,* ps :

***Lo** stato,* l'État; ***gli** Stati Uniti,* les États Unis.
Lo scambio, l'échange; *gli scambi,* les échanges.

■ Féminin

a) ***La** casa,* la maison; ***le** case,* les maisons.
b) Devant une voyelle (élision au singulier, seulement) ***l'**anima,* l'âme; ***le** anime,* les âmes; ***l'**erba, **le** erbe.*

On trouve cependant : *Suonan l'ore,* les heures sonnent (l'élision au pluriel « l'ore » est précieuse et de caractère poétique).

6. L'article indéfini

■ ***Un*** *uomo,* un homme

Devant un *s* impur, un *z, x, gn, ps* : ***uno*** *sviluppo,* un développement; ***uno*** *gnocco,* etc...

■ ***Una*** *moglie,* une femme. Élision : ***un'*** *epoca,* ***un'*** *età,* une époque, un âge.

● **L'article indéfini n'a pas de pluriel**

Ex : *una casa,* une maison; *case,* des maisons; *un amico, amici.*

Cependant « quelques maisons » se dira ***alcune*** *case;* quelques amis, ***alcuni*** *amici,* ou bien ***delle*** *case,* ***degli*** *amici.*
On pourra dire *sono bei fiori* ou *sono dei bei fiori,* ce sont de belles fleurs.

Ci sono ville ou *ci sono delle ville,* il y a des villas.

7. L'article partitif

L'italien utilise l'article partitif comme le fait le français mais d'une manière légèrement différente.

Pietro mangia del pane, Pierre mange du pain.

Mais l'on peut dire aussi : ***Pietro mangia pane.***

Dans le premier cas le pain à manger existe, il est par exemple sur la table. Dans le second cas, il s'agit d'une attitude générale, Pierre mange du pain par principe.
La même différence de nuances est à trouver dans les deux exemples suivants :

Pietro mangia pane nero, Pierre mange du pain noir (c'est une règle chez lui).

Pietro mangia del pane nero, Pierre mange du pain noir (qui est sur la table et qu'il préfère aux autres sortes de pain).

N.B. Ne confondez pas l'article partitif avec l'article contracté.

*Conosco delle persone simp**a**tiche,* je connais des personnes sympathiques, pluriel de : *conosco una persona simp**a**tica.*

8. L'article contracté

L'article contracté résulte, ainsi qu'en français, de la réunion, en un seul petit mot, d'une préposition et d'un article, en effet :

au = à le   du = de le
aux = à les   des = de les.

En italien les articles définis, qu'ils soient au singulier ou au pluriel, peuvent se contracter :

● Avec la préposition **di**

Ex : le chapeau du professeur, le chapeau de l'élève, ... de l'oncle, ... de la mère, ... des enfants, ... des hommes, ... des femmes, ...

Il cappello ***del*** *professore,* ***dell'*** *alunno,* ***dello*** *zio,* ***della*** *madre,* ***dei*** *bambini,* ***degli*** *uomini,* ***delle*** *mogli (****delle*** *donne).*

● Avec la préposition **a**.

Ex : J'écris au professeur... *Scrivo* ***al*** *professore,* ***all'*** *alunno,* ***allo*** *zio,* **alla..., ai...,** ***agli,*** **alle...**

● Avec la préposition **da** (de, par).

Ex : La lettre est écrite par le professeur, l'élève : *La lettera è scritta* ***dal*** *professore,* ***dall'*** *alunno,* ***dallo*** *zio,* ***dalla, ..., dai, dagli, ... dalle...***

● Avec la préposition **su,** sur : ***sul, sull', sullo; sulla; sui, sugli; sulle.***

Ex : *Sul lago,* au bord du lac, sur le lac; *sui treni,* dans les trains; ...

● Avec la préposition **in,** dans : ***nel, nell', nello; nella; nei negli, nelle.***

● Avec la préposition **con,** avec, ne peuvent se contracter que *il* et *i.*

Ex : ***Col*** *padre* e *con la madre,* avec le père et avec la mère.
Au pluriel : ***coi*** *padri e con le madri.*

9. Italianismes

■ Utilisation de l'article défini :

a) avec les adjectifs possessifs :

Il mio libro, la mia casa, mon livre, ma maison.
Mais : *mio padre, tua madre, suo figlio.*

b) familièrement, devant un prénom féminin :
Ho visto la Caterina, j'ai vu Catherine.
Mais : *ho visto Giacomo,* j'ai vu Jacques.

■ Omission de l'article. Exemples :
Essere a dieta, ... a riposo, ... a caccia, être à la diète, ... au repos, ... à la chasse,
Andare a scuola, aller à l'école,
Tirare a sorte, tirer au sort,
Lavorato a mano, fait à la main,
A peso d'oro, au poids de l'or,
A richiesta generale, à la demande générale,
A occhio nudo, à l'œil nu,
Da parte di, de la part de,
A Nord, A Sud, a levante, a ponente, a Est, a Ovest, au Nord, etc.

LE FÉMININ ET LE PLURIEL

10. Règle générale

La terminaison en *-a* est propre au féminin. Dans ce cas, le pluriel est en *-e :*

La casa, le case.

Pour former le féminin et le pluriel, retenez l'exemple suivant : *l'Italiano;* pluriel : *gl'Italiani;* féminin : *l'Italiana, le Italiane.*

Donc : le féminin se forme en *-a;* le pluriel des masculins en *-i;* le pluriel des féminins en *-e.*

Mais si le féminin singulier est en *-e,* le féminin pluriel est en *-i.* Ex. : *la legge italiana, le leggi italiane,* les lois...

11. Règles particulières

Sont invariables au pluriel :

a) les mots tronchi (voyez § 1); *la virtú, l'età* font *le virtú,* les vertus, *le età,* les âges.

b) Les noms terminés en *-ie; la barbarie,* la barbarie fait : *le barbarie.*

Cependant : *la moglie, le mogli,* les femmes; *la superficie, le superficie* ou *le superfici,* les surfaces.

Les noms terminés en *-cia,* en *-gia* forment régulièrement leur pluriel.

La farmacia, le farmacie; la bugia, le mensonge, *le bugie.*

Mais les noms terminés en *-cia* et *-gia -i* atone) font leur pluriel en *-ce* et *-ge.*

La provincia, le province; la valigia, le valige, les valises; on trouve, cependant, parfois : « le valigie ». Et l'usage a conservé « ie » au pluriel dans les noms suivants : *audacia, audacie; acacia, acacie; camicia,* chemise, *camicie; socia,* associée, *socie; ferocia,* férocité, *ferocie.*

Les noms terminés en *-io* forment régulièrement leur pluriel :

Lo zio, l'oncle, *gli zii; l'oblio,* l'oubli, *gli oblii.*

Mais les noms terminés en *-io* (*i* atone) font leur pluriel en *-i.*

Il criterio, i criteri; lo studio, gli studi.

Pour distinguer des homonymes, remarquez les cas suivants :

Il palio (page 234); *i palii; il palo,* le poteau, *i pali.*
Il conio, la frappe, *i conii; il cono,* le cône, *i coni.*
L'odio, la haine, *gli odii; tu odi,* tu entends.
Il tempio, le temple, *i tempii (i templi); il tempo,* le temps, *i tempi.*
L'omicidio, l'homicide (le fait de tuer), *gli omicidii; l'omicidio* (l'homme qui tue, *gli omidici.*
L'assassinio, l'assassinat, *gli assassinii; l'assassino,* l'assassin, *gli assassini.*

Dans les cas suivants il n'y a pas homonymie, car la voyelle tonique diffère :

sdruccioli	piani
gli arbitri, l'arbitro, l'arbitre	
	arbitri, arbitrio, arbitraire
benefici [è], *benefico,* bénéfique	
	i benefici, il beneficio, le bénéfice
desideri, tu désires	
	i desideri [è], *il desiderio,* le désir
malefici [è] *malefico,* maléfique	
	i malefici, il maleficio, maléfice

i martiri, il martire, le martyr

i martiri, il martirio, le martyre

i principi, il principe, le prince

i principi, il principio, le principe

Cas des mots terminés en *-co* et en *-go.*
Conservation du son, au pluriel, pour les noms de deux syllabes.

Ex. : *fico,* figue, *fichi; lago,* lac, *laghi; fungo,* champignon, *funghi; palco,* balcon, *palchi.*

Exceptions : *greco,* grec, *greci; porco,* porc, *porci.*
Mago (substantif) le magicien, *i maghi;* mais *i Re magi,* les Rois mages (adjectif).

Pour les autres mots en *-co* ou *-go* de plus de deux syllabes, il convient d'apprendre le pluriel en même temps que le singulier.

Cas des mots terminés en -ca ou -ga : conservation du son au pluriel.

Ex. : *il collega,* le collègue, *i colleghi.*

Cependant : *il Belga,* le Belge, *i belgi; la Belga, le Belghe.*

L'ADJECTIF

12. Le comparatif

- Égalité : *Pietro è cosí alto come Paolo,* aussi grand que..., ou bien : *Pietro è tanto alto quanto Paolo.*

- Supériorité : *Pietro è piú alto di Pietro,* ... plus ... que...
- Infériorité : *Pietro è meno intelligente di Pietro,* ... moins... que...

Si l'on compare une qualité de Pierre à une autre qualité de Pierre, il faut employer *che.*

Ex : *Pietro è meno intelligente che alto; Pietro è piú alto che intelligente.*

La casa meno bella è quella di Paolo, la maison la moins belle est celle de Paul. *L'albergo piú grande è quello dell'Esit,* l'hôtel le plus grand est celui de l'Esit.

On peut dire : *la moralità val di piú dell' intelligenza* ou bien *la moralità vale piú che l'intelligenza.*

13. Le superlatif

- Relatif.

Pietro è il piú alto di tutti gli alunni, Pierre est le plus grand de tous les élèves.
Pietro è il meno intelligente di tutti gli alunni.

N. B. : *il libro piú interessante di tutti,* le livre le plus intéressant de tous. Ne pas répéter l'article.

- Absolu.

Pietro è molto alto, Pierre est très grand = *Pietro è altissimo* = *Pietro è alto alto.*

Irrégularités : *celebre, celeberrimo; acre, acerrimo; integro, integerrimo; aspro, asperrimo.*

Quelques comparatifs et superlatifs irréguliers. L'emploi de la forme irrégulière est facultatif. C'est pourquoi nous faisons suivre chacune de la forme régulière correspondante.

a) *buono,* bon	migliore	ottimo
	piú buono	buonissimo = molto buono
		= buono buono
b) *cattivo,* méchant	peggiore	pessimo
	piú cattivo	cattivissimo
c) *grande,* grande	maggiore	massimo
	piú grande	grandissimo

Il massimo Fattore : l'auteur des choses, Dieu
Il Circo Massimo : le grand Cirque.

d) *piccolo,* petit	minore	minimo
	piú piccolo	piccolissimo
e) *alto,* grand, haut	superiore	sommo
	piú alto	altissimo
f) *basso,* bas	inferiore	infimo
	piú basso	bassissimo

14. L'adjectif *bello*

Bello subit, au masculin, des transformations qui rappellent le français « beau » un bel homme, etc.

Bel soldato, bell'uomo, bello studente (*s* impur), beau soldat, bel homme, bel étudiant.

Cette transformation de *bello* en *bel, bell'* est à rapprocher des trois formes de l'article défini : *il soldato, l'uomo, lo spettacolo.* Mêmes comparaisons au pluriel :

i soldati, gli uomini, gli studenti;

bei soldati, begli uomini, begli studenti.

LES PRONOMS PERSONNELS

15. Rappels

Ainsi qu'en français il faut distinguer le pronom sujet des pronoms compléments et, parmi ces derniers :

- Les pronoms placés *après* le verbe, directs ou indirects;
- Les pronoms placés *avant* le verbe, directs ou indirects.

Ex : Il me montre son livre (« me » est complément indirect avant le verbe) = il montre à moi son livre (« moi » est complément indirect après le verbe).

Il me le montre (« le » est complément direct : il montre à moi le livre).

Il me voit (« me » est complément direct avant le verbe) = il voit moi.

16. Tableau des pronoms personnels

SUJETS		COMPLÉMENTS				EXEMPLES	
Fr.	It.	après	avant		après le verbe	avant le verbe	
			ind.	dir.		indirect	direct
					Il pàne è		
moi, je	io	me	mi	mi	...per me	mí dà il pane	mi vede
toi, tu	tu	te	ti	ti	...per te	ti dà...	ti vede
lui, il	egli	lui	gli	lo	...per lui	gli dà...	lo vede
	esso (1)	esso (1)			...per esso		
	lui						
elle	lei	lei	le	la	...per lei	le dà...	la vede
	ella	essa			...per essa		
	essa (1)	essa (1)					
nous	noi	noi	ci	ci	...per noi	ci dà...	ci vede
vous	voi	voi	vi	vi	...per voi	vi dà...	vi vede
eux, ils	essi	essi		li	...per essi		li vede
	loro	loro (2)			...per loro		
elles	esse	esse		le	...per esse		le vede
	loro	loro (2)			...per loro		

(1) Animal ou chose.

(2) *Loro* est le complément indirect correspondant à la troisième personne du pluriel. Il se place toujours après le verbe. Ex. : *dà loro il pane,* il leur donne le pain. *Dice loro,* il leur dit.

N. B. *Vede me, non lui.* Il me voit moi, pas lui. On aura donc : *vede me, vede te, ... lui, ... esso,* etc.

17. Forme polie

Rappel : en français, la forme polie utilise *vous,* qu'il s'agisse du singulier ou du pluriel, c'est-à-dire soit que l'on s'adresse à une personne ou à plusieurs personnes.

En d'autres termes, « vous parlez » peut s'adresser :

A) à des enfants à qui l'on dirait individuellement : « tu parles ».

B) à une personne avec qui l'on emploie la forme polie.

C) à plusieurs personnes avec qui l'on emploie la forme polie.

Comment traiter, en italien, les cas B et C?

■ **Cas B :**

Si l'on s'adresse à la forme polie, à une seule personne :

- Le verbe est à la 3e personne du singulier.

- Les pronoms sont à la 3e personne du **féminin singulier** (*lei, le, la :* voyez le tableau du § 16). Étudiez les exemples suivants.

1. Le pronom sujet : *Come sta lei?* Comment allez-vous? (Monsieur, Madame, etc.).

Se ella volesse essere cosí gentile da prestarmi la penna... Si vous vouliez être assez aimable pour me prêter votre plume...

Comme dans l'exemple précédent, *« ella »* comme *« lei »* peuvent représenter un homme ou une femme.
Il est évident que les pronoms sujets, conformément à la règle générale, restent facultatifs : *Come sta? ...Se volesse essere cosí gentile da...*

2. Le pronom complément indirect

Le dico, je vous dis (Monsieur ou Madame).

Lo faccio per lei, je le fais pour vous (Monsieur ou Madame).

Comparez les deux exemples suivants :

a) dico a Pietro di venire = gli dico di venire. Je dis à Pierre de venir = je lui dis de venir.

b) Pietro, le dico di venire, Pierre, je vous dis de venir.
Dans le premier exemple, je parle de Pierre; donc le pronom complément indirect masculin singulier est à employer : *gli.* Dans le second exemple, je parle à Pierre que je vouvoie, donc, conformément à la règle qui vient d'être énoncée, j'emploie le pronom complément indirect féminin : *le.*

3. Le pronom complément direct : *La vedo,* Je vous vois (Monsieur ou Madame, etc.).

N. B. Par construction *le dico* a deux sens : 1) je lui dis (à elle), je vous dis (à vous, Monsieur ou Madame). Le contexte permet la distinction de sens. De même pour *la vedo,* etc.

● L'adjectif ou le participe passé se met au genre de la personne à qui l'on s'adresse. Exemples :

*lei è molto din**a**mico,* vous êtes très dynamique (Monsieur); *lei è molto din**a**mica, ...* (Madame).

■ **Cas C :**

Les exemples qui précèdent devraient, logiquement, pouvoir se mettre, tels quels au pluriel. Il n'en est rien; la pratique présente un certain désordre.
On dira, en effet *«Come stanno loro?»* (pluriel de *«Come sta lei»*)? à plusieurs personnes que l'on vouvoierait en français. Mais, en fait, l'on dira tout aussi poliment : *Come state (voi)?*
Pour les pronoms compléments, au lieu de la 3e personne avec « loro », on emploiera plus volontiers, et avec autant de courtoisie, les pronoms de la 2e personne du pluriel.

Ex : au lieu de *dico loro, lo faccio per loro, vedo loro,* on dira : *vi dico, lo faccio per voi, vi vedo* (Messieurs ou Mesdames).

Ces formes sont donc valables à la fois pour le tutoiement pluriel (cas A) et pour le vouvoiement pluriel.

● Lorsqu'on écrit une lettre, les pronoms personnels ou les adjectifs possessifs se rapportant au destinataire (ou aux destinataires) prennent une majuscule. Voyez leçon 55.

Ex. : *Abbiamo ricevuto la Sua lettera,* Nous avons reçu votre lettre.
Mi rivolgo a Lei per..., Je m'adresse à vous pour...

18. Glielo, gliela, glieli, gliele

Lorsque deux pronoms personnels se suivent, en français l'ordre est tantôt complément indirect puis complément direct (« il me le donne »), tantôt l'ordre inverse (« il le lui donne »).
En italien l'ordre est toujours le même : complément indirect puis complément direct. Exemple : *me lo dà,* il me le donne.
Si les deux pronoms sont à la 3e personne, le premier, c'est-à-dire le pronom complément indirect, est toujours *gli* (qui devient *glie*).
On a donc les combinaisons suivantes : *glielo, gliela, glieli, gliele.*

a) Je lui montre le musée; je le lui montre (à Pierre, à Paule) :
Gli mostro il museo; glielo mostro (a Pietro);
Le mostro il museo; glielo mostro (a Paola).

b) Je leur montre le musée; je le leur montre.
Mostro loro il museo; glielo mostro (a Pietro e Paola).

c) S'il s'agit de plusieurs musées : *glieli mostro.*
S'il s'agit d'une maison : *gliela mostro.*
S'il s'agit de plusieurs maisons : *gliele mostro,* que ce soit à Pierre tout seul, à Paule toute seule ou à Pierre et à Paule.

19. Rejet du pronom complément après le verbe

Rappel : en français on dit « montre-moi le musée », « montre-le-moi ».
Le rejet du pronom après le verbe ne s'effectue en français qu'à l'impératif, à la forme affirmative.
En italien le phénomène de rejet du pronom (ou des pronoms) personnel complément après le verbe se présente :

- à l'impératif affirmatif, formes de tutoiement et 1re personne du pluriel. **Mostraglieli,** montre-les lui. (par exemple : montre les tableaux à Pierre).

  Mostrateglieli : montrez-les lui.
  Mostriamoglieli : montrons-les lui.

Négativement : *non mostrarglieli, non mostrateglieli, non mostriamoglieli.*

N. B. : 1) à la forme négative, on peut ne pas employer le rejet du pronom : *non glieli mostrare, non glieli mostrate, non glieli mostriamo.*
2) A la forme polie, au singulier puis au pluriel, on a :

glieli mostri	*glieli mostrino*	montrez-les lui
li mostri loro	*li mostrino loro*	montrez-les leur.

- à l'infinitif

  Desidero ***mostrarglieli,*** je désire les leur montrer.

- au gérondif :

  Sta ***mostrandoglieli,*** *il est en train de les leur montrer.*

- au participe passé :

  Tagliatigli *i capelli, il parruchiere fece una frizione a Giovanni.*
  Le coiffeur fit une friction à Jean, une fois qu'il lui eut coupé les cheveux.
  Le sujet de *tagliati* est le même que celui de *fece.* Il doit toujours en être ainsi.

N. B. : l'accent tonique reste sur le verbe (mots *sdruccioli* ou *bisdruccioli)*

LES DÉMONSTRATIFS

20. Les adjectifs démonstratifs

En français : ce livre-ci (rapproché), ce livre-là (éloigné).
En italien : •*questo libro,* •*quel libro.*
La distinction entre rapprochement et éloignement est mieux observée en italien qu'en français.

• ***Questo libro,*** *questa casa; questi libri, queste case.*
Avec l'élision : *quest'uomo, quest'erba* (au pluriel : *questi u**o**mini, queste erbe*).

• ***Quello scolaro.*** Au féminin : *quella casa, quelle case.*
Au masculin singulier et pluriel, *quello* présente les mêmes transformations que *bello* ou l'article *il* :

quel professore	*quei professori*
quell'uomo	*quegli u**o**mini*
quello zuccherino,	*quegli zuccherini,* ce morceau de sucre, ces ...

■ **Remarques :**

1. *Stamattina,* ce matin; *stasera* [Pron. : stacéra], ce soir; *stanotte,* cette nuit. On peut dire aussi *questa mattina, questa sera, questa notte.*

2. Une particularité de la langue italienne : •***codesto.*** *Codesto* désigne un être ou un objet qui se trouve loin de la personne qui parle et relativement plus près de la personne qui écoute.

Codesto foglio, cette feuille; *codesti fogli. Codesta matita,* ce crayon; *codeste matite.*

On dit aussi *cotesto*. Surtout employé en Toscane.

21. Les pronoms démonstratifs

En français : celui-ci (rapproché); celui-là (éloigné).
En italien, il convient de faire la distinction suivante :

• Pour les animaux ou les choses : ***questo*** *(questi; questa, queste)* = celui-ci; *quello (quelli; quella, quelle)* = celui-là.

Che modello le piace, questo o quello? Quel modèle vous plaît, celui-ci ou celui-là?

Au pluriel cet exemple devient : *Che modelli le pi**a**cciono, questi o quelli?*

● Pour les personnes :

a) Dans la langue familière, on peut employer aussi « questo », « quello », comme pour les animaux ou les choses.

Che vuole questo? E quello, che fa? Que veut celui-ci? Et celui-là, qu'est-ce qu'il fait?

b) Il est plus correct de n'employer ni « questo » ni « quello », mais, à leur place, respectivement : ***questi*** et ***quegli.*** Dans ce cas la même forme « *questi* » sert donc pour le singulier et pour le pluriel, tandis que l'on a « *quegli* »= celui-là, « *quelli* » = ceux-là.

Giovanni e Francesco sono amici : questi abita in campagna e quegli in città; sfortunamente a quest'ultimo (= questo ultimo) non piace la città e a quegli non piace la campagna. Jean et François sont des amis : celui-ci habite la campagne et celui-là la ville; malheureusement ce dernier n'aime pas la ville et l'autre n'aime pas la campagne.

■ **Remarques :** particularités de la langue italienne :

1. ***Costui*** (féminin *costei;* pluriel commun *costoro*) a une nuance péjorative et volontiers dédaigneuse. *Cosa vuole costui?* Qu'est-ce qu'il veut celui-là?

2. ***Colui*** (féminin : *colei;* pluriel commun : *coloro*). *Beato colui che ci crede.* Heureux celui qui y croit.

3. ***Coloro,*** ceux-ci ou celles-ci. *Coloro non sono venuti.* Ceux-ci ne sont pas venus. *Coloro* est d'un emploi rare.

■ Autres pronoms démonstratifs :

1. Ceci, cela.
Ceci = ***ciò*** ou bien *questo.*
È ciò che voglio. C'est ceci que je veux. *Dico questo.* Je dis ceci.
Cela = *ciò, quella cosa, codesto.*

2. Ce qui, ce que = ***ciò che*** ou bien *quello che.*
Quello che mi piacerebbe fare, sarebbe di visitare la Sardegna. Ce qu'il me plairait de faire, ce serait de visiter la Sardaigne. Ou bien : *ciò che mi piacerebbe fare, ...*

LES POSSESSIFS

22. Adjectifs et pronoms

Il est bon d'apprendre les adjectifs et les pronoms possessifs en correspondance avec les pronoms personnels sujets. Faisons varier, de personne en personne (je, tu, il, etc), l'exemple suivant :

Moi j'ai mon livre; il est à moi; c'est le mien.
*Io ho **il mio** libro; è **mio**; è il mio.*
*Tu hai **il tuo** libro; è **tuo**; è il tuo.*
*Egli ha **il suo** libro; è **suo**; è il suo.*
Ella...
Noi abbiamo il nostro libro; è nostro; è il nostro.
Voi avete il vostro libro; è vostro; è il vostro.
Essi hanno il loro libro; è loro; è il loro.
Esse...

Attention à l'accent tonique : *mio, tuo, suo.*

● Masculin pluriel.

Ho i miei libri; sono miei, sono i miei [miei].
Liste : *i miei, i tuoi, i suoi; i nostri, i vostri, i loro.*

● Féminin singulier.

Ho la mia cravatta; è mia; è la mia.
Liste : *la mia, la tua, la sua; la nostra, la vostra, la loro.*

● Féminin pluriel.

Ho le mie cravatte; sono mie; sono le mie.
Liste : *le mie, le tue, le sue, le nostre, le vostre, le loro.*

● Pour la formule polie (avec les troisièmes personnes) on emploiera « suo » si l'on s'adresse à une seule personne, « loro » si l'on s'adresse à plusieurs. (Voir § 17.)

23. Adjectifs possessifs avec ou sans article?

En italien on emploie donc l'article devant l'adjectif possessif. Cependant il y a certains cas où l'adjectif possessif s'emploie sans article :

● *Giovanni è mio amico,* Jean est mon ami, aura un sens moins restrictif que *Giovanni è il mio amico,* Jean est mon ami (sous-entendu Jean est mon seul ami, ou mon meilleur ami).

● Dans une lettre : *mio caro amico,* mon cher ami; *caro amico* ou *amico mio caro.*

● Devant certains noms de parenté au singulier : ***mio padre,*** mon père; *mia madre,* ma mère; *mio fratello,* mon frère; *mia sorella,* ma sœur; *mio zio,* mon oncle.
Au pluriel l'article réapparaît : ***i miei fratelli,*** mes frères, *i miei genitori,* mes parents.

Au singulier il faut aussi l'article dans les cas semblables aux exemples suivants :

a) avec les adjectifs : ***il mio caro padre,*** *la mia giovane sorella.*

b) avec les diminutifs : ***il mio zietto,*** mon petit oncle, *il mio fratellino,* mon petit frère, *il mio babbo,* mon papa, *la mia mamma,* ma maman.

■ L'italien emploie souvent pour donner plus de force à une affirmation, un adjectif possessif avec un adjectif démonstratif :

Ex : ***Questi vostri*** *discorsi non mi piacciono* = Vos discours ne me plaisent pas. (Ces discours qui sont les vôtres).

LES PRONOMS RELATIFS

24. *Che*

1) Traduit « qui » sujet.

La persona [*ó*] ***che viene*** *è mio fratello* [*è*]. La personne qui vient est mon frère.

2) Traduit « que ».

La persona ***che lei vede*** *qui è mio fratello.* La personne que vous voyez ici est mon frère.

25. *Cui*

1) Traduit « qui » après une préposition.

L'amico ***a cui*** *scrivo.* L'ami à qui j'écris. *Le amiche con cui parlo.* Les amies avec qui je parle.

2) Sert à traduire « dont ».

a) « dont » complément de verbe = ***di cui.*** En effet, dont = de qui.

L'amico di cui parlo non è ancora arrivato. L'ami dont je parle n'est pas encore arrivé.

b) « dont » complément de nom = ***il cui.*** Il convient de faire l'accord avec le nom qui suit.

Ex : *la persona il cui libro...* La personne dont le livre. *La persona i cui libri...* La personne dont les livres... *La persona la cui casa... Le persone le cui case...*, ... dont la maison..., ... dont les maisons...

3) Traduit aussi « quoi » :

ciò su cui ti eserciti tanto. Ce sur quoi tu t'exerces tant.

25 bis. *Chi*

1) Traduit « celui qui ».

Chi non parla non sbaglia. Celui qui ne parle pas ne se trompe pas.

2) Traduit « qui » au sens interrogatif. Voir au chapitre suivant.

Chi parla oggi? Qui parle aujourd'hui? – *Non so chi parla oggi.* Je ne sais pas qui parle aujourd'hui.
Ne pas confondre, donc, avec *chi* = celui qui.

26. *Il quale, la quale, i quali, le quali.*

Il treno sul quale si trovava è deviato. Le train sur lequel il se trouvait a déraillé.

L'INTERROGATION

27. Les mots interrogatifs

1. *Che è questo?* Qu'est-ce que ceci.
   Qual è la sua età? Quel est votre âge.
   Quali libri desidera? Quels livres désirez-vous?
2. *Chi è quest' uomo?* Qui est cet homme?
   Con chi se ne va? Avec qui part-il?
   Di chi parla lei? De qui parle-t-elle?
3. *Come si chiama?* Comment vous appelez-vous?

4. *Quanti anni ha?* Quel âge avez-vous?
5. *Dove va?* Où allez-vous?
   Da dove viene? D'où venez-vous? = *Di dove viene?*
   Vengo da Roma. Je viens de Rome.
   Di dov 'è? – Sono di Roma. D'où êtes-vous? – Je suis de Rome.
6. *Quando desidera andare a Vicenza?* Quand désirez-vous aller à Vicence?
   Da quando sta qui? Depuis quand êtes-vous ici?

■ **Remarques :**

a) *Quanto,* combien, est adjectif. Il s'accorde comme tout adjectif avec le nom auquel il se rapporte.
Quante lire ha lei? Combien de lires avez-vous?

b) *Che è questo?* (ou *quello*) = *Cosa è?,* Qu'est-ce que ceci? Qu'est ceci?

LA NUMÉRATION

28. Les adjectifs numéraux cardinaux

A.

0 uno		
2 d**u**e		
3 tre		30 trenta
4 quattro		40 quaranta
5 cinque		50 cinquanta
6 s**e**i		60 sessanta
7 sette	17 diciassette	70 settanta
8 otto	18 diciotto	80 ottanta
9 nove	19 diciannove	90 novanta
10 dieci	20 venti	100 cento
11 **u**ndici		
12 d**o**dici		
13 tr**e**dici		
14 quatt**o**rdici		
15 qu**i**ndici		
16 s**e**dici		

B. 21 ventuno; 22 ventidue; 23 ventitré, etc.
31 trentuno; 32 trentadue, etc.
41 quarantuno; 42 quarantadue, etc.
101 cento**u**no, etc.
200 duecento.
1 000 mille; 2 000 duemila, etc.
un milione; due milioni, etc.
un miliardo; due miliardi, etc.

Remarques :

1) « Uno » prend la marque du féminin : *una lira,* une lire.

2) *Il Quattrocento,* le 15e siècle (c'est-à-dire les années 1400) *Il Cinquecento,* le 16e siècle, etc.

3) *Ambo, ambe, ambedue,* tous les deux. Ex. : *Ambedue sono miei amici,* tous les deux sont mes amis.

29. Les adjectifs numéraux ordinaux

A. 1e primo
2e secondo
3e terzo
4e quarto
5e quinto
6e sesto
7e s**e**ttimo
8e ottavo
9e nono
10e d**e**cimo
11e undic**e**simo [è]
12e docic**e**simo
13e tredic**e**simo
14e quattordicesimo
15e quindic**e**simo
16e sedic**e**simo
17e diciassett**e**simo
18e diciott**e**simo
19e diciannov**e**simo
20e vent**e**simo

B. 21e ventun**e**simo
22e ventidu**e**simo
23e ventitre**e**simo
24e ventiquattr**e**simo, etc.
100e cent**e**simo; 200 duecentesimo, etc.
1 000e mill**e**simo
1 000 000e milion**e**simo

Remarques :

1) Emploi des ordinaux dans les cas suivants où le français emploie les cardinaux : *Napoleone terzo,* Napoléon III;

Pio dodicesimo, Pie XII; *Corso Vittorio Emanuele terzo,* Avenue V.-E. III. *Il capitolo quinto,* le chapitre V. *Paolo sesto,* Paul VI.

2) Les fractions : pour le dénominateur, employez les ordinaux : *i due terzi,* les deux tiers.

3) La moitié, *la metà.* Demi, *mezzo.* Ex. : *una mezza mela,* une demi-pomme. « Mezzo » ne s'accorde que s'il est avant le nom. Ainsi : *sono le due e mezzo,* il est deux heures et demie; *una mela e mezzo,* une pomme et demie.

4) Ne confondez pas : *la prima donna,* la jeune première, et : *prima di partire, ha voluto congedarsi,* avant de partir il a voulu prendre congé.

30. Les dérivés

■ Double; triple, etc.

Doppio, duplice;
triplo, triplice;
quadruplo, quadruplice;
quintuplo; sestuplo; decuplo; centuplo.

■ Dizaine; douzaine, etc.

Diecina (pluriel : *diecine*);
Dozzina; quindicina; ventina; trentina; centinaio; migliaio, millier (pluriel : *centinaia, migliaia*).

Ex. : *Parecchie centinaia di carabinieri,* plusieurs centaines de carabiniers;
migliaia di spettatori, des milliers de spectateurs.

LE TEMPS

31. L'heure

1) *Che ore sono?* Quelle heure est-il? (« ore » est le pluriel de « ora »).
-*È l'una,* il est une heure. *Sono le quattro,* il est quatre heures.
— *Sono le otto e dieci,* il est huit heures dix.
— *Sono le otto meno dieci,* il est huit heures moins dix.
— *Sono le otto e un quarto, e mezzo,* il est huit heures un quart, et demie (« mezzo » invariable après le nom voyez § 29).
— *Mancano tre minuti alle cinque,* il est cinq heures moins trois.

2) *È mezzogiorno,* il est midi. *È mezzanotte,* il est minuit.

3) *Alle due del mattino,* à deux heures du matin *(della mattina)* ... *del pomeriggio...* de l'après-midi *(della sera).*

32. La date

- *Lunedí, martedí, mercoledí, giovedí, venerdí, sabato, domenica.*
- *Gennaio, febbraio, marzo, aprile, maggio, giugno, luglio, agosto, settembre, ottobre, novembre, dicembre.*
- *Che giorno è oggi?* Quel jour est-ce aujourd'hui?

Oggi è il 1° gennaio 19.. (il primo) *Domani sarà il 2 gennaio* (il due). *Ieri era il 31 dicembre.*
Quanti ne abbiamo? Le combien sommes-nous? *Oggi è l'otto.* Aujourd'hui c'est le huit.
Che giorno è oggi? Oggi è domenica.

- Hier, aujourd'hui, demain.

Ieri, ieri mattina, ieri sera. Oggi, stamattina, ce matin, *stasera,* ce soir, *stanotte,* cette nuit. *Domani, domani mattina, domani sera, dopodomani,* après-demain; *l'indomani,* le lendemain. *Ora,* maintenant; *adesso,* tout de suite; *dopo, poi,* ensuite; *subito,* tout de suite. *Or ora,* tout à l'heure, sur le champ.

Ex : *sono arrivato or ora,* je suis arrivé tout à l'heure.

Or ora peut traduire **venir de : *ho mangiato or ora* = *ho appena mangiato,*** je viens de manger.

33. La durée

Due giorni fa, il y a deux jours (*fare,* faire): *otto giorni fa; due settimane fa,* il y a deux semaines.
Da tre mesi, depuis trois mois; *dal primo febbraio,* depuis le premier février (voyez le § 37, n° 5); *dopo il primo febbraio,* après le premier février.

Fino a oggi, jusqu'à aujourd'hui, *a tutt'oggi,* jusqu'à aujourd'hui; *fin da ora, fin d'ora,* à partir de maintenant; *fin da oggi, fin d'oggi,* à partir d'aujourd'hui, dès aujourd'hui. *Dalla settimana prossima,* à partir de la semaine prochaine.

Fra una settimana, tra una settimana, dans une semaine; *tra otto giorni. Oggi ad otto,* d'aujourd'hui en huit; *verrà fra una settimana,* il viendra dans une semaine; *in una settimana avrà terminato il suo lavoro,* dans une semaine il aura terminé son travail.

Fra poco, sous peu; *a fra poco,* à tout à l'heure.

LE LIEU

34. Traduction de « y »

Il y a trois manières : ***ci*** = ***vi*** = ***vi ci.***

Ex : *A Roma? Vi andiamo!* = *Ci andiamo!* = *Vi ci andiamo!* A Rome? Nous y allons!
Vi stiamo già = *Ci stiamo già* = *Vi ci stiamo già.* Nous y sommes déjà.
Ci vado = *Vi vado* = *Vi ci vado.* J'y vais.

35. Traduction de « il y a »

C'è (singulier) : *c'è molta gente qui,* il y a beaucoup de monde ici.
Ci sono (pluriel) : *ci sono molto chiese qui,* il y a beaucoup d'églises ici.

- Il y en a = *ce n'è; ce ne sono.*

Ex. : *Ci sono molte chiese qui? – Ce ne sono dieci. Il y en a dix.*

36. Adverbes et prépositions de lieu

Qui, qua, ici (endroit rapproché).
Lí, là, là (endroit éloigné).

Dov'è l'ufficio? Su? Giú? Où est le bureau? En haut? En bas? *Dov'è la matita? Sulla tavola? Sotto la tavola?* Où est le crayon? Sur la table? Sous la table?

Di fronte c'è una fabbrica, en face il y a une usine. *Di fronte alla casa c'è una fabbrica,* en face de la maison il y a une usine.

Dinanzi, c'è un giardino, devant, il y a un jardin *(= Davanti, c'è...). Dinanzi alla nostra casa, c'è un giardino,* devant notre maison, il y a... *(= Davanti alla...).*

Dietro c'è un cortile, derrière, il y a une cour. *Dietro alla casa c'è un cortile,* derrière la maison, il y a... *(= Dietro la casa, c'è...).*

Sopra ci sono le camere, au-dessus, il y a les chambres. *Sull' ufficio ci sono le camere,* au-dessus du bureau, il y a...

Sotto c'è la cantina, dessous, il y a la cave. *Sotto l'ufficio c'è la cantina,* sous le bureau, il y a la cave.

Dietro se construit avec la préposition *di* devant un pronom personnel : *dietro di noi,* derrière nous.

LES PRÉPOSITIONS

37. Di, da

■ ***Di*** exprime :

1) La possession.

Questi libri sono di Paolo, ces livres sont à Paul.

2) La matière.

È tutto d'argento, c'est tout en argent.

3) Le lieu d'appartenance.

Sono di Parigi, je suis de Paris;

● Italianismes.

Viaggio di giorno, di notte, je voyage le jour, la nuit;
Di palo in frasca, du coq à l'âne;
Venire di corsa, venir en courant;
Di sfuggita, en passant; *Fare di testa propria,* n'en faire qu'à sa tête.

■ ***Da*** exprime :

1) L'agent, dans la conjugaison passive.

La casa è stata costruita da noi. La maison a été construite par nous.

2) L'usage, la manière d'être.

Una macchina da scrivere, une machine à écrire.

Attention : *festa* [è] *di ballo (festa da ballo),* bal; *messa* [é] *di Requiem.*

3) Le lieu d'origine.

Vengo da Roma, je viens de Rome.

Da dove viene? Esco dalla casa di mia zia. D'où venez-vous? — Je sors de chez ma tante.

On pourrait dire aussi : *di dove viene? Esco di casa. Si allontanano di casa,* ils s'éloignent de la maison.

Leonardo da Vinci, parce que Léonard était né à Vinci; *Raffaello Sanzio da Urbino,* parce que Raphaël était né à Urbino. Mais « da » ne s'emploie que pour les hommes célèbres. Nous dirons : *Siamo di Urbino, di Vinci...*

4) La valeur.

Desidero la cravatta da tremila lire. Je désire la cravate à trois mille lires. *Ho pagato con un biglietto da diecimila lire.* J'ai payé avec un billet de dix mille lires.

5) Le temps.

Da tre ore. Depuis trois heures. (Voyez § 33).

38. Autres prépositions

- ***a*** *a bizzeffe,* en grande quantité.
  parlare a vanvera, parler à tort et à travers.
  a voce alta, à haute voix.
  a bassa voce, à voix basse.
  a galla, à flot.
  a gara, à l'envie.
  lampada a petrolio, lampe à pétrole.

- ***con :*** *parlare con coraggio,* parler courageusement.
  con le buone, par la douceur.
  con le cattive, par les moyens forts.

- ***per*** exprime le moyen; *parlo per telefono,* je parle au téléphone.
  la cause; *l'ho fatto per paura,* je l'ai fait par peur.
  le mouvement; *partirò per Parigi,* je partirai pour Paris.
  le temps; *non mangiai per tre giorni,* je suis resté trois jours sans manger.
  la manière; *l'ho incontrato per caso,* je l'ai rencontré par hasard.
  lo dico per scherzo, je plaisante, je le dis pour rire.
  lo faccio per amore, je le fais par amour.
  le but; *lavoro per vivere,* je travaille pour vivre.

- ***in*** exprime la matière; *una statua in terracotta,* une statue en faïence.
  la manière; *vivere in pace,* vivre en paix.
  vivere in povertà, vivre dans la pauvreté.
  cadere in disgrazia, tomber en disgrâce.
  le lieu; *abito in campagna,* j'habite à la campagne.
  vado in campagna, je vais à la campagne.
  le temps; *in un'ora,* en une heure (durée).
  in primavera, au printemps.

ON, EN, C'EST... QUE

39. Traduction de « on »

■ « On » se traduit par ***si.*** *Si va in Italia per visitare i musei,* on va en Italie pour visiter les musées.

● En français on dit aussi bien : « on ne vend pas cher les livres de poche = Les livres de poche ne se vendent pas chers ».
En italien c'est, mot à mot, cette dernière manière qui traduit « on » : *Non si vendono cari i libri tascabili.*
Il en résulte que le sujet italien est le complément direct d'objet français et que le verbe doit s'accorder en conséquence.

■ Cas d'un verbe réfléchi.
Soit le verbe *sentirsi,* se sentir. A la troisième personne du singulier, à l'indicatif présent, l'on aura : *si sente.* « On » ne peut se traduire par *si,* puisque ce pronom fait déjà partie du verbe *sentirsi.*
Ex. : On ne se sent pas bien d'avoir trop mangé.

Trois manières possibles :
a) ***La gente*** *non si sente bene quando ha mangiato troppo.*
b) ***uno*** *non si sente bene...*
c) *Non ci si sente bene quando si è mangiato troppo.* « Ci » est ici impersonnel (Voyez page 000).

Rappel : avec *mi, ti, si, ci, vi* on ne peut pas employer « avere ».

40. Traduction de « en »

Le pronom français « en » se traduit dans tous les cas par ***ne.***
De ces livres j'en ai trois. *Di questi libri ne ho tre.*
De Rome? — J'en viens. *Da Roma? — Ne vengo.*

41. Traduction de c'est... que

Le français utilise beaucoup « c'est... que ».
L'italien emploie la tournure équivalente : *è... che.* Mais elle n'est pas à conseiller.

È lui che vedo, c'est lui que je vois.
È a Roma che vado, c'est à Rome que je vais.

● Préférer toujours les phrases simples : *Vedo lui; vado a Roma.*
Employez ***proprio*** = vraiment, réellement. Dites :
Vedo proprio lui; vado proprio a Roma.
Proprio ieri ho visto questa persona, c'est hier que j'ai vu cette personne.

LA CONJUGAISON

Verbes réguliers

42. PARLARE, parler : *parlante, parlando, parlato*

Indicatif	*Présent*	*Imparfait*	*Passé simple*	*Futur*
io	parlo	parlavo	parlai	parlerò
tu	parli	parlavi	parlasti	parlerai
egli	parla	parlava	parlò	parlerà
noi	parliamo	parlavamo	parlammo	parleremo
voi	parlate	parlavate	parlaste	parlerete
essi	parlano	parlavano	parlarono	parleranno

Subjonctif	*Présent*		*Imparfait*	*Conditionnel Présent*
che io	parli		parlassi	parlerei
che tu	parli		parlassi	parleresti
che egli	parli		parlasse	parlerebbe
che noi	parliamo		parlassimo	parleremmo
che voi	parliate		parlaste	parlereste
che essi	parlino		parlassero	parlerebbero

Observation : après l'infinitif, nous donnons : le sens en français, le participe présent, le gérondif, le participe passé.

43. Remarques

■ Conservation du son de l'infinitif (radical terminé par *-c-* ou *-g-)*. Exemples : *cercare,* chercher; *cerchiamo,* nous cherchons, *cercherò,* je chercherai. *Pagare,* payer; *paghi,* tu paies, *pagherò,* je paierai.

■ Lorsque le radical est terminé par *-ci, -gi, -sci :*
lanciare, lancer : *lanci, lancerò,* tu lances, je lancerai.
mangiare, manger : *mangi, mangerò,* tu manges, je mangerai.
strisciare, ramper : *strisci, striscerò.*

■ Lorsque le radical est terminé par *-i :*
a) Conservation du *-i-* s'il est accentué : *obliare,* oublier fait *io oblio;* donc *tu oblii,* tu oublies.
b) Chute du -i- s'il n'est pas accentué : *variare,* varier fait *io vario;* donc *tu vari.*

44. CREDERE [é], croire : *credente, credendo, creduto*

Indicatif	*Présent*	*Imparfait*	*Passé simple*	*Futur*
io	credo	credevo	credei (-etti)	crederò
tu	credi	credevi	credesti	crederai
egli	crede	credeva	credé (-ette)	crederà
noi	crediamo	credevamo	credemmo	crederemo
voi	credete	credevate	credeste	crederete
essi	credono	credevano	crederono (-ettero)	crederanno
che io	creda		credessi	crederei
che tu	creda		credessi	crederesti
che egli	creda		credesse	crederebbe
che noi	crediamo		credessimo	crederemmo
che voi	crediate		credeste	credereste
che essi	credano		credessero	crederebbero
Subjonctif	*Présent*		*Imparfait*	***Cond.*** *Prés.*

45. Remarques

■ Deux formes pour le passé simple (personnes 1, 3; 3) :
credei ou *credetti; credé* ou *credette; crederono* ou *credettero.*

■ Modifications du son de l'infinitif, pour les verbes dont le radical est terminé en *-c-* ou *-g-*, devant les voyelles *o* ou *a.* Exemples :
nascere, naître : *nasco; che nasca,* etc.
emergere [*è*], émerger : *emergo, emerga,* etc.

Pour les mêmes verbes : conservation du son de l'infinitif au participe passé (terminaison en -uto) : *piacere, piaciuto; giacere, giaciuto.*

■ L'infinitif est tantôt sdrucciolo *(credere, nascere, emergere...)* tantôt piano *(piacere, giacere...).* Voir § 1.

46. **PARTIRE,** partir : *partente, partendo, partito*

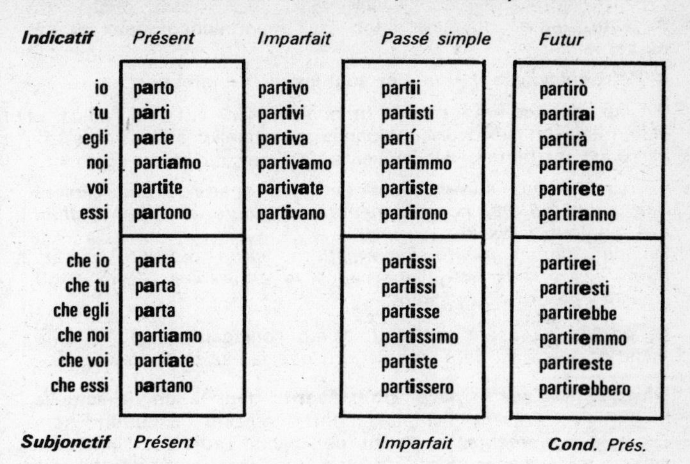

Indicatif	*Présent*	*Imparfait*	*Passé simple*	*Futur*
io	parto	partivo	partii	partirò
tu	pàrti	partivi	partisti	partirai
egli	parte	partiva	partí	partirà
noi	partiamo	partivamo	partimmo	partiremo
voi	partite	partivate	partiste	partirete
essi	partono	partivano	partirono	partiranno
che io	parta		partissi	partirei
che tu	parta		partissi	partiresti
che egli	parta		partisse	partirebbe
che noi	partiamo		partissimo	partiremmo
che voi	partiate		partiste	partireste
che essi	partano		partissero	partirebbero
Subjonctif	*Présent*		*Imparfait*	*Cond. Prés.*

47. **CAPIRE,** comprendre (comme « partire », sauf les personnes ci-dessous)

Indicatif	*Présent*
io	capisco
tu	capisci
egli	capisce
essi	capiscono
che io	capisca
che tu	capisca
che egli	capisca
che essi	capiscano

48. Remarques

A la troisième conjugaison (en -ire) appartiennent deux classes de verbes :

- Ceux qui suivent *partire* : ce sont les moins nombreux.
- Ceux qui, comme *capire,* intercalent *-isc-* entre le radical et la terminaison aux trois personnes du singulier et à la troisième personne du pluriel, des présents de l'indicatif et du subjonctif.

Certains verbes suivent indifféremment « partire » ou « capire ». Tels sont : *nutrire,* nourrir; *mentire; assorbire,* absorber; *inghiottire,* engloutir; *tossire,* tousser.
On dira donc : *mento* ou *mentisco; nutro* ou *nutrisco;* etc.
Parmi les verbes irréguliers : *apparire* et *assalire* (voyez § 69) suivent « partire » ou « capire ».

Le participe présent de la troisième conjugaison est en *-ente;* mais, parfois en *-iente.* Ainsi : *obbedire* fait *obbediente.*

Observation sur le participe présent : dans la langue actuelle, le participe présent s'emploie comme adjectif ou comme nom. Exemple : *un amante,* un amant (de l'infinitif « amare »). Un homme aimant les belles choses, *un uomo che ama (amante) le belle cose* (m. à m. : qui aime...).

49. L'impératif

■ Affirmatif.

Parle	parlons	parlez
*p**a**rla*	*parli**a**mo*	*parl**a**te* (tutoiement pluriel)

Ces formes sont empruntées à l'indicatif présent, dans des conditions absolument identiques au français (3e du singulier pour les verbes en -are, 2e pour les verbes en -ere, -ire).

Crois	croyons	croyez
credi	*credi**a**mo*	*cred**e**te*

Comprends	comprenons	comprenez
*c**a**pisci*	*capi**a**mo*	*cap**i**te*

- Irrégularités

Elles ne se présentent qu'au tutoiement : auxiliaires (V. § 53) et *dire, fare, sapere : di' (dici),* dis; *fa' (fai),* fais; *sappi,* sache. Au tutoiement pluriel : *dite,* dites, *fate,* faites. (§63 et 65).

- De même qu'en français la 3e personne du singulier ou du pluriel s'empruntent au subjonctif présent :

Qu'il parle *p**a**rli*
Qu'ils croient *cr**e**dano.*

■ Négatif.

Le tutoiement singulier négatif se forme avec l'infinitif :

Non parlare, ne parle pas.

On aura donc :

Ne pars pas	ne partons pas	ne partez pas
non partire	*non partiamo*	*non partite*

■ Forme polie.

C'est, naturellement, la 3e personne du singulier ou du pluriel :

	Parlez, Monsieur	Parlez, Messieurs
	parli	*parlino*
Négativement :	*non parli*	*non parlino*

50. La forme pronominale

Les verbes pronominaux emploient les pronoms réfléchis : me, te, se, nous, vous, se, c'est-à-dire : *mi, ti, si, ci, vi, si.*

mi vesto, ti vesti, si veste, ci vestiamo, vi vestite, si vestono
je m'habille, etc.

A l'infinitif, au gérondif, au participe passé, à l'impératif affirmatif, le pronom réfléchi est rejeté obligatoirement après le verbe et ne forme qu'un seul mot avec lui. Exemples :

1) ***Vestirsi,*** s'habiller; ***vestendosi,*** s'habillant; ***vestitosi,*** habillé (s'étant habillé).
Notez que le français, contrairement à l'italien, n'a pas de forme réfléchie pour le participe passé.

2) A l'impératif affirmatif.

Habille-toi	habillons-nous	habillez-vous
Vestiti	*vestiamoci*	*vestitevi*

Aux 3e personnes, il n'y a pas rejet du pronom personnel.

Si vesta, qu'il s'habille; *si vestano,* qu'ils s'habillent.
Si vesta, si vestano traduiront aussi « habillez-vous », forme polie singulier ou pluriel.

● A l'impératif négatif, l'italien offre deux possibilités : l'une avec rejet du pronom réfléchi, l'autre sans.

Ne t'habille pas	ne nous habillons pas	ne vous habillez pas
Non vestirti	*non vestiamoci*	*non vestitevi*
Non ti vestire	*non ci vestiamo*	*non vi vestite*

VERBES AUXILIAIRES

51. **AVERE,** avoir : *avente, avendo, avuto*

Temps simples

Indicatif	*Présent*	*Imparfait*	*Passé simple*	*Futur*
io	ho	avevo	ebbi	avrò
tu	hai	avevi	avesti	avrai
egli	ha	aveva	ebbe	avrà
noi	abbiamo	avevamo	avemmo	avremo
voi	avete	avevate	aveste	avrete
essi	hanno	avevano	ebbero	avranno

che io	abbia	avessi	avrei
che tu	abbia	avessi	avresti
che egli	abbia	avesse	avrebbe
che noi	abbiamo	avessimo	avremmo
che voi	abbiate	aveste	avreste
che essi	abbiano	avessero	avrebbero
Subjonctif	*Présent*	*Imparfait*	***Cond.*** *Prés.*

Temps composés :

Indicatif	*Passé composé*	*Plus-que-parfait*	*Passé ant.*	*Futur ant.*
	io ho avuto	avevo avuto	ebbi avuto	avrò avuto
	noi abbiamo avuto	avevamo avuto	avemmo avuto	avremo avuto

Subjonctif	*Passé*	*Plus-que-parfait*	*Cond. passé*
	che io abbia avuto	avessi avuto	avrei avuto
	che noi abbiamo avuto	avessimo avuto	avremmo avuto

Remarques : 1) Comparez le futur de parlare (§ 42) credere (§ 44) partire (§ 46) avec le présent de l'indicatif de *avere;* le futur de *avere* avec le présent de *avere.* Comparez le conditionnel de ces mêmes verbes avec le passé simple de *avere.* Tirez-en immédiatement la règle constante de formation du futur et du conditionnel et réalisez ainsi une économie de mémoire.

2) Les temps composés de *parlare, credere, capire* se forment avec *avere.* Ceux de *partire* se conjuguent avec *essere.*

52. **ESSERE,** être : *essendo, stato*

Temps simples

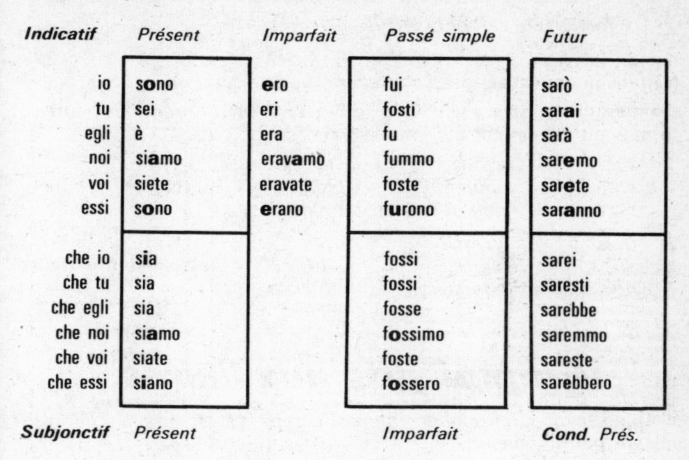

Indicatif	*Présent*	*Imparfait*	*Passé simple*	*Futur*
io	sono	ero	fui	sarò
tu	sei	eri	fosti	sarai
egli	è	era	fu	sarà
noi	siamo	eravamo	fummo	saremo
voi	siete	eravate	foste	sarete
essi	sono	erano	furono	saranno

Subjonctif	*Présent*		*Imparfait*	***Cond.*** *Prés.*
che io	sia		fossi	sarei
che tu	sia		fossi	saresti
che egli	sia		fosse	sarebbe
che noi	siamo		fossimo	saremmo
che voi	siate		foste	sareste
che essi	siano		fossero	sarebbero

Temps composés :

Indicatif	*Passé composé*	*Plus-que-parfait*	*Passé ant.*	*Futur ant.*
	io sono stato	ero stato	fui stato	sarò stato
	noi siamo stati	eravamo stati	fummo stati	saremo stati

Subjonctif	*Passé*	*Plus-que-parfait*	*Cond. passé*
	che io sia stato	fossi stato	sarei stato
	che noi siamo stati	fossimo stati	saremmo stati

Remarques : 1) Le participe passé conjugué avec ***essere*** s'accorde avec le sujet. Donc au feminin : *io sono stata, noi siamo state.*

2) L'infinitif, le participe et le gérondif ont un présent et un passé. L'infinitif passé est *avere avuto* pour « avere », *essere stato* (ou *stata;* pluriel : *stati* ou *state*) pour « essere ». Le gérondif passé est *avendo avuto* pour « avere », et *essendo stato* (ou *stata;* pluriel : *stati* ou *state)* pour « essere ».

53. L'impératif des auxiliaires

De façon générale, seul le tutoiement affirmatif peut présenter une irrégularité particulière à l'impératif (v. § 49).

Avere	aie :	*abbi*	*(tu)*
Essere	sois :	*sii*	*(tu)*

Négativement : n'aie pas, *non avere;* ne sois pas, *non essere.*

L'impératif de *avere* et celui de *essere* empruntent les autres formes au subjonctif, comme en français :

1)	Aie	ayons	ayez	
	abbi	*abbiamo*	*abbiate*	(tutoiement pluriel)
	non avere	*non abbiamo*	*non abbiate*	
2)	Sois	soyons	soyez	
	sii	*siamo*	*siate*	(tutoiement pluriel)
	non essere	*non siamo*	*non siate.*	

Emploi des auxiliaires

Dans la conjugaison des temps composés on emploie parfois *essere* parfois *avere.*

54. Emploi de l'auxiliaire avere

On emploie *avere* avec les verbes transitifs à la forme active ou avec les verbes intransitifs exprimant une action du corps ou de l'esprit.

Ho mangiato una pera, j'ai mangé une poire.
Come ha dormito? Comment avez-vous dormi?
Il professore ha parlato, le professeur a parlé.

55. Emploi de l'auxiliaire essere

■ A la voix passive.

Sono amato da tutti, je suis aimé de tous (Voyez ci-après § 56).

■ Avec les verbes réfléchis.

Mi sono lavato, je me suis lavé.

■ Avec les verbes impersonnels.

È piovuto, il a plu.
È nevicato, il a neigé.

N.B. La forme *ha nevicato* est aussi admise.

■ Avec les verbes indiquant le mouvement :

Mia sorella è partita ieri, ma sœur est partie hier.
Siamo saliti sulle cime piú vicine, nous sommes monté sur les... (V. leçon 6).

N. B. Avec certains verbes de mouvement (*correre, scendere,* etc.), employez *avere* (action considérée en soi) ou *essere* (but de l'action considéré) : *ho corso sfrenatamente* (de façon effrénée); *sono corso dal dentista.*

■ *Essere* est son propre auxiliaire :

Sono stato, j'ai été. (Voyez le tableau de essere aux temps composés § 52.)

■ Avec les verbes dits *servili* (qui s'appellent ainsi car ils sont au service d'autres verbes) *dovere, volere, potere,* on emploie parfois *avere,* parfois *essere.*
En effet ces verbes utilisent l'auxiliaire de l'infinitif qui suit :

Son dovuto andare, j'ai dû aller, car l'on dit *sono andato*
Ho dovuto leggere, j'ai dû lire, car l'on dit *ho letto.*

Dovere, volere, potere prennent toujours l'auxiliaire *avere* quand ils sont employés seuls.

Ho dovuto, j'ai dû; *ho potuto,* j'ai pu; *ho voluto,* j'ai voulu.

● N.B. Le caractère de « servilité » de ces trois verbes peut varier selon le cas. Ainsi dans l'exemple suivant : « il n'a pas voulu partir », si l'accent est mis sur l'idée de « ne pas vouloir », *volere,* en italien, prendra l'auxiliaire *avere,* qu'il aurait, s'il était employé seul.
Dans ce cas vous direz donc : *non ho voluto partire.* Mais *non è voluto partire* sera aussi très correct. (Voir exercices de la leçon 13.)

56. La voix passive

Un verbe à la voix passive se conjugue, comme en français, avec l'auxiliaire être.

Io sono amato, je suis aimé.
Io sono stato amato, j'ai été aimé, puisque *essere* est son propre auxiliaire. (Voyez § 55).

L'italien peut employer *venire* à la place de *essere* à la forme passive lorsque l'action est en train de s'accomplir.

Io sono lodato dal maestro, je suis loué par le maître. *Io vengo lodato dal maestro.*

Remarquez la préposition *da* au lieu de « par » ou « de » en français.

Il est aimé de tous; il est aidé par tous ses amis.
È amato da tutti; è aiutato da tutti i suoi amici.

VERBES IRRÉGULIERS

57. Plan d'étude

Notre étude suivra le plan suivant :

■ **Verbes irréguliers en -are :** *andare, dare, stare* (§ 58, 59, 60).

■ **Verbes irréguliers en -ere,** les plus nombreux et divisés en trois séries.

1re série (§ 61) dont les caractéristiques sont :

infinitif *sdrucciolo* (voyez § 1);

passé simple irrégulier (notre formule : **1, 3, 3 :** voyez page 431);

participe passé irrégulier.

2e série (§ 62 et 63) dont les caractéristiques sont :

infinitif tantôt *sdrucciolo,* tantôt *piano;*

a) sdruccioli : *cogliere, cuocere, nuocere, piovere, scegliere, sciogliere, spegnere, svellere, togliere, vivere;*

b) piani : *addurre, bere, cadere, dolersi, giacere, parere, piacere, porre, rimanere, sapere, tacere, tenere, trarre, valere, vedere, volere.*

irréguliers au passé simple et au participe passé;

irréguliers à d'autres temps.

3e série (§ 64) dont les caractéristiques sont :

passé simple et participe passé réguliers;

présent irrégulier.

Ces verbes sont : *dovere, empiere* (ou *empire,* régulier sous cette forme) *sedere, solere* (ce dernier n'a ni passé simple ni futur); participe passé : *solito; potere* (ce dernier est de plus irrégulier au futur).

Remarque : dire, fare (§ 65 et 66) *addurre, porre* (§ 62) se rattachent aux verbes en -ere par leur étymologie (*dicere, facere, adducere, ponere).*

■ **Verbes irréguliers en -ire,** présentés en quatre séries.

1re série (§ 67) : passé simple régulier ou irrégulier (deux formes pour chaque verbe) participe passé irrégulier :
aprire, coprire, costruire, offrire.

A cette série sont rattachés : *compire* (ou *c**o**mpiere*), *patire.*

2e série (§ 68) : présent irrégulier.
Morire, salire, udire, uscire.

3e série (§ 69) : deux formes au présent (une forme irrégulière et une forme sur « capire ») : *apparire, assalire.* De plus : passé simple irrégulier; participe passé irrégulier pour « apparire ».

4e série : venire (§70).

58. **ANDARE,** aller : *andante, andando, andato*

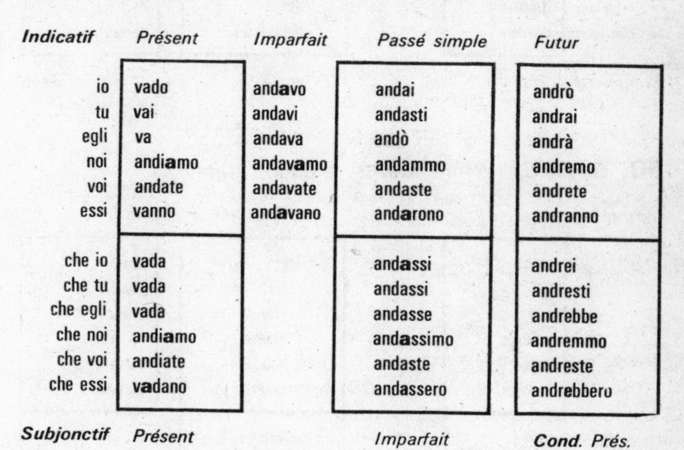

Indicatif	*Présent*	*Imparfait*	*Passé simple*	*Futur*
io	vado	and**a**vo	andai	andrò
tu	vai	andavi	andasti	andrai
egli	va	andava	andò	andrà
noi	andi**a**mo	andav**a**mo	andammo	andremo
voi	andate	andavate	andaste	andrete
essi	vanno	and**a**vano	and**a**rono	andranno
che io	vada		and**a**ssi	andrei
che tu	vada		andassi	andresti
che egli	vada		andasse	andrebbe
che noi	andi**a**mo		and**a**ssimo	andremmo
che voi	andiate		andaste	andreste
che essi	v**a**dano		andassero	andr**e**bbero
Subjonctif	*Présent*		*Imparfait*	*Cond. Prés.*

59. **DARE,** donner : *dante, dando, dato*

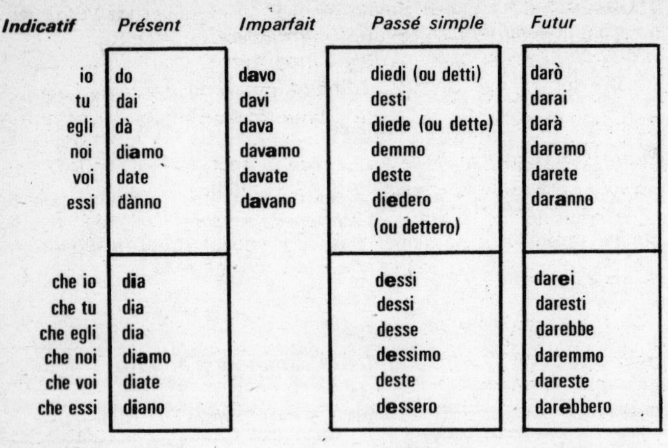

Indicatif	*Présent*	*Imparfait*	*Passé simple*	*Futur*
io	do	davo	diedi (ou detti)	darò
tu	dai	davi	desti	darai
egli	dà	dava	diede (ou dette)	darà
noi	diamo	davamo	demmo	daremo
voi	date	davate	deste	darete
essi	dànno	davano	diedero (ou dettero)	daranno
che io	dia		dessi	darei
che tu	dia		dessi	daresti
che egli	dia		desse	darebbe
che noi	diamo		dessimo	daremmo
che voi	diate		deste	dareste
che essi	diano		dessero	darebbero
Subjonctif	*Présent*		*Imparfait*	***Conditionnel***

60. **STARE,** rester : *stante, stando, stato*

Indicatif	*Présent*	*Imparfait*	*Passé simple*	*Futur*
io	sto	stavo	stetti	starò
tu	stai	stavi	stesti	starai
egli	sta	stava	stette	starà
noi	stiamo	stavamo	stemmo	staremo
voi	state	stavate	steste	starete
essi	stanno	stavano	stettero	staranno
che io	stia		stessi	starei
che tu	stia		stessi	staresti
che egli	stia		stesse	starebbe
che noi	stiamo		stessimo	staremmo
che voi	stiate		steste	stareste
che essi	stiano		stessero	starebbero
Subjonctif	*Présent*		*Imparfait*	***Conditionnel***

61. Verbes en -ere de la 1re série (voyez § 57).

Rappelons les caractéristiques :

— Infinitif sdrucciolo. Exception : *persuadere.*
— Passé simple et participe passé irréguliers.

Au passé simple, seules sont irrégulières, la 1re du singulier, la 3e du singulier et la 3e du pluriel. Moyen mnémotechnique : **1, 3, 3.**
Exemple : *accendere, accesi, acceso.* « Acceso » est le participe passé, « accesi » le passé simple 1re du singulier.
Le passé simple en entier sera :

1 *accesi*
accendesti (personne régulière)

3 *accese*
accendemmo (personne régulière)
accendeste (personne régulière)

3 *accesero*

L'imparfait du subjonctif est régulier : *accendessi.*

Dans la liste suivante chaque verbe est affecté d'un numéro d'ordre. De plus, en bas de page, nous consignons le substantif ou l'adjectif correspondants et la traduction française : vous trouverez ainsi le rappel de l'irrégularité du passé simple ou du participe passé.
Par exemple, pour le n° 6 *alludere, allusi, alluso,* le *s* en quoi consiste l'irrégularité, se retrouve dans les substantifs :

l'allusione, l'allusion.

Pour le n° 24, par exemple, l'irrégularité ne se retrouve que dans le substantif italien, pas dans le français. C'est pourquoi nous avons employé la parenthèse.

1.	°Acc**e**ndere, *allumer*	•accesi	•acceso
2.	accl**u**dere, *inclure*	acclusi	accluso
3.	°acc**o**rgersi, *s'apercevoir*	mi accorsi	°acc**o**rtosi
4.	aff**i**ggere, *afficher*	affissi	affisso
5.	affl**i**ggere, *affliger*	afflissi	afflitto
6.	all**u**dere, *faire allusion*	allusi	alluso
7.	•ann**e**ttere, *annexer*	annessi (annettei)	annesso
8.	°app**e**ndere, *suspendre*	•appesi	•appeso
9.	**a**rdere, *brûler*	arsi	arso
10.	asp**e**rgere, *asperger*	aspersi	asperso
11.	ass**i**stere, *assister*	assistei, °assistetti	assistito
12.	°ass**o**lvere, *absoudre*	assolsi	assolto
13.	ass**u**mere, *assumer*	assunsi	assunto
14.	°Chi**e**dere, *demander*	chiesi	chiesto
15.	chi**u**dere, *fermer*	chiusi	chiuso
16.	c**i**ngere, *ceindre*	cinsi	cinto
17.	compr**i**mere, *comprimer*	°compressi	°compresso
18.	°conc**e**dere, *concéder*	concessi	concesso
19.	con**o**scere, *connaître*	conobbi	(conosciuto)
20.	•c**o**rrere, *courir*	corsi	corso
21.	cr**e**scere, *croître*	crebbi	(cresciuto)
22.	Dec**i**dere, *décider*	decisi	deciso
23.	°dif**e**ndere, *défendre*	difesi	•difeso
24.	dip**e**ndere, *dépendre*	dipesi	•dipeso
25.	dip**i**ngere, *peindre*	dipinsi	dipinto
26.	dir**i**gere, *diriger*	diressi	diretto
27.	disc**u**tere, *discuter*	discussi	discusso
28.	dist**i**nguere, *distinguer*	distinsi	distinto
29.	distr**u**ggere, *détruire*	distrussi	distrutto
30.	div**i**dere, *diviser, partager*	divisi	diviso

Moyen mnémotechnique

1. •*accensi**o**ne,* allumage
2. *inclusione,* inclusion
3. •*accortezza,* adresse
4. *affissione,* affichage
5. *afflizione,* afflixion
6. *allusione,* allusion
7. *annessione,* annexion
8. *sospensione,* suspension.
9. *arsura,* soif ardente
10. *aspersione,* aspersion
11. *assistenza,* assistance.
12. *assoluzione,* absoute
13. *assunzione,* élévation
14. °*richiesta,* requête
15. *chiusa,* l'écluse.
16. *cintura,* ceinture
17. *compressione,* compression
18. *concessione,* concession
19. (*conoscenza,* connaissance)
20. *corsa,* course
21. (*crescita,* croissance)
22. *decisione,* décision
23. •*difesa,* défense
24. (°*dipendente,* employé)
25. (*il dipinto,* le tableau)
26. (*il diretto,* le direct)
27. *discussione,* discussion
28. *distinto,* distinct
29. *distruzione,* destruction
30. *divisione,* division

31.	El**i**dere, *élider*	elisi	eliso
32.	°em**e**rgere, *émerger*	emersi	emerso
33.	°**e**rgere, *dresser*	ersi	erto
34.	er**i**gere, *dresser*	°eressi	°eretto
35.	es**i**gere, *exiger*	esigei,°esigetti	esatto
36.	°esp**e**llere, *expulser*	espulsi	espulso
37.	°espl**o**dere, *exploser*	esplosi	esploso
38.	ev**a**dere, *s'évader*	evasi	evaso
39.	°F**e**ndere, *feindre*	•fendei, (•fendetti)	•fesso (fenduto)
40.	f**i**ggere, *enfoncer, fixer*	fissi	fitto (fisso)
41.	f**i**ngere, *feindre*	finsi	finto
42.	•f**o**ndere, *fondre*	fusi	fuso
43.	fr**a**ngere, *briser*	fransi	franto
44.	fr**i**ggere, *frire*	frissi	fritto
45.	Gi**u**ngere, *arriver*	giunsi	giunto
46.	°Imm**e**rgere, *plonger*	immersi	immerso
47.	inc**i**dere, *graver*	incisi	inciso
48.	inc**u**tere, *inspirer respect crainte*	incussi	incusso
49.	intr**i**dere, *prétrir*	intrisi	intriso
50.	inv**a**dere, *envahir*	invasi	invaso
51.	°L**e**dere, *léser*	•lesi	•leso
52.	°l**e**ggere, *lire*	lessi	letto
53.	•M**e**ttere, *mettre*	misi	messo
54.	°m**o**rdere, *mordre*	morsi	morso
55.	°mu**o**vere, *mouvoir*	mossi	mosso
56.	m**u**ngere, *traire*	munsi	munto

31. *elisione*, élision
32. (*emergenza*, cas imprévu)
34. *erezione*, érection
35. *esattore*, percepteur (cf. exacteur)
36. *espulsione*, explusion
37. *esplosione*, explosion
38. *evasione*, évasion
39. *fessura*, fissure
40. *fissazione*, fixation, manie
41. *la finta*, la feinte
42. *fusione*, fusion
43. *frantoio*, pressoir
44. *frittata*, omelette
45. *la giunta*, le Cons. Municipal
46. *immersione*, immersion
47. *incisione*, incision
48. *concussione*, concussion
49. *intriso*, pâtée
50. *invasione*, invasion
51. *lesione*, lésion
52. *lettura*, lecture
53. *messa*, mise en jeu
54. *morso*, morsure
55. *mozione*, motion
56. (*mungitura*, traite)

57. N**a**scere, *naître*	nacqui	nato
58. •nasc**o**ndere, *cacher*	nascosi	nascosto
59. negl**i**gere, *négliger*		○negletto
60. ○Off**e**ndere, *offenser*	offesi	•offeso
61. ○Percu**o**tere, *perdre*	percossi	percosso
62. •persuad**e**re, *persuader*	persuasi	persuaso
63. ○p**e**rdere, *perdre*	•persi (perdei)	perso (perduto)
64. pi**a**ngere, *pleurer*	piansi	pianto
65. ○p**o**rgere, *présenter*	porsi	porto
66. predil**i**gere, *préférer*	predilessi	prediletto
67. pref**i**ggere, *se proposer*	prefissi	prefitto
68. ○pr**e**ndere, *prendre*	presi [ç]	•preso
69. pres**u**mere, *présumer*	presunsi	presunto
70. ○prot**e**ggere, *protéger*	protessi	protetto
71. p**u**ngere, *piquer*	punsi	punto
72. R**a**dere, *raser*	rasi	raso
73. red**i**mere, *racheter*	redensi	redento
74. rec**i**dere, *trancher*	recisi	reciso
75. ○r**e**ggere, *soutenir*	ressi	retto
76. ○r**e**ndere, *rendre*	resi (rendei)	•reso (renduto)
77. r**i**dere, *rire*	risi	riso
78. rifl**e**ttere, *réfléchir (sens physique)*	riflessi	riflesso
79. rif**u**lgere, *resplendir*	rifulsi	rifulso
80. risp**o**ndere, *répondre*	risposi	risposto
81. •r**o**dere, *ronger*	rosi [ç]	roso
82. •r**o**mpere, *rompre*	ruppi	rotto

57. (*nascita,* naissance)
58. (*nascondiglio,* cachette)
60. •*offesa,* offense
61. *percussione,* percussion
62. *persuasione,* persuasion.
63. (*perdita,* perte)
64. *pianto,* pleur
65. *il porto,* le port
66. *predilezione,* prédilection
67. *prefisso,* prefixe
68. *presa,* prise
69. *presunzione,* présomption
70. *protezione,* protection
71. *punta,* pointe
72. *rasoio,* rasoir
73. *redenzione,* rédemption
74. *recisione,* coupure
75. *rettore,* recteur
76. *resa,* rendement
77. *riso,* rire
78. *riflessione,* réflexion
80. *riposta,* réponse, riposte
81. *erosione,* érosion
82. *rottura,* rupture

83.	°Sc**e**ndere, *descendre*	•scesi	•sceso
84.	sc**i**ndere, *scinder*	scissi	scisso
85.	°sc**o**rgere, *apercevoir*	scorsi	scorto
86.	scr**i**vere, *écrire*	scrissi	scritto
87.	°scu**o**tere, *secouer*	scossi	scosso
88.	°s**o**rgere, *surgir*	sorsi	sorto
89.	sp**a**rgere, *répandre*	sparsi	sparso
90.	°sp**e**ndere, *dépenser*	spesi	•speso
91.	°sp**e**ngere, *éteindre*	spensi	spento
92.	sp**i**ngere, *pousser*	spinsi	spinto
93.	str**u**ggere, *fondre, consumer*	strussi	strutto
94.	°T**e**ndere, *tendre*	tesi [ç]	•teso
95.	°t**e**rgere, *essuyer*	tersi	terso
96.	t**i**ngere, *teindre*	tinsi	tinto
97.	°t**o**rcere, *tordre*	torsi	torto
98.	Ucc**i**dere, *tuer*	uccisi	ucciso
99.	**u**ngere, *oindre*	unsi	unto
100.	V**i**ncere, *vaincre*	vinsi	vinto
101.	°v**o**lgere, *tourner*	volsi	•volto

83. *discesa,* descente
84. *scissione,* scission
85. *scorta,* escorte
86. *scritto,* écrit
87. *scossa,* secousse
88. *sorta,* espèce
89. (*spargimento,* effusion)
90. *spesa,* dépense
92. *spinta,* poussée
93. *lo strutto,* le saindoux
94. *tensione,* tension
96. *tinta,* teinte
97. *torto,* injustice, tort
98. *uccisione,* meurtre
99. *unto,* graisse
100. *la vittoria,* la victoire
101. *una volta,* une fois.

62 Verbes en -ere de la 2e série (voyez § 57)

Nous indiquons, dans la liste ci-après de ces verbes, en caractères romains (c'est-à-dire en lettres (verticales) successivement : l'infinitif, le participe passé et le passé simple (1re personne du singulier); en caractères italiques (lettres penchées), la 1re personne du singulier des autres temps irréguliers : présent de l'indicatif, futur, imparfait. Lorsque l'un de ces temps est régulier, nous avons employé des points de suspension (Voyez, par exemple : *cadere*).

Addure, *alléguer,* addotto. *Adduco*[5], addussi, *addurrò;* imparfait adducevo.
Bere, *boire,* bevuto. *Bevo*[5], bevvi, *berrò;* imparfait : *bevevo*
Cadere, *tomber,* ... ... caddi, *cadrò*
Cogliere, *cueillir,* colto. *Colgo*[4], colsi, ...
Cuocere, *cuire,* cotto. *Cuocio* (régulier), cossi, ...
Dolersi, *se plaindre,* dolutosi (régulier). *Mi dolgo*[3], mi dolsi, *mi dorrò*
Giacere, *gésir,* ... *Giaccio*[1], giacqui, ...
Nuocere, *nuire,* nociuto. *Noccio*[1], nocqui, ...
Parere, *paraître,* parso. *Paio*[1], parvi, *parrò*
Piacere, *plaire,* ... *Piaccio*[1], piacqui, ...
Piovere, *pleuvoir,* ... ..., piovve, ...
Porre, *mettre,* posto. *Pongo*[2], posi, *porrò*
Rimanere, *rester,* rimasto. *Rimango*[2], rimasi, *rimarrò*
Sapere, *savoir,* ... *So*[5], seppi, *saprò*
Scegliere, *choisir,* scelto. *Scelgo*[4], scelsi, ...
Sciogliere, *défaire,* sciolto. *Sciolgo*[4], sciolsi, ...
Spegnere, *éteindre,* spento. *Spengo*[2], spensi, ...
Svellere, *arracher,* svelto. *Svelgo*[4], svelsi, ...
Tacere, *se taire,* taciuto. *Taccio*[1], tacqui, ...
Tenere, *tenir,* .... *Tengo*[3], tenni, *terrò*
Togliere, *ôter,* tolto. *Tolgo*[4], tolsi, *torrò* ou *toglierò*
Trarre, *tirer,* tratto. *Traggo*[4], trassi, *trarrò;* imparfait : *traevo*
Valere, *valoir,* valso. *Valgo*[2], valsi, ... *varrò*
Vedere, *voir,* visto (*ou* veduto). *Vedo*[4], *vidi, vedrò*
Vivere, *vivre,* vissuto. ..., vissi, *vivrò*
Volere, *vouloir,* .... *Voglio*[3], volli, *vorrò*

• Condurre, *conduire,* sedurre, *séduire,* dedurre, *déduire,* ridurre, *réduire,* se conjuguent comme « addurre ».

N. B. 1) Toute irrégularité affectant le futur se retrouve au conditionnel; nous n'indiquons donc pas ce temps.
2) Pour obtenir les six personnes d'un temps à partir de la 1re personne du singulier indiquée dans la liste ci-dessus, recourez au tableau de *credere* (§ 44); pour le passé simple, pensez à notre formule : **1, 3, 3** (§ 61). Cependant :

■ La conjugaison des présents est parfois, délicate. C'est pourquoi les présents de l'indicatif sont donnés en entier. Nous les avons classés, par affinité, en cinq catégories différentes au § 63; le numéro de la catégorie convenable apparaît en exposant après la 1re personne du singulier. Comme vous le savez, l'irrégularité du présent de l'indicatif se retrouve toujours au présent du subjonctif sauf pour *sapere,* savoir.

■ La conjugaison des passés simples est toujours conforme à notre formule **1, 3, 3,** en ceci que l'irrégularité de la 1re personne du singulier se retrouve à la 3e du singulier et à la 3e du pluriel.
Exemple, pour *cadere : caddi, cadde, caddero.* Les autres personnes sont régulières, ainsi que l'imparfait du subjonctif.
Mais, pour six verbes de la liste ci-dessus, la 2e du singulier, la 1re et la 2e du pluriel présentent une particularité qui se retrouve à l'imparfait du subjonctif (Rappel : la 2e du pluriel est commune au passé simple et à l'imparfait du subjonctif; voyez la leçon 34).
Ces six verbes sont les suivants : *addurre, bere, cuocere, nuocere, porre, trarre.* Au § 63, nous avons développé le passé simple de ces six verbes.

63. Développement

■ des présents de l'indicatif et du subjonctif

Les verbes du paragraphe précédent réapparaissent ci-après classés au numéro qui correspond aux chiffres, portés sur la liste, en exposant.

1 **Giacere**
Giaccio, giaci, giace; giacciamo ou *giaciamo, giacete, giacciono* ou *giaciono. Giaccia, giaccia, giaccia; giacciamo, giacciate, giacciano.*

Nuocere
Noccio, nuoci, nuoce; nociamo (ou *nuociamo*), *nocete, nuocciono* (ou *nocciono*). *Noccia, noccia, noccia; nociamo, nociate, nuocciano.*

Parere
Paio, pari, pare; paiamo, parete, paiono. Paia, paia, paia; paiamo, paiate, paiano.
Aussi : pariamo, pariate (formes régulières).

Piacere
Piaccio, piaci, piace; piacciamo, piacete, piacciono. Piaccia, etc.

Tacere
Taccio, taci, tace; taciamo, tacete, tacciono. Taccia, taccia, taccia; taciamo, taciate, tacciano.

2 **Porre**
Pongo, poni, pone; poniamo, ponete, pongono. Ponga, ponga, ponga; poniamo, poniate, pongano.

Rimanere
Rimango, rimani, rimane; rimaniamo, rimanete, rimangono. Rimanga, rimanga, rimanga; rimaniamo, rimaniate, rimangano.

Spegnere
Spengo, spegni, spegne; spegniamo, spegnete, spengono. Spenga, spenga, spenga; spegniamo, spegniate, spengano.

Valere
Valgo, vali, vale; valiamo, valete, valgono. Valga, valga, valga; valiamo, valiate, valgano.

3 **Dolersi**
Mi dolgo, ti duoli, si duole; ci dogliamo, vi dolete, si dolgono. Mi dolga, ti dolga, si dolga; ci dogliamo, vi dogliate, si dolgano.

Tenere
Tengo, tieni, tiene; teniamo, tenete, tengono. Tenga, tenga, tenga; teniamo, teniate, tengano.

Volere
Voglio, vuoi, vuole; vogliamo, volete, vogliono. Voglia, voglia, voglia; vogliamo, voliate, vogliano.

4 **Cogliere**
Colgo, cogli, coglie; cogliamo, cogliete, colgono. Colga, colga, colga; cogliamo, cogliate, colgano.

Scegliere
Scelgo, scegli, sceglie; scegliamo, scegliete, scelgono. Scelga, scelga, scelga; scegliamo, scegliate, scelgano.

Sciogliere
Sciolgo, sciogli, scioglie; sciogliamo, sciogliete, sciolgono. Sciolga, sciolga, sciolga; sciogliamo, sciogliate, sciolgano.

Svellere
Svelgo, svelli, svelle; svelgiamo (ou *svelliamo*), *svelgete* (ou *svellete*), *svelgono. Svelga,* etc.

Togliere
Tolgo, togli, toglie; togliamo, togliete, tolgono. Tolga, etc.

Trarre
Traggo, trai, trae; tragghiamo, traete, traggono. Tragga, etc.

Vedere
Vedo, vedi, vede; vediamo, vedete, vedono. Veda, etc.

5 **Addurre**
Adduco, adduci, adduce; adduciamo, adducete, adducono. Adduca, etc.

Bere
Bevo, bevi, beve; beviamo, bevete, bevono. Beva, etc.

Sapere
So, sai, sa; sappiamo, sapete, sanno. Sappia, sappia, sappia; sappiamo, sappiate, sappiano. Impératif, tutoiement singulier : *sappi* (§ 49).

■ des passés simples
Voyez le § 62, dernière ligne

Addure
Addussi, adducesti, addusse; adducemmo, adduceste, addussero.

Bere
Bevvi, bevesti, bevve; bevemmo, beveste, bevvero.

Cuocere
Cossi, cocesti, cosse; cocemmo, coceste, cossero.

Nuocere
Nocqui, nocesti, nocque; nocemmo, noceste, nocquero.

Porre
Posi, ponesti, pose; ponemmo, poneste, posero.

Trarre
Trassi, traesti, trasse; traemmo, traeste, trassero.

64. Verbes en -ere de la 3e série (voyez § 57)

Dovere, *devoir.* D**e**vo (ou debbo), devi, deve; dobbi**a**mo, dovete, d**e**bbono. Debba, *etc...*

Empire, autre forme de « **e**mpìere », est régulier.

Sedere, *asseoir.* Si**e**do (*ou* seggo), siedi, siede; sedi**a**mo, sedete, si**e**dono (*ou* s**e**ggono). Sieda, sieda, sieda; sediamo, sediate, siedano; *ou :* segga, segga, segga; sediamo, sediate, seggano.

Solere, *avoir coutume de.* S**o**glio, su**o**li, suole; sogli**a**mo, solete, s**o**gliono. Soglia, soglia, soglia; sogliamo, sogliate, sogliano. Part. passé : *s**o**lito.*

Potere, *pouvoir.* P**o**sso, pu**o**i, può; possiamo, potete, p**o**ssono. Possa, possa, possa; possiamo, possiate, possano.
Futur : potrò, *etc...*

65. DIRE, dire : *dicente, dicendo, detto*

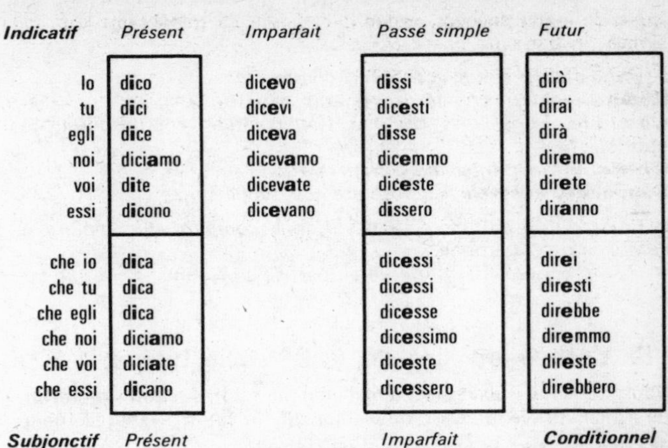

Indicatif	*Présent*	*Imparfait*	*Passé simple*	*Futur*
Io	dico	dicevo	dissi	dirò
tu	dici	dicevi	dicesti	dirai
egli	dice	diceva	disse	dirà
noi	diciamo	dicevamo	dicemmo	diremo
voi	dite	dicevate	diceste	direte
essi	dicono	dicevano	dissero	diranno

Subjonctif	*Présent*	*Imparfait*	*Conditionnel*
che io	dica	dicessi	direi
che tu	dica	dicessi	diresti
che egli	dica	dicesse	direbbe
che noi	diciamo	dicessimo	diremmo
che voi	diciate	diceste	direste
che essi	dicano	dicessero	direbbero

66. FARE, faire : *facente, facendo, fatto*

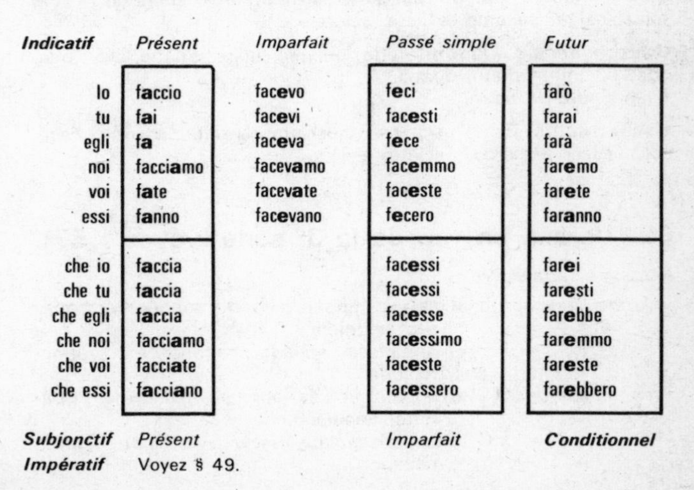

Indicatif	*Présent*	*Imparfait*	*Passé simple*	*Futur*
Io	faccio	facevo	feci	farò
tu	fai	facevi	facesti	farai
egli	fa	faceva	fece	farà
noi	facciamo	facevamo	facemmo	faremo
voi	fate	facevate	faceste	farete
essi	fanno	facevano	fecero	faranno

Subjonctif	*Présent*	*Imparfait*	*Conditionnel*
che io	faccia	facessi	farei
che tu	faccia	facessi	faresti
che egli	faccia	facesse	farebbe
che noi	facciamo	facessimo	faremmo
che voi	facciate	faceste	fareste
che essi	facciano	facessero	farebbero

Impératif Voyez § 49.

67. Verbes en -ire de la 1re série (voyez § 57)

Nous donnons successivement : l'infinitif, sa traduction; le passé simple, le participe passé.

Aprire, *ouvrir;* apersi (*ou* aprii), aperto.
Coprire, *couvrir;* copersi (*ou* coprii), coperto.
Costruire, *construire;* costrussi (*ou* costruii), costrutto (*ou* costruito).
Offrire, *offrir;* offersi (*ou* offrii), offerto.
Seppellire, *ensevelir;* ... sepolto (*ou* seppellito).

- *Compire* = *c**o**mpiere,* achever font *compito* et *compiuto* et *compiendo* au gérondif.
- *Patire,* endurer fait *paziente* au participe présent.

68. Verbes en -ire de la 2e série (voyez § 57)

Nous donnons successivement l'infinitif, sa traduction; le présent de l'indicatif, le présent du subjonctif, le futur, éventuellement.

Morire, *mourir.* Mu**o**io, muori, muore; mori**a**mo, morite, mu**o**iono. Mu**o**ia, muoia, muoia; mori**a**mo, moriate, mu**o**iano.
Futur : morrò *ou* morirò

Salire, *monter.* S**a**lgo, sali, sale; saliamo, salite, s**a**lgono. Salga, salga, salga; saliamo, saliate, salgono.

Udire, *entendre.* Odo, odi, ode; udiamo, udite, **o**dono. Oda, oda, oda; udiamo, udiate, odano.
Futur : udrò *ou* udirò.

Uscire, *sortir.* **E**sco, esci, esce; usci**a**mo, uscite, **e**scono. Esca, esca; esca; usciamo, usciate, escano.

69. Verbes en -ire de la 3e série (voyez § 57).

Apparire, *apparaître*

Prés. de l'indicatif :	a)	app**a**io, appari, appare; appari**a**mo, appa**r**ite, app**a**iono.
	b)	appar**i**sco, apparisci, apparisce; ... appa**r**iscono.
Prés. du subjonctif :	a)	app**a**ia, appaia, appaia; appari**a**mo, appar**ia**te, app**a**iano.
	b)	apparisca, apparisca, apparisca; ... appariscano.

Passé simple : apparvi (ou apparii).
Participe passé : apparso.

Assalire, *assaillir*

Prés. de l'indicatif : a) assalgo, assali, assale; assaliamo, assalite, assalgono.
b) assalisco, assalisci, assalisce; ... assaliscono.

Prés. du subjonctif : a) assalga, assalga, assalga; assaliamo, assaliate, assalgano.
b) assalisca, assalisca, assalisca; ... assaliscano.

Passé simple : assalsi (ou assalii).

70. VENIRE, venir, *veniente (venente), venendo, venuto.*

Indicatif	*Présent*	*Imparfait*	*Passé simple*	*Futur*
Io	v**e**ngo	ven**i**vo	v**e**nni	verrò
tu	vi**e**ni	ven**i**vi	ven**i**sti	verrai
egli	vi**e**ne	ven**i**va	v**e**nne	verrà
noi	veni**a**mo	veniv**a**mo	ven**i**mmo	verr**e**mo
voi	ven**i**te	veniv**a**te	ven**i**ste	verr**e**te
essi	v**e**ngono	ven**i**vano	v**e**nnero	verr**a**nno

Subjonctif	*Présent*	*Imparfait*	*Cond. Prés.*
che io	v**e**nga	ven**i**ssi	verr**e**i
che tu	v**e**nga	venn**i**ssi	verr**e**sti
che egli	v**e**nga	ven**i**sse	verr**e**bbe
che noi	veni**a**mo	ven**i**ssimo	verr**e**mmo
che voi	veni**a**te	ven**i**ste	verr**e**ste
che essi	v**e**ngano	ven**i**ssero	verr**e**bbero

TABLE DES MATIÈRES DU MÉMENTO

Les numéros renvoient aux articles 1 à 70

INDEX GRAMMATICAL

Les chiffres en caractères romains (droits) renvoient aux articles du mémento; les chiffres en caractères italiques renvoient aux numéros des leçons.

Index des sujets
(les chiffres renvoient aux pages)

IMPRIMÉ EN FRANCE PAR BRODARD ET TAUPIN
Usine de La Flèche (Sarthe).
LIBRAIRIE GÉNÉRALE FRANÇAISE - 6, rue Pierre-Sarrazin - 75006 Paris.
ISBN : 2 - 253 - 00782 - X
30/2684/6